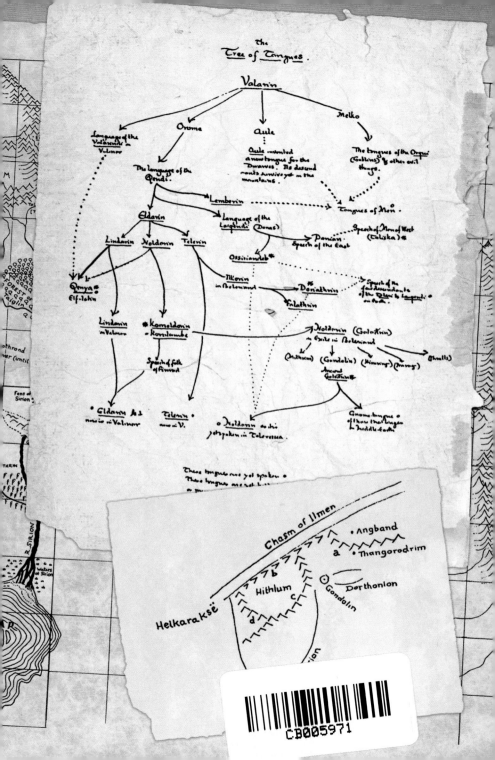

A HISTÓRIA
DA TERRA-MÉDIA
—— III ——
AS BALADAS
DE BELERIAND

J.R.R. TOLKIEN

A HISTÓRIA DA TERRA-MÉDIA

III

AS BALADAS DE BELERIAND

Editado por CHRISTOPHER TOLKIEN

Tradução de
EDUARDO BOHEME
REINALDO JOSÉ LOPES
RONALD KYRMSE

Rio de Janeiro, 2023

Título original: *The Lays of Beleriand*
Copyright© The Tolkien Estate Limited e C.R. Tolkien, 1985
Comentário de C.S. Lewis sobre *The Lay of Leithian* © C.S. Lewis Pte. Ltda.
Edição original por HarperCollins *Publishers*. Todos os direitos reservados.
Copyright de tradução© Casa dos Livros Editora LTDA., 2023

Esta edição é baseada na edição revisada publicada pela primeira vez em 2015.

Os pontos de vista desta obra são de responsabilidade de seus autores, não refletindo
necessariamente a posição da HarperCollins Brasil, da HarperCollins *Publishers* ou
de sua equipe editorial.

⊛® e TOLKIEN® são marcas registradas da The Tolkien Estate Limited.

Publisher	*Samuel Coto*
Editora	*Brunna Prado*
Assistente editorial	*Camila Reis*
Estagiárias editoriais	*Bruna Cavalieri, Giovanna Staggmeier e Renata Litz*
Produção gráfica	*Lúcio Nöthlich Pimentel*
Preparação de texto	*Jaqueline Lopes*
Revisão	*Gabriel Oliva Brum e Letícia Oliveira*
Diagramação	*Sonia Peticov*
Capa	*Alexandre Azevedo*

Catalogação na Publicação (CIP)
(BENITEZ Catalogação Ass. Editorial, MS, Brasil)

T589f Tolkien, J.R.R.(John Ronald Reuel), 1892-1973
1. ed.   As Baladas de Beleriand / J.R.R. Tolkien; tradução Eduardo
Boheme, Reinaldo Lopes de Azevedo. – 1. ed. – Rio de Janeiro: Harper
Collins Brasil, 2023. – (A História da Terra-média 3)
624 p.; 13,5 x 20,8 cm.

Título original: *The Lays of Beleriand.*
ISBN: 978-65-5511-460-7

1. Ficção inglesa. 2. Tolkien, J.R.R. I. Boheme, Eduardo. II. Azevedo,
Reinaldo Lopes de. III. Título. IV. Série.

04-2023/70   CDD: 823

Índice para catálogo sistemático:
1. Ficção: Literatura inglesa   823

Bibliotecária: Aline Graziele Benitez CRB-1/3129

HarperCollins Brasil é uma marca licenciada à Casa dos Livros Editora LTDA.
Todos os direitos reservados à Casa dos Livros Editora LTDA.
Rua da Quitanda, 86, sala 218 — Centro
Rio de Janeiro — RJ — CEP 20091-005
Tel.: (21) 3175-1030
www.harpercollins.com.br

Sumário

Prefácio	7

1. *A Balada dos Filhos de Húrin* — 11
Túrin, Filho de Húrin & Glórund, o Dragão — 15
    I. Túrin Adotado — 18
    II. Beleg — 42
    III. Failivrin — 73
A Segunda Versão de *Os Filhos De Húrin* — 117
    I. Os Filhos De Húrin — 119
    II. Túrin Adotado — 128

2. Poemas Abandonados no Início — 159
    (i) *A Fuga dos Noldoli* — 159
    (ii) Fragmento de uma *Balada de Eärendel* aliterante — 171
    (iii) *A Balada da Queda de Gondolin* — 176

3. *A Balada de Leithian* — 183
Canto
    I. (De Thingol) — 189
    II. A traição de Gorlim e a vingança de Beren — 196
    III. Encontro de Beren com Lúthien — 207
    IV. Beren antes de Thingol — 220
    V. Cativeiro de Lúthien em Doriath — 237
    VI. Beren em Nargothrond — 250

VII.	Beren e Felagund antes de Thû	266
VIII.	Lúthien em Nargothrond	278
IX.	A derrota de Thû	293
X.	O ataque de Celegorm e Curufin	306
XI.	O disfarce de Beren e Lúthien e a viagem para Angband	324
XII.	Fingolfin e Morgoth; o encontro com Carcharoth	335
XIII.	Beren e Lúthien em Angband	345
XIV.	Fuga de Angband	359
	Os Cantos Não Escritos	360
	Apêndice: Comentário de C.S. Lewis	369

4. *A Balada de Leithian* Recomeçada   386

A Balada de Leithian   387

Nota sobre o envio original de *A Balada de Leithian* e de *O Silmarillion* em 1937   423

Glossário de Palavras e Significados Obsoletos, Arcaicos e Raros   429

Índice Remissivo   433

Poemas Originais   451

PREFÁCIO

Esta terceira parte de *A História da Terra-média* contém os dois principais poemas de J.R.R. Tolkien que versam sobre as lendas dos Dias Antigos: a *Balada dos Filhos de Húrin*, em versos aliterantes, e a *Balada de Leithian*, em dísticos octossilábicos.[*] O poema aliterante foi escrito quando meu pai era professor da Universidade de Leeds (1920–25); ele o abandonou para começar a escrever a *Balada de Leithian* no fim desse período e nunca mais voltou a trabalhar nele. Não encontrei nenhuma referência à obra em nenhuma carta ou outro texto dele que tenha sobrevivido (com exceção das poucas palavras citadas na p. 11), e não me recordo de ouvi-lo falar do poema alguma vez. Mas esse projeto, o qual, embora se estenda por mais de 2.000 versos, é apenas um fragmento do que ele chegou a planejar, é o exemplo mais acabado do amor permanente que ele sentia pela ressonância e riqueza sonora que podem ser alcançadas pela antiga métrica inglesa. O poema marca também um estágio importante na evolução da Matéria dos Dias Antigos e contém passagens que iluminam com grande clareza a maneira como ele imaginou Beleriand; foi nessa obra, por exemplo, que o grande baluarte de Nargothrond surgiu a partir das cavernas primitivas dos Rodothlim nos *Contos Perdidos*, e também é só nela que se encontra uma descrição de Nargothrond. Existem duas versões do texto, a segunda delas correspondendo a uma revisão e ampliação que avança muito menos na narrativa, e ambas são apresentadas neste livro.

Meu pai trabalhou na *Balada de Leithian* durante seis anos, abandonando-a, por sua vez, em setembro de 1931. Em 1929, C.S. Lewis leu o poema até o ponto que a narrativa tinha alcançado

---

[*] Ou seja, versos de oito sílabas formando pares rimados. [N.T.]

PREFÁCIO

então e enviou a meu pai um comentário extremamente engenhoso sobre parte dele; agradeço a permissão do C.S. Lewis PTE Limited para que eu o incluísse aqui.

Em 1937, ele disse em uma carta que, "apesar das virtudes de algumas passagens", a *Balada de Leithian* tinha "defeitos graves" (ver a p. 426). Uma década ou mais depois, meu pai recebeu uma crítica detalhada e surpreendentemente franca do poema, escrita por alguém que conhecia e admirava seu estilo poético. Não tenho certeza de quem era essa pessoa. Ao escolher "os dísticos octossilábicos, característicos dos romances medievais", escreveu o missivista, meu pai tinha optado por uma das formas poéticas mais difíceis "quando se pretende evitar a monotonia e o ritmo 'cantado' em um poema muito extenso. Em vários casos, fiquei impressionado com o seu êxito, mas ele não se mantém de forma consistente". O rigor adotado no estilo da Balada incluía arcaísmos tão arcaicos que precisavam de notas, ordem sintática distorcida, uso dos verbos auxiliares enfáticos *doth* e *did* onde não há ênfase real* e uma linguagem que é, por vezes, tediosa e convencional (e que contrasta com passagens de "belíssimas descrições"). Não há registro sobre o que meu pai achou dessas críticas (escritas quando *O Senhor dos Anéis* já tinha sido concluído), mas deve haver alguma associação entre ela e o fato de que, em 1949 ou 1950, ele voltou à *Balada de Leithian* e começou a fazer uma revisão que logo se transformou virtualmente num novo poema; e, embora tenha escrito relativamente pouco dele, os avanços em relação à versão antiga, em todos os aspectos em que ela fora criticada, é tão grande que o texto adquire uma triste proeminência na longa lista das obras dele que poderiam ter sido terminadas. A nova Balada está incluída neste livro, e uma página de um belo manuscrito do poema foi reproduzida no frontispício.

As seções de ambos os poemas são entremeadas por comentários cuja principal preocupação é acompanhar como evoluem as lendas e as terras nas quais as histórias se passam.

---

* Em inglês, em vez de conjugar o verbo no passado — *Lúthien ran* ("Lúthien correu"), por exemplo — é possível usar a forma *Lúthien did run*, com o verbo mantendo as características do infinitivo e, em geral, com sentido de ênfase. O uso do *doth* é semelhante, mas na terceira pessoa do presente. [N.T.]

As duas páginas da *Balada dos Filhos de Húrin* reproduzidas nas folhas de guarda são do manuscrito original da primeira versão, versos 297–317 e 318–33. Quanto às diferenças entre as variantes desse manuscrito e as do texto publicado, ver pp. 12–4. A página da *Balada de Leithian* em caracteres élficos (p. 351) vem da versão "A" da Balada original (ver pp. 183–84), e há certas diferenças entre esse texto e a versão "B", a publicada aqui. Essas páginas dos manuscritos originais foram reproduzidas com permissão da Biblioteca Bodleiana, em Oxford, e agradeço à equipe do Departamento de Manuscritos Ocidentais da biblioteca por sua ajuda.

Os dois volumes anteriores da série (a primeira e segunda partes de *O Livro dos Contos Perdidos*) serão citados como "I" e "II". O quarto volume conterá o "Esboço da Mitologia" (1926), o qual deriva a "tradição" do *Silmarillion*; o *Quenta Noldorinwa* ou História dos Noldoli (1930); o primeiro mapa do Noroeste da Terra-média; a *Ambarkanta* ("Forma do Mundo"), escrita por Rúmil, junto com os únicos mapas existentes do Mundo inteiro; a mais antiga versão dos *Anais de Valinor* e dos *Anais de Beleriand*, escritos por Pengolod, o Sábio de Gondolin; e os fragmentos de traduções do *Quenta* e dos *Anais* do élfico para o anglo-saxão, de autoria de Ælfwine da Inglaterra.

1

A BALADA DOS FILHOS DE HÚRIN

Existe um manuscrito de tamanho substancial (com 28 páginas) com o título "Esboço da Mitologia, com especial referência aos 'Filhos de Húrin'"; e esse "Esboço" é a narrativa completa que sucede, na tradição em prosa, aos *Contos Perdidos* (embora alguns poucos fragmentos textuais da época intermediária ainda sobrevivam). No envelope que continha esse manuscrito, meu pai escreveu em algum momento posterior:

O "Silmarillion" original. Forma orig[inalmente] composta c. 1926–1930 para R.W. Reynolds para explicar pano de fundo da "versão aliterante" de Túrin e o Dragão: na época em andamento (inacabada) (começada c. 1918).

Ele parece ter escrito primeiro "1921" antes de corrigir a data para "1918".

R.W. Reynolds foi professor do meu pai na King Edward's School, em Birmingham (ver Humphrey Carpenter, *Biografia*, p. 69). Numa passagem de seu diário escrita em agosto de 1926, ele escreveu que "no fim do ano passado" tinha tido notícias de Reynolds mais uma vez, que passaram a se corresponder depois disso e que enviara ao antigo professor muitos de seus poemas, incluindo *Tinúviel* e *Túrin* ("*Tinúviel* recebeu aprovação com reservas, é prolixo demais, mas não faço ideia de como cortá-lo, e o trecho de *Túrin* que mandei teve pouca ou nenhuma aceitação"). Isso permitiria estabelecer que a data da composição original do "Esboço" (mais tarde, ele passou por muitas revisões) é a de 1926, provavelmente mais para o começo do ano. O texto em prosa, que foi escrito para explicar o pano de fundo do poema aliterante, deve ter seguido junto com o trecho de *Túrin* para Anacapri,* onde Reynolds, na época, estava passando sua aposentadoria.

Meu pai assumiu o cargo de Professor de Anglo-Saxão em Oxford no trimestre de inverno (outubro-dezembro) de 1925, ainda que, nesse período, tivesse de continuar a dar aulas em Leeds também, porque havia uma sobreposição entre os contratos de trabalho. Não há dúvida alguma, de qualquer modo, de que a maior parte do poema aliterante Filhos de *Húrin* (ou *Túrin*) foi escrita em Leeds, e creio que é virtualmente certo que ele deixou de trabalhar na obra antes de se mudar para o sul da Inglaterra: de fato, não parece haver nada que contradiga a hipótese natural de que ele deixou "Túrin" de lado para escrever "Tinúviel" (*A Balada de Leithian*), que ele começou a compor, de acordo com seu diário, no verão de 1925 (ver p. 194 e a primeira nota de rodapé).

Quanto à data desse início, temos apenas a afirmação tardia (e talvez hesitante) de meu pai de que a versão poética foi "começada c. 1918". O *terminus* a quo† pode ser estabelecido com base numa página do mais antigo manuscrito do poema, a qual corresponde a um pedaço de papel do Oxford English Dictionary com um carimbo da editora, que diz Maio de 1918. Por outro lado, o nome Melian, que ocorre perto do início desse manuscrito mais antigo, mostra que ele é posterior à versão datilografada do Conto de Tinúviel, onde o nome da Rainha era *Gwenethlin* e só passou a ser *Melian* ao longo da escrita do texto (II. 67–8); e a versão manuscrita desse Conto, que serviu de base para a forma escrita a máquina, parece ter sido, ela própria, um dos últimos elementos dos Contos Perdidos a ser completado (ver I. 246).

Existem duas versões de *Os Filhos de Húrin*, às quais vou me referir como I e II, ambas preservadas em manuscrito e textos datilografados posteriores (IA, IB; IIA, IIB). Não creio que a segunda versão seja significativamente posterior à primeira; de fato, é possível, e não seria fora do comum de forma alguma, que meu pai tenha começado a trabalhar no texto II enquanto ainda estava escrevendo os versos de um ponto posterior da narrativa no texto I. A versão II é essencialmente uma expansão da I, com muitos versos e estrofes

---

* No sul da Itália. [N.T.]
† Ou seja, a data mais antiga possível para um evento. [N.T.]

que ficaram virtualmente inalterados. Até que se chegue à segunda versão, bastará nos referirmos simplesmente a "A" e "B", o manuscrito e o texto datilografado da primeira versão.

O manuscrito A consiste em duas partes: primeiro (a) um maço de pedaços de papel pequenos, com numeração de 1 a 32. Neles, o poema se encontra num estado muito rudimentar, com muitas variantes e, em certos lugares, pelo menos, os versos podem representar os inícios propriamente ditos, as primeiras palavras postas no papel. Depois disso temos (b) um conjunto de folhas grandes de papel de prova da Universidade de Leeds, com números de 33 em diante, onde o poema, na maior parte dos casos, está escrito de forma mais finalizada — o segundo estágio da composição; mas meu pai inseriu uma numeração de versos de forma contínua desde (a) até (b). Os versos de 1 a 528 estão em (a), os de número 528 em diante, em (b). Assim, temos um único texto, não dois, sem qualquer sobreposição; e se (a), os pedaços de papel, chegaram a existir na forma de (b), as folhas de prova, esse trecho acabou desaparecendo. Na parte (b) há muitas emendas posteriores a lápis.

O texto datilografado B se baseia nesse manuscrito. Ele introduz mudanças que não aparecem em A ou nas emendas a ele e também recebeu suas próprias emendas, tanto a caneta quanto a lápis, que ocorreram, sem dúvida, em vários momentos de revisão. Tomemos um único verso como exemplo. O verso 8 foi escrito originalmente em A com esta forma:

Sus! Thalion nas trampas   da batalha mais dura*

O verso recebeu emendas em dois estágios, passando a ser

Sus! Thalion Húrin   nas trampas do combate†

e essa ficou sendo a forma no texto B quando foi datilografado; mas essa versão recebeu mais emendas em dois estágios, ficando então

Sus! Húrin Thalion   nas hostes de guerra‡

---

* *Lo! Thalion in the throng   of thickest battle*
† *Lo! Thalion Húrin   in the throng of battle*
‡ *Lo! Húrin Thalion   in the hosts of war*

É óbvio que acompanhar esse e muitos outros casos similares em um aparato textual seria um esforço enorme, com um resultado impossivelmente complicado. O texto que se segue aqui, portanto, no que diz respeito às mudanças puramente métrico-estilísticas, é o de B na forma *com emendas*, e, com exceção de alguns poucos casos especiais, as notas não mencionam as variantes mais antigas.

Quanto aos nomes, entretanto, o poema apresenta grandes dificuldades, pois as mudanças foram feitas em momentos bem diferentes e não foram introduzidas de forma consistente em todos os versos. Se a forma mais recente em determinada passagem for tomada como princípio das escolhas editoriais, sem levar em conta nenhuma outra consideração, então o texto trará o nome *Morwin* nos versos 105, 129, *Mavwin* no verso 137 etc., *Morwen* nos versos 438 e 472; Ulmo no verso 1469, mas *Ylmir* no 1529 e seguintes; *Nirnaith Ornoth* no verso 1448, mas *Nirnaith Únoth* no 1543. Se a forma *Nirnaith Ornoth*, mais tardia, for adotada em 1543, parece pouco justificável inseri-la nos versos 13 e 218 (onde a forma final é *Nínin Unothradin*). No fim das contas, decidi abandonar a consistência geral e empregar os nomes individuais da maneira que parecer melhor em cada circunstância. Por exemplo, uso *Ylmir* em vez de Ulmo no verso 1469, para manter a consistência com todas as outras ocorrências, e, embora altere *Únoth* para *Ornoth* no verso 1543, mantenho Ornoth em vez da forma muito mais tardia *Arnediad* no verso 26 da segunda versão. Da mesma forma, prefiro o mais antigo *Finweg* em vez de *Fingon* (verso 1975, na segunda versão os de número 19, 520) e *Bansil, Glingol* em vez de *Belthil, Glingal* (versos 2027–028). Todos esses detalhes estão documentados nas notas.

O texto A não tem título. Em B, o título foi escrito a máquina inicialmente como O Dragão Dourado, mas emendado para *Túrin, Filho de Húrin & Glórund, o Dragão*. A segunda versão do poema recebeu, de início, o título de *Túrin*, que foi alterado para Os Filhos de *Húrin*, e é esse título, que meu pai usou para se referir ao poema no "Esboço" de 1926, que adoto como o nome geral da obra.

O poema, em sua primeira versão, está dividido em um prólogo curto (Húrin e Morgoth) sem subtítulos e três seções longas, das quais as duas primeiras ("Túrin Adotado" e "Beleg") só foram introduzidas mais tarde no texto datilografado; a terceira

("Failivrin") está marcada tanto em A quanto no texto B quando ele foi transcrito a máquina.

Os detalhes do texto datilografado estão preservados, em larga medida, nas páginas a seguir, mas as letras maiúsculas são usadas de forma bem mais padronizada, acentos foram acrescentados ocasionalmente e também aumentei o número de intervalos no texto. O espaço entre os hemistíquios* está marcado na segunda parte do texto A e começa no verso 543 no B.

Evitei o uso de notas numeradas no texto, e todas as anotações são feitas com base no número do verso do poema. Essas notas (que, em medida muito grande, têm a ver com a variação de nomes e a comparação deles com as designações nos *Contos Perdidos*) encontram-se no fim de cada uma das três partes principais, seguidas por um comentário sobre a matéria abordada em cada parte.

Nesses comentários, a expressão "o Conto" se refere ao *Conto de Turambar e o Foalókë* (II. 90 e seguintes); *Narn* se refere ao *Narn i Hîn Húrin* em *Contos Inacabados*, p. 87 e seguintes.

෪

TÚRIN, FILHO DE HÚRIN
&
GLÓRUND, O DRAGÃO

Sus! o draco d'ouro   do Deus do Inferno,
a treva das matas   no mundo de outrora,
desgraças dos Homens   e agruras dos Elfos
fenecendo sós   nas sendas dos bosques
5   é o que se narra agora,   e o nome tão sofrido
de Níniel pesarosa,   e os nomes tão tristes
de Thalion e Túrin,   que o destino tragou.

Sus! Húrin Thalion   nas hostes de guerra
soçobrara então, quando   a branca armada
10   da Élfica Terra   toda se abateu
pela crueldade   de Delu-Morgoth.

---

* O "respiro" ou espaço entre a primeira e a segunda metade do verso, obrigatório na métrica tradicional em inglês antigo. [N.T.]

A BALADA DOS FILHOS DE HÚRIN

A essa batalha   todos inda chamam
Nínin Unothradin,   Sem-Número de Lágrimas.
Lá os filhos dos Homens,   alferes e guerreiros,
15   fugiram sem lutar,   mas à gente dos Elfos
traíram, infiéis,   salvo um homem só,
Thalion Erithámrod   e seus thains qual deuses.
Lá hostes e mais hostes   dos Orques infernais
venceram-no enfim   na acerba peleja,
20   a mando de Melko   suas mãos ataram,
prendendo o príncipe   do povo dos Homens.
Aos salões de Bauglir   nas colinas cavados,
aos Infernos de Ferro   e às fortes cavernas
de rastos levaram   de Hithlum o herói,
25   Thalion Erithámrod,   ao trono do monstro,
cujo peito ardia   em repulsa amarga,
pois irado estava   que o arado da guerra
não abatera Turgon,   altivo rei,
de Finweg herdeiro;   nem de Fëanor a gente,
30   autores de mágicas   e imortais gemas.
Pois Turgon, qual torre,   em atroz fúria,
a fio de espada   fez seu caminho,
da matança saindo —   sim, atalho claro
nas hostes ínferas,   feito alta relva
35   que afunda ao chão   aonde a foice vai.
Incontáveis soldados   Turgon levou
por valões escuros   e colinas agrestes
pra longe do imigo,   e não mais se ouve
dele neste canto;   a dúvida plantou
40   em Morgoth, o mau,   inflamado de ira.
Espias não valiam   nem espíritos maus,
nem astúcia matreira   notícia lhe dava
de onde se escondiam   os duros Gnomos.
Ocorreu-lhe então,   com Thalion à frente,
45   preso, mas intrépido,   na preta masmorra,
na mente maligna   a memória de como
julgam os Elfos ser   a gente dos Homens
frágil e sem força;   como a perfídia apenas
venceria o feitiço   que a todos cobria
50   dos filhos de Corthûn,   e o troféu lhe negava.

"Denodado Húrin",   disse Delu-Morgoth,
"de mãos de aço,   então achas-te aqui,
um cativo vivente,   covarde como tantos?
Sabes meu nome,   ou quiçá perguntas
55   que esperança tem   quem está em Angband —
mais amarga das mortes,   tormento de Balrogs?"

"Sei teu nome e o odeio.   Fundei nisso a luta,
sem peias por medo,   nem temor tenho agora",
disse Thalion então,   e um thain de Morgoth
60   na boca lhe feriu;   mas sorriu Morgoth:
"Que te chegue o temor   quando a chama acender
e os açoites dos Balrogs   sussurrem em tua carne.
Mas ainda vejo para ti   uma via de escape,
de modo que tenhas algo menos   de opróbrio.
65   Indaga aos cativos   da maldita gente
se notícias têm   de onde Turgon se esconde;
como posso achá-lo   com chamas e morte,
em que terra estranha   encontrá-lo eu vou.
Fingirás amizade,   que no pesar é fiel,
70   e o âmago deles   hás de devassar.
Se assim procederes,   tuas cadeias triplas
mandarei desatar,   e por toda parte
serás meu escravo   nos locais secretos,
a mão oculta   do inimigo dos Deuses."

75   "Basta de sonhos,   ó Bauglir mofino —
não sou brinquedo   nas chicanas tuas;
o tormento é mais doce   que uma mancha assim."

"Se é doce o tormento,   mais amado é o ouro.
A fortuna de tantas   e tantas eras,
80   as gemas e joias   que ajuntam os Deuses,
são minhas,   e muito de mim hás de ter,
glórias que saciam até   a Serpe Avara."

"Teu siso não te avisa   quando vês imigo,
Ó Bauglir maldito?   Da boca arranca
85   a bravata tola   de tuas vis rapinas.
Ódio tenho a ti,   tuas ordens desprezo."

"Com arrojo me enfrentas.   Faço tua vontade",
disse Morgoth, rindo,   "a mim cabe agir,
não quero tua ajuda;   mas não clames irado
90   se o que vês não agrada.   Sim, agora olha
sem poder intervir   ou mover um só dedo."

Assim Thalion ataram   às Thangorodrim,
a montanha que toca   o topo dos céus
no alto dos cerros   que os de Hithlum veem
95   assomando negros   nas marchas do norte.
Ao assento de pedra   no excelso pico
prenderam-no com correntes,   cadeias inquebráveis,
e o Senhor dos Horrores   rindo ali ficou,
e enfim o maldisse,   a seus filhos e gente,
100   a um futuro de horror,   de tortura e morte.
O valente ali ficou,   ao léu e imóvel;
mas o olhar lhe foi dado,   e longe via,
pelo encanto em seus olhos,   as coisas que então
seu povo sofreu —   opróbrio e tormento.[A]

I

TÚRIN ADOTADO

105   Sus! Morwin, então,   na Terra das Sombras,
na mata esperava   seu amado e senhor;
mas Húrin não voltou   da batalha jamais.
Notícias não tinha   se o mataram ou prenderam,
ou se perdido em fuga   andava ao léu.
110   Nas terras devastadas,   matavam seus vassalos,
e homens sem memória   de seu magno governo
vinham a Dorlómin,   com desleixo mesquinho
tratavam sua viúva;   e ainda estava grávida,
com o filho a seu lado,   falto de pai,
115   Túrin Thaliodrin   de tenros anos.
Em tais dias de trevas   teve a menina,
deu-lhe o nome de Nienor,   um nome de pranto
que na língua de antanho   Lástima se diz.
Morwin, então,   o rei Thingol recordou,
120   e a que dança em Doriath,   a brandura de Lúthien,

que o mais bravo dos bravos,   Beren Ermabwed,
fizera sua esposa.   Sem par entre os guerreiros,
fora amigo firme   do irmão de armas,
Thalion Erithámrod —   veio-lhe então a ideia
125 e disse ela ao filho,   "Mais doce criança,
poucos são os amigos,   e teu pai não volta.
Aparta-te daqui,   busca o povo dos bosques,
onde Thingol tem mando   nas Mil Cavernas.
Se ele recorda Morwin   e teu magno pai,
130 a ti vai adotar,   e o estrondo das armas,
a espada e o escudo,   pode te ensinar,
e de Thalion o filho   cativo não será —
mas recorda tua mãe,   e cresce em paz."

Grande era o peso no peito   do menino,
135 mas mediu as palavras,   as dores ocultou,
submisso a Morwin,   o caminho aceito.
Sus! Empregados ela tinha,   Gumlin e Halog,
jovens antes do tempo   em que Thalion fora jovem,
únicos fâmulos   daquele homem valente
140 que em indelével serviço   a seu lado ficaram:
mandou-os enfrentar   as montanhas negras,
as matas e meandros,   caminhos malignos;
Terno era Túrin,   trampas nunca vira,
mas tinham de partir;   contentes não estavam,
145 e Morwin gemeu   quando mais ninguém via.

Veio um dia quente,   quando o cálido Sol
de rastos passava   pelas ramas das árvores.
Então Morwin, ereta,   seu medo oculto,
foi até o portão,   postou-se na clareira.
150 A pequena (ainda mamava)   no colo trazia;
encostou-se no poste,   apoio contra a angústia.
Gumlin era o guia   do guapo menino,
Halog carregava   uma grande bagagem;
mas no peito de Túrin   uma pedra pesava,
155 pouco entendia   da desdita vindoura.
Buscou conforto,   com força dizendo:
"Para aqui volto logo   da corte de Thingol;

A BALADA DOS FILHOS DE HÚRIN

não tardo a ser homem   e trago a Morwin
montes de tesouros   e amigos leais" —
160   sem saber do destino   nas tramas de Bauglir,
nem a triste divisa   que havia entre os dois.
Está dito o adeus: adentram seus passos
a floresta escura;   oculta-se a morada
nas tranças das árvores.   A Túrin, porém,
165   aperta-lhe o peito,   vem o pranto cego,
o apelo, "Não posso,   não posso deixar-te.
Ó Morwin, minha mãe,   que caminho sigo?
Não tenho esperança   nas tristes colinas.
Ó Morwin, minha mãe,   mata-me o pranto.
170   Não tenho mais lar   na treva das colinas."
E seus gritos desciam,   agrestes e distantes,
pelas sendas sombrias   dos bosques vazios,
e a mãe, esgotada,   na entrada da casa,
ouvia lamentosa o   "Não tenho mais lar".

175   Duros foram os passos,   repletos de enganos,
dos montes de Hithlum   ao domínio oculto,
afundado na treva   de Doriath, a verde;
e nunca até então,   por denodo ou demanda,
a raça dos Homens   tal rastro seguira,
180   e poucos dessa gente   depois o fizeram.
O assédio da sede   sempre os rondava,
a fome e o medo,   as mais feras noites,
Orques vagantes,   agouros de lobos
e as Cousas de Morgoth   que a mata enchem,
185   feitiços atrozes   que travam caminhos,
o curso desviam   e cobrem estrelas.
Passadas as montanhas,   nas sendas de Doriath,
bravias e vagas,   vã era a esperança.
Sem pão nem água,   com poucas forças,
190   julgavam morrer   de rastos por ali,
quando a trompa ouviram,   o estrondo ao longe,
o som dos cães.   Quem caçava era Beleg,
o mais viajado   das gentes da mata,
a presa seguindo   de perto nos vales,
195   avesso ao fragor   e à grita dos homens.

Era grande de corpo,   mas grácil no aspecto,
de membros bem-feitos   que mal se ouviam
enquanto veloz   ao encontro lhes vinha,
grises as vestes,   verdes e castanhas —
200   nato nas brenhas,   de ignoto pai.

"Quem sois?", perguntou.   "Estais proscritos,
ou sois homens caçados   por ódio constante?"

"Não, por sede e fome   caçados", disse Halog,
"cansados, perdidos,   em senda ignorada.
205   Notícias não tens   das montanhas de mortos,
do campo de lágrimas   onde coube ao fogo
de Morgoth   a Homens e Elfos devorar?
Lá Thalion Erithámrod   e seus thains feito deuses
desapareceram da Terra,   e a consorte valente
210   lamenta a viuvez   nos caminhos de Hithlum.
Sobramos só nós   dos servos de Morwin:
Eis Túrin, filho de Thalion,   que a Thingol fará
apelo em sua corte,   diz a esposa de Húrin."

Falou-lhes então Beleg,   com bons augúrios:
215   "Os Deuses bondosos   vos deixam seguros.
Conheço de Húrin   o ânimo e a estirpe —
e notícias temos   das montanhas de mortos,
de Nínin Unothradin,   Sem-Número de Lágrimas!
A essa guerra não fui,   mas não se esgota meu ódio
220   aos sórdidos Orques;   minhas setas agudas
ferem sem ser vistas,   levando-os à morte.
Sou Beleg, o caçador,   da Escondida Gente."
Pediu-lhes que bebessem   e, abrindo o cinto,
pegou frasco de couro   com farto vinho
225   fermentado dos frutos   nos fogos do Sul —
bebem-no os Gnomos   e os belos Elfos,
e de longe o trazem   às terras do Norte.
Bom pão e carne   pôs ele em suas mãos,
assim se fartaram;   mas à testa subiu-lhes
230   o vinho de Dor-Winion,   nas veias correndo,
e o sono os colheu   entre as macias folhas

dos largos pinheiros   que ali se erguiam.
Mais tarde, despertos,   seus passos seguiram
por voltas e mais voltas   nas vias do reino,
235   por valóes e colinas,   lagos e charcos,
em dias vazios   e duras noites,
e se náo fosse Beleg   acabavam perdidos
no mágico dédalo   de Melian, a Rainha.
Mostrou ele o caminho   nas margens sombrias
240   onde a calma corrente   escorre às portas
da cava do monarca,   na corte de Doriath.
Na ponte os guardas   o passo lhes franqueiam,
e os trânsfugas ao Elfo   dáo triplas graças:
"Os Deuses sáo bons",   dizem consigo,
245   sem saber do destino   que atroz espreita.

Ao trono de Thingol   os três eram chegados,
falaram de sua fuga;   falou-lhes bem o rei,
com honra exaltando   a Húrin resoluto,
de Beren Ermabwed   irmáo de armas.
250   Recordando Morwin,   dos que morrem mais bela,
por Túrin mostrou   atento respeito:
"Ó rebento de Húrin,   abrigo recebe
na cava desta corte   por causa de tua gente.
Nem servo nem escravo,   assumo-te como filho,
255   cá habitando em amor,   até que o tempo chegue
de buscar tua máe,   Morwin solitária.
Dar-te-áo saber   mais belo que o dos Homens
e as armas que usam   os altos Elfos,
e de Thalion o filho   cativo náo será."

260   Mais um pouco esperaram   os pajens do menino,
volveu-lhes a força   e em renovada viagem
iriam buscar   sua querida senhora.
Mas para Gumlin   as agruras da idade
eram grande entrave   ao retorno ao lar.
265   A doença o deteve   e com Túrin ficou,
mas Halog, com esforço,   por fim partiu.
Elfos seletos   a seu lado seguiram,
com a mágica de Melian   e muito ouro.

Mensagens a Morwin   consigo levava,
270   palavras do rei,   arrimo para a dama;
para as Cavas Mil   convocou-a Thingol,
a viver sem medo,   amada pelos filhos,
com novo consolo,   até que eles crescessem;
em honra de Húrin   tudo isso seria:
275   mando não tinha Morgoth   onde Melian regia.

Da missão dos Elfos   e do servo Halog
a história não conta;   só que a tempo chegaram
aos portões de Morwin,   e de Thingol as novas
deram em Dor-lómin   à dama solitária.
280   Disse ela, porém,   que não iria agora,
pois Nienor mamava,   tão nova ainda era.
Sem o orgulho dos grandes   entre os Homens,
pelo filho aceitara   a oferta de Thingol,
por puro desespero;   mas à espera ficar,
285   pedinte de outrem,   mesmo se Elfo-rei,
pouco lhe aprazia;   e, apesar de tudo,
esperava ainda   de Húrin o retorno,
amava a morada   que o marido lhe dera.
Queria escutar   sua batida na porta,
290   o som das passadas   tão suas chegando;
trançando sua sina,   assim, não partiu.
Mas aos thains de Thingol   entreteve com gosto,
ocultou a desgraça   e a glória sumida,
a falta de bens   e os enfeites escassos;
295   d'ouro o que tinha   deu-lhes o resto
e fez que levassem   fero tesouro,
um elmo de Húrin,   rijo na guerra
em que lutou Ermabwed,   seu irmão de armas,
juntos contra ogros   e Orques malignos;
300   runas o cobriam   com arranjos antigos.
Ofereceu-o a Thingol,   recordação sua.

Assim voltou Halog,   e os céleres Elfos,
thains de Thingol,   mateiros expertos,
a mensagem de Morwin   em um mês de jornada
305   trouxeram ao rei,   disseram-lhe tudo.

A BALADA DOS FILHOS DE HÚRIN

Tomada de tristeza   Melian então foi,
e Thingol recebeu   cortês o presente,
apesar das riquezas,   preclaros tesouros
que ao teto   do reino antigo chegavam,
310   como se nada   de tão nobre tivesse:
"Alta era a fronte   que fera erguia
o signo coroado   com a serpe rompente,
que Thalion Erithámrod,   de triplo renome,
portava na batalha,   e os contrários temiam."
315   No peito então Thingol   dispôs um desejo,
chamou a Túrin   e tudo lhe contou,
que Morwin, sua mãe,   uma magna coisa
mandara ao filho,   herdada do pai,
elmo que martelos   muito antes moldaram,
320   que mestres em seu meio   mágica mesclaram,
que um assombro valia,   e a salvo punha o dono,
guardava-o de gládio   ou de grande machado —
"Sus! Quando fores homem,   o elmo de Húrin
usarás em batalha;   para tal sê digno";
325   e Túrin o tocou,   mas não o teve em mãos,
pequeno ainda   para carga tamanha;
sofria em seu íntimo   pela fala de Morwin,
primeiro de seus desgostos   na mente a lhe pesar.

Assim aconteceu que,   no séquito do rei,
330   por doze longos anos   ele se demorou,
com Gumlin, seu servo   e guia até ali
quando sete verões   pesarosos jaziam
sobre o filho de Húrin.   Nos anos primeiros,
sua sorte foi mais leve,   pois soube às vezes
335   por viandantes   como andava Hithlum,
e notícias traziam   tropas de Elfos,
de que Morwin, sua mãe,   estava mais calma;
e a menina, sua irmã,   Nienor, crescendo,
era bela e doce,   esbelta donzela.
340   Veio-lhe a esperança,   a vida era mais leve.
Logo foi crescendo,   e loas ganhava
em todas as terras   que Thingol regia
pela força de seu corpo   e fero coração.

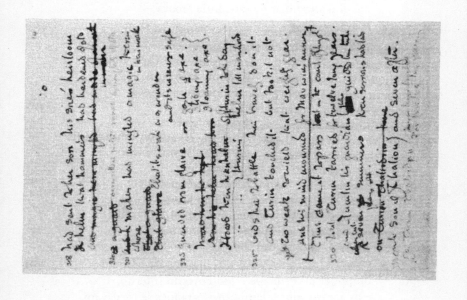

Duas páginas do manuscrito original de *A Balada dos Filhos de Húrin*.

A BALADA DOS FILHOS DE HÚRIN

Saberes aprendeu,   sabedoria amava,
345   mas fortuna não tinha   em todos os desejos;
errava os rasgos   dos arranjos seus;
perdia o que amava,   não se dava seu anseio;
e com amigos plenos   não topava facilmente,
nem muitos o amavam   pelo amuo de sua face.
350   Tinha trevas no peito   e pouca alegria
pela dor da cisão   que se dera em sua vida.

Quase já moço,   muitos honravam
sua destreza d'armas;   e na trança dos versos
era qual menestrel,   mas triste era seu canto,
355   dos Homens de Hithlum   pranteando a miséria.
Mas mais forte seu pesar   fez-se mais tarde,
quando não mais ouviu   as novas de Hithlum
e ninguém mais tinha   notícias de Morwin.
Pois o tempo já vinha   do Destino dos Gnomos,
360   do poder do Príncipe   do Povo do Inferno,
e os agravos dos Glamhoth   grandes se tornavam,
até que as terras nortenhas   de todo encheram,
com caos e chamas   cercando o povo
que não cedia a Bauglir   nem subia à fronteira
365   da escura Dorlómin   de esquivos pinheiros,
pelos Homens chamada   Hithlum infeliz.
Trancou-os ali Morgoth,   e os Montes das Sombras
os separavam de Feéria   e dos Elfos do bosque.
Mesmo Beleg não seguia   tão aberta trilha
370   quanto outrora amava,   e as matas iam cheias
dos fâmulos de Angband   e feitos malignos,
e a morte caminhava   nas marcas de Doriath;
só a mágica magna   de Melian, a Rainha
inda dava anteparo   ao Povo Oculto.

375   Para afogar a tristeza   e deter a ira
e ódio em seu peito   por seu pobre povo,
o filho de Húrin   seu elmo envergou
e o peso das armas   que empunham os homens,
e foi para a floresta   com guerreiros-élficos;
380   e à frente da luta   sua face mostrava,

26

na mais negra batalha,   por menino que fosse.
Sem ser homem ainda,   assediou e matou
os Orques de Angband   e outros monstros
que rondavam e assaltavam   as fronteiras do reino.
385   Dura era a sua vida   e dores conheceu,
feridas de seta   e guerreira espada,
provando-se hábil   e de válido nome,
e maior que seus anos   era a honra que tinha;
pois por ele se deteve   da ruína a mão
390   sobre o povo de Thingol,   e Thû o temia —
Thû, entronizado   como thain mais forte
de Morgoth Bauglir;   a quem o monstro pedira:
"Vai, destrói o reino   de Thingol, o ladrão,
e amarra a mágica   de Melian, a Rainha."

395   Só um havia lá maior   que ele na guerra,
de mais alta honra   entre a élfica gente
que Túrin, filho de Húrin,   de constante valor —
era o caçador Beleg,   da Escondida Gente,
nato nas brenhas,   de ignoto pai
400   (cujo arco atroz,   feito com teixo negro,
ninguém vergava),   de agudo saber
sobre os segredos da mata   e dos montes agrestes.
Era o amado líder   dos que leve se armavam,
batedores que invadiam,   com desdém ao risco,
405   os outeiros distantes   das tropas inimigas;
e notícias e rumores   a tempo ouviam
de avanços e conselhos,   de vindas e idas —
redemunhos das forças   de Morgoth, o Terrível.
Assim, Túrin, que se atinha   a tarja e espada,
410   que amava enfrentar   inimigos às claras,
com as tropas em bando   de seus bravos camaradas,
raro eram pegos   e de surpresa atacavam.

A fama das lutas   nas longes terras
ia chegando à corte,   à Casa do Rei,
415   com histórias sobre Túrin   contadas no paço,
de como Beleg sem-idade   era irmão de armas
do menino moreno   da raça conquistada.

Então o rei pediu   que diante dele viessem
uma vez ou outra,   quando os Orques minguavam,
420   para descanso e folguedo,   para canto também
das belas canções   dos rebentos de Ing.
Ora, estava Túrin   com Thingol à mesa —
havia farto riso   e o forte clamor
de convivas sem conta   levando hidromel,
425   e o vinho de Dor-Winion   que se via rubro
em cálices dourados;   e carnes suculentas
enchiam as mesas,   sob imensas tochas
no alto dos salões   de luz e pedra.
O júbilo reinava;   juntos menestréis
430   cantavam canções   sobre Tûn, a bela,
sob Tain-Gwethil,   montanha altaneira,
onde os grandes deuses   ponderam o mundo
desde a guarda nas costas   do golfo das Fadas.
Sobre Porto-cisne   a canção se ouviu,
435   a matança maldita   que atava as gentes:
todos, silentes,   aos lais davam ouvido,
escutavam os versos,   todos, menos um —
o Homem entre Elfos,   filho único de Morwin.
Ouvia sem ouvir   o vasto festejo,
440   os lais e os risos,   e, rijo, parecia
enxergar distante   a treva de fora,
intuindo no silêncio   ruídos estranhos,
vozes levadas   pelos véus da noite.
Era esbelto e esguio,   de cabelos selvagens,
445   de trajes castanhos,   dos tons da mata,
grises e verdes,   e gaias joias
ou enfeites d'ouro   não lhe davam gosto.

Havia um Elfo,   Orgof de nome,
perdera-se nos atalhos   da antiga marcha
450   vinda das calmas águas   de Cuiviénen,
em meio às trevas   da Terra-média
antes que a luz fosse   alta no mundo;
mas nele se mesclava   dos Gnomos o sangue.
Parentesco tinha   com o trono de Doriath
455   um caçador sano   de coração forte,

mas de livre riso   e língua solta,
de orgulho maior   que na guerra seus feitos.
Amava sobretudo   as vestimentas finas,
as gemas e joias,   invejoso daqueles
460   de mais renome   do que ele mesmo tinha.
Com caros trajes   de cores luzentes,
sentava-se em assento   postado no alto,
próximo aos monarcas   e perto de Túrin.
À mesa com os dois,   muito o provocara,
465   com riso leviano,   por seu rosto sério,
pelas vestes rotas   e revoltos cabelos;
mas Túrin, impassível,   não voltava a cabeça
nem gastava palavras   com as troças de Orgof.
Mas, nesse dia de festa,   mais densa era sua treva
470   do que a costumeira,   e menos falava;
pois já de doze anos   era a dura conta
desde que Morwin, sua mãe,   em meio ao pranto
nunca mais vira,   e as vastas sombras
da mata ocultaram   seu distante lar;
475   pouco dizia a outros,   e a Orgof nada.
Então a sanha de gracejos   cresceu no tolo,
dando agudos gritos   e gaias cabriolas
pelas velhas roupas   e revoltos cabelos
de Túrin, que chegara   dos agastos da mata.
480   Com melindres pegou   lindo tesouro,
um pente dourado   posto em seu bolso,
e o estendeu a Túrin;   mas não lhe deu ouvido,
nem a Orgof dignou   os olhos voltar;
então disse o Elfo,   de desdém ébrio:
485   "Oh, não sabes   o quanto necessitas de pente,
nem como usá-lo,   tão pequeno eras
quando tua mãe deixaste,   e mais te valia
que as tuas madeixas   ela ajudasse a domar —
isso se em Hithlum   não forem rijas e agrestes
490   também as mulheres,   como as bestas de seus filhos."

Então fera raiva,   qual fogo sem controle,
brotou do amargor,   das agruras de seu peito;
despertou sua ira,   pela troça escarninha,

A BALADA DOS FILHOS DE HÚRIN

pelas mulheres de Hithlum,   de lágrimas lavadas;
495 e um magno corno,   que à mão estava
contendo bebida,   enfeitado de ouro,
com a força impensada   que a fúria lhe dava
agarrou e, girando-o,   rápido lançou
à face de Orgof.   "Estafermo", exclamou,
500 "com isso enche a boca,   e não ouses mais
sem juízo falar-me,   ébrio de vinho!" —
mas o rosto lhe rachara,   e de rastos caíra,
o peso da cabeça   na pedra batera,
no assoalho coberto   de odres e taças
505 da mesa revirada,   que aos montes tombaram
sobre o tronco do Elfo,   chistoso nunca mais;
mas silente na morte.   Mudos estavam todos
nos assentos e cadeiras;   em assombro aturdido
levantaram-se em volta,   e com triste coração
510 Túrin contemplou   seu atroz malfeito,
a mão suja de vinho,   e sua vista incrédula
pouco entendia.   Então deu meia-volta,
seguiu noite adentro   e ninguém o deteve;
se alguns suas espadas   por pouco não usaram
515 — eram da gente de Orgof —,   foi a aura de Thingol
que deteve suas mãos,   enquanto o atônito rei
com rosto pétreo   mirava o seu thain
sem dar sinal de si.   O assassino, porém,
lavou as mãos   no vau do riacho
520 perto do portão,   e não reteve o pranto:
"Lançaram", gritou,   "maldição sobre mim,
pois só causo o mal,   e proscrito agora,
banido em amargura,   com mancha de sangue,
deixarei o paço   de meu pai adotivo,
525 nem verei novamente   a amada dama" —
sim, seu coração a Hithlum   o lançava agora,
mas não seguiu tal estrada,   por agouro da fúria
dos Elfos atrás dele,   pois com ira acesa
levariam azagaias,   malgrado Morgoth,
530 aos coles de Hithlum   no seu encalço;
para evitar que um destino   mais atroz ainda
coubesse à sua mãe   e à Moça das Lágrimas.

Nas dobras mais fundas   de Doriath, na mata,
nos vales mais escuros   de suas vagas fronteiras,
535   escondeu-se apressado,   à caçada fugindo;
e não viram seus passos   os que depois vieram,
os thains de Thingol,   que por trinta dias
tristes o buscaram,   em procura vã,
sem cuidar de seu mal,   mas perdão trazendo
540   de Thingol, o mestre   das Mil Cavernas.
Com juras, em conselho,   fez a gente de Orgof
esquecer sua dor   e o perdão ofertar,
pelo intento que havia   nas atrozes palavras
de Orgof, o Elfo: "Sua hora chegara,
545   com a alma a seguir   a agreste senda
até o vale profundo   dos Defuntos que Esperam,
meditando ali,   por três mil anos
na treva de Gurthrond,   suas troças cruéis,
até partir para Feéria   e festejos novos."
550   Mas os portões do tesouro   Thingol abriu,
e prendas generosas   de prata e ouro
deu aos filhos do morto,   e por fim sua gente
julgou tudo acertado.   Mas da sentença do Rei
Túrin não soube,   acreditando, mísero,
555   que muitos do povo   por imigo o tinham,
e vagava pelos bosques   com amargor no peito;
pois era seu destino que   os Elfos das cavernas
não mais dessem abrigo   ao rebento de Húrin.[B]

NOTAS

(Ao longo das Notas, afirmações como "*Delimorgoth* em A, e em
B quando foi datilografado" (verso 11) indicam que a forma no
texto publicado — nesse caso, *Delu-Morgoth*) é uma emenda feita
ao texto B mais tarde).

8   O nome de *Húrin* nos *Contos Perdidos* é Úrin (e ainda era quando o presente
poema começou a ser escrito, ver a nota ao verso 213), e seu epíteto *Thalion*,
"Resoluto", presente em *O Silmarillion* e no *Narn*, não ocorre neles (embora
ele seja chamado de "o Resoluto").

11 *Delimorgoth* em A, e em B quando foi datilografado. *Morgoth* ocorre apenas
uma vez nos *Contos Perdidos*, na versão datilografada do *Conto de Tinúviel*
(II. 59); ver a nota ao verso 20.

A BALADA DOS FILHOS DE HÚRIN

13 *Nínin Udathriol* em A, em B quando foi datilografado; esse termo ocorre no *Conto* (II. 107; para uma explicação do nome, ver II. 415). Quando alterou *Udathriol* para *Unothradin*, meu pai escreveu na margem do texto B: "ou *Nirnaithos Unothradin*".

17 Acima de *Erithámrod* está escrito a lápis, em A, *Urinthalion*.

20 A versão original de B traz o nome *Belcha*, que depois foi alterado, passando pelas formas *Belegor* e *Melegor*, para *Bauglir*. (Aqui, o texto A traz outros versos: *qual miríades de ratos, com rastros sem medida/prenderam o príncipe ...*) *Belcha* ocorre na versão escrita a máquina do *Conto de Tinúviel* (II. 59), onde se afirma que *Belcha Morgoth* são os nomes de Melko entre os Gnomos. *Bauglir* aparece como nome de Morgoth em *O Silmarillion* e no *Narn*.

22 *de Melko* no texto A, *de Belcha* em B quando foi datilografado; depois o verso foi alterado para *Aos salões de Belegor* (> *Melegor*) e, por fim, recebeu a forma publicada aqui. Ver a nota ao verso 20.

25 Acima de *Erithámrod* em A está escrito *UrinThalion* (ver nota ao verso 17); *Úrin* > *Húrin*, e uma indicação de que se deve ler *Thalion Húrin*.

29 *de Finweg filho* em A e também em B quando foi datilografado; a emenda foi feita mais tarde, e, ao mesmo tempo, meu pai escreveu na margem de B "ele era filho de Fingolfin", claramente um comentário sobre a troca de *filho* por *herdeiro*. *Finweg* é o mesmo que *Finwë Nólemë*, Senhor dos Noldoli, o qual, nos *Contos Perdidos*, é o pai de Turgon (I. 145), e não, como passou a ser mais tarde, avô dele.

50 *Kor* > *Cor* em A, *Cor* em B quando datilografado. Ao fazer a emenda de *Cor* para *Corthûn*, meu pai escreveu na margem de B: "*Corthun* ou *Tûn*".

51 *Thalion* em A e na versão original de B. O mesmo vale para *Delimorgoth* (tal como no verso 11).

73 Em B há uma marca de inserção entre os versos 72 e 73. Isso provavelmente se refere a um verso do texto A que não foi incorporado em B: *preso pelo (> por meu) feitiço de posse indelével (> inquebrantável).*

75 *Belcha* em A e na forma original de B; a mesma cadeia de emendas dos versos 20 e 22 ocorreu em B.

84 *Bauglir*: situação idêntica ao do verso 75.

105 *Mavwin* em A, em B quando foi datilografado; em B, o nome foi então emendado para *Mailwin* e depois voltou a ser *Mavwin*; o nome *Morwin* foi escrito mais tarde na margem de B. Ocorreu exatamente a mesma coisa nos versos 129 e 137, embora nesse segundo verso *Morwin* não consta na margem; no verso 145, *Mavwin* não recebeu emenda, mas *Morwin* foi escrito na margem. Dali em diante, *Mavwin* não tem mais emendas nem recebe anotações marginais, isso até o verso 438 (ver nota). Para manter a coerência, usei *Morwin* em toda a primeira versão do poema. — *Mavwin* é a forma do nome no *Conto*; *Mailwin* não ocorre em outros lugares.

117 Sobre a variação *Nienóri/Nienor* no *Conto*, ver II. 145.

120 *Tinúviel* em A, *Tinwiel* na versão de B sem emendas, mas com a forma *Tinúviel* na margem. *Tinwiel* não ocorre em outros textos.

121 *Ermabwed* "Uma-Mão", título ou epíteto de Beren nos *Contos Perdidos*.

137 *Gumlin* é citado no *Conto* (II. 96 etc.); o mais jovem dos dois guardiões de Túrin na jornada até Doriath (aqui chamado de *Halog*) não é.

AS BALADAS DE BELERIAND

160 *Belcha* em A e na versão original de B, emendado para *Bauglir*. Cf. as notas aos versos 20, 22 e 75.

213 *Urin* > *Húrin* em A; mas *Húrin* é a forma em A no verso 216.

218 *Nínin Udathriol* no texto A e em B quando foi datilografado; cf. verso 13.

226 A distinção entre "Gnomos" e "Elfos" ainda é feita aqui; ver I. 59–61.

230 *Dorwinion* em A.

306 *Por Mavwin foi Melian tomada de tristeza* em A e na forma original de B, com o verso *Tomada de tristeza Melian foi então* escrito na margem. No verso original em inglês (*For Mavwin was Melian moved to ruth*), o segundo hemistíquio tem apenas três sílabas, a não ser que *moved* seja lido como *movéd*, com duas sílabas, resultado pouco satisfatório. A segunda versão do poema traz aqui o verso *Por Morwen Melian foi tomada de tristeza*. Cf. versos 494, 519.

333 Túrin Thaliodrin em A (cf. o verso 115), emendado para *o filho de Thalion* [na tradução, *filho de Húrin* por causa da aliteração].

361 O termo *Glamhoth* aparece em *A Queda de Gondolin* (II. 195), com a tradução "povo do ódio horrendo".

364 *Belcha* em A e na forma original de B; alterado para > *Melegor* > *Bauglir* em B.

392 *Bauglir*: mesmo processo do verso 364.

408 *Morgoth Belcha* em A, e também B quando foi datilografado.

430 *Kor* > *Cor* em A, *Cor* na versão original de B. Cf. o verso 50.

431 *Tengwethil* em A e na forma original do texto B. No antigo dicionário gnômico e na Lista de Nomes de *A Queda de Gondolin*, o nome gnômico de Taniquetil é *Danigwethil* (I. 321, II. 405–06).

438 *Mavwin* em A e no texto B quando datilografado, mas *Mavwin* > *Morwen* como emenda tardia em B. Adotei a forma *Morwin* ao longo da primeira versão do poema (ver nota ao verso 105).

450 *Cuinlimfin* em A e na versão original de B; *Cuiviénen* como emenda posterior em B. A forma nos *Contos Perdidos* é *Koivië-Néni*; *Cuinlimfin* não ocorre em nenhum outro texto.

461–63 Esses versos foram colocados entre colchetes e marcados com um X no texto B.

471 Esse verso foi marcado com um X no texto B.

472 *Mavwin* > *Morwen* em B; ver o verso 438.

494 *todas lavadas de lágrimas* em A, *de lágrimas lavadas* em B [em inglês, *washed in tears*, hemistíquio de três sílabas], com um X na margem e uma palavra ilegível escrita a lápis antes de *washed*. Cf. os versos 306, 519. A segunda versão do poema não alcança esse ponto.

514–16 Ao lado desses versos, meu pai escreveu na margem do texto B: "Fazer com que parentes de Orgof o ataquem e T. escape lutando".

517 *com rosto pétreo mirava*: em inglês, *stonefacéd stared*, onde o acento em *stonefacéd* foi colocado mais tarde e o verso foi marcado com um X. — Em seu ensaio *On Translating Beowulf* (1940; *The Monsters and the Critics and Other Essays*, 1983), meu pai usou *stared stonyfaced* como exemplo de um dos subtipos de hemistíquio da métrica em inglês antigo.

519 *lavou as mãos*: o verso está marcado com um X em B. Cf. os versos 306 e 494.

528 A partir do hemistíquio *pois com ira acesa* começa a segunda parte do manuscrito A, que está mais finalizada; ver a p. 13.

33

529 *Belcha* em A, *Morgoth* na versão original de B.
548 *Guthrond* em A, e também quando B foi datilografado originalmente.

Comentário ao *Prólogo* e a *Parte I, "Túrin Adotado"*

A seção de abertura ou "Prólogo" do poema deriva da abertura do *Conto* (II. 92–3) e, em termos estritamente narrativos, houve pouco desenvolvimento em relação a ele. Nos versos 18–21 (e especialmente no verso rejeitado do texto A, *miríades de ratos, com rastros sem medida/prenderam o príncipe*), há um prenúncio claro da história de *O Silmarillion* (pp. 264–65):

> ... mas o pegaram, por fim, vivo, por ordem de Morgoth, pois os Orques o agarravam com suas mãos, que continuavam presas a ele embora ele decepasse os seus braços; e sempre seus números se renovavam até que, afinal, ele tombou, enterrado debaixo deles.

Por outro lado, o motivo para que Húrin fosse capturado vivo na história posterior (Morgoth sabia que ele tinha estado em Gondolin) necessariamente não aparece, já que Gondolin, nas fases mais antigas das lendas, só foi descoberta depois que Turgon recuou Sirion abaixo depois da Batalha das Lágrimas Inumeráveis (II. 147, 250). O fato de que ele foi capturado com vida por ordem de Morgoth, entretanto, já aparece no poema (verso 20), embora não se explique o porquê. No *Conto*, o interesse de Morgoth por Húrin como ferramenta para revelar a presença de Turgon surgiu de seu conhecimento de que

> Os Elfos de Kôr faziam pouco caso dos Homens, pouco os temendo ou suspeitando deles em virtude de sua cegueira e carência de engenho

— uma ideia que se repete no poema (46–8); mas ela só parece ter surgido na mente de Morgoth quando veio ter com Húrin em sua masmorra (44 e seguintes).

O local do tormento de Húrin (no Conto, "num local elevado das montanhas") agora é definido como um *assento de pedra* no pico mais íngreme das Thangorodrim; e essa é a primeira ocorrência desse nome.

Na troca de *filho* por *herdeiro* no verso 29, vemos o primeiro indício de um desenvolvimento na casa real dos Noldoli, com o aparecimento de uma segunda geração entre Finwë (Finweg) e Turgon; mas, no momento em que meu pai inseriu essa mudança a lápis no texto (e observou "Ele era filho de Fingolfin"), a estrutura genealógica posterior já existia, e essa é, por assim dizer, uma indicação casual dela.

Em "Túrin Adotado", há uma relação próxima entre o *Conto* e o poema, que se estende a várias similaridades estreitas de fraseado — especialmente abundantes na cena do salão de Thingol que culmina na morte de Orgof; e algumas frases tiveram vida longa, começando com o *Conto*, passando pelo poema e chegando ao *Narn i Hîn Húrin*, tais como:

> preferia viver pobre em meio aos Homens do que ricamente como hóspede pedinte mesmo entre os Elfos da floresta (II. 95)

> mas à espera ficar
> pedinte de outrem,   mesmo se Elfo-rei,
> pouco lhe aprazia   (284–86)

> ainda não rebaixava seu orgulho a ponto de pedir esmola, nem mesmo a um rei. (*Narn*, p. 86)

— embora no *Narn* a passagem sobre "pedir esmola" apareça num trecho diferente, antes que Túrin deixasse Hithlum (a esperança de Morwen de que Húrin retornaria é, no *Narn*, a razão para que ela não viaje até Doriath com o filho, não para recusar o convite posterior para que ela o seguisse).

Quanto à situação de Morwen em Dor-lómin depois da Batalha das Lágrimas Inumeráveis, há algumas coisas a dizer. No poema (111–13)

> e homens sem memória   de seu magno governo
> vinham a Dorlómin,   com desleixo mesquinho
> tratavam sua viúva;

— ecoando o *Conto*: "os homens estranhos que habitavam nas cercanias não sabiam da dignidade da Senhora Mavwin", mas ainda não há indicação nenhuma de quem eram esses homens ou de onde tinham vindo (ver II. 155). Como de costume, a situação narrativa estava preparada, mas a explicação dela ainda não tinha emergido. A falta de clareza do *Conto* sobre onde vivia Úrin antes da grande Batalha (II. 147) não está mais presente: *amava a morada que o marido lhe dera* (288). Nienor nasceu antes que Túrin partisse (sobre a contradição no *Conto* quanto a esse pormenor, ver II. 161); e a cronologia da infância de Túrin ainda é aquela do *Conto* (ver II. 174–75): tinha sete anos quando deixou Hithlum (332), sete anos em Doriath enquanto as notícias de Morwen ainda chegavam (333), doze anos passados de sua chegada a Doriath quando matou Orgof (471). Nas fases posteriores da história, esse último número permaneceu inalterado, o que sugere que o X (uma marca de insatisfação) colocado ao lado do verso 471 tinha alguma outra razão de ser.

No poema, há várias referências ao fato de Húrin e Beren terem sido amigos e companheiros de armas (122–24, 248–49, 298). No Conto, afirma-se originalmente (quando Beren era um Homem) que Egnor, pai de Beren, era aparentado a Mavwin; essa ideia foi substituída por uma passagem diferente (quando Beren tinha se tornado um Gnomo), de acordo com a qual Egnor era um amigo de Úrin ("e ele conhecia Beren Ermabwed, filho de Egnor"); ver II. 93, 171. Na versão posterior do *Conto de Tinúviel* (II. 59), Úrin é citado como o "irmão d'armas" de Egnor; isso foi alterado para destacar a relação entre Úrin e o próprio Beren — tal como no poema. Em *O Silmarillion* (p. 269), Morwen pensa em enviar Túrin a Thingol "pois Beren, filho de Barahir, era parente do pai dela e, além do mais, ele tinha sido amigo de Húrin antes que viesse o mal". Não há menção a esse fato no *Narn* (p. 79), no qual Morwen diz simplesmente: "Ora, eu não sou parenta do rei [Thingol]? Pois Beren, filho de Barahir, era neto de Bregor, assim como meu pai."

O fato de que nessa versão Beren ainda era um Elfo, e não um Homem (algo que se pode deduzir com base em outros elementos) fica claro a partir dos versos 178–79:

> e nunca até então,   por denodo ou demanda,
> a raça dos Homens   tal rastro seguira

— cf. o *Conto* (II. 94): "e Túrin, filho de Úrin, foi o primeiro dos Homens a trilhar aquele caminho", alteração do texto anterior "e Beren Ermabwed foi o primeiro dos Homens ..."

Na despedida de Túrin e sua mãe, a comparação com o *Conto* revela algumas diferenças sutis que não precisam ser detalhadas aqui. O mais moço dos guardiões do menino agora recebe o nome de Halog (e afirma-se que Gumlin e ele eram os únicos "empregados" que tinha restado para Morwen).

O poema diz algumas coisas muito curiosas a respeito de Beleg. Em dois momentos (versos 200 e 399) ele é chamado de "nato nas brenhas, de ignoto pai", e no verso 416 seu epíteto é "Beleg sem-idade". Parece haver certo mistério em torno dele, uma estranheza que o separa (tal como ele próprio age separado, verso 195) dos Elfos dos quais Thingol é o senhor (ver ainda a pp. 153–54). Pode ser que ainda haja traços disso no "Silmarillion" de 1930, onde se afirma que ninguém de Doriath participou da Batalha das Lágrimas Inumeráveis, exceto Mablung — e Beleg, "que não obedecia a homem algum" (na versão posterior do texto, o trecho diz "nem foi nenhum outro de Doriath, salvo Mablung e Beleg, que eram avessos a não tomar parte nesses grandes feitos. A eles Thingol deu licença para ir..."; *O Silmarillion*, p. 257). No poema (verso 219), Beleg diz expressamente que não participou da grande Batalha. — Seu grande arco de madeira negra de teixo (citado em *O Silmarillion*, p. 281, onde recebe o nome de *Belthronding*) aparece nesse momento (verso 400): no *Conto*, ele não é destacado de modo específico como arqueiro (II. 150).

A frase de Beleg, *Os Deuses bondosos vos deixam seguros* (215), e a reação dos guardiões de Túrin, *Os Deuses são bons* (244) estão de acordo com as referências nos *Contos Perdidos* à influência dos Valar sobre Homens e Elfos nas Grandes Terras: ver II. 174.

O vinho potente que Beleg carregava em seu frasco e que ele ofereceu aos viajantes (223 e seguintes) é uma bebida notável — trazida dos *fogos do Sul* e *de longe* carregada até *as terras do Norte* —, e o mesmo vale para o nome da região de onde veio: *Dor-Winion* (230, 425). Os únicos outros trechos dos escritos de meu pai nos quais esse nome ocorre (até onde sei) aparecem em *O Hobbit*, Capítulo 9, *Barris Desabalados*: "a forte safra dos grandes jardins de Dorwinion" e "o vinho de Dorwinion traz sonhos profundos e agradáveis".* Ver ainda a p. 154.

Um elemento curioso na mensagem de Thingol para Morwen no *Conto*, explicando porque ele e seu povo não participaram da Batalha das Lágrimas Inumeráveis (II. 95), agora foi rejeitado; mas, junto com a resposta de Morwen aos mensageiros de Doriath, foi introduzida a lenda do Elmo-de-dragão de Dor-lómin (verso 297 e seguintes). Nessa versão, não se conta muita coisa sobre ele (embora haja mais informações na segunda versão do poema, ver p. 153): Húrin o usava com frequência em batalha (no *Narn* nega-se que ele o usasse, p. 111); tinha *o signo coroado com a serpe rompente* e *runas o cobriam com arranjos antigos*. (cf. o *Narn*: "nele estava gravadas runas de vitória"). Mas nada se diz sobre como Húrin adquiriu o elmo, exceto o fato de que era parte de sua *herança*. É muito notável a passagem (versos 307 e seguintes) na qual se descreve a maneira como Thingol manuseia o objeto, *como se nada de mais nobre tivesse*, apesar de possuir *preclaros tesouros/ que ao teto do reino antigo chegavam*. Já comentei anteriormente (ver II. 157–58, 294) a ênfase inicial dos textos quanto à pobreza de Tinwelint (Thingol): aqui temos a primeira aparição de sua riqueza (presente também no início da *Balada de Leithian*). Também é notável o eco próximo dos versos do poema nas palavras do *Narn*, p. 92:

> Porém Thingol tomou nas mãos o Elmo de Hador como se não fosse detentor de um grande tesouro e disse palavras corteses: "Altiva será a cabeça que usar este elmo, que foi usado pelos progenitores de Húrin."

Também há um claro eco dos versos 315–18:

> No peito então Thingol   dispôs um desejo,
> chamou a Túrin   e tudo lhe contou,
> que Morwin, sua mãe,   uma magna coisa
> mandara ao filho,   herdada do pai

---

* *Dorwinion* está marcado no mapa decorado de Pauline Baynes, como uma região das costas norte-ocidentais do Mar de Rhûn. Deve-se imaginar que esse nome, tal como os demais naquele mapa, foram comunicados a ela por meu pai (ver *Contos Inacabados*, p. 300, nota de rodapé), mas a localização parece surpreendente.

Na prosa do *Narn*:

> Então veio-lhe um pensamento, mandou chamar Túrin e contou-lhe que Morwen enviara ao filho um objeto poderoso, herança de seus pais.

Podemos comparar também as passagens que se seguem em ambas as obras, contando como Túrin era jovem demais para erguer o Elmo e, em todo caso, que estava infeliz demais para dar atenção ao objeto por causa da recusa de ir embora de Hithlum por parte de sua mãe. Esse foi o *primeiro de seus desgostos* (328); no *Narn* (p. 110), o segundo.

O relato sobre o caráter de Túrin em sua meninice (341 e seguintes) é muito próximo daquele no *Conto* (II. 96), o qual, como notei antes (II. 148) sobreviveu no *Narn* (pp. 112–13): de fato, o relato mais tardio ecoa o poema ("aprendeu muito saber", "não fazia amigos facilmente"). O poema, nessa fase, acrescenta que *na trança dos versos / era qual menestrel, mas triste era seu canto.*

Um novo e importante elemento da narrativa é o do companheirismo entre Beleg e Túrin (usando o Elmo-de-dragão, verso 377) nos combates nas fronteiras de Doriath:

> de como Beleg sem-idade   era irmão de armas
> do menino moreno   da raça conquistada.   (416–17)

Não há menção alguma disso no *Conto* (II. 96). Cf. meu Comentário, II. 149:

> A valentia de Túrin contra os Orques durante sua permanência em Artanor recebe uma importância mais central, até mesmo única, no conto ("ele manteve a ira de Melko afastada deles por muitos anos") especialmente porque Beleg, seu companheiro de armas nas versões posteriores, não é mencionado aqui.

No poema, entretanto, a importância da atividade guerreira de Túrin para Doriath não é menor:

A BALADA DOS FILHOS DE HÚRIN

pois por ele se deteve   da ruína a mão
sobre o povo de Thingol,   e Thû o temia   (389–90)

É aqui que encontramos Thû pela primeira vez, *entronizado como thain mais forte/ de Morgoth Bauglir.* É interessante perceber que Thû sabia quem era Túrin e o temia, e também que Morgoth ordenara que Thû assediasse Doriath: essa história vai reaparecer na *Balada de Leithian.*

Na história de Túrin e Orgof, os versos claramente estão seguindo a prosa do *Conto,* e há muitas semelhanças próximas de fraseado, como já notamos. A relação dessa cena com a história posterior já foi discutida anteriormente (II. 148–49). Orgof ainda tem sangue de Gnomo, o que pode indicar a permanência da história de que havia Gnomos entre o povo de Thingol (ver II. 57). A ocasião do retorno de Túrin da Floresta para as Mil Cavernas (um nome que ocorre pela primeira vez no poema) se torna, ao que parece, um grande banquete, com canções de Valinor — algo bem diferente da história posterior, na qual a ocasião não é especial de maneira alguma, e Thingol e Melian nem mesmo estavam em Menegroth (*Narn,* p. 116); e Túrin e Orgof estavam *em assento postado no alto, próximo aos monarcas* (isto é, presumivelmente em cima de uma plataforma, na "mesa elevada"). Não sei dizer se foi por rejeitar essa ideia que meu pai colocou os versos 461–63 entre colchetes e os marcou com um X. As *belas canções dos rebentos de Ing* citadas nessa passagem na verdade não são as canções dos filhos de Ing na história de Ælfwine (II. 363 e seguintes); Ing, no caso, é a forma gnômica do nome Ingwë, Senhor da Primeira Gente dos Elfos (anteriormente, Inwë, Senhor dos Teleri).*

Os versos que falam de Orgof já morto são dignos de nota:

sua hora chegara,
com a alma a seguir   a agreste senda
até o vale profundo   dos Defuntos que Esperam,

---

* A afirmação de que *Ing* é a forma gnômica de *Ingwë* aparece no "Esboço da Mitologia" de 1926 e no "Silmarillion" de 1930. O nome *Ing* foi substituído por Inwë em *O Chalé do Brincar Perdido,* mas nesse texto o nome gnômico de Inwë é *Inwithiel,* uma alteração de *Gim Githil* (I. 27, 33).

meditando ali,   por três mil anos
na treva de Gurthrond,   suas troças cruéis,
até partir para Feéria   e festejos novos.   (544–49)

Podemos comparar esse trecho com o conto *A Vinda dos Valar e a Construção de Valinor* (I. 98):

Ali [no salão de Vê] Mandos pronunciava sua sina, e ali esperavam na treva, sonhando de seus feitos passados, até o momento por ele determinado quando podiam renascer em seus filhos, e partir para rirem e cantarem outra vez.

O nome *Gurthrond* (< *Guthrond*) não ocorre em nenhum outro lugar; o primeiro elemento sem dúvida é *gurth*, "morte", tal como no nome da espada de Túrin, *Gurtholfin* (II. 411).

Restam ainda alguns detalhes acerca da nomenclatura. No verso 366, o termo *Hithlum* é explicado como o nome de Dorlómin entre os Homens:

da escura Dor-lómin   de esquivos pinheiros,
pelos Homens   chamada Hithlum infeliz.

A afirmação é curiosa. Nos *Contos Perdidos*, o nome dessa terra entre os Homens era *Aryador*; assim, diz o *Conto de Turambar* (II. 91):

Naqueles dias, meu povo habitava um vale de Hisilómë, e aquela terra foi chamada pelos Homens de Aryador nas línguas que usavam então.

No "Silmarillion" de 1930, afirma-se de modo específico que *Hithlum* e *Dorlómin* eram nomes gnômicos de *Hisilómë*, e parece haver todas as razões para supor que esse sempre tinha sido o caso. A resposta desse enigma, entretanto, pode estar naquela mesma passagem do *Conto de Turambar*, onde se diz que

a estória de Turambar e do Foalókë esteve amiúde em seus lábios [isto é, dos Homens] — mas à maneira dos Gnomos eles diziam 'Turumart e o Fuithlug'.

Talvez, então, o significado do verso 366 seja que os Homens chamavam Hisilómë de *Hithlum* porque usavam o nome gnômico, e não que era esse o nome na língua deles.

Os versos seguintes (367–68) dizem:

> e os Montes das Sombras
> os separavam de Feéria   e dos Elfos do bosque.

Essa é a primeira ocorrência do nome *Montes/Montanhas de Sombra*, e ele é usado com o sentido que passou a ter mais tarde (*Ered Wethrin*); nos *Contos Perdidos*, as montanhas que formavam a barreira sul de Hithlum são chamadas de Montanhas de Ferro ou Morros Amargos (ver II. 80)

O nome *Cuinlimfin*, dado às Águas do Despertar (nota ao verso 450), parece ter sido uma ideia passageira, que logo foi abandonada.

Por fim, no verso 50 ocorre (por emenda da forma em B, *Côr*) o nome composto único *Corthûn*, enquanto em 430 *Côr* foi trocada por *Tûn*; ver II. 352.

ᗡᘓ

II
BELEG

Muito tempo viveu   solitário nos montes,
560   matando feras   e detestando Homens,
ou Orques, ou Elfos,   até que outros proscritos
feros e insensatos   foram se achegando
e a ele se agregaram;   e, vagando longe,
eram temidos por imigos   e amigos de outrora.
565   Pois repleto de ódio   estava o peito de Túrin,
nem os da gente de Thingol   tratava como amigos
se desgarrados os achava   nos rumos da mata.

Foi lá que Beleg, o bravo,   nas bordas de Doriath
encontraram e atacaram   — poucos tinha consigo —,
570   e, por serem muitos,   enfim suas mãos ataram,
até que o capitão deles   voltou ao anoitecer.
Distante daquela luta   o destino levara
a Túrin naquele dia,   na trilha dos Orques
que trotavam para casa   nas Montanhas de Ferro

AS BALADAS DE BELERIAND

575 carregando o butim   das terras dos Homens.
Disseram-lhe então   que de Thingol era servo
o que estava preso ao tronco —   e Túrin, olhando,
reconheceu em assombro   o sério semblante
de Beleg, o magno,   seu irmão de armas,
580 seu tutor na arte   do bater de espadas,
do arco forte   e da flecha com penacho,
do saber secreto   das brenhas acerbas,
quando uniam em batalha   ferimentos e sangue.

Saiu então o ódio   dos olhos de Túrin,
585 e liberto mandou   que Beleg ficasse.
"Seja livre teu caminho!   Mas se amigo ainda és,
com toda boa fé,   do filho de Húrin,
não contes a história   de que Túrin viste
qual proscrito odiado   por Elfos e Homens,
590 a quem os thains de Thingol   matar desejam.
Não traias a confiança   que outrora tiveste!"
Então Beleg do arco   um abraço lhe deu —
não fora à festa,   não vira o fim de Orgof —
beijou-o gentil,   deste jeito falando:
595 "Sus! nada conheço   das novas que contas;
mas, proscrito ou com honra,   sempre hás de ser
o irmão de Beleg,   em bênção ou desgraça!
Porém pouco me agrada   que tua espada inquieta
devore as forças   dos filhos dos Elfos.
600 São os malignos Glamhoth   agora tão poucos,
ou os imigos de Feéria   de medo tão fracos,
que Homens belicosos   não se ocupam deles?
Serão os imigos de Feéria   amigos dos Homens?
Tu trais a confiança   que outrora tiveste?"

605 "Nem de Orque armado,   nem de Elfo da mata,
de ninguém na Terra   honra tenho ou amor,
ó Beleg arqueiro.   Neste bando apenas
conto camaradas,   meus parentes no opróbrio
e na sina sem amigos —   e o mundo contra nós."

610 "Que o arco de Beleg   a teu bando se junte;

43

A BALADA DOS FILHOS DE HÚRIN

e, jurando de morte   os monstros das trevas,
abrandemos nossa dor   e o urdir do destino!
Nosso valor ainda vige,   e não é vã a glória
magna que ganhamos   nas matas outrora."

615   Assim, bela esperança   no rebento de Húrin
essas palavras despertaram,   e todos aceitaram
Beleg no bando,   salvo Blodrin apenas —
Blodrin, filho de Bor,   a quem só a busca de ouro
e o sangue excitavam,   para quem tanto fazia
620   se tirava riquezas   ou arrancava a vida
de Elfo ou de Orque;   mas ele ocultava
o que vinha em seu peito.   Ouvia-se a harpa,
crepitava o fogo,   e as flamas das toras
de pinheiros se juntavam   onde então acampavam;
625   onde homens contentes,   em estreita amizade,
reuniam-se à tarde   no distante bosque.
Ergueu-se então a canção,   acima do silêncio —
e as vastas árvores   a ouviram no alto —
narrando a Ruína   do Reino dos Deuses;
630   o apuro dos Gnomos   no Aperto dos Estreitos;
o combate em Fangros   e dos filhos de Fëanor
a jura inquebrantável.   Levantou-se então Beleg:
"Para que nossos votos   não sejam vãos jamais,
imitemos a promessa   daqueles magnos sete;
635   cabe a nós uma jura   que nunca se altere,
feito a montanha altaneira   de Tain-Gwethil!"
Desnudaram as espadas,   feito poças de sangue
que junto ao fogo   chamejavam rubras.
Ouviram-se as palavras   em voz uníssona,
640   o juramento pronunciado   que jamais poderia
deixar de valer,   um laço de confiança,
de amizade em armas   e zelo no perigo.
A guerra assim ressurgiu   nas agrestes matas
contra os imigos de Feéria;   famosa se tornou
645   e temida também   aquela boa companhia,
quando soava a trompa   dos Elfos caçadores
reboando em capoeiras   e altos montes.
Despertavam as espadas   e cantavam os arcos,

AS BALADAS DE BELERIAND

e das sombras as setas   passavam, aladas,
650   os filhos das trevas   matando aos magotes;
até em Angband   os Orques tremiam.
Correu então a notícia   nas trilhas da floresta
de que Túrin Thalion   voltara à guerra;
e Thingol a ouviu,   seus thains enviando
655   a trazer o que sumira   em amor a seu paço —
mas não era seu fado   que ele fosse achado.
Ganhavam pouco ouro   nos renhidos combates,
mas vigílias e feridas,   ingentes trabalhos;
com roubo e pilhagem   ali não lucravam,
660   escudos de Feéria   contra as hostes do Inferno.
Mas Blodrin, filho de Bor,   queria bastos butins,
recordava com gosto   os seus dias sem lei,
as carnes sem medida,   com cópia de hidromel
enchendo as taças,   e todo o vinho
665   que corria feito água   em seus ébrios festejos.
Ora, contam as histórias   que, quando criança,
arrastaram-no os Anãos   à treva de suas casas,
e em Nogrod foi criado;   em nada se parecia,
malgrado o seu sangue,   aos graves Elfos.
670   Em seu íntimo odiava   o ínclito Túrin
e Beleg arqueiro;   no acaso propício,
deixou camaradas   e a floresta amiga
e foi ter com os Orques,   cujas cimitarras,
pálidas como a Lua,   não poupam ninguém;
675   cuja sanha por ouro   está acima de todos,
salvo a dos corações   das serpes do Inferno.
Traiu seu juramento;   e o infiel, assim,
o abrigo da floresta   e seus bons companheiros
franqueou aos Orques,   a honra olvidando.
680   Ali lutaram e tombaram,   desbaratados por muitos,
em tocaia traiçoeira,   numa hora da noite
em que os fogos eram poucos,   e os despertos, raros —
e muitos não despertaram,   nem com estrondos fortes,
nem com gritos e impropérios   ou espadas se chocando,
685   varridos em seu sono   rumo às sombras da morte.
Mas a Túrin levaram,   por mais atroz que fosse
à destra do Caçador   o dano que causava,

qual urso encurralado   por ávidos sabujos,
sem sentir ferimento;   pois de Morgoth a ordem
690   era levá-lo vivo,   seus válidos membros
presos por mãos pilosas   e lívidos braços.
Em meio aos mortos   sumira Beleg,
com duras feridas   perdeu a consciência;
estava tudo acabado,   com vitória dos Orques.
695   Alvorava fraca a aurora   sobre Doriath
quando Blodrin, filho de Bor,   à beira de uma faia,
teve a garganta presa   por esguia flecha,
de haste estreita,   tratada com veneno
e de penacho escuro,   ao corpo da árvore.
700   Por ouro pôs à venda   a vida dos irmãos:
teve o que mereceu —   na treva, ao acaso,
uma flecha de Orque   fê-lo pagar.

Do mágico dédalo   de Melian, a Rainha,
arrancaram o flébil   filho de Húrin,
705   para selar seu destino;   mas aos trancos andavam
e longas eram as léguas   na molesta via,
por colina e valão   rumo a longes alturas,
onde picos e píncaros   de impias rochas
assomando altivos   se mesclam às nuvens,
710   com véus de vapores,   vastos negrumes;
onde estão Eiglir Engrin,   os Altos de Ferro,
sobre os infames salões   do Inferno erigidos,
presos às raízes   das hórridas ravinas
das Thangorodrim,   montanhas trovejantes.
715   Para lá seguiam,   carregando o saque;
mas, lavado em sangue,   ainda vivia Beleg,
no sono, até que o Sol   para o sul se moveu,
e os olhos do dia   amplos se abriram.
Acordou então confuso,   e a dor o tomou,
720   e para Túrin Thalion   voltou seus pensamentos,
pois detido em batalha   e atado ele o vira.
Rastejou de onde estava,   junto aos cadáveres,
esgotado e exangue;   levantar não podia.
Os thains de Thingol   assim todo ferido
725   na floresta o acharam;   não queria sua sina

que da mão de imigos   a morte sorvesse.
Levaram-no de volta   em vero tormento,
a contar as notícias   sob as tochas fortes
das Mil Cavernas;   ouviu-o Thingol,
730   e curaram-no as mãos   de magno encanto
de Melian Mablui,   formosa rainha.

Em menos de semana   os ferimentos sanaram,
mas o peso em seu peito   não pôde a senhora
aliviar ou deter,   e de tristeza repleto
735   partiu para a floresta.   Camaradas não tinha
na empresa sem esperança,   mas com pressa e só
seguiu o caminho   dos imigos dos Elfos,
enfrentando o terror   e a atroz angústia
que os corações dos homens   da Hithlum fria
740   e os magnos de Doriath   em medo mantinham.
Sem igual entre Homens   ou Elfos mágicos,
entre os rastreadores   dos Orques malditos
ou entre os predadores   que adoram sangue
era seu experto engenho,   que a pista mais fria
745   sabia decifrar   na beira das pedras,
encontrava pegadas   nas trilhas da mata
deixadas de leve   em luas de outrora,
lavadas das folhas   por vento e por chuva.
Os ávidos Glamhoth,   as hostes de gobelins,
750   têm passo matreiro,   mas o experto Beleg
achou sua trilha,   até que as terras no escuro
sumiram com a noite   em ignotos caminhos.
Ali a treva sem fim   estava pendurada
nos galhos de ébano   das árvores frondosas;
755   sob o peso pungente   dos pinhos odoríferos,
assaltado por sonhos   nas sombras espessas,
Beleg se perdeu.   Esconderam-se as estrelas,
ganhou manto a Lua.   A mágica ali falhava
naquele breu máximo,   onde mesmo os gobelins
760   (cujos olhos fundos   furam qualquer sombra)
confusos vagavam,   fora do caminho,
tateando em clareiras   onde altos se erguiam,
de porte imenso   no compasso das eras,

os troncos sem topo   de encantadas árvores.
765   A essa terra estranha chamam   todos os Elfos
Taur-na-Fuin,   Sem-Trilhas na Sombra,
Floresta Mortal,   de terrível renome.
Abandonado, acabado,   Beleg se deitou
ouvindo o vento   a uivar e gemer
770   nos galhos torcidos,   o sussurro dos ramos
muito acima dele,   onde as magnas asas
dos pinhos emplumados   lamentam sombrias
em vãos agouros.   Curvado em desespero,
com a mente perturbada   e a morte cortejando,
775   viu ele de repente   um pouco de brilho
lançando um lume   nas longes sombras,
como a luz de um pirilampo,   lesta e fraca.
Assombrado o seguiu,   sem saber o que era;
pois não conhecia os Gnomos   que o solo cavam
780   nas masmorras fundas   de Morgoth sombrio.
De magia sem igual   na arte dos metais,
cujas joias e gemas   davam júbilo aos Deuses
nos tempos de antanho,   quando tinham liberdade,
escravos agora   na escura labuta
785   das forjas de Angband,   sofriam sem cessar,
sem poder sair,   guardados todo o tempo.
Mas pequenas lâmpadas   de luz cristalina
e gélida prata   com engenho sutil
fabricaram então,   e uma estranha chama
790   nelas luzia sem piscar,   azul e pálida,
ardendo segura.   O segredo dessa luz
os artífices guardavam   a setenta chaves.
Nem o magno Morgoth,   nem tormento ou dor
fariam revelar   do lume o mistério;
795   mas luzes e lâmpadas   de linda radiância,
muitas e mágicas,   para o mestre faziam.
Não temiam escuro   quando nas cavas iam;
os veios que achavam   em vão não se perdiam
em grutas sem chão   ou golfos subterrâneos.

800   Foi um Gnomo que ele viu   em meio às vagas folhas
de tantos pinheiros,   quando com todo cuidado

AS BALADAS DE BELERIAND

foi chegando mais perto.   O pano que se usava
para cobrir a lâmpada   do lado estava posto,
e ela brilhava.   Velado pelo sono,
805   o rosto cheio de temor   era amorfo na sombra.
Nas teias trançadas   por sonhos perpétuos,
tecidas por feitiços   nas trevas da mata,
talvez fosse ficar oculto   para sempre,
mas Beleg lhe falou   na brenha silente —
810   no abismo inacessível   de seu sono profundo
o temor sempre o seguia,   em sua mente gritando;
qual relâmpago   em lança logo saltou
julgando que o medo   e a morte a ele vinham,
Flinding go-Fuilin,   o que foge em angústia
815   das minas de Morgoth.   Ouviu com magno espanto
a língua anciã   dos Elfos de Tûn;
e Beleg, o Arqueiro,   um abraço lhe deu,
soube de sua linhagem   e de sua sina infeliz,
como foi posto em servidão   com penca de cativos,
820   arrancado de sua gente   e das cavas e paços
que os Gnomos chamam   de Nargothrond,
os anos de labuta   debaixo dos açoites
dos horrendos Balrogs,   sperando sua hora.
Contou a história   de sua atroz fuga
825   por outeiros em chamas   e grotões fumegantes,
pelas tristes dunas   das Estepes Ressequidas,
até lhe voltar a esperança,   tendo menos medo.
"Então Taur-na-Fuin   deteve meus pés,
prendeu-os em seus dédalos;   a insanidade veio,
830   e vaguei sem siso,   tropeçando descuidado
e esmurrando os troncos   de tantos pinheiros
com raiva vã —   e me ouviram os Orques.
Acamparam numa clareira,   muito perto de mim,
onde por sorte não entrei.   A passagem deles
835   segue estrada larga   pelas longas sombras,
que a magia guarda   dos vagantes Elfos;
mas ainda temem   a Mortal Floresta,
e seguem apressados   pelas sendas ali.
Então gritos cruéis   e agrestes vozes
840   enchem a mata,   e muitas flechas

A BALADA DOS FILHOS DE HÚRIN

de arcos de chifre   chispam em volta;
e em seguida, leves,   os lestos passos,
que afofam e amassam   as folhas dos pinhos;
e mãos peludas   e famintos dedos
845 no breu apalpando;   mais um pouco e desmaio,
e enfim me acham.   Com força me agarram;
abatido e sangrando,   triste de espírito,
carregam-me rindo,   arrastam meus passos
com a ponta das lanças.   O espólio juntavam,
850 incontáveis cativos   tinham em cadeias,
e moças élficas   que gemiam de pesar.
Mas um deles vigiavam   com ávida guarda,
um de ânimo severo,   alto e robusto,
como são os Homens   da Hithlum brumosa.
855 Esticado estava,   por piquetes preso
a duras correntes,   mas não lhes dava o gosto
de pedir piedade   ao indigno Morgoth,
desafiando os imigos.   Duramente o feriam.
Soltou grito então,   altivo e claro,
860 feito o caçador   que adestra seus cães,
o nome chamando   do mais nobre dos reis —
mas os Homens,   sem memória, em mente não o têm —
Húrin Thalion,   que Erithámrod se diz,
O Que Não se Abala,   pois Balrog e Orque
865 e o magno Morgoth   nos montes ainda
desafia sem medo,   num fero pico
das montanhas trovejantes,   as Thangorodrim."

Com raiva incontida   então saltou Beleg,
gritando sem siso,   esquecido de Flinding;
870 "Ó Túrin, Túrin,   a quem trato como irmão,
como posso deixar-te   preso a correntes,
ao Fundo do Inferno   e suas feras portas?"

"Será igual tua jornada   à goela da agonia,
desregrado arqueiro,   se teu grito insano
875 os Orques escutarem;   pois ouvem melhor
que gatos na treva;   se a distância daqui
até o acampamento   é de mais de um dia,

50

quem sabe se um Gnomo   agora buscam,
o que escapou de suas garras   qual pobre verme
880 que o ventre arrasta,   em vão sangrando
às portas da morte   nos montes de esterco
de lívida toca.   Ó Luz de Valinor!
Ó Deuses de glória!   Como odeio os olhos deles
e suas rubras línguas!"   "Mas arranco Túrin
885 de suas mãos famintas,   ou morro tentando,
ou que eu caia no Inferno   com o fero Morgoth.
Guiar-nos-á tua lâmpada,   e lesto hei de ser
nos caminhos da mata!"   "Tua mente, caçador,
não te leva bem —   lobos que não dormem
890 e magia aprisionam   com zelo os cativos;
não erram suas flechas;   o aço gélido
de suas cimitarras   talha facilmente
tranças de ferro;   as trevas vazam
aqueles olhos deles;   seu hórrido riso
895 faz gelar o sangue!   Para lá não vou,
pois o medo me acorrenta   à Floresta da Noite:
antes morrer no escuro,   oculto e perdido,
que de caso pensado   tal sina cortejar!
Não sei o caminho."   "Tão mínima é a força
900 de Flinding go-Fuilin?   Tão fero Gnomo
há de se mostrar   cativo cobarde,
se, duas vezes preso,   duas vezes escapou?
Recorda a pujança   e o júbilo de outrora,
o renome dos Gnomos   de Nargothrond!"

905 Assim Beleg, o arqueiro,   quis convencê-lo,
e Flinding ao medo   fez frente em seu peito,
libertando a luz   de sua lâmpada azul,
que agora ardia.   No negrume dos bosques
deram vastas voltas,   em vão procurando;
910 junto aos altos troncos,   qual torres silentes,
tropeçando feito cegos,   sem senso de nada;
topando em raízes   qual pedras retorcidas;
confundidos em sonho   por odores sombrios
em que a esperança se esvai.   "Ouviste, Flinding?
915 Vozes sem corpo,   vagas e distantes,

A BALADA DOS FILHOS DE HÚRIN

pés em marcha   num murmúrio abafado,
calçados de esquivança,   açodam-se no silêncio."

"Não, nada escuto",   o Gnomo respondeu,
"tua esperança te engana."   "Pois agora ouço
920 batendo e rangendo   as tristes correntes,
e lobos passando   por sendas batidas.
Sinto o cheiro do sangue   manchando espadas
cruéis e curvadas;   as vãs risadas —
agora, ouça! o som vem alto   e mais alto",
925 disse o mestre da caça.   "Não escuto nada",
disse Flinding, assustado.   "Então segue-me!",
Beleg respondeu,   dobrando o arco,
"minha sagácia retorna,   agora não preciso
da ajuda de teu lume."   Veloz saltando,
930 sumiu-se nas sombras;   com a mão na lanterna,
Flinding o seguiu,   e o negrume da floresta,
sua confusa treva,   tardava flutuando,
desviando-se deles   em fugidias sombras,
seu feitiço mais fraco,   e então perceberam
935 que estavam na fronteira.   Um portão se abria,
uma goela negra.   Nele, os troncos
formavam moldura,   em dias distantes
derrubados por raios,   de rastos agora,
com lepra dos líquens   ao lado da trilha.
940 As formas imprecisas   de morcegos voando
iam de lá para cá,   lisas no ar,
dando voltas, silentes.   Uma luz de vertigem
tênue se infiltrava,   pois, voltados para o Norte,
o olhar deles cruzava léguas   de molestas terras,
945 cruzava os duros pedrais   e as dunas inóspitas
de Dor-na-Fauglith,   fera e calcinada;
cruzava a Estepe Ressequida   e via tétricos picos,
num relance gris,   pelo agreste portão,
do magno poder   dos Montes de Ferro,
950 e, longes e lúgubres   no lusco-fusco,
as torres trovejantes   das Thangorodrim.
Mas, muito atrás,   a treva atravessando,
passada a porta escura,   a senda seguia,

52

a estrada dos Orques;   e então, de repente,
955 rasgaram o silêncio   agrestes ruídos
que vinham detrás deles,   e atrozes ecos,
um tropel de pés   não muito perto dali;
petrechos que tremem;   e o estranho murmúrio
de vozes sem rosto   na vaga treva
960 chegando mais perto.   "Ah! agora escuto",
disse Flinding temeroso;   "Rápido, fujamos
do ódio e do horror,   das hediondas faces,
dos olhos de fogo   e de suas feras pisadas!
Ah! Desditosa hora   em que entrei aqui!"

965 Então saltou em seu peito,   atento ao mal,
com terror inaudito   o reto coração
de Beleg, o bravo.   Com brancas feições,
nas avencas secas   e nas varas folhosas
dos fetos mortos   fundo se enterraram,
970 onde, úmido e escuro,   escoava um rego
as águas do bosque,   da sua borda descendo
para pingar e morrer   nas agruras da seca.
Mal tinham se escondido   quando a tropa surgiu
dando a volta num canto   da escura mata,
975 com andar gingado   e grande pisoteio
de pés e mais pés sobre   as pilhas de folhas.
Fileiras e fileiras   de lanças impiedosas
vinham naquela hoste;   sem ânimo e trôpegos,
incontáveis cativos,   em trapos e com carga
980 de butim ensanguentado,   acorrentados sem pena,
arrastavam os Orques,   sob os olhos vigilantes
dos ginetes de lobos   e dos lobos do Inferno.
Sua estrada molesta   a lágrimas recendia:
muitos paços e casas,   mil ocultos refúgios
985 de senhores dos Gnomos   à noite cercados
suas vastas forças privaram   de alegria,
conspurcando o que é belo   e os bastos campos
com o sangue corajoso   da gente derrotada.

Os grupos de Orques viraram   hoste de guerra
990 depois que Blodrin, filho de Bor,   os bandos guiara

A BALADA DOS FILHOS DE HÚRIN

para as marcas da mata,   amalgamados que estavam
ao voltar para as suas tocas,   para os tristes salões,
inchados em número   feito enxame de pragas.
Feito o trovão que ribomba   nos vãos profundos
995 de nuvens cavernosas   que se inundam de treva,
elevou-se de súbito   canção terribilíssima,
e esse canto infernal   a casa deles saudou;
passando da vanguarda   de lanceiros ferozes
que já viam os vapores,   vastos e escuros,
1000 dos tríplices picos   das Thangorodrim,
para trás emanava,   um rosnado sombrio,
qual tambores distantes   em tristes masmorras.
Então uivou um homem-lobo;   uma palavra urrada
feito aço na pedra;   e qual postes rijos
1005 suas lanças e espadas   de pé puseram,
como do deus da guerra   o agreste trigo,
com pontas pálidas   que o crepúsculo vazam.
Como se o vento os tocasse,   arqueiam-se todos
e se curvam, e as tropas   com batida e cadência
1010 prosseguem sem júbilo   pelas sendas das matas,
passam os troncos sem topo   de Taur-na-Fuin,
sob os galhos leprosos,   a garganta do portão.

Então Beleg, o arqueiro,   ao abrigo das folhas,
as legiões imundas   espiando escondido,
1015 viu Túrin, o alto,   trôpego a avançar,
e os açoites dos Orques,   de som que enche o ar;
e a ira borbulhou   em seu ígneo peito,
e a compaixão transbordou   em dignas lágrimas.
O canto acabara;   os bandos de Orques
1020 desciam as encostas   do cerro mais além;
e o silêncio chegou,   lento e sombrio,
aos troncos das árvores   de Taur-na-Fuin,
e a noite mais profunda   de fora ia vindo.

"Segue-me, Flinding,   sai da floresta!
1025 Vamos dar-lhe força,   até o Inferno se preciso,
até a morte pelas setas   dos sujos Glamhoth!":
e Beleg saltou do abrigo   como um louco,

como o cervo   que os cães acuam latindo
de sua toca nas montanhas   e nas terras ermas;
1030   e Flinding o seguiu,   com agouros de medo,
sob o portão, por touças   de teixos emaranhados,
por charcos e curvas   e pequenos arbustos,
até chegarem às rochas   e os rasgos das charnecas,
aos outeiros inóspitos   que na treva descem
1035   às dunas ressequidas   de Dor-na-Fauglith.
Na copa escavada   da encosta de um morro,
de cuja borda rachada   desabava uma franja
de arbustos retorcidos,   dobrados de angústia
pelo vento Norte,   viram muito abaixo
1040   o acampamento em festa   dos imigos disposto;
o fogo chamejante   e o fumo das tochas,
e vultos negros também   viram no clarão,
passando incontáveis,   e o estrondo de gritos
e o uivo dos lobos   ao longe ouviram.

1045   Então o astro lunar   sobre as névoas se ergueu,
e a radiância penetrante,   a tudo varando,
criou sombras mais distintas   nas alturas e cavas,
e as encostas pintou   com escuros desenhos;
subindo feito ramos,   os rastros das fogueiras
1050   ganharam um toque   de trêmula prata.
Com o fogo mais fraco,   ao fundo do sono
os Orques desabaram.   Não houve sentinelas,
vigias não os guardavam —   vigília para quê,
por que ficar insone   nas secas regiões
1055   sob Eiglir Engrin,   donde os olhos de Bauglir
sem cessar fitavam   dos portões do Inferno?
Pois brilhante, sem piscar,   o olhar dos lobisomens
não via à luz lunar?   Os lobos que não dormem,
sentados em círculos   com sôfregas línguas,
1060   não aguardam nos castros   dos Glamhoth cruéis?
Então Beleg se abalou,   e os olhares parados
quase o congelaram,   suas carnes atando
com medo infindo,   com a face por terra
ao lado de um penedo.   Sus! nuvens de ébano
1065   dos breus do Norte   subiram qual fumaça,

A BALADA DOS FILHOS DE HÚRIN

velando o brilho   da Lua que tremia;
veio então o vento,   uivando nas montanhas,
e a infeliz charneca   bisbilhava e murmurava;
e vinham fracos gemidos   do tormento da gente
1070   no castro maldito.   Seu carcás chacoalhava
quando se pôs de pé   e apalpou seu arco
com pontas de chifre,   por expertas mãos
feito de madeira negra;   de tendões de urso
era sua firme corda;   a força para curvá-lo
1075   não tinham Homem nem Elfo;   tão alta magia
achava-se apenas   no flecheiro Beleg.
Não havia flecha de Orque   sem falha no voo
como as ínclitas setas   que o alvo acertavam
se avistado de relance   em trevosa hora.
1080   Então Dailir sacou,   seu dardo bem-amado;
por mais que viajasse   ou na lonjura caísse,
encontrava-o inteiro,   com todas as penas
e a ponta ainda forte   (até que enfim quebrou);
e veloz mandou voar   aquela alada seta
1085   de língua de serpe,   com acerto a corda
unindo à flecha,   e com desnudo braço
puxando-a para si.   Então cicia o ar,
e a corda, oscilando,   canta atrás da seta,
que um sentinela, em silêncio,   leva ao chão —
1090   eis aí um lobo   que não late mais.
As setas seguintes   com gosto mirou,
no meio do alvo   a morte trazendo
discreta no escuro,   feito cobra ferindo,
pondo em três dos lobos   estrepes nas goelas,
1095   e por fim o quarto,   com flechas aladas
tremendo fincadas   nas covas de seus olhos.
Grande foi a brecha   que na guarda se abriu,
e Beleg seu arco   desdobrou, dizendo:
"Virás ao acampamento,   amigo Flinding,
1100   Ou me aguardas vigilante?   Se agora eu perecer,
podes levar a notícia   à terra dos bosques,
relatando a missão   a Thingol, o rei,
de como Túrin, o alto,   o destino prendeu,
e como Beleg, o forte,   seu fim teve aqui."

AS BALADAS DE BELERIAND

1105 Flinding, com medo, respondeu mesmo assim:
"Vim contigo muito longe, mateiro Beleg,
não me permito deixar-te, o amigo negando!"
Então arco e espada deixou o Elfo ali
com seu cinto aberto, aos arbustos preso
1110 na touceira escura de uma cova perto deles,
e Flinding ali sua lâmpada dispôs,
e seus borzeguins, carregando só a faca,
para que, sem embaraço, barulho não fizesse.

Os valentes, então, indo colina abaixo
1115 rumo ao acampamento com máximo cuidado,
realizaram a façanha, naquele passado distante,
cuja glória imortal agora enche a Terra,
e canções a celebram sem cessar pelo mundo,
onde quer que os Elfos, em ancianos reinos,
1120 tenham luz ou riso em suas longas vidas.
Com respiração presa, às portas do vale,
parados observaram as vagas sombras,
até virem onde o círculo de insones olhos
tinha se rompido; com o peito inquieto
1125 passaram por onde as setas aladas
tinham varado os lobos, perfurados e exangues,
mortos no escuro; qual fumaça silente
pela massa dormente lentamente deslizaram,
feito espectros de sombra que passam, vagos,
1130 de treva em treva, até que os trouxe a sorte,
e a arte e astúcia do mateiro Beleg,
até Túrin, o alto, que deitado se via
com o rosto caído em restos sujos,
e os pés acorrentados, e presos em cadeias
1135 os braços atrás, em triste agonia.
Dormia ou desmaiara, de ânimo esquecido,
pois drogas malignas lhe davam para isso;
não podia ouvi-los; nem vã esperança
nem fundo desespero desperto o deixavam;
1140 palavras não valiam para dar luz a seu juízo.
Nada podia cortar as trelas que o prendiam,
embora Flinding procurasse a faca forjada

A BALADA DOS FILHOS DE HÚRIN

com aço dos Anãos,   pois renome tinha,
e a usava na cintura   despertando ou dormindo;
1145   seu gume devorava   sem agrura o ferro,
feito o arado que racha   um torrão de argila.
Fora feita por artífices   nas terras do Leste,
no breu de Belegost,   pelos barbados Anãos
que juras não respeitam;   assim, pois, traiu-o,
1150   da bainha escorregando   nas agrestes encostas
e rochas acidentadas   por onde a trilha seguia.

"Nosso dever, como pudermos,   é levá-lo daqui",
disse Beleg, curvando   seus bastos ombros.
Então ergueu a cabeça   do rebento de Húrin,
1155   e Flinding go-Fuilin   foi até os pés;
eis um feito denodado,   pois nos dias de outrora,
embora o porte dos Homens   menos peso tivesse
antes que a abundância da Terra   herdassem dos Elfos,
e embora as gentes élficas,   quando jovem era o Sol,
1160   tivessem força infinda,   e mofinos ao luar
ainda não fenecessem,   como se de sombras feitos,
em postos despovoados,   pares eles não eram
em carne e osso,   no corpo e na forma,
e Túrin era o mais alto   dos Homens de dez raças
1165   que nos coles de Hithlum   suas casas tinham.
Como um tronco levantaram   seus altivos membros
e com magno esforço   em temor partiram,
de corpo vergado   e agruras nos ossos,
deixando o castro horrendo   nas covas do sonho,
1170   onde os lanceiros babavam,   bêbados de sono,
ao lado de cimitarras   cortantes e assassinas
e flechas agudas   em feixes empilhadas.

Agora Beleg valente   era o líder na trilha,
mas seus pés, de exaustão,   com estrondo o derrubaram
1175   com Túrin por cima,   e trêmulo tropeçou
Findling para a frente;   aflitos, deitados,
muito tempo escutaram,   atentos a algum alarme,
a ruídos e gritos,   e em seu íntimo estremeciam;
mas imutáveis no sono   ainda estavam os Orques,

58

AS BALADAS DE BELERIAND

1180 na treva ainda mais funda   da triste meia-noite
e das horas sem vida   em que a alma se solta
e retira os grilhões   de sua trêmula carne.
Encararam então o medo,   respiraram outra vez
e ficaram de pé   na conspurcada terra,
1185 enfrentando de novo   com toda a força
a atroz tarefa,   pois Túrin não acordava.
Ali Beleg gemeu   pela mão que se feriu
quando tateava,   com algo pontudo —
era Dailir, seu dardo,   destro e prezado,
1190 que estava a seus pés,   um par de fragmentos
com bárbulas torcidas;   quebrara-se enfim
sob o peso do arqueiro.   Era auspício maligno.

Como num sonho impreciso   que sabe a horrores,
seguiram seu caminho   em angústia lenta,
1195 passada a passada,   até que a sorte deixou
que o levassem enfim   do covil dos monstros,
e, sem fôlego, arfando,   o fardo depuseram
no amplo seio da terra,   um instante parando;
depois, por caminhos tortuosos   retomaram a trilha
1200 subindo encostas íngremes   com custo imenso,
forçando-se até o fim,   até lançarem-se exaustos
na depressão escura sob a touceira espessa.
Pegou então Beleg   sua boa espada,
com élfica voz   dando ânimo à lâmina,
1205 lançando a ela sussurros,   canções de magia,
sob a luz azulada   da lâmpada de Flinding.
Trançou dolentes   palavras de agudez,
e os nomes de facas   e gnômicas lâminas
fez soar sobre ela: de Ogbar a lança
1210 e o gládio de Gaurin,   cujo golpe luzente
no salão de Rodrim   as rochas fendeu;
a espada de Saithnar,   e a prata das lâminas
das crianças encantadas,   do feitio de grilhões
em sua funda masmorra;   a faca de Nargil,
1215 a adaga do Norte   em Nogrod forjada;
a magna foice   da tormenta cortante,
o alfanje cintilante   do relâmpago a saltar,
Celeg Aithorn, a que corta o mundo.

A BALADA DOS FILHOS DE HÚRIN

Com um silvo girou   a aguçada lâmina
1220   e em três vezes três voltas   a treva varou,
até que o fogo ateou,   bruxuleando estranho,
à luz da lâmpada brilhando   feito incêndio,
azulado e lúgubre   no gume da lâmina.
Sus! um riso zombeteiro,   tétrico e isolado,
1225   pelo vento adejou,   chegou junto a eles;
escutando esse horror,   trêmulos ficaram;
sentiam os pés   dos contrários que vinham,
ouviam as trompas   da tropa a caçar
no murmúrio farfalhante   de uma mínima brisa.
1230   Então cobriram logo   com o leve pano
a luz da lanterna,   e, num instante, Beleg
com sua espada cortou   os atrozes grilhões
no pulso e no braço,   como se pobres cordas
fossem, de tão afiada;   sem ânimo ainda,
1235   Túrin estava imóvel,   deitado em estupor.
Tateando as cadeias   que prendiam-lhe os pés,
tentou Beleg cortá-las   com a pontuda lâmina,
mas por descuido feriu   a carne cansada,
fez rasgo num dos pés,   e, jorrando, o sangue
1240   manchou sua mão,   por mágica sombria:
o sono profundo   por fim se encerrou;
despertou Túrin,   encontrando uma forma
com uma espada nua   inclinada sobre si.
Morte e tormento   à mente lhe vieram,
1245   pois amiúde os Orques,   por cruel pilhéria,
em mesquinho ultraje   marcavam-no com facas
de longe jogadas,   e com lanças cruentas.
Sus! não havia mais cadeias   a prender suas mãos:
seu grito de guerra,   com agreste eco
1250   lançou Túrin feroz   ao contrário imaginado,
e Beleg, tombando   de borco e sem fôlego,
foi por ele esmagado.   Com angústia de insano
o herdeiro de Húrin   se apodera da espada,
que estava à mão dele   por destino maligno;
1255   golpeia a garganta;   perpassa-a toda,
enterrando o sangue   no solo sangrento;
sem que Flinding atinasse   o que a noite escondia,

tudo se consumara.   Com juramento terrível
incitou Túrin   os pelotões de gobelins
1260   ao encontro das armas: "Sus! de Húrin o filho
está livre dos grilhões."   Longe julgava estar,
nos acampamentos   dos monstros Glamhoth.
Fuga não buscava,   contra Flinding saltando
com seu riso derradeiro,   para vender caro
1265   a vida aos contrários;   mas o triste Elfo,
atônito de assombro,   gritou, recuando:
"Mágica de Morgoth!   Ah! máxima loucura!
Teus amigos combates!" —   e, desabando de repente,
a lâmpada, revirada,   revelou-se nas folhas,
1270   e o lume, descoberto,   sua luz lançou,
uma flama pálida,   sobre a face de Beleg.
Junto aos troncos das árvores,   Túrin, arfando,
com pétreas faces   contemplou, congelado,
aquela morte terrível;   sua mente entendeu;
1275   abriu olhos insanos,   hórridos e despertos,
imagem esculpida   de perpétua angústia.
Tão tremenda era sua face   que Flinding se encolheu
e o fitou, imaginando   que teias de perdição,
sombrias e sem remorso,   em seu meio o tinham
1280   pela força de Morgoth;   e sofreu por ele
e por Beleg, cujo arco   não se dobrava mais,
sem madeira de teixo   na batalha a cantar —
sua vida chegara   àquela vasta espera
nos salões da Lua,   muito além do mar.

1285   Ouviu Flinding as trompas,   um estrondo forte;
não era riso espectral   de fantasma cruel
nem pés sem corpo   que passam invisíveis —
os Orques despertavam;   escutaram de longe
os gritos de Túrin;   agora estavam em tumulto,
1290   sua sede em chamas   quando as sombras derradeiras
da noite partiam.   Quase inerte de medo,
num sussurro rouco   para surdos ouvidos
falou de seu terror;   pois, de rastos, Túrin,
com membros estirados   e imóveis olhos,
1295   estava ao lado do corpo   em louca tristeza;

nem visão nem som   conheciam seus sentidos,
e murmurava palavras   de luto sem juízo,
"Ah! Beleg", sussurrava,   "meu bravo irmão."
Flinding o sacudia   sem que desse por si:
1300   mesmo se o entendesse,   a morte preferiria.
Então ventos se levantaram   em vastas masmorras
onde trovões, reboando,   ecoavam e rugiam;
a tormenta caminhava   com magnas bandeiras
nos quatro cantos   do alquebrado mundo;
1305   então cortou as nuvens   um estrondo de corisco,
e, lançado feito seixos   por centos de fundas,
o célere granizo   desceu assobiando
num dilúvio escuro,   com cópia de chuva.
Às vezes num crescendo,   às vezes ao longe,
1310   os gritos dos Glamhoth   agora se ouviam,
e o uivo dos lobos   aos urros do céu
triste se mesclava: a trilha perdiam,
pois torrentes copiosas   rasgos traçavam
nas encostas negras,   e nada se via,
1315   de modo que aos tropeços,   seu passo seguindo
para os portões de treva,   tantos gobelins
afogaram-se ou entraram   na Mortal Floresta,
perecendo nas sombras;   enquanto o Sol não vinha,
enquanto a tempestade   coriscava sem cessar
1320   naquele dia escuro,   e, encharcado e empapado,
Flinding go-Fuilin,   sem fala pelo medo,
tremia encolhido;   lívido e sem vida
jazia Beleg, o arqueiro;   cabisbaixo e mudo,
Túrin Thalion,   sob a touça de espinhos,
1325   sentava-se sem ver,   sem voz ou movimento.

As dunas ásperas   de Dor-na-Fauglith
ciciavam e ardiam.   Subiram altas espirais
de vapor e fumaça,   mantos fétidos,
nuvens espessas   que nada molhavam,
1330   e veio a aurora,   um vago lume,
depois que um dia inteiro   tinha passado.
Os Orques se foram,   sua ira inútil,
pelas vias em tumulto   seu caminho seguindo

até os horrendos salões   do reino do Inferno;

1335   a Túrin Thalion não tinham   como escravo —
o fardo que portava   era mais fero que os grilhões,
ao desespero acorrentado,   de espírito vazio,
em tristeza e luto   para trás ficou.[C]

❧

NOTAS

617 *Blodrin*: *Bauglir* em A e também na forma original de B. Ver o verso 618.

618 *Bauglir, filho de Ban* em A e em B quando datilografado (*Bauglir* > *Blodrin* foi uma mudança cuidadosa, feita logo, enquanto *Ban* > *Bor* foi mais apressada e posterior).

631 *Fangair* em A, *Fangros* na versão original de B.

636 *Tengwethiel* [*sic*] em A, *Tain Gwethil* em B quando datilografado. Cf. o verso 431.

653 *Túrin Thaliodrin* em A e na versão original de B. Cf. os versos 115, 333, 720.

661, 696 Vale o mesmo que para o verso 618.

711 *Aiglir-angrin* em A, *Aiglir Angrin* na versão original de B, emendado para *Eiglir Engrin* rapidamente a lápis; cf. o verso 1055. No *Conto de Turambar* ocorre a forma *Angorodin* (as Montanhas de Ferro), II. 99.

711–14 Em A (e também na versão original de B, com *os Infernos erigidos* no lugar de *os Infernos de Ferro*):

> onde estão Aiglir-angrin, os Altos de Ferro,
> e as Thangorodrim, montanhas trovejantes,
> sobre os Infernos de ferro e os infames salões,
> presos às raízes das cruentas ravinas.

718 Cf. a segunda adivinha que Bilbo propôs a Gollum.[*]

720 Tal como no verso 653.

780 *Delimorgoth* em A, *Delu-Morgoth* na versão original de B, *dark Morgoth* [*Morgoth sombrio*] sendo uma emenda tardia a lápis. Nos versos 11 e 51, *Delu--Morgoth* é uma emenda de *Delimorgoth* no texto B.

816 *Tûn* também no texto A; ver os versos 50, 430.

818–20 Ao lado desses versos, meu pai escreveu na margem do texto B: "Capturado em batalha nos portões de Angband".

826 *pelos penedos negros da Planície Calcinada* em A (verso marcado com uma interrogação)

834 *sorte*: *senso* em A e na versão original de B; *sorte* foi escrito a lápis e não é uma interpretação totalmente segura.

---

[*] "Olhos do dia" é um jeito poético de se referir às margaridas, chamadas em inglês de *daisies*, provável contração de *day's eyes*, expressão que tem esse significado no idioma. [N.T.]

A BALADA DOS FILHOS DE HÚRIN

946 *Daideloth* em A, forma emendada, no momento em que o texto foi escrito, para *Dor-na-Maiglos, Dor-na-Fauglith* na versão original de B. Na margem de A está escrito: "um platô, palavra derivada de *Dai*, 'alta', e *Deloth*, 'planície'"; comparar com II. 406, verbete *Dor-na-Dhaideloth*.

990 *Blodrin, filho de Ban* em A e na forma original de B; *filho de Ban > filho de Bor* em partes posteriores de B. Nos versos 617–18, 661, 696 em A e na versão inicial de B, o termo era *Bauglir*, alterado para *Blodrin* em B.

1055 *Aiglir Angrin* em A e no texto B quando datilografado; ver o verso 711. *Bauglir* em A e B.

1098 Esse verso recebeu emendas em B, mas o significado delas é incerto: aparentemente *Então desdobrando o arco, Beleg perguntou:*

1137 Na margem de B está escrito *r?*, isto é, o adjetivo em inglês seria *dreadly* [terrivelmente], e não *deadly* [mortalmente].

1147 *Leste: Sul* no texto A e na forma original do texto B.

1198 A forma em inglês *bosméd* [*bosomed*, "no seio"] foi grafada dessa maneira tanto em A quanto em B

1214 *Nargil: Loruin* em A, com *Nargil* acrescentada como alternativa.

1324 *Túrin Thaliodrin* em A e na versão original de B; conferir os versos 653, 720.

1335 *Thalion-Túrin* em A e no texto datilografado originalmente em B.

Comentário a *Parte II, "Beleg"*

Nessa parte do poema há alguns desenvolvimentos narrativos de grande interesse. O texto acompanha o *Conto* (II. 98) ao fazer com que Beleg se torne um dos membros do bando de Túrin nas marcas de Doriath não muito depois da partida do jovem das Mil Cavernas, e sem nenhum evento intermediário — em *O Silmarillion* (p. 272), Beleg foi até Menegroth e, depois de falar com Thingol, partiu em busca de Túrin, enquanto no *Narn* (pp. 120–23), há o "julgamento de Túrin" e a intervenção de Beleg, que traz Nellas como testemunha antes de seguir a trilha do amigo. No poema, fica explícito que Beleg não o estava procurando e, de fato, não sabia absolutamente nada sobre o que tinha acontecido nas Mil Cavernas (verso 595). Mas o bando de Túrin não é mais formado pelos "espíritos bravios" do *Conto*; eles são hostis em relação a todos os forasteiros, sejam eles Orques, Homens ou Elfos, incluindo os Elfos de Doriath (versos 560–61, 566), tal como em *O Silmarillion* e, com muito mais detalhes, no *Narn*, onde o bando é conhecido como *Gaurwaith*, os Homens-Lobos, que "eram temidos como lobos".

Aparece aqui o detalhe da captura e maus-tratos de Beleg por parte do bando, e também o da ausência de Túrin do acampamento naquele dia. Vários traços da história do *Narn*, de fato, já estão presentes no poema, embora ausentes do relato mais condensado em *O Silmarillion*. São coisas como o fato de que Beleg é amarrado a uma árvore pelos proscritos (577, *Narn*, pp. 133–34) e o que ocasionou a ausência de Túrin — ele estava

> na trilha dos Orques
> que trotavam para casa nas Montanhas de Ferro
> carregando o butim das terras dos Homens.

tal como no *Narn* (pp. 132–33), onde, entretanto, a história faz parte de um complexo conjunto de movimentos envolvendo o povo de Brethil, Beleg, os Gaurwaith e os Orques.

Enquanto no *Conto* é só nesse momento que Beleg e Túrin se tornam companheiros de armas, já vimos que o poema traz a história posterior, segundo a qual eles tinham lutado juntos nas marcas de Doriath antes da fuga de Túrin das Mil Cavernas (p. 39); e agora observamos também a evolução da trama, na qual o ânimo mudado de Túrin ao ver Beleg amarrado à árvore (*Saiu então o ódio dos olhos de Túrin*, 584) e as recriminações do próprio Beleg (*Serão os imigos de Feéria amigos dos Homens?* 603), levam o bando a usar suas armas, dali por diante, apenas contra *os imigos de Feéria* (644). Do grande juramento feito pelos membros do bando, ecoando de forma explícita o dos Filhos de Fëanor (634) — e, coincidentemente, mostrando que nessa jura a montanha sagrada de Taniquetil (Tain-Gwethil) foi citada como testemunha (636) — não há traço algum em *O Silmarillion* ou no *Narn*: nesse texto mais tardio, de fato, a maneira como os proscritos são concebidos faz com que esse tipo de juramento seja muito improvável.

Os versos 643 e seguintes, descrevendo a valentia dos camaradas na floresta, corresponde à forma mais antiga da história da Terra de Dor-Cúarthol, que nunca chegou a ser finalizada (*O Silmarillion*, pp. 277–78, *Narn*, pp. 211–13); os versos 651–54

> até em Angband os Orques tremiam.
> Correu então a notícia nas trilhas da floresta
> de que Túrin Thalion voltara à guerra;
> e Thingol a ouviu...

acabam levando a

A BALADA DOS FILHOS DE HÚRIN

Em Menegroth, e nos salões profundos de Nargothrond, e mesmo no reino oculto de Gondolin, a fama dos feitos dos Dois Capitães se fazia ouvir; e em Angband também eles eram conhecidos.

Mas, na versão posterior da história, Túrin se disfarçava usando o nome de Gorthol, o Elmo Temível, e foi o fato de usar o Elmo-de--dragão que o revelou a Morgoth. Não há indicações disso na fase mais antiga da lenda; o Elmo-de-dragão não aparece mais no poema.

Uma tabela pode ajudar a esclarecer esses desenvolvimentos:

Conto	*Balada*	*Silmarillion* e *Narn*
A valentia de Túrin nas marcas de Doriath (Beleg não é mencionado).	Túrin e Beleg são companheiros de armas nas marcas de Doriath; Túrin usa o Elmo-de-dragão.	Idêntico ao poema.
Morte de Orgof.	Morte de Orgof.	Morte de Saeros.
Túrin deixa Doriath; um bando se forma ao seu redor, incluindo Beleg.	Túrin deixa Doriath; um bando de proscritos se forma ao seu redor, e eles atacam todos os passantes.	Túrin deixa Doriath e se junta a um bando de proscritos desesperados.
	O bando captura Beleg (que nada sabe da fuga de Túrin de Doriath) e o amarra a uma árvore.	O bando captura Beleg (que está em busca de Túrin, trazendo o perdão de Thingol) (e o amarra a uma árvore, *Narn*).
	Túrin o liberta; arrepende-se de seus maus atos; Beleg se junta ao bando; todos fazem um juramento.	Túrin o liberta; arrepende-se de seus maus atos; mas Beleg não quer se unir ao bando e parte. (Não há menção a um juramento.)
Grande valentia do bando.	Grande valentia do bando contra os Orques.	(Beleg retorna posteriormente e se junta ao bando:) Terra de Dor-Cúarthol.

Antes de deixar para trás essa parte da narrativa, é possível sugerir que os versos 605 e seguintes, nos quais Túrin declara a Beleg *"neste bando apenas conto camaradas"*, contém o embrião das palavras de Túrin ao Elfo na *Narn*, p. 136:

O perdão de Thingol não se estenderá a estes meus companheiros de decadência, creio; mas não me separarei deles agora, se não quiserem se separar de mim etc.

O traidor responsável por entregar o bando aos Orques aparece agora pela primeira vez. De início, ele é chamado de *Bauglir* tanto no texto A quanto na versão original de B, e pode-se imaginar que o nome tinha um significado maligno demasiado óbvio. Está bastante claro, porém, que a explicação é que o nome *Bauglir* passou a ser *Blodrin* ao mesmo tempo em que *Bauglir* substituiu *Belcha* como epíteto de Morgoth. (No momento em que meu pai chegou ao verso 990, *Blodrin* passa a ser o nome escrito originalmente tanto em A quanto em B; da mesma forma, a partir do verso 1055, *Bauglir* passa ser o epíteto de Morgoth, substituindo *Belcha* em ambas as versões.) A mudança do nome de *Ban* (pai de Blodrin) para *Bor* foi passageira; ele é chamado de *Ban* no "Esboço da Mitologia" de 1926 e continuou assim até que, muito mais tarde, desapareceu.

A origem de Blodrin é interessante:

> quando criança,
> arrastaram-no os Anãos à treva de suas casas,
> e em Nogrod foi criado; em nada se parecia,
> malgrado o seu sangue, aos graves Elfos.   (666–69)

Assim, a natureza maligna de Blodrin é atribuída explicitamente à influência dos *barbados Anãos / que juras não respeitam* (1148–149); e Blodrin se aproxima de Ufedhin, do *Conto do Nauglafring*, como exemplo do efeito sinistro da associação de Elfos com Anãos – algo que não está de todo ausente do conto de Eöl e Maeglin conforme retratado em *O Silmarillion*. Embora a natureza e o nome do traidor no bando de Túrin tenha passado por mutações camaleônicas mais tarde, não é inconcebível que a lembrança desse elemento anânico na história de Blodrin tenha desempenhado algum papel no surgimento do personagem Mîm. Quanto à percepção hostil

A BALADA DOS FILHOS DE HÚRIN

inicial dos Anãos, ver II. 295–96. Os trechos do poema citados há pouco estão ligados à "traição" de Flinding por sua faca anânica, que deslizou de sua bainha; do mesmo modo, mais tarde, na *Balada de Leithian*, quando Beren tentou cortar uma segunda Silmaril da Coroa de Ferro (versos 4160–162)

> A faca de artesãos matreiros
> feita em Nogrod por ferreiros
> se parte em dois ...

A ideia expressa no *Conto* (II. 99) segundo a qual Túrin foi capturado vivo por ordem de Morgoth, que "temia que ele pudesse burlar a condenação que lhe fora preparada", reaparece no poema: *para selar seu destino* (705).

O resto da história, conforme está narrada no poema, difere do *Conto* apenas nos detalhes. O fato de que Beleg sobrevive ao ataque dos Orques e se recupera rápido de seus graves ferimentos (II. 100), presente em circunstâncias muito alteradas em *O Silmarillion* (p. 278–79), aqui talvez fique mais compreensível, já que Elfos de Doriath, que estavam procurando Túrin (654–55) encontram Beleg e o levam para ser curado por Melian nas Mil Cavernas (727–31). No relato sobre o encontro de Beleg com Flinding em Taur-na-Fuin, sendo conduzido até ele pela lâmpada azul, o poema está seguindo o *Conto* muito de perto.* A pintura dessa cena, feita por meu pai (*Pictures by J.R.R. Tolkien*, n. 37), quase certamente data de alguns anos depois disso, quando o Elfo deitado debaixo da árvore ainda era chamado de Flinding, filho de Fuilin (no *Conto* ele é chamado de *bo-Dhuilin*, anteriormente *go-Dhuilin*, filho de Duilin; o prefixo patronímico, no poema (814, 900) voltou a ter a forma anterior *go-*, ver II. 145).

No *Conto*, afirma-se apenas (II. 104) que Flinding era membro do povo dos Rodothlim"antes de os Orques o capturarem"; com base no poema (819–21), a impressão é que ele foi capturado, junto com muitos outros, em Nargothrond, mas é improvável que

---

* O detalhe da lâmpada azul não está presente no relato em *O Silmarillion*; ver *Contos Inacabados*, p. 80, nota 2.

esse seja o significado da narrativa, já que *eles* [os Orques] *nada ainda sabiam de Nargothrond* (verso 1578). A nota marginal no texto B ao lado desses versos, dizendo "Capturado em batalha nos portões de Angband", refere-se à versão posterior da história, que apareceu pela primeira vez no "Silmarillion" de 1930.

O poema acompanha o *Conto* quanto aos detalhes da história de Flinding que ele reconta a Beleg, com exceção do fato de que, no poema, ele é recapturado pelos Orques em Taur-na-Fuin (846 e seguintes) e foge de novo (*escapou de suas garras qual pobre verme*), enquanto no *Conto* ele não foi recapturado, mas "[fugiu] desabalado". O detalhe notável do conto, que diz que Flinding "ficou sobremaneira contente de falar com um Noldo livre" reaparece no poema: *Ouviu com magno espanto / a língua anciã dos Elfos de Tûn*. Os detalhes do encontro deles com a hoste de Orques são ligeiramente diferentes: no *Conto*, os Orques tinham mudado o caminho que seguiam, enquanto no poema parece que Beleg e Flinding simplesmente chegaram mais rápido do que os Orques ao ponto onde a estrada deles emergia da borda da floresta. No *Conto*, parece que, de fato, os Orques não tinham deixado a floresta quando acamparam à noite: os olhos dos lobos "brilhavam como pontos de luz vermelha entre as árvores", e Beleg e Flinding colocaram Túrin no chão depois de resgatá-lo "nas matas, não muito longe do acampamento". No poema, a *copa escavada da encosta de um morro*, onde os Orques montaram seu bivaque, é o "vale desnudo" de *O Silmarillion*.

Diferentemente do *Conto* (ver p. 37), Beleg agora é chamado com frequência de *Beleg, o arqueiro*, seu grande arco (que ainda não tem nome) é descrito em detalhes, bem como sua habilidade ímpar de arqueiro (verso 1071 e seguintes). O poema também descreve a flecha Dailir, que sempre é encontrada e nunca sofre danos (1080 e seguintes), até se quebrar quando Beleg cai em cima dela quando está carregando Túrin (1189–192): não há menções a ela em versões posteriores. Os detalhes sobre a habilidade do arqueiro podem ter surgido a partir da mudança na história da entrada de Beleg e Flinding no acampamento dos Orques, ou podem ter causado essa mudança. No *Conto*, os dois simplesmente "arrastaram-se entre os lobos num ponto onde havia um grande vão entre eles", enquanto no poema Beleg realizou a façanha de flechar sete lobos na escuridão, e assim "grande foi a brecha que na guarda se abriu"

(1097). Mas as palavras do *Conto*, "pela sorte dos Valar Túrin jazia ali perto", são ecoadas em

> até que os trouxe a sorte,
> e a arte e astúcia   do mateiro Beleg,
> até Túrin, o alto,   que deitado se via   (1130–132)

O fato de os dois Elfos levantarem e carregarem Túrin, classificado no *Conto* como "um grande feito", "visto que era um Homem de maior estatura que eles" (II. 102), é narrado de forma expandida no poema (1156 e seguintes), com um comentário sobre a estatura de Homens e Elfos nos tempos antigos, que está de acordo com afirmações anteriores sobre o tema (I. 283, II. 175, 265). Os marcantes versos

> embora o porte dos Homens   menos peso tivesse
> antes que a abundância   da Terra herdassem dos Elfos
>   (1157–158)

estão relacionados às afirmações citadas em II. 393: "Conforme a estatura dos Homens cresce, a [dos Elfos] diminui", e "conforme os Homens se tornam mais poderosos e numerosos, as fadas se desvanecem e diminuem e atenuam-se, tornando-se translúcidas e transparentes, mas os Homens se tornam maiores, mais robustos e mais grosseiros". No mesmo trecho, a menção às *dez raças* de Hithlum (1164) não ocorre em nenhum outro lugar, e não fica claro se ela diz respeito a todos os povos de Homens e Elfos que, em um outro lugar dos *Contos Perdidos*, são colocadas em Hithlum, região que, como observei, "parecia correr o risco de ficar superpopulosa" (ver II. 298, 301).

O *Conto* afirma que foi a faca de Beleg que escorregou de seu cinto quando ele se infiltrou no acampamento; no poema, isso ocorre com a faca de Flinding (1142 e seguintes).; No *Conto*, Beleg volta para pegar sua espada no lugar onde a deixou, já que não conseguiam mais carregar Túrin; no poema carregam Túrin ao longo de todo o caminho até a *depressão escura sob a touceira espessa* de onde tinham partido (1110, 1202). O "feitiço de amolar" de Beleg, lançado sobre sua espada (ainda sem nome) é um elemento inteiramente novo (e que não aparece mais tarde); ele surgiu a partir da associação com o verso 1141, *Nada podia cortar as trelas que o prendiam*. O estilo do trecho lembra o do "feitiço de esticar" de Lúthien no Canto V da *Balada de Leithian*; mas não existe nenhuma outra menção aos nomes do feitiço, como *Ogbar, Gaurin, Rodrim, Saithnar, Nargil* e *Celeg Aithorn*.

É nesse ponto que aparece no poema o misterioso *riso zombeteiro* (1224), ao qual parece que a expressão *riso espectral de fantasma cruel* no verso 1286 se refere, e que é mencionado de novo na parte seguinte do poema (1488–490). O propósito narrativo disso é, evidentemente, fazer com que a lâmpada seja coberta e que Beleg trabalhe rápido demais, no escuro, ao cortar os grilhões. Também é possível que o ferimento da mão de Beleg, quando ele toca a ponta de Dailir, sua flecha (1187), explique sua falta de jeito, pois cada um dos aspectos dessa cena forte tinha sido sopesado e refinado.

No poema temos também a primeira aparição da grande tempestade, pressagiada, de início, nos versos 1064 e seguintes, quando Beleg e Flinding estavam na beira da depressão (tal como ocorre em *O Silmarillion*):

> Sus! nuvens de ébano
> dos breus do Norte   subiram qual fumaça,
> velando o brilho   da Lua que tremia;
> veio então o vento,   uivando nas montanhas,
> e a infeliz charneca   bisbilhava e murmurava

A tempestade finalmente desaba depois da morte de Beleg (1301 e seguintes), durante todo o dia seguinte, no qual Túrin e Flinding ficaram agachados na encosta (1320, 1330–331). Por causa da tempestade, os Orques não conseguiram encontrar Túrin e partiram, tal como em *O Silmarillion*; no *Conto*, Flinding fez com que Túrin caísse em si e fugisse assim que os gritos no acampamento dos Orques se fizeram ouvir, e não se diz mais nada sobre o assunto. Mas, no poema, tal como no *Conto*, a lâmpada de Flinding, quando fica descoberta, ainda é o que ilumina o rosto de Beleg; no último relato sobre esse episódio que meu pai escreveu, ele estava indeciso entre a lâmpada descoberta ou um grande clarão de relâmpago como fonte dessa luz, e, na obra publicada, escolhi a segunda opção.

A BALADA DOS FILHOS DE HÚRIN

Ainda resta abordar alguns pontos isolados, que têm a ver principalmente com nomes. Nessa parte do poema, encontramos pela primeira vez:

Nargothrond 821, 904;

Taur-na-Fuin (no lugar de *Taur Fuin* dos *Contos Perdidos*) 766, 828; também chamada de *Floresta Mortal* 767 e *Floresta da Noite* 896;

Dor-na-Fauglith 946, 1035, 1326, também chamada de *Estepes Ressequidas* 826 ou *Estepe Ressequida* 947 (e, em A, na nota ao verso 826, *a Planície Calcinada*). O nome *Dor-na-Fauglith* foi cunhado durante a composição do poema (ver nota ao verso 946). Nessa época, a história da incineração da grande planície nortenha, transformando-a num deserto cheio de poeira durante a batalha que encerrou o Cerco de Angband, já devia ter sido concebida, embora só apareça em forma escrita vários anos depois.

Aqui também ocorre a primeira referência aos picos triplos das Thangorodrim (1000), chamados de *as torres trovejantes* (951), embora no "Prólogo" o poema afirme que Húrin estava preso *no excelso pico* (96); e, nos versos 713–14 (conforme foram reescritos no texto B), ficamos sabendo que Angband está *presa às raízes* da grande montanha.

O nome *Fangros* (631; *Fangair* em A) ocorre uma vez em outro manuscrito, numa nota muito obscura, na qual aparentemente está ligado à queima dos navios dos Noldoli.

O epíteto *Mablui* dado a Melian — *as mãos de magno encanto de Melian Mablui*, 731–32 — claramente contém o elemento *mab*, "mão", tal como em *Mablung, Ermabwed* (ver II. 408).

A afirmação de que os Anãos, no texto A e originalmente no texto B, habitam o Sul (1147, emendado em B para *Leste*) talvez tenha relação com a frase do *Conto do Nauglafring* segundo a qual Nogrod ficava "a grandíssima distância para o sul, além da vasta floresta nas fímbrias daquelas grandes charnecas perto de Umboth--muilin, as Lagoas do Crepúsculo" (II. 271).

Não sou capaz de explicar a referência no verso 1006: *como do deus da guerra o agreste trigo*; nem a que aparece nos versos sobre o destino de Beleg após a morte, falando da longa espera dos mortos *nos salões da Lua* (1284).

III

FAILIVRIN

Flinding go-Fuilin,   de fiel coração,
1340 o gládio de Beleg   com sangrenta lâmina
tirou desgostoso   da terra molhada
e escondeu no oco   de um denso espinheiro;
voltou-se então para Túrin,   em transe ainda,
e disse-lhe suave: "De Húrin filho,
1345 de infeliz coração,   que senso haveria
em sentarmo-nos aqui,   em tristeza e tormento,
sem esperança ou conselho?"   Mas foi assim que Túrin,
que tais palavras despertaram,   feito louco respondeu:
"Com Beleg fico;   não me faças deixá-lo,
1350 ó voz infiel.   São vãs todas as coisas.
Ó Morte de negras mãos,   aproximai-vos de mim;
se o remorso vos comove,   por tão magno luto
esmagai-me vencido   em vosso seio frio!"
Flinding respondeu,   medroso não mais,
1355 com ira e piedade: "Ergue teu orgulho!
Não foi assim sem refletir   que em Thangorodrim,
acorrentado no alto,   Húrin falou."
"Maldito é o teu conforto!   Menos frio é o aço.
Se a Morte não vem   para os que a morte anseiam,
1360 vou buscá-la pela espada.   A espada onde jaz?
Coisa fria e cruel, onde   te escondes agora,
assassina de teu mestre?   A emenda te cabe,
matando-me logo,   dando-me lesto sono."
"Não tentes, desditoso,   pôr termo à tua vida,
1365 não poluas de novo   a infeliz espada
nas carnes do amigo   que ele buscou libertar;
o destino o matou,   não as tramas de imigos.
Sim, cabe a ti buscar   algum acerto,
aplacar a ira   da conspurcada espada,
1370 saciar dela a sede   no sangue abominado
das legiões malditas   do hórrido Bauglir.
Acaso a guerra é finda,   as agruras de teu pai
menos terríveis,   com a morte de Beleg?
Não penses que Morgoth   tua perda choraria,

A BALADA DOS FILHOS DE HÚRIN

1375 ou que ao teu enterro iriam   os tétricos Glamhoth —
      menos lhes aprazem   teu máximo ódio
      e votos de vingança;   e não é vã a coragem,
      mesmo quando não traz   a vitória consigo."

      Então Túrin, feroz,   saltando de pé,
1380 gritou com loucura: "Poltrões dos Orques,
      por que o rabo entre as pernas?   Parados por quê,
      quando o rebento de Húrin   e de Beleg a espada
      com fúria vos aguardam?   Por agruras e males
      eis aqui a vingança.   Se arriscar não quereis,
1385 hei de buscar-vos   a todos nos quatro cantos
      da irada Terra.   Que um raio vos parta!"
      Flinding, aflito,   fez força para acalmá-lo,
      e palavras sábias   célere proferiu
      para o rapaz sem juízo: "Espera, ó Túrin,
1390 pois agora é preciso   que sarem tuas feridas,
      que tua força recobres,   com fortes conselhos.
      O que foge para lutar   não se faz temeroso,
      e a vingança com atraso   atinge sua meta."
      A loucura passou;   mais calmo, ponderando,
1395 sentou-se Túrin   sob a trama das árvores,
      meditando consigo   as trevas da vingança,
      enquanto o sol se punha   e o crepúsculo vinha
      e as primeiras estrelas   se mostravam pálidas.

      O enterro de Beleg   naquelas tristes regiões
1400 Flinding fez então;   onde tinha tombado
      deixou-o a jazer,   rasando por cima
      uma camada de folhagem,   com longa labuta.
      Mas Túrin, sem lágrimas,   voltou-se de repente,
      caiu sobre o cadáver,   deu-lhe um beijo
1405 nos lábios frios   e pôs fecho a seus olhos.

      O arco de teixo deitou   ao lado dele,
      palavras de despedida   urdindo à sua volta:
      "Boa jornada, Beleg,   para inúmeros banquetes
      nos Salões Sem-Tempo   sob Tengwethil
1410 onde bebem os Deuses,   sob domos dourados

no além-mar luzente."   Tremulava a canção,
mas secou-se o pranto   em seus pobres olhos
com as chamas de angústia   que enchiam sua alma.
Sua mente outra vez   era um mundo de trevas
1415   enquanto cobriam   de todo a cabeça amada
com um teso,   misturando terra e folhas.
Leve era o túmulo   do solitário Beleg;
pesado era o opróbrio   no peito dos vivos.
Tamanha desdita fundiu-se   como um sinal
1420   à sua face e forma,   até o fim o marcou:
das tristezas de Túrin   a terceira foi essa.

Desajuizado foi vagando,   sem desejo ou propósito;
e sem Flinding, o fiel,   seu fim viria logo,
ou se tinha perdido   nas terras malignas.
1425   No Gnomo de Nargothrond   o denodo ressurgia,
a coragem e a ira   pelo ódio despertadas,
e assim foi guarda e guia   do agreste companheiro;
a lâmpada azulada   lhes dava luz nos caminhos,
e se escondiam de dia,   indo com rapidez à noite,
1430   sob um manto de trevas   ou de muitos vapores.

A história não fala   da atroz jornada,
de como a estrada subia   pela borda da floresta,
cujos galhos encurvados,   vastos e negros
tentavam agarrá-los   com tétrica malícia
1435   para prender suas almas   em escuridão silente.
Para o Ocidente seguiam,   por sedentos caminhos
nas agruras da fome,   perseguidos amiúde,
escondendo-se em covis   e cavernas ocas,
sob a égide dos fados.   Na última ponta
1440   das dunas ressequidas   de Dor-na-Fauglith,
a um teso imenso   que assomava ao luar
chegaram à meia-noite;   tinha brumosa coroa,
com linhas feito gotas   de lágrimas que escorrem.
"Ah! verde é o cerro   de imperecível relva
1445   onde assentam-se as espadas   de sete povos,
onde os rebentos de Feéria   tombaram sem conta.
Ali lutaram na batalha   a que todos chamam

A BALADA DOS FILHOS DE HÚRIN

Nirnaith Ornoth,   Sem-Número de Lágrimas.
Ergueram o cerro com o sangue   dos vencidos;
1450 nem ao Sol nem à   Lua sobem-no jamais
nem Homens nem Elfos;   e a hoste de Morgoth
por medo não ousa jamais   escavá-lo."
Assim Flinding falou,   dando fraco alento
à tristeza de Túrin,   que voltou sua mão
1455 para as Thangorodrim,   com tripla maldição
contra o magno monstro,   Morgoth Bauglir.

Com passos cansados   atravessaram depois
a sanga esbelta do Sirion   ainda jovem;
qual um fio de prata,   havia pouco que brotara
1460 da límpida nascente   nas colinas encobertas,
os Montes de Sombra,   cujas cimeiras íngremes
ali se dobravam   na beira das alturas
em que há mantos de névoa,   os montes do Norte.
Ali os Orques o cruzavam;   em outros lugares
1465 temiam o Sirion,   cujas magnas águas
por pântano e charneca,   prado e bosque,
por grutas e cavas   no oculto seio
da Terra profunda,   por territórios vazios
e léguas incultas   tão caras a Ylmir
1470 fluía ligeiro,   com ínclita fama
nas canções dos Gnomos,   e lançava-se ao mar.
Chegaram pois às raízes   e à ruína dos sopés
daqueles grises montes   que guardam Hithlum,
os intonsos pinheiros   das Montanhas de Sombra.
1475 Ali os dois foram postos   num crepúsculo-fantasma,
em dédalos vagos   e escuridade impura,
em Nan Dungorthin,   onde deuses sem nome
têm altares velados   em trevas secretas,
mais antigos que Morgoth   ou os magnos senhores,
1480 Deuses de ouro   do Oeste protegido.
Mas os fantasmas   que habitam o estranho vale
mal não lhes fizeram,   e o caminho seguiram
com medo na pele   e os membros a tremer.
Mas às vezes risadas   com vagos ecos,
1485 feito zombaria   de bestas e demônios

insolente e oca   no lusco-fusco,
Flinding captava,   atroz e obscena
como o riso zombeteiro,   tétrico e perdido
que ecoou nas rochas   na hora terrível
1490   em que Beleg morreu.   "É de Bauglir a voz
que se escuta sombria   com escárnio mortal",
pensava estremecendo;   mas o senso de medo
e os agouros sombrios   acabaram de todo
quando passaram os barrancos   e as rochas rebentadas
1495   que cercavam o valão   de malícia vigilante
e mais ao sul viram   os cerros de Hithlum,
mais cálidos e acolhedores.   Para lá seguiram
sob a luz do dia,   por valões e ravinas,
charnecas e penedos,   inúmeras pastagens,
1500   por altos e quedas   de águas luzentes
que desciam rumo ao Sirion   na soma de suas vagas,
varrendo do leste o leito   que avançava
para o Sul, para o mar,   para o sal e a areia.

Depois de sete dias,   o sono os apanhou
1505   numa noite estrelada,   quando ao lado estavam
aquelas terras amadas   que outrora Flinding
tão bem conhecera.   Nos albores do dia,
as setas alvas do Sol   que girava
fitavam contentes   os grotões verdejantes
1510   e as ladeiras sorridentes   que adiante viam.
Ali os troncos fornidos   de antigas faias
magnos se erguiam   com suas mil folhas
douradas e pardas,   com plúmbeas raízes
trajadas de leve   com translúcidas folhas;
1515   as pontas dos galhos   sopradas para cima
pelas asas dos ventos,   que vagos desciam
pelas flores curvadas,   num bafejo de odores
até a margem travessa   e com vagas d'água.
Ali papiros e caniços   com plumas eriçadas
1520   e folhas feito lanças   chacoalhavam trêmulas,
verdes à luz solar.   Então alegre fez-se a alma
de Flinding fugitivo;   em sua face a manhã
cintilava dourada,   e os raios seus cabelos

A BALADA DOS FILHOS DE HÚRIN

lavavam de sol.   "Vamos, desperta,
1525 ó Túrin Thalion,   da tristeza e tormento!
Em Ivrin o riso   das águas é eterno.
Sus! frescas e claras,   as fontes da lagoa
são cristais infalíveis,   limpos para sempre
graças a Ylmir anciano,   das águas artífice,
1530 que em dias antigos   moldou sua beleza.
Do Oceano mais longínquo   amiúde ainda vêm
as mensagens dele   sua magia trazendo,
curando os corações,   com esperança e coragem
para os imigos de Bauglir.   Bom amigo é Ylmir,
1535 que mantém na memória,   nas Terras de Júbilo,
os apuros dos Gnomos.   Aqui do Narog as águas
(que na língua dos   Gnomos têm o nome de 'torrente')
nascem e, faceiras,   os penedos saltando,
os meandros pulam   com espuma farta
1540 e giram para o sul,   para as salas secretas
de Nargothrond,   que os Gnomos fizeram
quando morte   e cativeiro na contenda terrível
de Nirnaith Ornoth   um número parco
deles evitou.   Dali contorna o rio
1545 as Colinas dos Caçadores,   o lar de Beren
e da Dançarina de Doriath,   gerada por Thingol,
volteia e vagueia antes   da terra dos salgueiros,
a bela Nan-Tathrin,   e por dezenove léguas
prossegue jubiloso,   até seu leito se juntar
1550 ao do Sirion no Sul.   Rumo ao sal das restingas,
onde narceja e gaivota   e os ventos do mar
pipilam e brincam,   apertam-se juntos,
lançando-se silentes   nos assentos de Ylmir,
onde as águas do Sirion   e as ondas do mar
1555 num murmúrio se mesclam.   Uma margem de areia
ali jaz, alumiada   pela alva luz do Sol;
ali o dia todo   há o estrondo do Oceano,
e chamam as aves marinhas   em altos conclaves,
hostes de asas alvas   assobiando tristonhas,
1560 vozes incontáveis   gritando sem parar.
Há ali uma ilhota,   que ao largo brilha,
de pedrinhas feito pérolas   ou pálido mármore,

que os borrifos das ondas   arrancam à tarde
e à lua reluzem,   ou raladas gemem
1565   quando o Habitante das Profundezas, a   scendendo com fúria,
arranca pelas águas   até as muralhas da terra;
quando os ginetes comados   de espumantes cavalos
com freio e rédea   rasgam as ondas,
com coroas de algas   e restos de naufrágios,
1570   qual trovão galopando   nas vagas inquietas."

Assim Flinding falou,   o feitiço sentindo
de Ylmir, o antigo,   que tudo recorda,
e que são e santo   passava por Ivrin
e pelo Narog espumoso,   de modo que nunca
1575   havia ali Orque,   e que na ávida corrente
não se punham saqueadores.   Se o propósito seguissem
de alcançar as terras   que existiam adiante
(ainda nada sabiam   de Nargothrond),
passariam por Hithlum,   seus altos escalando
1580   um pouco além   do lago encovado,
as Montanhas de Sombra   que tinham seu reflexo
nos alagados de Ivrin.   Ávido e pálido,
Túrin escutava   a história de Flinding:
o estrondo das águas soava   em suas palavras,
1585   um eco de Ylmir   e suas prodigiosas conchas
sopradas no abismo.   Em seu peito renasceu
então a esperança,   e rápidos seguiram
para o lago dos risos.   Longo e estreito
é o braço que ele estende,   que antigas rochas
1590   com capa de relva   circundam fortes,
em cuja ponta   de repente se abre
uma brecha, uma porta   na pétrea cerca;
de onde jorra fino,   em jatos feito fios,
o Narog recém-nascido,   por dezenove braças
1595   com força cintilante   fero despenca,
e uma taça luzente   com fontanas vítreas
preenche o rio,   rasgo de chafarizes
no fresco seio   das fragas cristalinas.

Beberam ali à farta,   antes que se fosse o dia,
1600   Túrin, exausto,   e seu constante companheiro;

consolou suas dores,   com alívio ao coração,
das malhas da desgraça   sua mente se soltou
nos assentos de relva   ao som das águas,
assistindo em assombro   ao Sol poente
1605   passar pelos muros   dos montes selvagens,
cujos picos de púrpura   o crepúsculo vazavam.
Então veio o escuro,   e vastas sombras,
subindo as encostas,   cobriam de ocaso
as últimas luzes,   de escarlate lavadas.
1610   Alcançando as estrelas,   com mantilhas de pedra,
as montanhas vigilavam,   até que a Lua nasceu
no Leste sem-fim,   e os lagos de Ivrin,
em sonhos profundos,   eram reflexo tênue
de seus pálidos rostos.   Ponderando imóveis,
1615   absortos, calados,   nenhum som faziam,
até que brisas frias,   em bafejo agudo,
claro e fragrante,   cercaram a ambos;
para dormir buscaram   uma cava cavernosa,
com fundo de areia;   ali o fogo acenderam,
1620   com flores de chama   no enxame luzente
dos galhos de faias;   os fumos subiam
em fios estreitos,   quando Túrin, súbito,
de Flinding   a face iluminada fitou
e, pesando as palavras,   falou-lhe hesitante:
1625   "Ó Gnomo, nada sei   de teu nome ou propósito
do sangue de teu pai —   que sina te prende
aos passos sem juízo   de um pobre viandante
que foi a morte de Beleg,   seu irmão de armas?"

Flinding, temeroso,   para que um resto de loucura
1630   a alma de Túrin   de tristeza não tomasse,
recontou seus feitos,   suas fainas e andanças;
de como os meandros sem trilhas   de Taur-na-Fuin,
Floresta Mortal,   em suas tramas o prenderam;
falou de Beleg, o arqueiro,   bravo, inabalável,
1635   e da façanha que fizeram   no cerro escuro,
que as canções desde então   incessantes louvam;
da sina que sobreveio   em balbucio falou,
da touceira densa   sob enredados espinhos

onde o poder de Morgoth   magno se mostrou.
1640 Então sumiu sua voz   sob um véu de luto,
      e eis que as lágrimas escorriam   no rosto de Túrin,
      até soltar-se de todo   a correnteza represada
      de seu imenso pesar.   Longamente chorou,
      em silêncio, tremendo,   as mãos na areia,
1645 os dedos crispados   em dor imensurável.
      Mas domínio sobre Flinding   o medo não mais tinha;
      nenhum frio conforto   foi seu alento;
      pois um sono profundo   apossou-se dele.
      Então uma voz cantando   veio perturbá-lo,
1650 e ele acordou intrigado: a fogueira morrera;
      a noite ia avançada,   nada se movia,
      mas uma canção,   subindo no breu silente,
      seguia magna e forte   ao firmamento estrelado,
      Era Túrin, o alto,   na orla da alagoa,
1655 de pé, perto da ponta   da cachoeira
      agora caindo fraca,   entoando em ecos
      canção de tristeza   e trágico esplendor,
      um grito por Beleg   e sua glória imortal.
      De sua lavra vinham   palavras encantadas
1660 a que as plantas   e as poças resposta davam,
      e as pedreiras gemiam d   e dor por Beleg.
      Seu canto de então   recordam sempre;
      pelos Gnomos lembrado   em Nargothrond,
      "A Amizade do Arqueiro"   já convocou hostes
1665 a enfrentar na guerra   o agreste Bauglir.

      Contam que Túrin   voltou-se então,
      caminhou até Flinding   e foi se deitar,
      dormindo em sossego   até o Sol subir
      ao alto firmamento   e para oeste seguir.
1670 Uma visão ele viu   nos vastos espaços
      que no sono visitava: parecia vagar
      pelos penedos tristes   de desnuda encosta
      até uma copa escavada   num vale cruel,
      em cuja borda rachada   arbustos torturados
1675 pelo vento Norte,   num novelo de agonia,
      numa franja se postavam.   Hostil e eriçada

era a escura touceira,   uma sarça de espinheiros
em mistura com teixos   que o tempo enrijecera.
Os galhos sem folhas   que erguiam em desalento
1680   eram manchados, tisnados,   desnudos e sem casca,
restolhos sem vida   de trovões que inflamam,
dedos chamuscados   que não deixam de apontar
para o crepúsculo maligno.   Então falou com anseio:
"Ó Beleg, bom irmão,   ó Beleg, dize-me
1685   onde está teu túmulo   nestas terras amargas?" —
e os ecos, em sussurro,   diziam sempre "Beleg";
mas uma voz velada,   vaga e distante,
captou a chamar,   gritando como à noite
na calma do mar: "Não procures mais.
1690   Meu arco apodrece   no duro teso;
minha mata queima   com magno relâmpago;
aqui a treva habita,   ninguém se atreve a profanar
a ira desta terra,   nem Orque, nem gobelim;
ninguém cruza os portões   da triste floresta
1695   por esta senda perigosa;   passar não podem,
mas minha vida voou   para a vasta espera
nos salões da Lua,   muito além do mar.
Que a coragem te conforte,   camarada solitário!"

Despertou em assombro;   estava são seu juízo,
1700   a coragem o confortava;   gritando chamou
Flinding go-Fuilin,   e então foi até ele.
Ali o Sol lançava   suas setas de prata
pelas tranças áureas   das águas caindo,
em coroa radiante   de arco-íris.
1705   "Qual trilha, ó Flinding,   é mister seguir,
ou ficamos para sempre   com o sussurro das águas,
no lago do riso,   ao léu, tranquilos?"
"Para Nargothrond   dos Gnomos, creio",
respondeu ele,   "devo eu ir,
1710   que Celegorm e Curufin,   preclaros filhos
de Fëanor fundaram a   pós a fuga para o sul;
ali têm um baluarte   contra o ódio de Bauglir
e se escondem agora,   em secreta liga
com os outros cinco   nas sendas do Leste,

1715 de Morgoth imigos   magnos e implacáveis.
Maidros, a quem Morgoth   em tormento mutilou
é lorde e líder, que lesto,   com a esquerda,
empunha a espada;   há o pulcro Maglor,
e há Damrod e Díriel   e a escuridão de Cranthir,
1720 os sete que seguem   as sendas de seu pai.
Ora, Orodreth rege   os reinos e cavernas,
as hostes sem número   de Nargothrond.
Lá já terá posto   porte de mulher
a frágil Finduilas,   a dama veloz,
1725 sua filha querida,   que nos fortes salões
é a luz e o riso,   a quem logo amei
e nesse amor persisto;   é o amor que me chama."

Onde a correnteza do Narog   com estrondo rangia
pelo leito repleto   de pedras e penedos,
1730 céleres para o sul   as sendas buscaram,
e o verão sorridente   ajudava a jornada
dia após dia,   enveredando por matas
onde pássaros alegres,   pondo-se a cantar,
com música brincavam   em meio às árvores.
1735 Ninguém os espiou   seguindo avante
até chegarem à garganta   onde o Ginglith vira,
com reflexos d'ouro,   a saudar o Narog.
Sua torrente mais gentil   juntava-se ao tumulto,
deslizando unidos   pela planície vigiada
1740 até as Colinas dos Caçadores,   que para o sul, no alto,
levantam suas rochas   com vestes de verdura.
Ali agora vigiavam   os Guardas do Narog,
caso o perigo dos Gnomos   do Norte viesse
pois o mar, no Sul,   a salvo os mantinha,
1745 e o ávido Narog   o Este defendia.
Suas torres fortes   no topo dos morros
não deixavam ver luz   na ramalheira das árvores,
trompas não soavam   no alto das colinas
com grande alarme;   silente barreira,
1750 invisível, furtiva,   os estranhos cercava,
como de coisas selvagens   que veem imóveis
e então seguem céleres,   com seda nas patas,

A BALADA DOS FILHOS DE HÚRIN

a presa distraída   com ódio constante.
Desse modo lutavam,   fantasmas caçadores
1755   que a Orques vagantes   e hórridos inimigos
davam acosso em silêncio,   emboscando nas trevas.
Silentes eram os mortos,   e silentes as setas
dos ágeis Gnomos   de Nargothrond,
que palavra ou sussurro   insones vigiavam
1760   em suas fundas casas,   de forma que rumores
não chegavam a Bauglir.   Era bela a sua esperança,
e a leste do Narog   para lutas abertas
nem razão nem conselho   os trazia ainda,
embora em lança e escudo   e lâminas na bainha,
1765   em hábeis guerreiros   sua hoste ganhara
poder e valentia,   e em distantes sendas
seus batedores e mateiros   andavam caçando.

Assim, seguiram os dois   onde eram densas as árvores
e o rio ia correndo   sob um barranco elevado,
1770   espumando com pressa   aos pés das colinas.
Na escuridão verde   às apalpadelas avançavam;
e ali sua sina defendeu   das setas da morte
a Túrin Thalion —   uma trança espessa
de raízes agrestes   fez gancho em seus pés;
1775   quando caiu, feito raio,   rápida e alada,
veio veloz flecha   a resvalar por seu cabelo,
tremendo repentina   mais atrás, numa árvore.
Então Flinding, cobrindo-o, f   ero gritou:
"Quem dispara incerto   suas setas contra amigos?
1780   Flinding go-Fuilin,   dos filhos do Narog,
e o rebento de Húrin,   seu bom companheiro,
aqui buscam abrigo   de Bauglir do Norte."

Ecos de suas palavras   não vieram na mata;
nem galho frouxo   nem folha seca
1785   estalavam, nenhum rumor   de rastejamento ali
rompia o silêncio.   Caladas e imóveis
nas clareiras em volta estavam   as verdes sombras.
Assim iam adiante,   e olhos invisíveis
sentiam a vê-los,   e pisoteios inaudíveis

AS BALADAS DE BELERIAND

1790   o tempo todo   por trás iam vindo,
até que cada arbusto   e basta touceira
era motivo de medo,   e furtivos fugiam,
mas não houve   mais setas com cicio alado,
e chegaram a campos   com cura lavrados;

1795   por calmas sebes   e alqueires bem-cuidados
zanzavam, vendo   vazios de gente
os pastos, as lavras   e as leivas do Narog,
o lavradio fértil   guardado pelas árvores
entre os montes e o rio.   Havia muitas enxadas

1800   nos campos largadas,   e escadas caídas
nos gramados verdes   dos pomares fartos;
as árvores lhes voltavam   as tranças de sua copa,
enxergando-os em segredo,   e da grama as pontas
tudo escutavam;   a tarde começava

1805   e forte era o Sol,   mas frio sentiam.
Nem palácio nem casa   de largos frontões
tesos e iluminados   naquela terra viram,
mas um caminho simples   que muitos pés
haviam palmilhado.   Para lá os conduziu

1810   Flinding go-Fuilin,   que foi recordando
a estrada branca.   Em pouco tempo chegaram
ao extremo das fazendas,   que estreitas ficavam
entre os muros e a água,   sumindo afinal
em barrancos floridos   na beirada do caminho.

1815   Uma torrente espumante,   derramando-se farta
do ponto mais alto do   Descampado dos Caçadores,
atalhava-lhes o passo;   ali, de pedra lavrada
com arco fino   e formas elegantes,
havia uma ponte,   posta luzente

1820   nos espirros cintilantes   da espuma do Ingwil,
que debaixo dela   com sibilos escorria.
Onde se unia à torrente   do Narog viajante
viam-se íngremes   os ombros fortes
das colinas, sobranceiras,   sobre a apressada água;

1825   encoberto por árvores,   um alto terraço,
largo e serpenteante,   liso de tão aplainado,
foi feito na face   da forte encosta.
Portões escuros,   gigantescos nas sombras,

A BALADA DOS FILHOS DE HÚRIN

foram cortados no barranco;   inham troncos imensos,
1830 e batentes e vergas   de vastas pedras.

Estavam bem trancados.   Tocou-se então trombeta,
qual fanfarra fantasma   que tênue vinha
do fundo da colina,   de salões sob a terra;
um portal rangente   para trás se escancarou,
1835 e avante veio   um vasto contingente,
leves saltando,   com lanças em riste,
e céleres deram cerco   aos viandantes
confusos e cansados,   sem fala os empurraram
pelo portão aberto   rumo ao breu mais além.
1840 Raspava e gemia   em seus magnos gonzos
o portão gigante;   com estrondo ponderoso
bateu e se fechou   feito estalo de trovão,
e ecos medonhos   em corredores vazios
penetravam rugindo   os tetos escondidos;
1845 a luz não mais se via.   Levavam-nos adiante,
por longos caminhos   ao léu nas trevas,
os guardas, guiando   seus tateantes pés,
até que o fraco bruxuleio   do fogo em tochas
assomou diante deles;   murmúrios indistintos,
1850 como os de muitas vozes   em massa que se encontra,
ouviram ao avançar.   Mais para cima foi o teto.
De repente uma virada   com espanto fizeram
e viram um solene   e silente conclave,
no qual centenas,   calados, no lusco-fusco,
1855 sob domos distantes   e tetos escuros,
sem palavras aguardavam.   Ouviam o fluxo das águas,
com ecos de correntezas   e volteios velozes,
em meio à multidão,   e em montes pálidos,
por cinquenta braças,   abria-se uma fonte,
1860 e ondeando pálida,   com salpicos vermelhos
corada cintilando   à luz das tochas,
caía então,   nas ígneas sombras,
aos pés de um rei   posto em seu trono.

Uma voz ouviram   na caverna ecoando,
1865 a voz do soberano: "Por que vindes cá,

AS BALADAS DE BELERIAND

do Norte em desgraça   para Nargothrond,
ó Gnomo cativo   e Homem sem-nome?
Não se acolhe   aqui proscrito vagante;
só a morte ganha   quem agora nos visita,
1870   pois aos que infringem   nosso refúgio final
não cabe pedir   outra dádiva de mim."
Então Flinding go-Fuilin   fero respondeu:
"Pois dormiu a vigilância   nas matas do Narog
desde que Orodreth regia   esta gente e este reino?
1875   Ou como foi que os caçados   pelas sendas vagaram
se os vigias não o quiseram,   por tua justa palavra?
Ou como não soubeste   que teu bravo arqueiro,
que lançou sua flecha   nas sombras da floresta,
ouviu nossa linhagem,   ó Senhor do Narog,
1880   e conhecendo nossos nomes   as setas armadas
não mais disparou?"   Meio mudo, abafado,
um murmúrio se espalhou   em meio à multidão,
e alguns havia dizendo: "É verdade, ele mesmo:
aquele tão buscado   encontra-se enfim
1885   sabia o caminho para   a magna Nargothrond,
pois aqui nasceu,   cresceu e morou";
Mas a fala de outros era: "O filho de Fuilin
sumiu, e o procuraram   por muitos anos.
Qual sinal de que   é o mesmo mostra este aqui,
1890   para termos certeza?   Este fugitivo esquálido,
de lombo curvado,   é mesmo o líder audaz,
o bravo batedor que,   zombando do perigo,
era o mais viajado   da gente do Narog?"
"Foi o que nos contaram",   veio a fala em resposta
1895   do Rei Orodreth,   "mas seria errado acreditar.
De que, de todos   os cativos distantes de casa
que os Orques de Angband   em hórridas correntes
levaram às profundezas,   só voltaste tu,
por graça ou coragem,   da agreste servidão,
1900   quais provas me mostras?   Que argumento tens
para que um Homem, um mortal,   esteja entre nós
neste reino oculto,   nosso risco aumentando?"
Assim a maldição   pelo assassínio cruel
no Porto dos Cisnes   seu coração tocava,

A BALADA DOS FILHOS DE HÚRIN

1905   mas Flinding go-Fuilin   fero respondeu:
"Será que o filho de Húrin,   do que enfrenta no alto
uma sina sem morte   e magnas cadeias,
desconhecido, sem nome,   precisa de argumento
para não ter o destino   de contrário e espião?
1910   Flinding, o leal,   que ao longe vagou,
por mais que forma   e face os fogos da angústia
e a servidão amarga,   o tormento dos Balrogs,
tenham-no distorcido,   uma canção de boas-vindas
esperava ouvir   na volta para o lar
1915   com que tanto sonhara   nas trevas da labuta.
Estes magnos paços   masmorras se tornaram,
uma pequena Angband   na casa dos Gnomos?"

No peito de Orodreth   a ira se inflamou,
e os resmungos foram   crescendo em muitas vozes,
1920   e tudo e nada   gritava a multidão;
mas com doçura, de repente,   uma canção despertou,
uma voz de música   sobre o murmúrio intenso
subindo em melodia   até os domos de névoa;
com ecos claros   os arcos cavernosos
1925   preencheu, e frágil,   fina e trêmula,
foi tecendo palavras   das que recebem ao lar
os cansados do caminho   com muito desvelo
desde que os Gnomos   suas andanças começaram.
Então calou-se o grupo;   ninguém se voltou,
1930   pois conhecido e amado   era o som que se ouvia,
e Flinding o reconheceu,   junto ao assento do rei,
de pé, em silêncio,   qual pedra entalhada,
de sofrido coração;   mas no filho de Húrin
despertaram assombro   e tristes pensamentos,
1935   e, perscrutando as sombras   que o assento encobriam,
no trono real,   captou três vezes
um brilho, um chamejo   de vestimentas brancas.
Era a frágil Finduilas,   fugidia e delgada,
que estatura de mulher   e lânguida beleza
1940   tinha atingido,   e que contente recebia
os dois fugitivos,   assim detendo a ira.
Firme permanecera   em seu seio o amor

AS BALADAS DE BELERIAND

que brotara com risos   havia tantos anos,
quando nos prados risonhos   a donzela brincava
1945   com o filho veloz de   Fuilin, o Gnomo.
As cicatrizes cortantes   dos atrozes anos
cegar não podiam   a gana em seus olhos,
molhados de lágrimas,   lindos e trêmulos
pelas dores gravadas   em vales sombrios
1950   no rosto de Flinding.   "Ó Rei", disse ela,
"que delírio de dúvida   prendeu teu juízo?
Este é Flinding go-Fuilin,   cuja fé outrora
ninguém punha em dúvida.   À destra dele,
se este Homem solitário,   de enlutada sina,
1955   de boa fé afirma ser   o filho varão
de Húrin Thalion,   que tipo de povo
poderia descrê-lo,   ou recusa lhe dar?
Não há ninguém entre nós   que agora recorde
aquele magno dos Homens,   marcas de parentesco
1960   buscando e encontrando   nesses tristes olhos,
em suas formas e feições?   Os fâmulos de Morgoth
não surgem, creio,   com sede e com fome
e sem bandos de Orques;   não têm semblante assim,
grave e lhano,   de olhar tão firme."

1965   O coração de Túrin   em assombro tremeu
com a doce piedade,   a brandura gentil
daquela voz terna,   um toque de sabedoria
que os anos de saudade   tinham dado a ela;
E Orodreth, cujo peito   conhecera pouca dor,
1970   mas que amava tanto   aquela triste dama,
deu ouvido e resposta   às impávidas palavras,
e dúvidas e temores,   o medo da traição
e sua fúria impensada   fez cessar dentro de si.
Não poucos havia   que em velhos tempos
1975   viram Finweg tombar   na flama das espadas
e Húrin Thalion   a cortar as hostes
dos monstros dos Glamhoth,   demônios em legiões,
e que chegando, ao vê-lo,   com muitas vozes gritaram:
"São os traços do pai   que retornam ao mundo,
1980   sua forte estatura,   os mesmos feros braços;

A BALADA DOS FILHOS DE HÚRIN

mas tristezas e cuidados   seu genitor não feriam,
pois tinha olhos risonhos,   luzentes e claros,
à mesa ou na batalha,   na ventura ou na dor."
Nem podiam descrer   da escuta das palavras
1985   e do amor de Flinding   quando amigos e parentes
e seu pai correram   para pôr nele os olhos.
Eis que filho e genitor   com força se abraçaram
sob os galhos trançados   de grandes árvores
nas fímbrias escuras   daquelas fundas mansões
1990   que a gente de Fuilin   longínquas construíra,
vivendo no fundo   da vasta floresta
a Oeste, nas encostas   do Campo dos Caçadores.
Das quatro gentes   sob o jugo do rei,
os senhores das torres,   os mateiros do descampado
1995   e os que guardavam a ponte,   o luzidio arco
lançado por cima   do cicio do Ingwil,
entre os filhos de Fuilin   era forçoso escolher,
os de mais nobre fama,   renome e valor.

Nos salões das colinas   foi alegre o retorno,
2000   mas o júbilo   e as lágrimas juntos vieram
pelos anos sofridos,   cujas ásperas dores
no filho de Fuilin,   em sua forma e seu rosto,
foram mudança e fardo,   fizeram fraco seu riso
que antes leve saltara   em seus lábios e olhos.
2005   Agora o amor gentil   fazia amenos os cuidados,
a canção dava sossego   aos corações tristes;
foram espalhadas as lâmpadas   e as luzes acesas
sobre a mesa enfeitada;   aos festejos chamaram
Túrin Thalion   e seu constante camarada,
2010   com tudo disposto   em fartura imensa,
pratos e taças   na lustrosa madeira
de veios encerados,   com o vinho em odres
decorados que bruxuleavam   em ouro e prata.
Então Fuilin encheu   com fluido hidromel,
2015   bebida entesourada,   basta e potente,
uma taça entalhada   com estranha borda
pela arte avoenga   de ancianos artífices,
belamente formada,   com muitas maravilhas;

nela luzia e vivia,　　em cinzenta prata,
2020　o povo de Feéria　　no ínclito zênite
dos Reinos Abençoados;　　nas altas frontes
guirlandas douradas,　　com os lindos cabelos
soltos ao vento　　e os céleres pés
correndo imprecisos,　　em impereciveis relvados
2025　os antigos Elfos, sempiternos　　na imagem,
dançavam imortais　　nas pastagens altas
dos hortos dos Deuses;　　havia a áurea Glingol,
e Bansil argêntea　　seu brilho lançando,
um luar tão alvo　　na aura de suas flores;
2030　os cerros de Tûn,　　de cimos verdejantes,
com Côr por coroa,　　nos coles serpeando,
de tesas muralhas　　onde a torre de Ing
com pálido pináculo　　o crepúsculo varava,
e sua lâmpada de cristal　　luz lançando
2035　com mínimo facho　　sobre os Mares Sombrios.
Desastre e ruína,　　a ira dos Deuses,
exaustas jornadas,　　o exílio e os ermos,
a taça entalhada　　isso tudo atravessara,
júbilo e opróbrio,　　a perda da esperança
2040　quando pouco sobrava　　do saber de outrora.
Agora Fuilin a enchia　　nas festas raramente,
salvo para jurar amor a amigos comprovados;
com bom ânimo　　a bebida ofereceu,
alegre por seu filho,　　que a seu lado estava,
2045　a Túrin Thalion,　　mostrando-lhe o sinal
de um laço de amor　　que muito duraria.
"Ó filho de Húrin,　　de Hithlum chefe,
a quem o luto marca,　　que o hidromel dos Elfos
deixe leve teu peito　　com a luz da esperança;
2050　e, no fim dos festejos,　　não te afastes de nós,
seja aqui teu assento;　　se esta mansão profunda,
escavada nas trevas　　e de vastas abóbadas,
não te desagrada,　　um lugar tens aqui."
Sôfrego sorveu　　a doçura da bebida
2055　Túrin Thalion,　　e, voltando-se, agradeceu,
probo e sincero,　　enquanto o povo todo,
com riso barulhento　　e longos festejos,

A BALADA DOS FILHOS DE HÚRIN

com balada tristonha   ou louca música
de mágicos menestréis,   que magnas canções
2060   teciam de assombro,   seu coração afastava
do peso dos preságios;   o repouso, então,
ao estranho foi dado,   quando na treva silente
a luz e o riso   e as límpidas vozes
apagaram-se no sono.   Esguio e frígido,
2065   o crescente da Lua   de lado luzia
sobre as águas imprecisas   que insones corriam,
o rio dos Gnomos,   o Narog noturno.
Dos dosséis altivos   nas sendas da mata
das corujas caçando   vinha o som oco.

2070   Agora a casa de Fuilin   os fados ditavam
que fosse a morada   do fero destino
de Túrin, o alto.   Labutava e pelejava
com o povo de Fuilin,   a Flinding honrando;
saberes esquecidos   oube graças a eles,
2075   pois a luz resistia   na treva daqueles lugares,
e a sabedoria vivia   em tal selvática gente,
cujas mente recordava   os Montes do Oeste
e os rostos dos Deuses,   com rasgos de glória
mais claros e fortes   que as escuras gentes
2080   ou os Homens sem ciência   do anciano júbilo.

Assim, Fuilin e Flinding   foram seus amigos,
e os salões deles sua casa,   enquanto o lindo verão
se tornava outonal,   e as ventanias do oeste
em sua faina soltavam   as folhas dos galhos;
2085   o chão da floresta   de dourado esmaecido
e brônzeo-castanho   cobriu-se por completo;
um farfalhar constante   se escutava nas veredas,
sussurros nos recantos.   Eis que a Barcaça de Prata,
a Lua vagante   de esguio mastro,
2090   cobria-se de chamas   como de basta fornalha
cujo âmago guardara   a calidez do verão,
cujos véus foram cerzidos   com luzente flama,
erguendo-se rubra sobre   a beira da Noite,
junto aos cais brumosos   na margem do mundo.

AS BALADAS DE BELERIAND

2095   Assim os meses passavam,   e muito ele vagava
        pela floresta com Flinding,   com seu fado à espreita,
        por enquanto dormente,   e ele buscando alegria,
        estudando o saber   e celebrando a aliança
        com os Gnomos renomados   de Nargothrond.

2100   Nas matas explorava   os caminhos ao longe,
        e nos segredos da terra   se adestrava célere,
        sem deter-se no inverno,   a todo tempo acostumado,
        fosse neve ou geada   ou áspera chuva
        dos céus iracundos,   sem sol e grisalhos,
2105   fria e cruel,   ávida contra a terra,
        até que as cheias se iniciaram   e as águas barrentas
        do Narog devastador,   transbordando raivosas,
        carregaram-se de entulho   e, com túrbida espuma,
        passavam em tumulto;   ou, num chamejo pálido,
2110   o entardecer congelado   largo se abria,
        um domo de cristal   sobre as profundezas de silêncio
        dos ermos sem vento   e das vagas matas
        feito fantasmas de gelo   sob estrelas piscantes.
        De dia ou à noite,   sem necessidade o perigo
2115   ele enfrentava e procurava,   terrível vingança
        insaciada buscando   contra Angband e seus filhos;
        mas com o avanço do inverno   selvagem e sem sendas,
        e com as neves cortantes,   que os desnudos rostos
        dos outeiros solitários   e dos topos dos morros
2120   açoitavam e torturavam,   e menos raro era vê-lo
        em camaradagem   com a gente do Narog,
        acrescentando engenho   e jeito com as mãos,
        o domínio sutil   da música e do cantar
        e a poesia sem-par   ao seu prévio saber
2125   e arte de mateiro;   histórias miríficas
        contavam a Túrin   os cantores áureos
        naquelas fundas mansões;   sempre iam
        aos paços e salões   do impávido rei
        os dois amigos,   em desenfadamentos e festejos,
2130   pois a frágil Finduilas   pedia a seu pai
        favores e honras   a ambos os guerreiros,
        e sem vontade ele cedia,   de triste coração

e fundos conselhos — era fria sua raiva,
sua dor irascível, incessante sua ira;
2135 mas fero e cruel com os fogos do ódio
seu peito ardia contra a prole do Inferno
(pelo assassínio de seu filho, o de céleres pés,
Halmir, que caçava o cervo e o javali),
e não demorou para que o rei descobrisse
2140 parentesco em seu íntimo com Túrin, o jovem,
em suas sombras e silêncios, em sonhos andando
com angústia e remorso e aumento crescente
de sua revolta insaciável. Favor então ganhou
da parte do rei, posto na companhia
2145 dos que à sua mesa estavam, e por muitos feitos
e ávidas aventuras no Oeste e no Norte
conquistou renome entre testados guerreiros
e arqueiros destemidos; e m muitas batalhas,
emboscadas secretas em que atacava célere,
2150 em que voava a peçonha das serpes emplumadas,
suas setas venenosas, na sombra dos vales
cumpria suas missões, mas pouco lhe agradava,
por seu apreço pelo escudo e pela espada afiada,
por sua mão faminta por armar-se como outrora,
2155 mas, desde a morte de Beleg, temia sacar
ou usar uma lâmina. Grandes loas ganhava,
por menos que as buscasse, e era caro a muitos.
Quando histórias contavam dos tempos passados,
de valentia afamada e sumidos triunfos,
2160 glória quase olvidada, desdita inesquecível,
pediam, imploravam que ele lhes desse canção
sobre façanhas em Doriath, nas sombras da floresta,
nas margens escuras, ocultas da luz,
onde Esgalduin, o élfico rio,
2165 cercado por raízes e com capa de silêncio,
de redemunhos fundos com murmúrios sinistros,
passando veloz à sombra dos portais
das Mil Cavernas. À memória lhe vinham
os caminhos da mata onde, muito antes,
2170 Beleg, o mateiro, consigo tinha um menino
andando em vales e cerros e touceiras pantanosas

AS BALADAS DE BELERIAND

sob árvores encantadas;   então detinha-se sua língua
e sua história cessava.

            Por Túrin pesaroso
comovia-se maravilhada   uma linda donzela,

2175 a frágil Finduilas,   a quem "Failivrin",
o brilho cintilante   nas bordas vítreas
do lago de Ivrin,   em loas os Elfos
agora chamavam.   Em angústia ponderava,
dia e noite,   que desdita profunda

2180 ia no coração dele,   a destroçar sua vida;
pois a sina de horror   e terrível morte
de Beleg mateiro   em constante silêncio
Túrin mantinha,   nem contava nada
Flinding, o fiel,   dos seus feitos e jornadas

2185 juntos nos ermos.   Da jovem o amor
pela forma e face   de infindas angústias,
pelas costas curvadas   e pequena força,
pelos olhos tristonhos   e o tímido riso
de Flinding, o fiel,   ia se esvaindo,

2190 por mais que, com a pena,   seu peito ardesse.
Com modos de ancião   e ares idosos,
era sábio e gentil   em conselho e juízo,
tudo vendo e prevendo,   mas raivoso nunca
nem fero e valente,   mas se a luta chamava

2195 dela não fugia,   embora andrajos de medo
inda pendessem de seu peito;   não odiava ninguém,
mas era raro sorrir —   rasgos de luz
só se viam em sua face,   com fogo no olhar,
se Finduilas, quiçá,   à frente corria

2200 no parque relvoso,   ou pálida surgia,
centelha de prata   nos paços sombrios.*
Mas para Túrin voltou-se   o seu triste coração,
contra juízo e vontade   e consciência desperta:
nos sonhos o buscava,   à sombra de seu pesar

2205 dando lume com amor,   e assim brilhava o riso

---

* (Aqui o texto datilografado B termina e o resto do texto está em formato manuscrito. Ver a Nota aos Textos, p. 99)

A BALADA DOS FILHOS DE HÚRIN

em olhos recém-acesos,   e seu élfico nome
ávido ele pronunciava,   e em invariável primavera
libertos vagavam   por bosques encantados
de mãos dadas   pelos gramados felizes
2210   daquela terra cujo lume   não é a luz deste mundo,
nem o sol nem a lua,   m sendas intrincadas
até o abismo negro   na beira do despertar.

De sua dor não curada   o ferido coração
de Túrin, o alto,   voltou-se para ela.
2215   Em assombro e comoção,   no seio de sua mente
o segredo guardava,   nas duras horas
insones da noite,   pelas sendas estreitas
e cansadas da reflexão   passava ponderando
e destrancava seu sonho,   mas o coração leal
2220   voltava a cerrá-lo,   ou com mortalha o cobria
de sono pesado,   esquecido de tudo,
sem que entrassem ecos   da eterna guerra
de mundos despertos,   nem amigos nem dores,
nem flor nem fogo   nem a força dos mares,
2225   uma terra que a luz   de todo abandonou.

"Ó mãos impuras,   ó peito de pesar,
Ó proscrito cujo mal   custas a redimir,
será que tu, perjuro,   um ultraje novo
vais somar a teu fardo?   Contra o irmão de armas,
2230   Flinding go-Fuilin,   tão feia traição,
ao que tratou de tua loucura   em mortais perigos,
que às águas da cura   teus inquietos pés
achou meio de levar,   a caminhos de paz
onde estão suas raízes   e habitava seu amor?
2235   Ó mãos conspurcadas,   não arranqueis sua esperança!"

Assim o amor se acorrentou   em fortim de lealdade
e vestiu-se frio   com corteses palavras;
mas ele ainda ansiava   pela graciosa dama,
por suas palavras gentis   alegre se achando,
2240   o rosto dela observando   quando via que ninguém
nele reparava.   Mas reparou nisso alguém —

a face de Failivrin,   com fios de luz
como o Sol entre as nuvens   que célere viaja
por campos encobertos,   que se abria e fechava
2245 quando Túrin passava;   os trêmulos sorrisos,
seus graves olhares   sob a guarda das sombras,
seus suspiros em segredo —   alguém via tudo,
Flinding go-Fuilin,   que por fim em seu lar
o amor perdera   com os duros anos,
2250 vigiava absorto,   sem uma única palavra,
e seu peito se fez negro   entre a pena e o ódio,
em transtorno, exausto,   nas teias de sua sina.
Então Finduilas,   mais frágil e cansada
entre o antigo amor   derrotado agora
2255 e a recusa do novo,   à noite chorava;
e o povo estranhava   a pálida brancura
de suas mãos sobre a harpa,   o ouro dos cabelos
sobre os ombros delicados   caindo em tumulto,
a glória de seus olhos   com fogueiras luzentes
2260 de pensamentos secretos   em magnas profundezas.

Muitos peitos   com o fardo de nefastos augúrios
das trevas fugiam c   om a ajuda do riso.
Em canções e quietude,   tempestades e neve,
o inverno foi passando;   veio então ao mundo
2265 outra vez um ano novo,   jovem e imaculado,
com verdor as folhas   e d'ouro a luz,
as flores sempre belas,   embora em certos corações
não houvesse primavera,   e já estivessem próximos
apuros e terrores,   e os passos do destino
2270 àqueles salões viessem.   Da hoste de ferro
chegavam mil rumores   com angústia crescente;
Orques sem número   a este do Narog
em destroços deixavam   as fronteiras do reino,
o poder de Morgoth   era imenso lá fora.
2275 Emboscadas não os detinham;   os arqueiros cediam
cerro a cerro,   embora as setas venenosas[D]

Aqui tanto A quanto B terminam de forma abrupta, e me parece
certo que mais nenhum verso do poema chegou a ser escrito.

A BALADA DOS FILHOS DE HÚRIN

NOTAS

1409 *Tengwethil* B, *Taingwethil* A. É o contrário das ocorrências anteriores; comparar com os versos 431, 636.

1417–418 Esses versos estão entre colchetes no texto B, e o de número 1418 foi riscado; na margem há uma indicação para excluí-lo, mas com uma interrogação ao lado dela.

1448 *Nirnaith Únoth* em A e na versão original de B, expressão corrigida a lápis para *Nirnaith Ornoth*. Em versos anteriores do poema (13, 218), as formas eram *Nínin Udathriol*, emendada em B para *Nínin Unothradin* (e também *Nirnaithos Unothradin* no verso 13). Cf. o verso 1543.

1469 *Ulmo* em A e no verso original de B; no texto datilografado, *Ulmo* foi riscado a lápis e substituído por *Ylmir*, mas essa versão do nome também foi riscada. Preferi a forma *Ylmir*; ver a nota ao verso 1529.

1525 *Túrin Thalion* em A e quando B foi datilografado (não *Túrin Thaliodrin*; ver a nota ao verso 1324).

1529 *Ylmir*: essa forma já consta em A e em B quando foi datilografado; o mesmo vale para os versos 1534, 1553, 1572 e 1585. Ver a nota ao verso 1469.

1537 Esse verso foi riscado a lápis no texto B.

1542–543 Esses versos foram colocados entre colchetes a lápis no texto B, com a expressão *Não foi assim* escrita na margem. Embora Únoth não tenha sido emendada aqui, preferi a forma *Ornoth* (ver nota ao verso 1448).

1558 *e chamam as aves marinhas em altos conclaves*: cf. o conto *A Vinda dos Elfos e a Criação de Kôr*, I. 154.

1673–676 Cf. os versos 1036–039.

1696–697 Cf. os versos 1283–284.

1710–711 O verso 1710 (totalmente) e o 1711 (parcialmente) foram riscados no texto B, com acréscimos marginais para que o verso 1711 tenha a seguinte forma:

> [por] Felagund fundada   em sua fuga para o sul

Também está escrita na margem a frase "*antes* de Nirnaith Únoth". No verso 1711, em A, no lugar de *fundaram* [*founded*, em inglês] está a palavra *encontraram* [*found*], mas, como o manuscrito foi escrito muito rapidamente, essa diferença pode não ser significativa.

1713–720 Esses versos foram colocados entre colchetes no texto B, como se precisassem de revisão, e dois versos foram escritos na margem para inserção depois do verso 1715:

> que para casa não voltaram,   aos seus antigos salões,
> quando a batalha das lágrimas   lutaram e perderam.

Não incluí esses versos (escritos, parece, ao mesmo tempo que os outros comentários marginais dessa passagem) no texto por conta da complexidade do "pano de fundo histórico" nesse ponto; ver o Comentário, pp. 102–03.

Ao lado dessa passagem está escrito o seguinte na margem:

98

mas Nargothrond foi fundada por *Felagund*, filho de Finrod (cujos irmãos eram Angrod, Egnor e Orodreth). Curufin e Celegorm habitavam em Nargothrond.

1719 *Cranthor* em A, *Cranthir* na versão original de B.

1724 *Finduilas*: *Failivrin* em A e também em B quando foi datilografado; *Finduilas* foi escrito a lápis na margem de B; o mesmo vale para o verso 1938. Ver ainda os versos 2130, 2175, 2199.

1938 *Finduilas*: o mesmo que no verso 1724.

1945 A palavra *filho* [*youngling*, "jovenzinho", no original] foi riscada no texto B e o nome *Flinding* foi escrito ao lado dela, mas é impossível que o resultado, *Flinding de Fuilin* (com aliteração no segundo hemistíquio), fosse a intenção do autor. Mais tarde, outra palavra foi escrita na margem, mas ela está ilegível.

1974–975 A expressão *Não foi assim* está escrita na margem do texto B.

1975 *Finweg* no texto A e também na versão original do texto B; bem mais tarde, o nome foi emendado para *Fingon* em B. Mantive *Finweg*, uma vez que esse ainda era o nome no "Silmarillion" de 1930.

1993–998 Em A e na forma original de B, a ordem desses versos era diferente:

> Das quatro gentes sob o jugo do rei,
> os de mais nobre fama, renome e valor,
> os senhores das torres, os mateiros do descampado
> entre os filhos de Fuilin era forçoso escolher,
> e os que guardavam a ponte, o luzidio arco
> lançado por cima do cicio do Ingwil.

2027 *Glingol* em A e no texto B quando foi datilografado; foi feita uma emenda tardia para *Glingal* em B. Mantive *Glingol*, a forma dos *Contos Perdidos* e ainda presente no "Silmarillion" de 1930; na obra publicada, *Glingal* é o nome da árvore dourada de Gondolin.

2028 *Bansil* no texto A e na versão original de B; o nome recebeu a emenda tardia de *Belthil* em B. Mantive a forma *Bansil* pela mesma razão que escolhi *Glingol* no verso 2027.

2030 *o cerro de Tûn, de cimo verdejante* em A e na versão original de B; emendado a lápis em B com a forma apresentada anteriormente; no verso 2031, *cole* no singular não foi corrigido, mas o fato de que a intenção era usar o plural *cimos* é demonstrado pelo texto C, ver pp. 100–01.

2130 Aqui usei *Finduilas*, embora o nome *Failivrin* não tenha sido emendado aqui no texto B como o foi nos versos 1724 e 1938. Ver notas aos versos 2175 e 2199.

2164 *Esgaduin* em A e no texto B quando foi datilografado; emendado a lápis com a forma *Esgalduin* em B.

2175 *a frágil Finduilas, a quem "Failivrin"* é a versão datilografada originalmente em B; *a frágil Failivrin* foi alterado no momento da composição para *Findóriel* no texto A (isto é, *a frágil Findóriel a quem "Failivrin"* etc.).

2199 *Finduilas* em A e B; *Failivrin* foi escrito na margem do texto A. Nas ocorrências seguintes (*Failivrin* 2242, *Finduilas* 2253), os nomes, tanto em A quanto em B, aparecem como os vemos no texto apresentado.

A BALADA DOS FILHOS DE HÚRIN

Nota aos textos da seção "Failivrin"

O texto B chega ao fim, em sua forma datilografada, no verso 2201, mas ele prossegue como um manuscrito escrito com cuidado por mais 75 versos. Essa última parte do poema foi escrita no papel de boa qualidade que meu pai usou por muitos anos em todos os seus textos (palestras na universidade, *O Silmarillion*, *O Senhor dos Anéis* etc.), feitos a tinta ou a lápis (isto é, quando não usava máquina de escrever). Ele obtinha esse papel em branco com as Examination Schools da Universidade de Oxford — eram as páginas não utilizadas dos blocos de papel que os candidatos recebiam antes de seus exames. A mudança de papel, entretanto, não demonstra que ele já tivesse se mudado de Leeds para Oxford (cf. p. 12), uma vez que ele atuou como examinador externo em Oxford nos anos de 1924 e 1926; mas sugere, por outro lado, que suas últimas alterações na Balada (antes que *Leithian* começasse a ser escrita) datam da parte final do primeiro ano ou do começo do segundo. A conclusão do texto A também está escrita nesse tipo de papel.

Ainda falta levar em consideração aqui mais um texto curto, um manuscrito produzido com cuidado que se estende do verso 2005 ao 2225, ao qual chamarei de "C". Os detalhes textuais mostram com clareza que C veio depois de B — creio que depois de um intervalo não muito longo. Algumas emendas ao texto B foram feitas em C também. Apresento aqui uma lista das diferenças mais importantes entre C e B (pequenas mudanças de pontuação e de conexão entre as sentenças não entram nessa lista).

O texto C traz o título *Túrin na Casa de Fuilin e de seu filho Flinding*. Não está claro se esse deveria ser o título de uma quarta seção do poema, mas isso parece improvável caso a terceira seção continuasse a ter o nome de "Failivrin".

2005 *Agora fazia amenos os cuidados o amor gentil* C

2020 *zênite*] *verão* emenda a lápis

2027–028 *Glingol* > *Glingal* e *Bansil* > *Belthil* foram emendas feitas a lápis em C, tal como em B.

2029 A forma original do verso em B e C era *como luar tão mágico de suas ingentes flores;* em C, a emenda foi feita de maneira diferente, resultando em *qual mariposas de pérola postas ao luar.*

2030–032 C foi escrito exatamente como o texto de B depois da emenda (incluindo o plural no verso 2031); esses versos, depois, foram riscados e trocados pelos seguintes:

o cerro à beira-mar,   de cimo verdejante
com Tûn por coroa,   nas alturas serpeando,
de tesos muros brancos,   onde a torre de Ing

2036–053 são omitidos no texto C.

2069 Depois de *corujas caçando* o texto C tem linhas com pontos denotando omissão, e o texto é retomado de novo no verso 2081.

2083 *se tornava outonal*] *se tornava invernal*, uma emenda feita a lápis no texto C.

2114–116 são omitidos no texto C.

2123–128 O texto C omite os versos 2124, 2125b–127 e traz:

e o domínio sutil   da música e do cantar
à sua arte de mateiro   e maestria d'armas.
Aos paços e salões   do impávido rei

2135–138 O texto C omite esses versos (que se referem a Halmir, filho de Orodreth, morto pelos Orques) e diz:

sua dor irascível,   incessante sua ira;
parentesco em seu íntimo   encontrou o rei

2142b–143a O texto C omite esses versos e diz:

com angústia e remorso.   Assim, magnas honras
deu o rei a Túrin;   juntou-se à mesa dele

2158 *contavam*] *os homens contavam* é a emenda em C.

2164 *Esgalduin* foi grafado assim no texto C; ver a nota a esse verso acima.

Comentário a *Parte III, "Failivrin"*

Nesta seção extremamente marcante do poema, temos um grande desenvolvimento da narrativa em relação ao *Conto de Turambar* (se existiu alguma fase intermediária, não existem mais traços dela); enquanto, ao mesmo tempo, a história dos Noldoli exilados estava sendo aprofundada e ampliada em relação à maneira como é apresentada nos esquemas do *Conto de Gilfanon* — um fator que complica a apresentação dos poemas, já que afirmações a respeito da trajetória dos Noldoli muitas vezes foram deixados de lado durante o longo processo de composição.

O elemento mais notável de todos nesta parte do poema é a descrição de Nargohtrond, algo exclusivo da Balada. Em todas as reelaborações e reestruturações da saga de Túrin, essa parte permaneceu intocada, com exceção do desenvolvimento das relações entre Túrin, Gwindor e Finduilas que apresentei em *Contos Inacabados*, pp. 217–21. Nesse ponto, há um paralelo com Gondolin, descrita de modo muito detalhado no conto d'*A Queda de Gondolin*, o que nunca mais ocorreu. Como eu disse na introdução a *Contos Inacabados* (p. 18):

A BALADA DOS FILHOS DE HÚRIN

Assim, persiste o fato notável de que o único relato que meu pai jamais chegou a escrever sobre a história da estada de Tuor em Gondolin, sua união com Idril Celebrindal, o nascimento de Eärendil, a traição de Maeglin, o saque da cidade e a escapada dos fugitivos — uma história que era um elemento central na sua imaginação da Primeira Era — foi a narrativa composta em sua juventude.

Gondolin e Nargothrond foram criadas uma vez, e não recriadas. Continuaram a ser fontes e imagens poderosas — ainda mais poderosas, talvez, porque nunca recriadas, e nunca recriadas, talvez, por serem tão poderosas. Tanto *Tuor* quanto *Túrin* acabariam, de fato, alcançando forma escrita fora do *Silmarillion* condensado, e o que meu pai realizou quanto a essa intenção eu já publiquei nas primeiras duas seções de *Contos Inacabados*; mas, embora ele tenha se posto a recriar Gondolin, nunca alcançou a cidade de novo: depois de escalar a encosta interminável da Orfalch Echor e atravessar a longa linha de portões heráldicos, ele fez uma pausa com Tuor à vista de Gondolin em meio à planície e nunca cruzou Tumladen de novo. A recriação de *Túrin* foi muito mais além, mas aqui também ele deixou de lado o foco imaginativo de Nargothrond.

A fundação de Nargothrond

Discutirei primeiro o "pano de fundo" da história, que tem como centro a questão complexa da fundação de Nargothrond. No *Conto* (II. 104–05), Nargothrond não recebe nome e é representada pelas Cavernas dos Rodothlim; tal como no poema, Orodreth é o chefe desses Gnomos, mas aparece nessa fase como figura isolada, ainda não associada por parentesco a outros príncipes. Nada se afirma ali sobre a origem da fortaleza, mas penso que é certo imaginar que ela tivesse surgido (tal como Gondolin) depois da Batalha das Lágrimas Inumeráveis, já que, na fase mais antiga das lendas, como observei ao comentar o *Conto de Gilfanon* (I. 292),

toda a história posterior dos longos anos do Cerco de Angband, culminando na Batalha da Chama Repentina (Dagor Bragollach), da travessia dos Homens pelas Montanhas, entrando em Beleriand, e de seus serviços junto aos Reis noldorin, ainda estava por surgir; de fato, esses esboços passam a impressão de que apenas um curto espaço de tempo se passou entre a vinda dos Noldoli desde Kôr e sua grande derrota [na Batalha das Lágrimas Inumeráveis].

No poema, essa ideia ainda está claramente presente nos versos 1542–544:

> as salas secretas
> de Nargothrond,   que os Gnomos fizeram
> quando morte e cativeiro   na contenda terrível
> de Nirnaith Ornoth   um número parco
> deles evitou.

Ao lado dessa passagem, meu pai escreveu "Não foi assim"; e esse comentário obviamente significa "Nargothrond *não* foi fundada depois da Batalha das Lágrimas Inumeráveis", como se pode ver também em sua nota aos versos 1710–711:

> (para Nargothrond)
> que Celegorm e Curufin,   preclaros filhos
> de Fëanor fundaram   após a fuga para o sul

ao lado dos quais ele escreveu: "*antes* de Nirnaith Únoth". Quando, então, a cidade foi fundada? O "Esboço da Mitologia", certamente posterior ao poema (cujo pano de fundo ele foi escrito para explicar), já menciona, em sua forma mais antiga, o Sítio de Angband e a maneira como Morgoth o rompeu – embora isso seja descrito da forma mais genérica possível, sem qualquer referência à batalha que levou a esse fim do sítio; e o texto afirma também que naquele momento "Gnomos e Ilkorins e Homens se dispersam ... Celegorm e Curufin fundam o reino de Nargothrond nas margens do Narog ao sul das terras do Norte". O "Esboço" (mais uma vez, em sua forma mais antiga e não revisada) também afirma que Celegorm e Curufin enviaram uma hoste de Nargothrond para a Batalha das Lágrimas Inumeráveis, que essa hoste se juntou à de Maidros e Maglor, mas "chegaram tarde demais par a batalha principal". "São rechaçados e impelidos para o Sudeste, onde por longo tempo habitaram, e não retornaram a Nargothrond. Lá Orodreth governava os remanescentes".

A BALADA DOS FILHOS DE HÚRIN

O problema é explicar, no caso da história anterior, como se vê no poema (Nargothrond sendo fundada por Celegorm e Curufin *depois* da Batalha das Lágrimas Inumeráveis), que os dois filhos de Fëanor não estão mais lá quando Túrin chega e Orodreth é o rei. Por que ambos *se escondem agora* ... *nas sendas do Leste* com seus cinco irmãos (1713–714)?

A única explicação que consigo propor é a seguinte. Quando meu pai escreveu os versos 1542–544, a visão dele era de que Nargothrond tinha sido fundada depois da Batalha das Lágrimas Inumeráveis (algo que fica bastante explícito). Mas, quando chegou aos versos 1710–715

> (para Nargothrond)
> que Celegorm e Curufin,   preclaros filhos
> de Fëanor fundaram   após a fuga para o sul;
> ali têm um baluarte   contra o ódio de Bauglir
> e se escondem agora,   em secreta liga
> com os outros cinco   nas sendas do Leste,
> de Morgoth imigos   magnos e implacáveis

a história posterior já estava presente. (Não haveria nada de esquisito nisso: na *Balada de Leithian*, a história muda de um Canto para o outro.) Assim, *a fuga para o sul* se refere a quando Celegorm e Curufin fugiram da batalha que deu fim ao Sítio de Angband; *e se escondem agora* ... *nas sendas do Leste* refere-se ao período depois da Batalha das Lágrimas Inumeráveis, quando "não retornaram a Nargothrond" e "Orodreth governava os remanescentes", conforme foi dito no "Esboço".* Quanto a essa visão, a nota de meu pai aos versos 1710–711 ("*antes* de Nirnaith Únoth") estava equivocada — ele pensou que os versos se referiam à forma antiga da história (assim como 1542–544 certamente o fazem), enquanto, na verdade, eles dizem respeito à versão mais recente. Essa explicação pode parecer forçada, mas é menos complicada que certas soluções claramente corretas para outros enigmas da história de

---

* Cf. os versos 1873–874:

"Pois dormiu a vigilância nas matas do Narog
desde que Orodreth regia esta gente e este reino?

"O Silmarillion", e não vejo outra maneira de sair dessa dificuldade. — Os dois versos adicionais que se seguem ao de número 1715:

que para casa não voltaram,   aos seus antigos salões,
quando a batalha das lágrimas   lutaram e perderam.

referem-se (creio) a Celegorm e Curufin, e reforçam a ligação com a versão posterior da história (isto é, que depois da Batalha das Lágrimas Inumeráveis eles não retornaram a Nargothrond).

A alteração nos versos 1710–711 faz com a passagem fique desta forma:

(para Nargothrond)
[por] Felagund fundada   em sua fuga para o sul

E a nota marginal ao lado dos versos 1713, "mas Nargothrond foi fundada por *Felagund*, filho de Finrod" etc., reflete, é claro, um estágio ainda mais tardio, embora ele tenha se desenvolvido logo depois que o "Esboço" ganhou sua primeira versão. As mudanças essenciais na história de Nargothrond até esse ponto são, com certeza, estas:

1. Orodreth governava os Rodothlim em suas cavernas, que receberam habitantes pela primeira vez depois da Batalha das Lágrimas Inumeráveis.
2. Celegorm e Curufin fundaram Nargothrond após a Batalha das Lágrimas Inumeráveis.
3. Celegorm e Curufin fundaram Nargothrond depois do rompimento do Sítio de Angband; partiram à frente de uma hoste para a Batalha das Lágrimas Inumeráveis e não retornaram, mas permaneceram no Leste; Orodreth passou a governar o remanescente dos Gnomos de Nargothrond.
4. Felagund, filho de Finrod, e seus irmãos Angrod, Egnor e Orodreth, fundaram Nargothrond depois do rompimento do Sítio de Angband; Celegorm e Curufin passaram a viver lá.

Outro sinal de desenvolvimento da história e da genealogia dos príncipes dos Gnomos é a menção a *Finweg*, nome mais tarde emendado no texto B para *Fingon*, a quem *viram tombar na flama das espadas* na Batalha das Lágrimas Inumeráveis (1975). *Finweg* é um nome que apareceu logo no começo do poema (verso 29),

A BALADA DOS FILHOS DE HÚRIN

mas ali ele corresponde a uma variante ou forma do nome de Finwë (Nólemë), o fundador da linhagem; esse *Finweg* aparece no "Esboço", em sua versão original, como filho de Fingolfin.

Os Filhos de Fëanor anteriormente só tinham sido todos citados por nome no *Conto do Nauglafring* (II. 289); agora (versos 1716 e seguintes), com os nomes de *Cranthir* (emenda da forma *Cranthor* em B) e *Díriel* no lugar da forma anterior *Dinithel* (*?Durithel*), eles alcançam a forma que mantiveram durante muito tempo. Aparecem alguns epítetos característicos: em inglês, Maglor é chamado de "célere", Cranthir de "moreno", e o lado "matreiro" de Curufin, que já aparece no *Conto do Nauglafring*, é aplicado aqui também a Celegorm. Menciona-se o fato de que Maidros empunha a espada com a mão esquerda, o que claramente implica que a história segundo a qual Morgoth o havia pendurado numa encosta pela mão direita, e que Finweg (> Fingon) o resgatou, já estava presente, tal como ocorre no "Esboço". A tortura do personagem e o fato de que o aleijaram já são mencionados nos esquemas narrativos do *Conto de Gilfanon* (I. 287, 289), mas não chegam a ser descritos.

Analisemos agora a narrativa principal dessa parte do poema. Os versos são um avanço em relação ao *Conto* pelo fato de mencionarem o que aconteceu com a espada de Beleg, o que não é citado antes; mas aqui Flinding a esconde no oco de um espinheiro (1342), e ela não tem outras funções na história. Se o poema tivesse avançado mais, Túrin teria recebido sua espada negra em Nargothrond, como presente de Orodreth, tal como acontece no *Conto* (II. 106–07). Também na narrativa em prosa, afirma-se que Túrin "não empunhara espada alguma desde o assassinato de Beleg, contentando-se em vez disso com uma clava imensa"; no poema, esse dado reaparece, e as implicações são explicitadas (2155–156):

> mas, desde a morte de Beleg,   temia sacar
> ou usar uma lâmina.

O enterro de Beleg, com seu grande arco a seu lado, agora aparece (1399 e seguintes), e o beijo de Túrin, registrado no *Conto*, é mantido; o fato de que a marca de seu pesar pela morte do amigo (considerada a terceira de suas tristezas, 1421) nunca saiu de seu rosto continuou sendo uma característica importante da lenda.

Geografia

No *Conto* (II. 103–04), há pouquíssimos detalhes sobre a jornada de Flinding e Túrin entre o lugar da morte de Beleg e Nargothrond: com a ajuda da luz da lâmpada de Flinding, eles "viajavam à noite e escondiam-se durante o dia, e sumiram nas colinas, e os Orques não os encontraram". No poema, por outro lado, a jornada é descrita de modo bastante completo e contém alguns detalhes notáveis. Ademais, não há nada na descrição que contradiga o mais antigo mapa do "Silmarillion" (que será publicado no próximo volume), o qual data desse período e pode ter sido feito originalmente em associação com este poema. Os viandantes passam, à meia-noite, pelo Teso dos Mortos, que se eleva ao luar *na última ponta / das dunas ressequidas de Dor-na-Fauglith* (1439–440); esse detalhe não chega a reaparecer na história de Túrin. A única referência anterior ao grande teso funerário está nos esquemas narrativos para o *Conto de Gilfanon*, onde ele é chamado de Monte da Morte e é erguido pelos Filhos de Fëanor (I. 291). Conta-se no poema que Túrin, apesar de seu grande desemparo, *voltou sua mão / para as Thangorodrim* ao ouvir as palavras de Flinding sobre o Teso, e amaldiçoou Morgoth por três vezes – tal como fez Fëanor na hora de sua morte depois da Batalha-sob-as-Estrelas (*O Silmarillion*, p. 156); o primeiro evento sem dúvida é o precursor do segundo. A inviolabilidade do Teso também aparece agora (1450–452).

Túrin e Flinding, depois disso, cruzam o Sirion não muito longe de seu nascedouro nas Montanhas de Sombra, onde o rio era vadeável (1457 e seguintes); trata-se de primeira referência à Nascente do Sirion. O poema descreve a grande jornada do rio até o Mar, com referências à sua passagem pelo subterrâneo (1467; cf. II. 236, 262) e por terras *tão caras a Ylmir* (Ulmo). Os viajantes então chegam a Nan Dungorthin, região que tinha sido mencionada no *Conto de Tinúviel* (ver II. 48, 81–2): Huan encontrou Beren e Tinúviel "naquela região setentrional de Artanor que depois se chamou Nan Dumgorthin, a terra dos ídolos sombrios", "mesmo então era uma terra escura e sombria e de mau agouro, e o temor caminhava sob suas árvores ameaçadoras". Meu pai hesitou durante muito tempo sobre a localização dessa terra: no dicionário gnômico, ela ficava a leste de Artanor (II. 81), no *Conto de Tinúviel* passa a ser uma "região setentrional de Artanor", enquanto aqui ela fica a oeste do Sirion, num vale das encostas meridionais das Montanhas de

Sombra. No mais antigo mapa do "Silmarillion", Nan Dungorthin também foi, da mesma forma, colocada a oeste do Sirion (do lado ocidental da Ilha dos Lobisomens), antes de voltar mais uma vez para a região ao norte de Doriath, onde permaneceu.

Conta-se que, quando Túrin e Flinding escalaram a saída do vale de Nan Dungorthin, eles *mais ao sul viram os cerros de Hithlum / mais cálidos e acolhedores* (1496–497). À primeira vista, isso parece difícil de entender, mas creio que o significado é o seguinte: de fato, eles estavam *nos cerros de Hithlum* nesse momento (isto é, abaixo da face sul das Montanhas Sombrias, que cercavam Hithlum), mas, ao olhar para o sul (na verdade, para o sudoeste), viram as regiões mais agradáveis ao longo desses sopés, na direção de Ivrin. Essa é também a primeira aparição de Ivrin, a nascente do Narog, e ela é retratada de forma muito clara. O verso (1537) que traz a etimologia de *Narog* ("torrente" em gnômico) foi riscado, mas isso aconteceu (creio) porque meu pai sentiu que a explicação era intrusiva, e não porque a etimologia tenha sido rejeitada. Sobre esse tema, pode-se mencionar que, numa lista de equivalentes dos nomes élficos em inglês antigo, composta alguns anos depois da escrita do presente poema e associada às traduções de textos élficos feitas por Ælfwine para sua língua materna, constam os pares *Narog: Hlýda* e *Nargothrond: Hlýdingaburg*. Hlýda era o nome em inglês antigo do mês de março ("o mês do vento barulhento"; cf. o nome quenya *Súlimë* e, em sindarin, *Gwaeron*); entre as palavras aparentadas estão *hlúd* (em inglês moderno, *loud*, adjetivo usado para sons altos, barulhentos), *hlýd*, "som", *hlýdan*, "produzir um som". O significado aqui é, sem dúvida alguma, "o barulhento"; o termo está por trás do nome *Lydbrook*, que designa um riacho inglês.

Seguindo o curso do Narog na direção sul, partindo de Ivrin, os viajantes

> [chegaram] à garganta   onde o Ginglith vira,
> com reflexos d'ouro,   a saudar o Narog.
> Sua torrente mais gentil   juntava-se ao tumulto,
> deslizando unidos   pela planície vigiada
> até as Colinas dos Caçadores,   que para o sul, no alto,
> levantam suas rochas   com vestes de verdura.   (1736–741)

Um pouco antes, Flinding descreveu para Túrin como o Narog, passando por Nargothrond, "dali contorna as Colinas dos Caçadores, o lar de Beren e da Dançarina de Doriath" (1544–546). Nesses versos estão as primeiras aparições do rio Ginglith, da Planície Protegida e das Colinas dos Caçadores (todos locais mostrados no mapa mais antigo), embora as colinas propriamente ditas sejam descritas sem receber esse nome no *Conto*, II. 121. No mapa, Nargothrond aparece perto da extremidade norte das Colinas dos Caçadores, as quais se estendem bastante para o sul, diminuindo de altura até a costa do Mar a oeste das fozes do Sirion. Há várias afirmações sobre essas colinas. No *Conto*, são "alta[s] e arborizada[s]"; no poema, *levantam suas rochas com vestes de verdura*; em *O Silmarillion* (p. 174) onde são chamadas de *Taur-en-Faroth* ou *os Altos Faroth*, elas são "grandes terras altas florestadas"; no *Narn* (p. 206), são descritos como "pardos e desnudos". No poema, também são chamadas de *Descampado dos Caçadores* (1816, 1992), e o termo em inglês, *wold*, provavelmente está sendo usado com o sentido antigo de "floresta, planalto florestado". Se levarmos em conta a aquarela inacabada em que meu pai retratou as Portas de Nargothrond, muito provavelmente pintada em 1928 (ver *Pictures by J.R.R. Tolkien*, n. 33), ele imaginava as colinas como grandes elevações rochosas que ficavam por cima de uma floresta densa em suas encostas mais baixas. No verso 1746, os Guardas do Narog observam o cenário de *suas torres fortes no topo dos morros / que não deixavam ver luz na ramalheira das árvores*; essas torres de vigia ficavam no norte das Colinas dos Caçadores e estavam voltadas para o norte (1743–745), e pode não ser por acaso, portanto, que, no mapa mais antigo, (apenas) a extremidade norte das colinas apareça como um lugar com densa cobertura florestal.

Conforme Túrin e Flinding foram para o sul, pela margem oeste do Narog, o rio ia *espumando com pressa aos pés das colinas* (1770), e as lavouras pelas quais passavam

> [mais] estreitas ficavam
> entre os muros e a água,   sumindo afinal
> em barrancos floridos   na beirada do caminho. (1812–814)

Da mesma forma, o mapa mostra o Narog ficando cada vez mais próximo da orla nordeste das Colinas dos Caçadores. Aqui os viajantes cruzaram o espumejante Ingwil, que descia das colinas, ao passar por uma ponte estreita; essa é a primeira aparição desse regato (cf. *O Silmarillion*, p. 174: "o riacho curto e espumejante chamado Ringwil se lançava de cabeça no Narog, vindo dos Altos

Faroth"), e a ponte que passa por cima dele não é mencionada em nenhum outro lugar.

A Terra dos Mortos que Vivem (ou seja, de Beren e Tinúviel depois de seu retorno) agora é colocada nas Colinas dos Caçadores (1545–546), onde também tinha sido colocada originalmente no mapa. Essa região mudou de lugar com frequência ainda maior que a de Nan Dungorthin. No *Conto do Nauglafring*, ela ficava em Hisilómë (mas com uma nota no manuscrito dizendo que ela deveria ser colocada em "Doriath além do Sirion", II. 299); no *Conto de Tinúviel*, Beren e Tinúviel "tornaram-se fadas poderosas nas terras junto ao norte de Sirion" (II. 55). Depois de passar pelas Colinas dos Caçadores, a região seria trocada de lugar outras várias vezes.

Antes de deixarmos o Narog, encontramos aqui pela primeira vez em forma narrativa o nome *Nan-Tathrin* (1548), área que nos *Contos Perdidos* é sempre chamada por seu nome em eldarissa, *Tasarinan* (mas *Nantathrin* ocorre no dicionário gnômico, I. 320, verbete *Sirion*, bem como acontece com *Dor-tathrin* na lista de nomes de *A Queda de Gondolin*, II. 415).

Muito mais completa do que em qualquer outro relato posterior é a história, no poema, da estadia de Túrin e seu companheiro em Ivrin, e muito do que subjaz à passagem a esse respeito em *O Silmarillion* (p. 282) é revelado aqui. Em *O Silmarillion*, Túrin bebe da água de Ivrin, finalmente consegue chorar e sua loucura passa; depois disso, ele compõe uma canção para Beleg (*Laer Cú Beleg*, a Canção do Grande Arco), "cantando-a em alta voz, sem cuidar do perigo", e então pergunta a Gwindor quem ele é. Na Balada, todas essas características da história estão presentes, em ordem ligeiramente diferente. Flinding descreve para Túrin os cursos do Narog e do Sirion e a proteção de Ulmo, e Túrin sente que a esperança retorna um pouco (1586–587); eles descem até o lago e bebem (1599–600); e *das malhas da desgraça sua mente se soltou* (1602). No começo da noite, enquanto se sentavam ao lado do fogo à beira dos alagados de Ivrin, Túrin pergunta a Flinding sobre seu nome e seu destino, e foi a resposta de Flinding que faz Túrin finalmente chorar. Flinding cai no sono, mas desperta quase no fim da noite, ouvindo Túrin cantar um lamento por Beleg na beira do lago (e aqui a canção é chamada de "A Amizade do Arqueiro"). Então o próprio Túrin cai no sono e, dormindo, retorna ao lugar terrível nas bordas de Taur-na-Fuin onde matou Beleg, procurando o ponto onde ele foi enterrado e as árvores enegrecidas pelos raios, e ouve então a voz de Beleg ao longe, dizendo para não procurar mais, mas para buscar conforto na coragem.

> Despertou em assombro;   estava são seu juízo,
> a coragem o confortava;   gritando chamou
> Flinding go-Fuilin,   e então foi até ele.

A estrutura do episódio na Balada é firme e clara, as imagens, fortes e persistentes. Observei, na introdução de *Contos Inacabados*, que era triste que meu pai não tivesse avançado, na versão posterior do Conto de Tuor, além da chegada de Tuor e Voronwë ao último portão e à vista de Gondolin do outro lado da planície. Não é menos triste o fato de que ele nunca tenha recontado, em sua prosa mais tardia, a história de Túrin e Gwindor no Lago de Ivrin. A passagem em *O Silmarillion* não é uma substituta adequada dessa possibilidade; e é apenas com base no poema que somos capazes de captar totalmente a extensão do desastre sofrido por Túrin ao matar seu amigo.

A descrição, no poema, da esquivança e segredo dos defensores de Nargothrond deriva, em termos conceituais, do *Conto* (II. 104–05). Nessa narrativa

> os espiões e vigias dos Rodothlim ... deram aviso de sua aproximação. Eles então fecharam as portas, na esperança de que os estranhos não descobrissem suas cavernas ...

Quando Flinding e Túrin chegam às entradas das cavernas,

> os Rodothlim os assaltaram e os fizeram prisioneiros, levando-os para dentro de seus salões rochosos, e foram levados diante do chefe, Orodreth.

Tudo isso é retomado pelo poema, com muitas elaborações; há também o incidente no qual Túrin tropeça numa raiz e, assim, escapa da flecha disparada contra ele, fato seguido do grito de reprovação de Flinding para os arqueiros ocultos, depois do qual eles não são mais atrapalhados. Talvez não esteja tão claro no poema quanto no *Conto* o fato de que as lavouras e pomares de Nargothrond estavam desertas para que os viajantes não achassem a entrada das cavernas, especialmente porque eles viram *um caminho simples que muitos pés / haviam palmilhado* (1808–809) — embora se diga que a multidão no grande paço de Nargothrond estava esperando por eles (1856). Além do mais, no *Conto* eles não são atacados. Do jeito que a história é contada no poema, pode-se perguntar por que os arqueiros escondidos na mata, se acreditaram suficientemente no grito de Flinding para guardas as flechas, não apareceram naquele ponto e conduziram os dois como prisioneiros até as cavernas. O novo elemento da flecha disparada na floresta, creio, não tinha sido totalmente assimilado ao relato mais antigo sobre o recuo temeroso dos Rodothlim, na esperança de que Túrin e Flinding não achassem a entrada. Mas a passagem descrevendo os "campos cultivados" de Nargothrond é de grande interesse em si mesma, pois raramente existem referências à agricultura dos povos da Terra-média nos Dias Antigos.

As grandes Portas de Nargothrond são descritas aqui pela primeira vez — os portões triplos de madeira, da maneira como meu pai os imaginou, podem ser vistos em seu desenho da entrada, feito em Dorset no verão de 1928, e (numa concepção diferente) as *batentes e vergas de vastas pedras* (1830) estão na aquarela do mesmo período citada acima (*Pictures*, n. 33, 34).

No *Conto*, o medo e a suspeita entre os Rodothlim com relação aos Noldoli que tinham sido escravos é atribuída aos "feitos malignos dos Gnomos em Cópas Alqalunten", e esse elemento reaparece no poema (1903–904).Mesmo assim, no *Conto* não há sugestão nenhuma de que tenha havido um questionamento sério da identidade e boa-vontade de Flinding, apesar das grandes mudanças em seu aspecto, de modo que "poucos o reconheceram". No poema, por outro lado, Orodreth aparece como alguém hostil e imponente, e sua personalidade é delineada de forma cuidadosa: ele se enfurece rapidamente (1973), mas sua ira é fria e duradoura (2133–134), raramente sente piedade (1969, 2134), tem coração sombrio e não pede conselhos (2132–133), mas é capaz tanto de amor profundo (1970) quanto de ódio feroz (2135). Mais tarde, conforme as lendas foram se desenvolvendo, Orodreth passou por um declínio constante e se tornou cada vez mais fraco e insignificante, o que é bastante curioso. Muitos anos mais tarde, ao meditar sobre o desenvolvimento da saga de Túrin, meu pai observou que Orodreth "tinha uma personalidade bastante fraca"; cf. o *Narn*, p. 233: "e, como sempre, voltou-se para ouvir o conselho de Túrin". Em última instância, a ideia é que ele fosse "rebaixado" para a geração seguinte de sua família como segundo Rei de Nargothrond (*Contos Inacabados,* p. 346, nota 20). Mas tudo isso tem pouco a ver como o rei endurecido e sombrio em seu paço subterrâneo retratado no poema; Felagund ainda não tinha emergido, e o mesmo vale para a facção rebelde de Celegorm e Curufin em Nargothrond (ver também a p. 290).

A morte de Halmir, o caçador, filho de Orodreth, nas mãos dos Orques (2137–138; omitida no texto C, p. 101), é um elemento novo que vai reaparecer, embora não se encontre em *O Silmarillion,* onde o nome *Halmir* corresponde a um dos chefes do Povo de Haleth.

No *Conto,* como observei em meu comentário (II. 152),

Failivrin já está presente, assim como seu amor não correspondido por Túrin, mas a complicação de sua relação anterior com Gwindor está ausente, e ela não é filha de Orodreth, o Rei, mas de um certo Galweg (que desapareceria por completo).

No poema, Galweg já desapareceu, e Failivrin se tornou a filha de Orodreth, amada por Flinding e que corresponde o amor dele antes de o Gnomo se tornar cativo; e é o pedido dela ao pai diante da multidão congregada que influencia o rei e faz com que Flinding e Túrin sejam admitidos em Nargothrond. Há provavelmente um traço dessa intervenção no relato muito condensado em *O Silmarillion* (p. 283):

No começo, nem o seu próprio povo reconheceu Gwindor, que saíra jovem e forte e retornava agora, por causa de seus tormentos e de seus trabalhos, parecendo um dos idosos entre Homens mortais; mas Finduilas, filha de Orodreth, o Rei, reconheceu-o e o acolheu, pois o amara antes das Nirnaeth, e tão grandemente Gwindor amava a beleza dela que lhe deu o nome de Faelivrin, isto é, o brilho do sol nas lagoas de Ivrin.

No poema, ela é chamada de *Failivrin* nas versões originais de A e B, nome que podia ou não ser emendado para *Finduilas* em B (versos 1724, 1938, 2130), mas o nome *Finduilas* aparece pela primeira vez mais para o fim da composição original desses textos (2175, 2199), e *Failivrin* (*o brilho cintilante nas bordas vítreas / do lago de Ivrin*) é o nome que os Elfos passam a usar para designar *Finduilas.*

A BALADA DOS FILHOS DE HÚRIN

Na Balada, assim como no *Conto*, não se oculta a identidade de Túrin do mesmo modo que em *O Silmarillion*, texto no qual ele interrompe Gwindor quando o Elfo estava para revelar seu nome, dizendo ser Agarwaen, o Manchado-de-sangue, filho de Úmarth, Mau-fado (p. 283). Finduilas (Failivrin) pergunta:

> Não há ninguém entre nós   que agora recorde
> aquele magno dos Homens [Húrin],   marcas de parentesco
> buscando e encontrando   nesses tristes olhos,
> em suas formas e feições?   (1958–961)

e o poema também diz

> Não poucos havia   que em velhos tempos
> viram Finweg tombar   na flama das espadas
> e Húrin Thalion   a cortar as hostes
> dos monstros dos Glamhoth,   demônios em legiões
>   (1974–977)

e eles declararam que o rosto de Túrin tinham *os traços do pai que retornam ao mundo*. Ao lado da segunda dessas passagens, meu pai escreveu na margem: "Não foi assim". Esse comentário refere-se à ideia de que muitos dos Gnomos de Nargothrond tinham lutado na Batalha das Lágrimas Inumeráveis (ver pp. 103–04); de acordo com a versão posterior da história, quase ninguém de Nargothrond participou do combate e, da pequena companhia que partiu, nenhum voltou, com exceção do próprio Flinding/Gwindor. — Em *O Silmariliion* (p. 283), Túrin não é descrito como alguém que tem os traços do pai; pelo contrário,

> e era, em verdade, o filho de Morwen Eledhwen em seu aspecto: de cabelos escuros e pele clara, com olhos cinzentos.

Cf. também o *Narn*, p. 224, quando Túrin diz a Arminas:

> Mas, se minha cabeça é escura e não dourada, disso não me envergonho. Pois não sou o primeiro filho que se assemelha à mãe.

Já Húrin era de

estatura menor que outros homens de sua família; puxou nisso à gente de sua mãe, mas em todas as demais coisas era como seu avô Hador, belo de rosto e de cabelos dourados, vigoroso de corpo e de temperamento impetuoso (*Narn*, p. 87).

Mas Túrin já era concebido como um jovem de cabelos escuros na Balada:

> o menino moreno   da raça conquistada   (417)

e, na segunda versão do poema, Húrin também tem *madeixas escuras* (p. 121, verso 88).

No banquete de boas-vindas na casa de Fuilin, pai de Flinding, em meio aos bosques das encostas no Descampado dos Caçadores (1989–892), Fuilin encheu com hidromel uma grande e antiga taça de prata, que viera de Valinor:

> a taça entalhada isso tudo atravessara,
> júbilo e opróbrio,   a perda da esperança
> quando pouco sobrava   do saber de outrora.   (2038–040)

Era em coisas como essa taça, entalhada com imagens do *povo de Feéria no ínclito zênite / dos Reinos Abençoados*, das Duas Árvores e da Torre de Ing na colina de Côr, que meu pai estava pensando quando escreveu sobre os tesouros que Finrod Felagund trouxera de Tirion (*O Silmarillion*, p. 165): "um consolo e um fardo na estrada" (*ibid.* p. 127). Esse é a primeira referência à torre de Ing (Ingwë, ver p. 40) na cidade élfica, cujo

> pálido pináculo   o crepúsculo varava,
> e sua lâmpada de cristal   luz lançando
> com mínimo facho   sobre os Mares Sombrios. (2033–035)

da mesma maneira que, mais tarde, a lâmpada prata da Mindon Eldaliéva "iluminava ao longe as brumas do mar" (*O Silmarillion*, p. 94).

De acordo com o que dizem os textos A e B nos versos 2030–032, a colina sobre a qual a cidade élfica foi construída, e que figura na taça de Fuilin, é *Tûn*, coroada pelos muros brancos da cidade de Côr; e esse dado é anômalo, uma vez que o nome *Tûn* certamente foi criado como designação da cidade (ver II. 352–53), e, no "Esboço da Mitologia" e no "Silmarillion" de 1930, Kôr é a colina e Tûn é a cidade. No texto C do poema, entretanto, isso é alterado, e a cidade recebe o nome de Tûn (pp. 100–01).

No final do texto, o detalhamento da relação entre Túrin e Finduilas é um indicativo da grande escala da obra planejada: considerando quanta coisa, em simples termos narrativos, ainda falta (a queda de Nargothrond, o Dragão, a perda de Finduilas, a jornada de Túrin para Dor-lómin, Morwen e Nienor em Doriath e a jornada delas para Nargothrond, Nienor sendo enfeitiçada, Túrin e Nienor entre os Homens da Floresta, a chegada e morte do Dragão e as mortes de Nienor e Túrin), o poema ainda precisaria de vários milhares de versos.

 Restam ainda alguns detalhes isolados a discutir. O nome *Esgalduin* aparece aqui pela primeira vez, mas, na forma do texto A e do B quando foi datilografado (verso 2164), *Esgaduin* é o nome original. O texto C traz a forma *Esgalduin* (p. 101).

A Lua é apresentada, nos versos 2088–094, como um navio, a Barcaça de Prata, com mastro, compartimento e panos, saindo a navegar da margem do mundo; mas essas imagens não têm nenhuma relação próxima com o Navio da Lua no *Conto do Sol e da Lua* (I. 232).

UImo agora é chamado de *Ylmir* (nome que aparece inicialmente em emendas do texto B no verso 1469, mas depois disso está também em A e na versão original de B); no "Esboço", ele aparece inicialmente como *Ulmo (Ylmir)* e, dali em diante, como *Ylmir*, sugerindo que nessa época essa era a forma gnômica do nome (no dicionário gnômico a forma era *Gulma*, I. 326). Ele também é chamado de *Habitante das Profundezas* no verso 1565, tal como na versão posterior de *Tuor* (*Contos Inacabados*, pp. 42, 50). Flinding cita as mensagens de Ulmo que são ouvidas em Ivrin e diz que Ulmo *mantém na memória, nas Terras de Júbilo / os apuros dos Gnomos* (1531 e seguintes); cf. o *Conto*, II. 100.

Por fim, podemos destacar as palavras de Túrin ao seu despedir de Beleg em seu túmulo (1408–411), nas quais ele prevê para o Elfo uma vida após a morte em Valinor, nos salões dos Deuses, e não fala de um tempo de "espera"; cf. os versos 1283–284, 1696–697.

A SEGUNDA VERSÃO
DE
OS FILHOS DE HÚRIN

Esta versão do poema (II) está preservada num maço de notas manuscritas muito toscas (IIA), que não correspondem a um texto completo, e num texto datilografado (IIB) — irmão gêmeo da primeira versão escrita a máquina (IB) e feito usando a mesma fita roxa muito característica — baseado em IIA. O fato de que II é uma versão posterior a I fica óbvio depois de uma inspeção rápida — para dar um único exemplo, o nome *Morwen* aparece dessa maneira tanto em IIA quanto em IIB. Como já disse (p. 12), não creio que II seja significativamente posterior a I, e pode até ter sido escrito antes que meu pai parasse de trabalhar no texto I.[*] Conforme II vai chegando ao fim, a quantidade das expansões e mudanças em relação ao texto I se torna muito menor, mas me parece melhor apresentar o poema II de forma completa.

O texto de abertura da segunda versão é complicado pela existência de dois outros textos, ambos abrangendo os versos II. 1–94. O mais antigo deles é outro texto datilografado (IIC), que incorpora emendas feitas a IIB e também recebeu suas próprias emendas; o segundo é um manuscrito (IID) escrito no "papel de Oxford" (ver p. 100), o qual incorpora as mudanças feitas em IIC e introduz ainda mais alterações. No começo do poema, portanto, temos versos que exibem um desenvolvimento contínuo ao longo de seis textos diferentes, como acontece, por exemplo, com o verso 18 da primeira versão, que passou a ser o verso 34 na segunda:

IA Mas hostes sobre hostes   dos Orques, os infernais
emendado no manuscrito para:
Mas hostes sobre hostes   dos Orques infernais

---

[*] A única evidência externa até agora (além da natureza física dos textos, que claramente foram escritos em Leeds, e não em Oxford) é o fato de que uma página de IIA foi escrita na parte de trás de uma carta formal enviada por *The Microcosm* (um periódico literário trimestral de Leeds, no qual meu pai publicou o poema *A Cidade dos Deuses* na edição da primavera de 1923, ver I. 168), confirmando o pagamento de uma assinatura em 1922; a carta, evidentemente, foi escrita em 1923.

A BALADA DOS FILHOS DE HÚRIN

IB Lá hostes e mais hostes   dos Orques infernais

IIA mas em hoste sobre hoste   qual ondas das trevas
(*com* qual ondas das colinas *como alternativa*)

IIB mas em hoste sobre hoste   qual ondas das colinas

IIC *igual a IIB mas emendado no texto datilografado para*:
e em hoste sobre hoste   qual ondas das colinas

IID Em hoste sobre hoste,   qual ondas das colinas

A maioria das mudanças ao longo dos textos sucessivos do poema
foi feita por razões métricas — no caso das revisões posteriores,
especialmente com o objetivo de remover "palavras pequenas", para
alcançar um efeito mais próximo do de versos em inglês antigo, e
para se livrar de muletas métricas como a pronúncia de *-éd* * como
uma sílaba separada. Como eu disse, apresentar um aparato crítico
completo seria um trabalho excessivamente longo e complexo (e,
em certos pontos, quase impossível, pois os textos propriamente
ditos muitas vezes são mais obscuros do que o que aparece nas
publicações). No caso da segunda versão do poema, portanto,
apresento aqui o texto IID (o último) até seu final no verso 94
(já que as mudanças em relação a IIB, embora muitas, correspondem a pequenos detalhes) e dali em diante continuo com o texto
IIB (a versão datilografada principal do segundo poema); e, como
ocorreu antes, alterações puramente verbais/métricas que não têm
impacto na história ou nos nomes usados não são citadas nas notas.
    O texto IIA não tem título; o de IIB inicialmente era TÚRIN
e depois passou a ser OS FILHOS DE HÚRIN, que também é o
título de IIC e IID.
    O "Prólogo", que foi muito expandido na segunda versão, ainda
não recebe um subtítulo, exceto pelo fato de que, em IIC, ele é marcado com o número romano "I"; em IIB, *Túrin Adotado* é um subtítulo de seção, ao qual meu pai depois acrescentou o número "II".

---

* No passado do verbo inglês *to work* ("trabalhar"), por exemplo, *worked* normal-
mente conta como uma sílaba só. Grafado como *workéd*, o verbo passa a ter duas
sílabas para efeitos de métrica. [N.T.]

I

OS FILHOS DE HÚRIN

Ó Deuses que arranjam   vossos reinos guardados
com imóveis pináculos,   montes sem sendas
que sobre praias veladas   se elevam íngremes
na Baía de Feéria,   nos limiares do Mundo!
5   Ó Homens sem memória   da magna alegria,
das batalhas e do pranto   dos Antigos Dias,
nada recordando   do poder de Morgoth!
Sus! ouvi o que os Elfos,   com harpas de outrora,
resistindo ainda   em terras não trilhadas,
10   fenecendo aos poucos   nas passagens das florestas,
em sombrias ilhas   nos Sombrios Mares,
ainda falam pesarosos   do filho de Húrin,
das teias do destino   que em trama sombria
a Níniel o uniram: são nomes de luto.

15   Ah! Húrin Thalion   nas hostes da batalha
foi engolido pela guerra,   quando os lábaros brancos
do arruinado rei,   com rasgos de lanças,
em sangue mergulharam;   quando a luz do elmo
de Finweg tombou   na flama de espadas,
20   e os escudos dos Elfos,   de ouro e de prata,
chacoalhavam na treva,   brilhantes emblemas
na maré escura   de incrível ódio,
nas legiões sem conta   dos cruéis Glamhoth,
perdidos em naufrágio —   era o fim de sua luz!
25   Toda gente da Terra   àquela batalha inda chama
Nirnaith Ornoth,   Sem-Número de Lágrimas:
as sete chefias   dos filhos dos Homens
fugiram e não lutaram,   à gente dos Elfos
traíram aleivosos.   Só os votos recordaram,
30   na goela do Inferno   com fé inabalável,
Thalion Erithámrod   e seus thains renomados.
Os destroços pisados   do triplo estandarte

A BALADA DOS FILHOS DE HÚRIN

dos rebentos de Hithlum   cobriam-se de mortos.
Em hoste sobre hoste,   qual ondas das colinas,
35   os Orques famintos,   com hediondos braços,
enredaram sua força,   e com duras feridas
foi posto no chão   o Príncipe de Mithrim.
A mando de Morgoth   amarram-no vivo;
aos salões do Inferno   sob as colinas feitos,
40   às Montanhas de Ferro,   enlutadas e sombrias,
arrastaram o senhor   das Terras de Névoa,
Húrin Thalion,   até o trono de ódio
em salões erigidos   com pilares imensos
de negro basalto.   Ali zanzavam morcegos,
45   vermes e serpentes   estavam postos nas colunas;
de Morgoth o peito   queimava por dentro
com fúria ardente,   infenso em propósito:
pois de sua trampa escapara   Turgon, o magno,
filho de Fingolfin,   e de Fëanor os rebentos,
50   criadores da magia   das gemas imortais.
Pois Húrin, de pé,   o apuro ignorando,
ereto na batalha,   com riso amargo
e machado golpeava —   feito asas de águia
era o som que fazia   em assomo mortal;
55   feito relâmpago lívido   pulava e desabava,
feito troncos de árvores   cortados ao meio
seus contrários tombavam.   Lutava ele ainda
em meio às cegas lâminas   e ao sangue jorrando
dos Homens de Mithrim;   por um momento deteve
60   com triste restolho   o estrondo da enchente
dos Orques impiedosos,   guardando a retirada,
e Turgon, o terrível,   qual torre em sua raiva,
uma senda abriu   com sabre luzente
no meio da matança.   Seu caminho era claro
65   pelas hostes do Inferno,   como o feno posto
em linha nas lavras,   aonde longa e afiada
vai passando a foice.   Assim, sete gentes,
vasta companhia,   levou aquele rei
por vales obscuros   e esquivas montanhas
70   para longe dos contrários,   e não toma mais parte
no conto de Túrin.   A vitória de Morgoth

AS BALADAS DE BELERIAND

assim virou dúvida   e sonhos de vingança,
assim sua mente se encheu   de imensa malícia,
pensamentos de trevas,   quando o Thalion se viu,
75   atado e inabalável,   naquela atroz masmorra.

Disse-lhe o Senhor do Inferno: "Denodado Húrin,
o de mãos de aço,   está diante de mim,
mas feito cativo,   como um poltrão qualquer!
Será que sabe meu nome,   ou quiçá ignora
80   que esperança o aguarda   nas agruras de ferro?
A mais amarga tortura,   tormento dos Balrogs!"

Então Húrin respondeu,   de Hithlum capitão —
seus olhos brilhando   qual lume em chamas
com ira se avermelharam: "Ó ruína encarnada,
85   sem os grilhões do medo   luto contra ti,
nem te temo agora,   nem a teus cativos demônios,
monstros e fantasmas,   ó inimigo dos Deuses!"
Suas madeixas escuras,   em cachos ensopados
que caíam-lhe no rosto,   ele arroja para trás
90   e os olhos fita   do hórrido Senhor —
desde então   jamais mortal algum
foi capaz de encarar   o terror de sua face.
Ali a mente de Húrin   em brumosa treva
sob aquele olhar infindo   foi se afundando,*
95   mas seu coração não cedia,   nem seu indômito orgulho.
Mas Lungorthin,   Lorde dos Balrogs,
na boca o golpeou,   e zombou dele Morgoth:
"Não, temerás quando sentires,   crepitando, as chamas,
e o assobio dos açoites   sobre teu corpo,
100   tuas carnes   se encolhendo em crua tortura!"
Penduram então   o indômito Húrin
em correntes   que encantos horrendos forjaram,
com ferina angústia   a devorar suas carnes
e a prender seus lábios,   em silêncio cerrados

---

* Aqui termina a última versão do texto, a IID, e a versão IIB passa a ser seguida a
partir deste ponto; ver a p. 118.

A BALADA DOS FILHOS DE HÚRIN

105   sem pedir piedade.   Em cadeias ele vê
    nas paredes de ébano   os olhos irados
    de fogos distantes,   feros ardendo
    em longas passagens   e à sombra de arcadas
    nos abismos cegos   daquelas salas sem fundo;
110   ali se mescla ao luto   o enorme tumulto,
    os tremores e trovões,   o clamor brônzeo
    de estrondos nas fornalhas,   a batida incessante
    dos martelos nas forjas;   ali faces tristes
    pelas trevas passam   enquanto atrozes Orques
115   arrebanham seus cativos   de chibata em punho.
    Olhos sem esperança   sobre Húrin se demoram,
    por seu tormento sem lágrimas   muitas lágrimas caem.

    Eis que Morgoth recordou   o magno fado,
    a sina anciana   de que os Elfos desditosos
120   em ruína e desgraça   agora cairiam
    por culpa dos mortais   de inconstante coração;
    de que só a traição   de insinceros amigos
    seria páreo para a magia   posta como escudo
    dos filhos de Côr,   sua defesa contra o mal,
125   da derrota protegendo   a gente de Turgon,
    filho de Fingolfin,   de Fëanor os rebentos,
    irmãos devotados,   e, distantes e secretos,
    os lares ocultos   na escura floresta
    do magno Thingol,   nas Mil Cavernas.

130   Então o Senhor do Inferno,   com fraude em seu peito,
    para perto de Húrin   com pressa partiu.
    Os Balrogs em volta,   de brônzeas mãos,
    com flagelos de chama   e forjado ferro
    riam-se ao fitar   o solitário tormento;
135   mas Bauglir disse: "Ó mais bravo dos Homens,
    é fado injusto   que tão fero guerreiro,
    de mãos tão potentes,   a amigos inúteis
    empreste sua espada,   sem que possam jamais
    livrá-lo das agruras   ou vingar sua queda.
140   Encolhidos nas sombras,   tremulando medrosos
    nas colinas famintas,   sua liga abandonam
    e se tornam proscritos,   ocultam-se pérfidos;

AS BALADAS DE BELERIAND

       já a tua fortuna   é o sempiterno tormento
       pendendo em masmorras   e cadeias malignas,
145   em angústia sem fim.   Do meu agrado seria
       ver tuas mãos soltas,   com um sabre afiado
       ou o gume de um machado   de aguda chama
       nelas a cintilar,   quando lufa o vento
       nas bandeiras de guerra —   um gládio assim
150   fariam minhas forjas   nas fortes bigornas
       com aço que reluz,   deixando alegre tua alma
       ao ser levantado,   sim, e petrechos belos
       e couraça sem-par —   preferiria isso
       do que ver-te açoitado,   com tristes gemidos,
155   pelos brônzeos Balrogs   e seus rebenques de fogo:
       pois és digno de granjear   honra e recompensa
       como capitão de armas   quando se trincam couraças
       e os escudos se partem,   quando se sacodem as hostes
       dos contrários feito fogo   em ataque tremendo.
160   Quero-te a meu serviço;   esquece o ódio,
       a antiga inimizade vinda   de estranhos conselhos —
       sou um mestre gentil   que tudo recorda
       dos feitos de seus servos.   Um sabre terrível
       é o que merece tua mão,   e um magno senhorio
165   como campeão de Bauglir,   dos Balrogs chefe,
       liderando nestas terras   minhas tropas ruidosas,
       cujos petrechos grandiosos   já tenho fornecido;
       contra Turgon, o trol   (que voltou-se e fugiu
       deixando-te só   e na sombra se esconde,
170   em ermos ressequidos,   na cava das montanhas)
       hás de lançar minha ira,   contra insulsos Gnomos,
       ladrões e rebeldes,   e vagabundos Elfos
       que, à toa e sem juízo,   ousam desafiar
       o Senhor do Mundo —   que morram por meu poder.
175   Mandarei que te soltem   e sanem teu corpo!
       Segue-lhes os passos   com acerbo fogo,
       com tua espada procura   seus postos secretos;
       quando após a vitória   voltares para cá,
       tenho ínclitos tesouros" —   mas Húrin Thalion
180   não mais ouviu calado   a maligna arenga;
       rilhando os dentes,   deu-lhe resposta:

"Ó rei maldito",   indômito gritou,
"basta de esperanças,   Bauglir mofino;
não sou brinquedo   de tuas chicanas vis,
185   sei que não respeitas   pacto ou acerto —
busca outro traidor."

                              Então deu-lhe resposta
Morgoth, surpreso,   sua mente dissimulando:
"Não, é loucura o que tens;   não cuidas de teu juízo;
meus tesouros imensos   são como montes altaneiros,
190   em pilhas incontáveis   postos em segredo,
trancados há eras;   élfica prata
e ouro na treva   ali cintilam pálidos;
as gemas e joias   que a gente dos Deuses
outrora escondia   e que pranteia ainda
195   são minhas, e disso   muito hei de te dar,
riqueza que sacia   até a Serpe Avara."

Então Húrin, pendurado,   com ódio respondeu:
"Teu siso não te avisa   quando vês imigo,
Ó Bauglir maldito?   Da boca arranca
200   a bravata tola   de tuas vis rapinas!
Ódio tenho a ti.   Triste é tua sorte
e fraco teu poder,   dependendo, parece,
de atrozes conselhos   a um cativo débil,
da força de um homem   fraco e exausto."
205   Voltou-se então   para as tropas do Inferno:
"Avançai para a guerra   com vossas sujas bandeiras,
ó Balrogs e Orques;   com bastas legiões
buscai a espada   oculta de Turgon.
Dos vales temíveis   haveis de fugir
210   qual pardais assustados   do trigo nos campos.
Lacaios imundos   de um mestre infame,
temei vossa sina,   o magno desastre!
A maré há de virar;   temporário é o triunfo
e a vitória vossa.   Já vejo ao longe
215   a ira dos Deuses,   sua destra furiosa."

Despertou então tumulto,   tempestade bravia
cuja raiva imensa   fez tremer as paredes;

a Morgoth   a loucura consumia por dentro,
mas foi com baixa voz   e boca zombeteira
220   que a Thalion Erithámrod   tentou intimidar:
"Tu o disseste!   Meu célere propósito
há de alcançar seu alvo   sem que cedas a ele,
sem contar com tua ajuda   de mortal débil
e sem poder.   Ordeno que observes
225   meus magnos feitos   e teu temor comproves.
Ainda que os detestes,   teu destino é vê-los,
incapaz de intervir   ou elevar tua mão,
e teus olhos sem pálpebra,   plenos de angústia
e para sempre abertos,   do sono privados,
230   hão de fitar, como os Deuses,   tristes e sem lágrimas,
o poder de Morgoth   e a desdita que inflige
aos tolos que recusam   trégua generosa."

Para as Thangorodrim   foi o Thalion levado,
às montanhas que tocam   o topo dos céus,
235   no alto dos cerros   que os de Hithlum veem
assomando negros   nas marchas do Norte.
Esticaram-no na pedra   do pico mais íngreme
e o prenderam vivo   com cadeias inquebráveis;
o Senhor dos Horrores   rindo ali ficou,
240   por fim o maldisse,   a seus filhos e gente,
destinou-os a vagar,   nas agruras da sombra,
a uma sina de morte   e tremendo desastre.
O valente abandonou,   ao léu e imóvel,
mas o olhar lhe foi dado,   e longe via,
245   pelo encanto em seus olhos,   as coisas terrenas
e o destino de dor   em trama sombria
que seu povo sofreu —   opróbrio e tormento.[E]

NOTAS

14 Depois desse verso, o texto IIB trazia o seguinte:

como o draco d'ouro   do Deus das trevas
obrou terror e ruína   em reinos ora perdidos –
entre Homens e Elfos,   só os de alma magna
podem vencer o destino,   e isso só na morte.

A BALADA DOS FILHOS DE HÚRIN

Esses versos foram riscados em IIB e não aparecem em IIC e IID.
19 Cf. I. 1975:

viram Finweg tombar　na flama de espadas

com *Finweg* > *Fingon* sendo uma alteração a lápis feita em IB. Todos os textos de II trazem *Finweg* (IIA *Fingweg*), mas *Fingon* aparece numa emenda tardia a lápis do texto IID.
26 *Nirnaith Únoth* em IIB, IIC; *Nirnaith Ornoth* em IID, emendada a lápis para *Nirnaith Arnediad*. Sobre Únoth, Ornoth na primeira versão, ver p. 98, notas aos versos 1448, 1542–543. Uso a forma *Ornoth* aqui, já que *Arnediad* é uma variante que surgiu muito depois.
27 Todos os textos de II trazem o verso *as chefias de escol dos filhos dos Homens*, mas IID foi emendado a lápis para *as sete chefias dos filhos dos Homens*.
49 *filho de Fingolfin*: ver p. 32, nota ao verso 29.
   de Fëanor os rebentos IID; *e de Fëanor os rebentos* IIA, B, C.
76 *"Denodado Húrin", disse Delu-Morgoth* IIB, tal como em IB (verso 51).
157 *como capitão entre eles* IIB quando foi datilografado originalmente. Cf. o verso 165.

Comentário à Parte I da segunda versão

Essa parte foi expandida até ficar com duas vezes e meia seu tamanho anterior, em parte por meio da inserção de descrições de Angband (42–5, 105–15) — que acabariam sendo muito aumentadas alguns anos mais tarde na *Balada de Leithian* — e da resistência final de Húrin (versos 51–61), mas principalmente por meio do relato muito ampliado das tentativas de negociação de Morgoth com Húrin, de como ele buscou perverter "o Thalion" e de sua grande fúria (que não aparece de modo algum na primeira versão) quando foi incapaz de dobrar a vontade dele. A cena reescrita é, no geral, muito mais feroz, e a sensação trazida pela mentira, brutalidade e dor (e pela força heroica da resistência de Húrin) é muito mais forte.

Há alguns detalhes interessantes nessa seção de abertura. Os cabelos escuros de Húrin (88) já tinham sido citados anteriormente (p. 114). O *thain de Morgoth* que o fere na boca (versão I, 59) agora passa a ser *Lungorthin, Lorde dos Balrogs* (96) — expressão que provavelmente deve ser interpretada como "um dos lordes dos Balrogs", já que Gothmog, Senhor ou Capitão dos Balrogs em *A Queda de Gondolin*, logo reaparece na tradição do "Silmarillion". Também é notável a passagem (88–94) em que Húrin, lançando para trás seus longos cabelos, olhou nos olhos de Morgoth, e sua mente *em brumosa treva ... foi se afundando*: trata-se da passagem que deu origem ao poder do olhar de Glórund, servo dele, passagem que o presente poema não alcançou.

Um verso que aparece muito depois na primeira versão (1975)

viram Finweg [> Fingon] tombar   na flama de espadas

é incluído aqui (com a forma *[de] Finweg tombou na flama de espadas*), no verso 19, e há menções também a seus *lábaros brancos* que *em sangue mergulharam*, e à *luz de seu elmo*: em última instância, essa é a origem da seguinte passagem em *O Silmarillion* (p. 263):

e uma chama branca saltou do elmo de Fingon quando foi rachado ... e o abateram na poeira com suas maças, e sua bandeira, azul e prateada, pisotearam na poça de seu sangue.

No verso 26 consta a primeira ocorrência de *Nirnaith Arnediad*, mas trata-se de uma alteração apressada a lápis, feita no último texto (IID), e que está ligada a uma fase posterior da nomenclatura das narrativas.

Afirma-se que Turgon escapou da batalha com *sete gentes* (67); no conto d'*A Queda de Gondolin*, havia doze gentes dos Gondothlim.

Húrin é chamado de Príncipe de Mithrim (37), e seus soldados, de Homens de Mithrim (59). Isso pode sugerir que o significado desse nome, até então aplicado apenas ao lago assim chamado, estava sendo estendido à região onde o lago ficava; no mais antigo mapa do "Silmarillion", entretanto, não há essa indicação. *A terra de Mithrim* é uma expressão que aparece no verso 248, mas a frase foi alterada.

A passagem da primeira versão (46–50) dizendo que veio à cabeça de Morgoth

              a memória de como
julgam os Elfos   ser a gente dos Homens
frágil e sem força;   como a perfídia apenas
venceria o feitiço   que a todos cobria
dos filhos de Corthûn

é alterada, na segunda versão (118–24), para

> Eis que Morgoth recordou   o magno fado,
> a sina anciana   de que os Elfos desditosos
> em ruína e desgraça   agora cairiam
> por culpa dos mortais   de inconstante coração;
> de que só a traição   de insinceros amigos
> seria páreo para a magia   posta como escudo
> dos filhos   de Côr

Nos *Contos Perdidos* não há referência alguma a um antigo "fado" ou "sina" desse tipo. É possível que a referência a uma "traição" esteja ligada à "Profecia do Norte", proclamada por Mandos ou seu mensageiro conforme a hoste dos Noldor seguia para o Norte pela costa de Valinor depois do Fratricídio (*O Silmarillion*, pp. 129–30); na mais antiga versão desse texto, no conto d'*A Fuga dos Noldoli* (I. 204), não há traço algum da ideia, mas já fica explícito, no "Silmarillion" de 1930, que os Gnomos deveriam pagar pelos seus atos em Porto-cisne por meio da "traição e do medo de traição entre sua própria gente". Por outro lado, também se afirma que *o magno fado, a sina anciana* é a causa última da ruína dos Elfos, que deve acontecer por intermédio dos Homens; e isso não aparece em nenhuma das versões da Profecia do Norte. Essa passagem na versão revisada do poema tem um eco na mesma cena do "Silmarillion" de 1930:

> Mais tarde Morgoth, lembrando-se que apenas a traição ou o medo dela, e especialmente a traição dos Homens, causaria a ruína dos Gnomos, veio ter com Húrin...

II
TÚRIN ADOTADO

> Sus! Morwen,   então, na terra da sombra,
> na mata esperava   seu amado e senhor,
> mas ele nunca voltou   para estreitá-la ao peito
> daquela dura batalha.   Ela aguardava em vão;
> notícias não tinha   se o mataram ou prenderam,
> ou se perdido em fuga   andava ao léu.

250

Nas terras devastadas,   matavam seus vassalos,
255   e homens sem memória   daquele magno senhor,
chegando a Dorlómin,   com desleixo mesquinho
tratavam sua viuvez;   ela estava grávida
e com o filho a seu lado,   falto de pai,
Túrin Thalion   de tenros anos.
260   Em dias de trevas   teve a menina,
chamou-a de Nienor,   um nome de pranto,
que na língua de antanho   Lástima se diz.
Morwen recordou então   Thingol, o Elfo,
e Lúthien, a lépida,   que a luz recobria,
265   filha querida dele,   a quem Dairon amara,
cujo nome para as gentes   Tinúviel era,
a de Manto-de-estrelas,   muito recordada,
que, leve como a folhagem   das lindas tílias,
em Doriath dançara   nos dias passados,
270   na relva deslizara   sob os raios da Lua
com a destra música   de Dairon, o bardo,
de finos dedos   sobre flautas de prata.
O mais bravo dos bravos,   Beren Ermabwed,
a tinha por esposa   e em antanho jurara
275   amor de irmão,   de amigo fiel
a Húrin de Hithlum,   mais reto dos heróis,
à margem do Mithrim   de brumosas águas.
Disse, pois, ela ao filho,   "Mais doce criança,
poucos são os amigos;   teu pai se foi.
280   Aparta-te daqui,   busca o povo dos bosques,
onde Thingol tem mando   nas Mil Cavernas.
Se ele recorda Morwen   e teu magno pai,
há de te adotar,   e o estrondo das armas,
da espada e do escudo,   pode te ensinar,
285   e de Húrin o filho   de Hithlum escape.
Ah! retorna, Túrin,   quando o tempo passar;
tua mãe recorda   quando magno fores
ou te tocar a tristeza."   Aquietou-se ela então,
pois ouvia-se o medo   em sua voz a tremer.
290   Grande era o peso no peito   do menino,
sem saber da dor dela,   confundido e às cegas,
mas mediu as palavras,   as dores ocultou,
submisso a Morwen;   o caminho aceitou.

A BALADA DOS FILHOS DE HÚRIN

Sus! Mailrond e Halog,   de Morwen serviçais,
295   outrora foram jovens   antes do tempo de Húrin
e eram os únicos fâmulos   daquele homem valente
que em indelével serviço   ao lado dela ficaram:
mandou-os enfrentar   as montanhas negras,
as matas e meandros,   caminhos malignos;
300   terno era Túrin,   trampas nunca vira,
mas tinham de partir.   Contentes não estavam,
mas não cabia duvidar   com boca insolente
de Morwen, que gemeu   quando mais ninguém via.

Veio um dia de verão,   e a escuridão silente
305   das árvores altivas,   trêmula e imprecisa,
movia-se em murmúrios   em meio aos ares,
distante e fraca;   reflexos dançavam
com tons de prata;   filtrados pelas sombras,
os raios de sol   clareiras invadiam,
310   onde os ventos vagavam   em vagas suaves,
cálidas passando   pelas laçadas dos galhos.
Então Morwen, ereta,   seu medo oculto,
foi até o portão,   postou-se na clareira.
A pequena, que mamava,   no colo trazia,
315   com voz baixa   no ouvido entoava
canção de cadência   doce e triste,
amparo contra a angústia.   Então as portas se abriram,
saiu Halog carregando   um grande fardo,
e Mailrond, o velho,   à mestra levou
320   seu valente Túrin,   sem lágrimas e sério,
com o peito em pesar,   qual pedra sem vida,
sem compreender   seu vindouro tormento.
Ali Túrin gritou,   confortando-se com coragem:
"Para cá volto logo   das cortes distantes;
325   não tardo a ser homem   e trago a Morwen
montes de tesouros   e amigos leais."
Não sabia do destino   nas tramas de Morgoth,
nem da triste divisa   que havia entre os dois,
despedindo-se então   com trêmulos lábios.
330   São os últimos beijos,   basta de palavras,
não resta mais nada;   e a clareira está vazia

130

na escura floresta,   onde a casa vai sumindo
na trama das árvores.   Então em Túrin despertou
a consciência das dores   em seu perdido coração,
335 e ele chorou ávido,   com ecos multíplices
ressoando triste   em ocos sombrios
o apelo, "Não posso,   não posso deixar-te.
Ó Morwen, minha mãe,   que caminho sigo?
Não tenho esperança   nas tristes colinas.
340 Ó Morwen, minha mãe,   mata-me o pranto.
Não tenho mais lar   na treva das colinas."
E seus gritos desciam,   agrestes e distantes,
pelas sendas sombrias   dos bosques vazios,
e a mãe, esgotada,   na entrada da casa,
345 ouvia lamentosa o   "Não tenho mais lar".

* * *

Duros foram os passos,   repletos de enganos,
dos montes de Hithlum   ao domínio oculto,
afundado na treva   de Doriath, a verde;
e nunca até então,   por denodo ou demanda,
350 a raça dos Homens   tal rastro seguira,
salvo Beren, o bravo,   que brenhas não temia,
a cujos pés inquietos   não se punham limites,
varando morros e matas,   montes congelados,
e poucos seguiram   tais pés desde então.
355 Ali Halog contou   a história de renome
que na Balada de Leithian,   a dos Grilhões Soltos,
na trama das trovas   outrora foi narrada,
sobre Beren Ermabwed   e o brio em seu peito;
sobre Lúthien, a lépida,   que, louco de amor,
360 ele seguira na mata   com magno assombro —
Tinúviel, "rouxinol",   foi o nome que lhe deu,
de voz dulcíssima,   feito véu suave
e capa ondeante   de ocaso trançado
com brocado de estrelas,   de claros olhos,
365 dançava resplandecente,   um sonho que adejava,
uma pérola pálida   sobreposta à escuridão;
como, por amor a Lúthien,   as matas ele deixou

A BALADA DOS FILHOS DE HÚRIN

na perigosa demanda   que é angústia narrar,
por Thingol enviado   ao terror e sede
370   das Terras de Pranto;   sobre as tranças de Lúthien
e a mágica de Melian,   sobre os magnos feitos
que depois se deram   nos paços de Angband,
e a fuga por morros   e matas sem trilhas
quando Carcharoth,   o de crua goela,
375   guardião-lobo   dos Odientos Portões,
de entranhas   devoradas por atroz fogo,
caçou-os bramindo   (a mão de Beren
ele cortara do pulso,   onde estava antes
o assombro sem-nome,   gnômico cristal
380   onde a luz de Valinor   vivia ainda,
essência de toda cor.   Seu coração se consumia,
e as matas se enchiam   de magna loucura
por seu hórrido tormento,   e as árvores de Doriath
tremiam nas sombras   ao som daqueles urros);
385   como o cão de Hithlum,   Huan, o lobeiro,
apressou-se à caça   em auxílio a Thingol,
e quando o sol nascia   nas sendas de Doriath
matou o matador,   mas deitado e silente
Beren sangrava   à beira da morte,
390   até que os lábios de Lúthien,   em louco desespero,
fizeram-no falar   antes que para longe fosse,
rumo à longa espera;   Lúthien o resgatou,
a élfica-donzela,   e as artes de Melian,
sua mãe, Mablui,   a das mãos enluaradas;
395   agora vivem para sempre,   imperecíveis seus dias,
e a relva é perene   na floresta verdejante
a Leste ou a Oeste,   quando ao léu vagueiam.
Cantou então canção   para a tristeza aliviar,
gentil e repentina   nas trevas do bosque,
400   "Tênue como a Folha da Tília" é seu nome,
cuja música, alegre e de luto   ao mesmo tempo
ainda toca os corações.   Cantou-a assim Halog:[*]

---

[*] Para a história textual da inserção desse poema na Balada, ver a Nota nas pp. 145–48.

Muito longa e esguia era a relva,
  Bastas folhas eram colchão,
405 Velha, a raiz serpenteava,
  E a lua nova estava brilhando.
Pés alvos varriam o chão,
  E a flauta de Dairon soava,
Sob as cicutas em colchão
410   Tinúviel estava dançando.

Mariposas pairavam quietas,
  Morria o dia entre a folhagem,
E Beren, de terras incertas,
  Ali chegou exausto e sofrendo.
415 Espiou em meio à ramagem
  E viu as passadas inquietas
Da dança ao luar na folhagem
  E as mariposas que iam descendo.

A magia tomou seus pés,
420   E ele esqueceu a solidão,
Foi dançar sem nenhum revés
  Onde a Lua estava chamejando.
Mas pela élfica região
  Fugiram com céleres pés,
425 Deixaram-no na solidão
  Na floresta silente escutando,

A ouvir o som imaginado
  Dos pés lépidos na folhagem,
Do canto no chão enterrado,
430   Nas cavas escuras de Doriath.
Mas ora está seca a ramagem
  E cai com um som pranteado
Dessas bétulas a folhagem
  Nos bosques que morrem em Doriath.

435 Por toda parte foi buscá-la
  Onde o ano velho deixa a folhada,
Sob lua invernal, fria estrela

Que é tão trêmula reluzindo.
Achou-a na bruma enluarada,
440   Espectro de prata era ela,
Com névoa a seus pés espalhada
Naquele luar tremeluzindo.

Dançava ela em verde outeiro,
A relva ia beijar-lhe os pés,
445   E os dedos de Dairon matreiro
Pela flauta iam chamejando.
Dançavam, pois, soltos e céleres
Ao luar sobre o verde outeiro:
Sinal não viu ele de seus pés
450   Que então fugiram chamejando.

Com anseio a voz dele a chamou:
"Tinúviel, Tinúviel",
E o anseio seus pés empurrou
A seguir seu rastro brilhante.
455   Ela ouviu qual feitiço ao léu
O anseio na voz que a chamou,
"Tinúviel, Tinúviel":
Foi então que estacou, chamejante.

Tomou Beren a élfica menina,
460   Beijou-lhe os olhos estrelados,
Tinúviel, pra ele amor e sina
Nos bosques de ocaso sem sol.
Completos, mas não terminados,
Beren e a sua élfica menina
465   Vão dançar de olhos estrelados
Na floresta de alegre arrebol.

Lá onde longa e esguia é a relva
E as bastas folhas são colchão,
Onde velha raiz serpenteava
470   Assim como em antanho em Doriath,
Pés alvos varrerão o chão
Sem a flauta de Dairon na treva

Tocando as cicutas em colchão
Desde que Beren veio a Doriath.

475 De aquecer os corações   foi a canção de Halog
enquanto a magna fortaleza   da mata os cercava
e a mais funda noite   com força os apanhou.
O assédio da sede   sempre os rondava,
a fome e o medo,   as fugas mais terríveis
480 de Orques vagantes,   agouros de lobos
e as Cousas de Morgoth   que a mata enchem.
Em torpor, encharcados,   de pé cochilavam,
com frio e tropeçando,   quando o sopro dos ventos
derrotava o verão,   e em tristes vales
485 um gotejo soturno   nas sombras distantes
derramava-se sempre   pelas matas sem fim
das folhas molhadas,   até que a luz vinha,
fraca e cinzenta,   com finos raios
na aurora empapada.   Ficavam presos feito moscas
490 nos dédalos mágicos;   perdiam o caminho
e vagavam sem destino,   sob estrelas ocultas
e um sol enfermiço.   Sombras e exaustão
pelos montes os seguiram;   nas marcas de Doriath,
bravias e vagas,   seu avanço era inútil,
495 em desespero errante,   e seu espírito naufragava.
Sem pão nem água,   com pés que sangravam
e força que falhava,   ao léu na floresta,
julgavam morrer   de rastos por ali,
quando a trompa ouviram,   o estrondo ao longe,
500 o som dos cães.   As escuras trilhas
e cavas silentes   com a caça despertavam,
e os ecos ressoavam   com as ávidas línguas,
pois Beleg arqueiro   a trombeta soprava,
o mais viajado   das gentes da mata,
505 a presa seguindo   de perto nos vales,
avesso a camaradas   ou a vastos salões,
leve como folhagem,   como os alegres ares
livre e destemido,   ao léu na floresta.
Era grande de corpo,   mas grácil no aspecto,
510 de membros bem-feitos   que mal se ouviam

A BALADA DOS FILHOS DE HÚRIN

enquanto veloz   ao encontro lhes vinha,
grises as vestes,   verdes e castanhas.

"Quem sois?", perguntou.   "Estais proscritos,
acoitados, caçados   por constante ódio?"

515   "Não, por sede e fome   caçados", disse Halog,
"cansados, perdidos,   em senda ignorada.
Notícias não tens   das montanhas de mortos,
do campo de lágrimas   onde coube ao fogo
de Morgoth devorar   o magno denodo
520   das hostes de Finweg   e das forças de Hithlum?
O Thalion Erithámrod   e seus thains indômitos
desapareceram da Terra,   e a consorte valente
lamenta a viuvez   nos caminhos de Hithlum.
Somos os últimos   dos servos de Morwen,
525   e este é o filho de Thalion,   que a Thingol fará
apelo em sua corte,   diz a esposa de Húrin."

Falou-lhes então Beleg,   com bons augúrios:
"Os Deuses bondosos   vos deixam seguros.
Conheço de Húrin   o ânimo indômito —
530   e notícias temos   das montanhas de mortos,
de Nirnaith Ornoth,   Sem-Número de Lágrimas!
A essa guerra não fui,   mas não se esgota meu ódio
aos sórdidos Orques;   minhas setas ligeiras
ferem sem ser vistas,   levando-os à morte.
535   Sou Beleg, o caçador,   da Escondida Gente;
o bosque é meu pai,   e as brenhas, meu lar."
Pediu-lhes que bebessem   e, abrindo o cinto,
pegou frasco de couro   com farto vinho
fermentado dos frutos   nos fogos do Sul —
540   bebem-no os Gnomos,   de Nogrod os Anãos
por longos caminhos   o levam ao Norte
para os Elfos em desterro,   que por triste sina
não veem mais as vinhas   nos vales distantes
da terra dos Deuses.   Acendeu-se então forte
545   um fogo alegre,   de flamas crepitantes,
com lenho caído,   molhado de chuva,

AS BALADAS DE BELERIAND

que as artes de Beleg,   hábil mateiro,
fez queimar rápido,   por mágica ou engenho;
assaram então carne   no centro do braseiro;
550   farto páo de trigo,   a todos saciando,
ele tirou da bolsa,   encerrando a fome
com boa esperança,   mas à cabeça subiu-lhes
o vinho de Dor-Winion   nas veias correndo,
e o sono os colheu   entre as macias folhas
555   dos largos pinheiros   que ali se erguiam.
Acordaram intrigados   com a claridade na mata,
com a manhã alegre   e a leve névoa
sobre os raios do Sol.   Rápido se levantaram,
longas léguas à frente.   Foram por caminhos
560   que tortuosos volteavam   pela árdua floresta,
por valões e colinas,   lagos e charcos,
em dias vazios   e duras noites,
mas seguiam sem tropeço,   gratos ao amigo,
e se não fosse Beleg   acabavam perdidos
565   no mágico dédalo   de Melian, a Rainha.
Mostrou ele o caminho   nas margens sombrias
onde a calma corrente   escorre às portas
da cava do monarca,   na corte de Doriath.
Na ponte os guardas   o passo lhes franqueia,
570   e os trânsfugas ao Elfo   dão triplas graças:
"Os Deuses são bons",   dizem consigo,
sem saber do destino   que atroz espreita.

Ao trono de Thingol   os três eram chegados,
falaram de sua fuga;   falou-lhes bem o rei,
575   pois a Húrin de Hithlum   honra dava,
a quem Beren Ermabwed   amara como irmão;
e recordando Morwen,   dos que morrem mais bela,
por Túrin mostrou   atento respeito.
O Rei de Doriath   bondoso o abraçou,
580   por Melian convencido   em murmúrio de conselho,
dizendo: "Ó filho   do de fortes braços,
do de límpido riso   e lhana lealdade,
Húrin, o magno,   comigo hás de ficar,
Aqui terás morada   e serás meu filho.

A BALADA DOS FILHOS DE HÚRIN

585 Na cava desta corte,   por causa de tua gente,
hás de habitar em amor,   até que o tempo chegue
de buscar tua mãe,   Morwen solitária;
dar-te-áo saber mais belo   que o dos mortais,
e as armas que usam   os altos Elfos,
590 e de Húrin o filho   em Hithlum não servirá."

Mais um pouco esperaram   os pajens do menino,
volveu-lhes a força   e em renovada viagem
iriam buscar   sua querida senhora,
tão firme era sua fé.   Mas enfim chegou
595 a idade vetusta   sobre a idosa cabeça
de Mailrond, o velho;   o amor à senhora
páreo não foi   para o peso de seus anos,
e, ao contrário de Halog,   deteve-se ali.
Acometeu-o a doença,   contristou-lhe as vistas:
600 "É a Túrin que devo   toda vassalagem"
disse suspirando,   "a meu doce rapazinho";
mas Halog, com esforço,   por fim partiu.
Elfos seletos   a seu lado seguiram,
com a mágica de Melian   e muito ouro;
605 mensagens a Morwen   consigo portava
palavras amáveis   confirmando seu desejo,
pois Túrin estava   aos ternos cuidados
do Rei de Doriath;   em rogos gentis
para as Cavas Mil   convocou-a Thingol,
610 para viver sem medo,   amada pelos filhos,
com novo consolo,   até que eles crescessem;
pois a Húrin de Hithlum   essa era a honra devida,
e mando não tinha Morgoth   onde Melian regia.

Da missão dos Elfos   e do célere Halog
615 a história não conta;   só que a tempo chegaram
aos portões de Morwen.   De Thingol as novas
deram no salão   à dama solitária;
disse ela, porém,   que não iria agora:
Nienor recém desmamara,   tão nova ainda era,
620 não podia partir   em tão duras marchas,
arriscando a pequena   na escura floresta;
tendo o orgulho   dos grandes entre os Homens,

pelo filho aceitara   a oferta de Thingol,
por puro desespero,   mas à espera ficar,
625   pedinte de outrem,   mesmo se Elfo-rei,
pouco lhe aprazia;   e, apesar de tudo,
esperava ainda   de Húrin o retorno,
amava a morada   que o marido lhe dera.
Queria escutar   sua batida na porta,
630   o som das passadas   tão suas chegando.
Assim, não partiu;   trançou-se seu destino.
Mas aos thains de Thingol   entreteve com gosto,
ocultou a desgraça   e a glória sumida,
a falta de bens   e os enfeites escassos;
635   d'ouro o que tinha   deu-lhes o resto
e fez que levassem   fero tesouro,
um elmo de Húrin,   rijo na guerra
em que lutou com Beren,   seu bom camarada,
juntos contra ogros   e Orques malignos.
640   De aço gris-luzente,   com ouro adornado
artífices o moldaram,   com entalhes de runas
de poder e vitória,   e um feitiço tinha
guardando seu dono   de dano ou morte,
se na batalha portasse   o intenso brilho
645   da cabeça de dragão   em seu belo penacho.
Mandou-o a Thingol,   em gratidão pela ajuda.

Assim Halog, o servo,   a Hithlum chegou,
Mas os thains de Thingol   atentos a agradeceram
e prontamente partiram,   sem se deter pelo inverno
650   que cercava os montes   e as matas gementes,
pois os coles não paravam   a oculta gente.
A mensagem de Morwen,   em um mês apenas,
tão velozes viajaram,   foi lida em Doriath.
Por Morwen Melian   foi tomada de tristeza,
655   mas Thingol recebeu cortês   o presente,
seu regalo dourado,   com graça em suas palavras,
apesar das riquezas,   preclaros tesouros
que ao teto   do reino antigo chegavam,
como se nada   de tão nobre tivesse:
660   "Alta era a fronte   que fera erguia

A BALADA DOS FILHOS DE HÚRIN

o signo coroado,   a serpe rompente
a Dorlómin tão cara,   o draco do Norte,
que Thalion Erithámrod,   de triplo renome,
portava na batalha,   e os contrários temiam.
665   Quisera que o tivesse   na alvura da cabeça
naquele dia terrível,   dando-lhe guarida!"
No peito então Thingol   dispôs um desejo,
chamou a Túrin   e tudo lhe contou,
que Morwen, sua mãe,   uma magna coisa
670   mandara ao filho,   herdada do pai,
com marcas de runas   dos mestres de antanho
da terra dos anãos,   das entranhas do tempo,
antes que os Homens a Mithrim   e à brumosa Hithlum
chegassem vagando;   envergava-o outrora
675   o pai dos pais   do povo de Húrin,
cujo genitor, Gumlin,   por seu turno o deu ao filho
antes que a alma partisse   de seu triste peito —
"É obra de Telchar,   de ínclito valor,
guardava o seu dono   de dano ou magia,
680   de gládio o protegia   ou de grande machado.
Quando fores homem,   o elmo de Húrin
usarás em batalha;   para tal sê digno,
dá-lhe bom uso!"   Com dor no coração
Túrin o tocou,   mas não o teve em mãos,
685   pequeno ainda   para carga tamanha;
sofria em seu íntimo   pela fala de Morwen,
confuso e ensombrecido.

                         Assim foram-se os dias,
e no compasso do tempo   nos paços de Thingol
doze anos levou   vivendo ali Túrin.
690   Apenas sete anos   de soçobro e tristeza
tinha o filho de Húrin   quanto forte verão
veio alegre e áureo   com áspera despedida;
nove anos se seguiram   nas grutas de Menegroth,
e sua sorte foi mais leve,   pois soube às vezes
695   por viandantes   como andava Hithlum,
e notícias traziam   tropas de Elfos,
de que Morwen, sua mãe,   já menos sofria
e tinha alívio do mal,   e com alegres vozes

a Nienor chamavam   do Norte a flor,
700   a lépida donzela   de beleza doce
que com graça crescia.   Agora mais contente
Túrin então ficava,   e ainda tinha esperança.
Logo foi crescendo,   e loas ganhava
em todas as terras   que Thingol regia
705   pela força de seu corpo   e fero coração.
Saberes aprendeu,   sabedoria amava,
mas fortuna não tinha   em todos os desejos;
errava os rasgos   dos arranjos seus;
perdia o que amava,   não se dava seu anseio,
710   e com amigos plenos   não topava facilmente,
nem muitos o amavam   pelo amuo de sua face;
tinha trevas no peito   e pouca alegria
pela dor da cisão que   se dera em sua vida.

Quase já moço,   muitos saudavam
715   sua destreza d'armas;   e na trança dos versos
era qual menestrel,   mas triste era seu canto,
dos Homens de Hithlum   pranteando a desgraça.
Mas mais forte seu pesar   fez-se mais tarde,
quando não mais ouviu   as novas de Hithlum
720   e ninguém mais tinha   notícias de Morwen.
Pois o tempo já vinha   do Destino dos Gnomos
e do poder do Príncipe   do paço impiedoso,
e os agravos dos Glamhoth   grandes se tornavam,
até que as terras nortenhas   de todo encheram,
725   com caos e chamas   cercando o povo
que não cedia a Bauglir   nem subia à fronteira
da escura Dorlómin   de esquivos pinheiros,
pelos Homens chamada   Hithlum infeliz.
Trancou-os ali Morgoth,   e os Montes das Sombras
730   os separavam de Feéria   e dos Elfos do bosque.
Mesmo Beleg não seguia   tão aberta trilha
quanto outrora amava,   e as matas iam cheias
dos fâmulos de Angband   e feitos malignos,
e a morte caminhava   nas marcas de Doriath;
735   só a mágica magna   de Melian, a Rainha
inda dava anteparo   ao Povo Oculto.

141

A BALADA DOS FILHOS DE HÚRIN

Para afogar a tristeza   e deter a ira
que ardia-lhe no peito   por seu pobre povo,
o filho de Húrin   seu elmo envergou
740   e o peso das armas   que empunham os homens,
e foi para a floresta   com guerreiros-élficos;
e fundo na floresta   foram-se seus pés
na mais negra batalha,   por menino que fosse.
Sem ser homem ainda,   assediou e matou
745   os Orques de Angband   e outros monstros
que rondavam e assaltavam   as fronteiras do reino.
Dura era a sua vida   e dores conheceu,
feridas de seta   e o guerreiro brilho
das cimitarras-foices,   petrechos do Inferno,
750   as sedentas lâminas   em duras bigornas
de Angband temperadas,   mas com rápida mão
revidava sem trégua,   e o destino o guardava.
Provou-se, pois, hábil   e de válido nome,
e maior que seus anos   era a honra que tinha;
755   pois por ele se deteve   da ruína a mão
sobre o povo de Thingol,   e Thû o temia —
e muito viajavam   os rumores sobre Túrin:
"Sus! Dávamos por morto   o draco do Norte,
mas acima das hostes alta   é a sua cabeça,
760   suas asas se abrem!   Que ânimo é esse,
donde a acesa chama   na sede de sua goela?
Deixou Húrin de Hithlum   o Ínfero Reino?"
E Thû, entronizado   como thain mais forte
de Morgoth Bauglir,   a quem o monstro pedira
765   "vai, destrói o reino   de Thingol, o ladrão,
e amarra a mágica   de Melian, a Rainha",
mesmo Thû o temia,   e seus thains tremiam.

Só um havia lá maior   que ele na guerra,
de mais alta honra   entre a élfica gente
770   que Túrin, filho de Húrin,   a torre de Hithlum —
era o caçador Beleg,   da Escondida Gente,
cujo pai era o bosque,   e as brenhas, seu lar;
vergar seu arco,   Balthronding, de ínclito renome,
que o teixo negro   em antanho nutrira,

AS BALADAS DE BELERIAND

775 ninguém podia;   e ninguém o vencia
em saber os segredos   das agrestes matas.
Era o amado líder   dos que leve se armavam,
de vestes grises,   verdes e castanhas,
arqueiros de mil setas   e coriscantes olhos,
780 batedores que invadiam,   com desdém ao risco,
os outeiros distantes   das tropas inimigas,
e notícias e rumores   a tempo ouviam
de avanços e conselhos,   de vindas e idas,
os movimentos   do magno Morgoth Bauglir.
785 Assim, Túrin, que se atinha   a tarja e espada,
que amava enfrentar   imigos às claras
onde brilhantes lâminas   eram luz e fogo,
e seus camaradas de armas,   de aço trajados,
raro eram pegos   e de surpresa atacavam.

790 Então a fama das lutas   nas longes terras
foi chegando à corte,   à casa do rei,
com histórias sobre Túrin   contadas no paço,
de como Beleg sem-idade   era dado como irmão
do menino moreno   da raça conquistada.
795 Então o rei pediu   que diante dele viessem
uma vez ou outra,   quando os Orques minguavam,
ou mesmo à vontade,   se tempo tivessem,
para descanso e folguedo,   para canto também
das baladas e canções,   da doçura da música,
800 lembrança do júbilo   quando jovem era a lua,
quando os montes   eram novos no mundo infante.

Naquele tempo estava Túrin   sentado à mesa,
e Thingol o agradeceu   por seus potentes feitos;
havia farto riso   e o forte clamor
805 de convivas sem conta   levando hidromel,
e o vinho de Dor-Winion   que se via farto
em cálices dourados;   e carnes suculentas
enchiam as mesas,   sob imensas tochas
no alto dos salões   de luz e pedra.
810 O júbilo reinava;   juntos menestréis
cantavam canções   sobre a altiva Côr

143

A BALADA DOS FILHOS DE HÚRIN

sob Taingwethil,   montanha altaneira
de íngremes sombras,   sobre os alvos salões
onde os grandes deuses   ponderam o mundo
815   desde a guarda nas costas   do golfo de Feéria.
Sobre Porto-cisne   a canção se ouviu,
a matança maldita   que atava as gentes[F]

Aqui o texto datilografado IIB termina de forma abrupta, no meio de uma página; o manuscrito IIA já tinha chegado ao fim no verso 767.

∞

NOTAS

A primeira página do texto datilografado dessa seção do poema, que corresponde aos versos 248–95, está duplicada. Uma das versões (b) incorpora mudanças feitas na outra (a) e recebe, ela própria, novas alterações. Não há um texto correspondente da versão IIA até o verso 283.

248 *na terra de Mithrim* em (a) e na versão original de (b). A emenda em (b) faz o texto voltar à forma da primeira versão (105), *na Terra das Sombras*.

265 *de Dairon irmã* em (a) e na versão original de (b).

266–68 Esses três versos foram inseridos em (b), com a alteração de *que em Doriath dançara* 269 para *em Doriath dançara*. Ver abaixo a Nota sobre o poema *"Leve como Folha de Tília"*.

273 *Ermabweth* em (a) e no texto (b) quando datilografado. A emenda em (b) com a forma *Ermabwed* retorna ao nome presente nos *Contos Perdidos* e na primeira versão do poema (121).

274–78 Na forma original datilografada, (a) era virtualmente idêntico à primeira versão, versos 122–25. Essa variante, então, foi alterada da seguinte forma:

a tinha por esposa   e em antanho jurara
amor de irmão,   de amigo fiel,
de Elfo com mortal,   de Egnor o filho
com Húrin de Hithlum,   percorrendo juntos
a margem do Mithrim   de brumosas águas.
Disse, pois, ela ao filho ...

Essa passagem foi então datilografada em (b), com a alteração de *percorrendo juntos* para *mais reto dos heróis*. Mais tarde, o verso *de Elfo com mortal, de Egnor o filho* foi riscado, e foram feitas outras mudanças menores para se chegar ao texto apresentado acima.

294 *Mailrond*: *Mailgond* em IIA, IIB; uso a forma *Mailrond* por conta das emendas nos versos 319, 596.

AS BALADAS DE BELERIAND

319 *Mailrond*: *Mailgond* em IIA e em IIB quando foi datilografado, emendado a lápis para *Mailrond*; o mesmo ocorre no verso 596.

356 *Soltura dos Grilhões* em IIB quando foi datilografado (a alteração para *Grilhões Soltos* foi feita por razões métricas). A referência à *Balada de Leithian* não consta do texto IIA, mas o manuscrito, nesse ponto, está tão fragmentado e desconjuntado que não é muito útil.

358–66 Esses nove versos foram datilografados num pedaço de papel e colados no texto IIB, substituindo os versos seguintes, que foram riscados:

> sobre Lúthien, a lépida,   que, louco de amor,
> ele seguira na mata   com magno assombro
> enquanto ela dançava   qual sonho de brancura,
> nas sombras cintilando   sob a luz do luar;

No primeiro verso (358) do pedaço de papel inserido, *o brio em seu peito* substituiu *o bravo e indômito*; além disso, acima de *Ermabwed* foi escrita (mais tarde, a lápis) a forma *Er(h)amion*.

374 *Carcharoth*: *Carcharolch* em IIA e na versão original de IIB.

398–402 Esses cinco versos foram datilografados num pedaço de papel que foi colado em IIB ao mesmo tempo que o dos versos 358–66, mas esse caso nada foi substituído no texto original. O verso 400, quando datilografado, originalmente dizia:

> pois é "Tênue como a Folha   da Tília" o seu nome

forma depois emendada para a que apresentamos.

Debaixo desses cinco versos datilografados, meu pai escreveu: "Seguem-se aqui os versos de 'Leve como folha de tília'."*

Nota sobre o poema "Leve como Folha de Tília"

Os versos 266–68 (ver a nota acima) claramente foram acrescentados ao manuscrito ao mesmo tempo que os dois pedaços de papel colados (correspondentes aos versos 358–66 e 398–402), levando em conta o verso 268, *que, leve como a folhagem das lindas tílias*.

Esse poema, aqui inserido na *Balada dos Filhos de Húrin*, corresponde a três versões datilografadas, aqui designadas pelas letras (a), (b) e (c), junto com uma pequena página manuscrita que traz reelaborações da penúltima estrofe. Os textos datilografados foram feitos com a mesma fita roxa usada nos textos IB e IIB da Balada e, obviamente, vêm do mesmo período.

---

* O título original do poema, *Light as Leaf on Lindentree*, acaba aparecendo de duas formas em português em função das necessidades da aliteração em versos específicos, onde ora a palavra *light* é traduzida como "tênue", ora como "leve". [N.T.]

A BALADA DOS FILHOS DE HÚRIN

O texto (a), o primeiro dos três, não tinha título quando foi datilografado: *Leve como folha de tília* foi escrito nele a tinta e, antes que o poema comece, também há o seguinte trecho a tinta:

> "Leve era ela qual folha de tília,
> leve pluma que, rindo, o vento pilha."
> Tinúviel! Tinúviel!

Nesse texto datilografado, meu pai fez algumas anotações sobre a data do poema: "primeiros esboços Oxford 1919–920 Alfred St.", "Leeds 1923, retoques 1924". O texto (a) é a versão de 1923; ela difere da variante posterior (1924) apenas na penúltima estrofe, a respeito da qual ver a nota aos versos 459–66 a seguir.

O texto (b), mais uma vez, não levava título quando foi datilografado, mas *Leve como Folha de Tília* foi escrito a tinta. Ele começa com 15 versos aliterantes:

> Na Balada de Leithian,   a dos Grilhões Soltos,
> na trama das trovas   há tempos se fala
> de Beren Ermabwed,   bravo, indômito;
> de Lúthien, a lépida,   que, louco de amor,
> 5   ele seguira na mata   com magno assombro.
> Tinúviel, "rouxinol",   foi o nome que lhe deu,
> de voz dulcíssima,   feito véu suave
> e capa ondeante   de ocaso trançado
> com brocado de estrelas,   de claros olhos,
> 10   dançava resplandecente,   um sonho que adejava,
> pérola pálida   sobreposta à escuridão.
>   E canções surgiram,   cessando o pesar,
> repentina doçura   em tempo de silêncio,
> as quais "Tênue   como de Tília a Folha"
> 15   foram chamadas   — aqui feitas em eco.

O texto (c) tem o título datilografado *Leve como Folha de Tília*, sendo que a última palavra foi emendada para *Árvore da Tília*. Ele traz apenas o poema propriamente dito, sem a introdução aliterante; e o texto é idêntico ao de (b).

O leitor verá que os versos aliterantes nas linhas 1–2 de (b) são muito próximos dos versos 356–57 da Balada (que eram versos originais do texto datilografado, e não trechos inseridos depois):

146

AS BALADAS DE BELERIAND

(Ali Halog contou   a história de renome
que na Balada de Leithian,   a dos Grilhões Soltos [< Soltura
dos Grilhões],
na trama das trovas   outrora foi narrada

enquanto os versos 3–11 são idênticos àqueles presentes no primeiro pedaço de papel colado, 358-66 (conforme datilografados originalmente: *o brio em seu peito* no verso 358 é uma emenda que substitui *bravo, indômito*). Além disso, os versos 12–15 são próximos daqueles no segundo pedaço de papel colado, 398–402:

Cantou então canção   para a tristeza aliviar,
gentil e repentina   nas trevas do bosque,
"Tênue como a Folha da Tília"   é seu nome,
cuja música, alegre   e de luto ao mesmo tempo
ainda toca os corações.   Cantou-a assim Halog:

É muito difícil determinar a ordem dos eventos, mas a chave provavelmente está no fato de que os versos 356–57 se encontram no texto IIB quando foi datilografado originalmente, e não na inserção colada. Creio (ou, talvez melhor dizendo, infiro) que meu pai compôs uma sequência aliterante de 13 versos (começando com *Beren Ermabwed, bravo, indômito*) como introdução do poema *Leve como Folha de Tília*; e depois, ao mesmo tempo em que datilografou o texto (b) desse poema, com o cabeçalho aliterante, acrescentou-o ao texto datilografado da Balada que já existia.
Leve como Folha de Tília foi publicado em *The Gryphon* (Universidade de Leeds), Nova Série, Vol. VI, no. 6, junho de 1925, p. 217. Nessa versão, ele é precedido por nove versos aliterantes, que começam com

É de Beren Ermabwed e de suas bastas dores

e continuam exatamente como no texto (b) acima (e no texto da Balada) até *sobreposta à escuridão*; os últimos quatro versos não aparecem. Na sua cópia do texto que saiu em *The Gryphon*, meu pai alterou *bastas dores* (que é obviamente apenas um erro de impressão)[*]

---

[*] Em inglês, a diferença é entre *broken-hearted*, "de coração partido", e *the boldhearted*, "o de coração ousado". A necessidade de aliteração na sílaba tônica

A BALADA DOS FILHOS DE HÚRIN

para *brio em seu peito* (tal como na Balada, 358); trocou o título para *Tão Leve Quanto Folha de Tília*; e escreveu *Erchamion* em cima de *Ermabwed* (ver a nota aos versos 358–66).

O texto do poema inserido no corpo da Balada é o daquela publicação, o qual é também idêntico ao dos textos datilografados (b) e (c). Meu pai fez pouquíssimas alterações ao texto (c) depois disso (isto é, depois que o poema tinha sido impresso), e elas são apresentadas nas notas a seguir, assim como as formas anteriores da penúltima estrofe.

Por fim, pode-se observar que, se minhas deduções estiverem corretas, a introdução, na Balada, da referência à *Balada de Leithian* e do resumo dessa história contado por Halog precederam a publicação de *Leve como Folha de Tília* em junho de 1925.

❧

419 *magia > assombro*, emenda feita posteriormente ao texto datilografado (c) de *Leve como Folha de Tília* depois que o poema foi publicado.
424 OMITIDO POR CONTA DA TRADUÇÃO
459, 464 OMITIDO POR CONTA DA TRADUÇÃO
459–66 No texto datilografado (a), a penúltima estrofe está assim:

Tomou Beren a élfica menina,
    Beijou-lhe os olhos estrelados,
Elfa-menina, amor e sina
    Nos dias de longínqua memória.
Completos, mas não terminados,
    Beren e a sua élfica menina
Vão dançar de olhos estrelados
    E encher a floresta de glória.

A página manuscrita isolada (que traz o endereço "A Universidade, Leeds") tem duas versões da estrofe, intermediárias entre (a) e a versão final. A primeira delas é:

Tomou Beren a élfica menina,
    Beijou-lhe os olhos estrelados,
Elfa-menina, amor e sina
    Na trama da mata em Nemória,
    Na trança do bosque em Tramória.
Completos, mas não terminados,
    Beren e a sua élfica menina
Vão dançar de olhos estrelados
    E encher a floresta de glória.

---

das palavras com a letra B (de Beren) faz com que a diferença seja bem maior em português. [N.T.]

As BALADAS DE BELERIAND

Outras variantes são sugeridas para os versos 4 e 8:

Na trama da mata em Glamória
...
Nas clareiras de prata em Amória

e

Antes que houvesse mortal memória
...
E encher as matas de glória.

Não consigo lançar luz alguma sobre o significado desses nomes. A segunda versão se aproxima mais da forma final, com as seguintes variantes para os versos 4 e 8 da estrofe:

Na terra de alegre arrebol.
> Em feitiços de alegre arrebol
...
Num eterno ocaso sem sol

Os versos da forma final também estão escritos nessa página. Essa reescrita da penúltima estrofe é inquestionavelmente a dos "retoques" citados na nota ao texto datilografado (a) (ver p. 146).

475 *foi a canção de Halog*: *foi a lembrança de Halog* no texto IIB quando datilografado. A emenda foi feita ao mesmo tempo que a inserção de *Leve como Folha de Tília*; da forma como foi escrita originalmente, o verso vinha depois do de número 397, no fim da história de Halog.

520 *Finweg* no texto IIB sem emendas; ver a nota ao verso 19 da segunda versão.

531 *Nirnaith Únoth* em IIA e também em IIB quando datilografado. Ver a nota ao verso 26 da segunda versão.

551 *tirou* foi sublinhado no texto IIB e substituído por uma palavra ilegível, talvez *tinha*.

576 *Ermabweth* em IIA e na versão datilografada original de IIB. Cf. o verso 273.

596 *Mailrond*: ver nota ao verso 319.

767 O manuscrito IIA termina aqui.

811 *Côr* foi emendada a lápis para *Tûn*, mas *Tûn* foi riscada mais tarde. Na primeira versão (IB, verso 430) ocorre a mesma coisa, mas nela a emenda *Tûn* não foi riscada.

812 *Taingwethil*: *Tengwethil* quando datilografada originalmente. A primeira versão IB introduz *Tain-* no lugar de *Ten-* nos versos 431 e 636, mas no verso 1409 IB tem a forma *Ten-* no lugar de *Tain-*, presente em IA.

Uma nota posterior feita a lápis diz aqui: "Em inglês, *Tindbrenting*" (ver o Comentário, pp. 154–55).

Comentário à Parte II da segunda versão
"*Túrin Adotado*"

(i) Referências à história de Beren e Lúthien

Nessa segunda parte da segunda versão, a principal inovação é, claro, a entrada da história de Beren e Lúthien, contada a Túrin

A BALADA DOS FILHOS DE HÚRIN

por seu tutor, Halog, quando eles estavam perdidos na floresta, algo que lembra de imediato a narração dessa mesma história por parte de Aragorn a seus companheiros no Topo-do-Vento antes do ataque dos Espectros-do-Anel (*A Sociedade do Anel*, I. 11); e, com a introdução também do poema *Leve como Folha de Tília*, ou seja, a forma original da exata canção que Aragorn entoou no Topo-do--Vento, percebemos que a primeira cena é, na verdade, a precursora da segunda.

No verso 264 (que é original, e não uma interpolação) temos a primeira aparição do nome *Lúthien* como designação da filha de Thingol, de modo que Tinúviel passa a ser uma alcunha dela (dada por Beren, verso 361). Os versos interpolados 266–67 sugerem que Tinúviel significava "a de Manto-de-estrelas", o que parece bastante provável (ver I. 323–24, verbete *Tinwë Linto*; o dicionário gnômico, contemporâneo dos *Contos Perdidos*, de forma bastante surpreendente, não traz indicações do significado de *Tinúviel*). Por outro lado, no verso interpolado 361, há uma sugestão igualmente clara de que o nome significava "Rouxinol". É algo difícil de explicar.[*]

A forma original do verso 265, *de Dairon irmã*, remonta ao *Conto de Tinúviel*, no qual Dairon era filho de Tinwelint (II. 21).

Observei anteriormente (pp. 36–7) que os versos 178–79 da primeira versão

> e nunca até então,   por denodo ou demanda,
> a raça dos Homens   tal rastro seguira

mostram que Beren ainda era um Elfo, e não um Homem; mas, embora esses versos tenham sido mantidos sem alteração na segunda versão (349–50), seu sentido é contrariado pelo novo

---

[*] Uma explicação possível, ainda que um tanto questionável, é que os versos 266–68 na verdade não foram inseridas no texto ao mesmo tempo que os dois pedaços de papel colados (correspondentes aos versos 358–66 e 398–402), conforme supus (p. 145), mas eram anteriores a isso. Segundo essa visão, quando 266–68 foram escritos, *Tinúviel* ainda não era o nome dado por Beren a Lúthien, mas sim sua alcunha comum, conhecida pelas *gentes* (266) e com o significado de "a de Manto-de-estrelas". Mais tarde, quando os versos 358–66 foram acrescentados, esse passou a ser o nome dado a ela por Beren (361), com o significado de "Rouxinol". Se for esse o caso, também poderíamos supor que o verso 268, *que, leve como a folhagem das lindas tílias*, deu origem ao título do poema.

150

verso que vem logo a seguir — *salvo Beren, o bravo*, o que mostra de forma igualmente clara que Beren era um Homem, e não um Elfo. Nessa época, meu pai aparentemente estava dividido a esse respeito. Nos versos 273 e seguintes da segunda versão (que remetem à amizade entre Beren e Húrin), ele originalmente repetiu os versos 122–25 da primeira versão, que nada dizem sobre esse assunto; porém, na primeira revisão dessa passagem (apresentada na nota aos versos 274–78), ele escreveu explicitamente que Beren era um Elfo:

> (Beren)   em antanho jurara
> amor de irmão,   de amigo fiel,
> de Elfo com mortal,   de Egnor o filho
> com Húrin de Hithlum ...

Já que essa é uma reescrita do texto original de IIB, presumivelmente se trata de um recuo em relação à ideia (de que Beren era um Homem) expressada nos versos 349–50; no entanto, a reescrita ulterior dessa passagem, que elimina o verso *de Elfo com mortal, de Egnor o filho*, presumivelmente representa um retorno a essa ideia.

Quando Halog reconta a história de Beren e Lúthien, temos algumas diferenças aparentes em relação à forma dela no *Conto do Nauglafring* e na *Balada de Leithian*. A referência à *mágica de Melian* no verso 371 provavelmente tem a ver com o conhecimento de Melian sobre o paradeiro de Beren; cf. o *Conto de Tinúviel* II. 29: "'Ó Gwendeling, minha mãe', disse ela, 'conta-me *por tua magia*, se puderes, como passa Beren ...'" Uma provável explicação para a menção posterior, nessa passagem, às *artes de Melian* (393), em ligação com o momento em que Lúthien resgata Beren da morte, será dada mais tarde. Mas em nenhuma outra versão da história há alguma sugestão de que Carcharoth "caçou" Beren e Lúthien (377) depois de devorar a mão de Beren que segurava a Silmaril. De fato, é o contrário: desde o *Conto de Tinúviel* (II. 47), "Então Tinúviel e Beren fugiram pelos portões como o vento, *porém Karkaras estava muito adiante deles*", até *O Silmarillion* (p. 248), "Uivando, fugiu diante deles". (A forma *Carcharoth* aparece agora pela primeira vez, como emenda de *Carcharolch*, que não aparece em nenhum outro lugar; no *Conto de Tinúviel*, as formas são *Karkaras* e, na segunda versão, *Carcaras*.)

Mais importante ainda, os versos 395–97

> agora vivem para sempre,   imperecíveis seus dias,
> e a relva é perene   na floresta verdejante
> a Leste ou a Oeste,   quando ao léu vagueiam.

parecem representar uma concepção da segunda vida de Beren e Lúthien notavelmente diferente daquele no *Conto do Nauglafring* (II. 288), no qual a sina de mortalidade que Mandos decretara recaiu rapidamente sobre eles (como ocorre também em *O Silmarillion*, p. 316):

> nem dessa vez os dois percorreram juntos a estrada, mas quando seu filho, Dior, o Belo, ainda era pequeno, Tinúviel minguou lentamente... e desapareceu na floresta, e ninguém mais a viu dançando ali. Mas Beren a buscou, percorrendo todas as terras de Hithlum e de Artanor; e jamais um dos Elfos teve maior solidão que a dele, antes que ele também se apagasse da vida...

Seja lá como se interprete esse assunto, os versos na Balada claramente devem ser associados ao fim de *Leve como Folha de Tília*:

> Completos, mas não terminados,
>   Beren e a sua élfica menina
> Vão dançar de olhos estrelados
>   Na floresta de alegre arrebol.

É possível comparar esse final com o da canção de Aragorn no Topo-do-Vento:

> Os Mares Divisores se estendiam, de fora a fora,
>   Voltaram porém a juntar-se sozinhos
> E faz muito tempo que foram embora
>   Na floresta cantando sem pesares.

(ii) O Elmo-de-dragão e os ancestrais de Húrin

O mais velho dos guardiões de Túrin, ainda chamado de Gumlin na primeira versão, agora recebe o nome de (Mailgond >) Mailrond: e Gumlin passa a ser o nome do pai de Húrin, que não tinha sido nem mencionado antes (exceto pela referência, na primeira versão,

AS BALADAS DE BELERIAND

ao fato de que o Elmo-de-dragão teria sido herdado *dos pais* de Húrin, verso 318). Na segunda versão, diz-se do elmo:

envergava-o outrora
o pai dos pais   do povo de Húrin,
cujo genitor, Gumlin,   por seu turno o deu ao filho
antes que a alma partisse   de seu triste peito.   (674–77)

O último verso sugere que uma história sobre o pai de Húrin já tinha passado a existir; e o verso 675 sugere ainda uma longa linhagem de ancestrais antes de Húrin — assim como o faz o verso 622, *tendo o orgulho dos grandes entre os Homens*, no caso de Morwen. É difícil saber como meu pai, nessa época, concebia as gerações mais antigas dos Homens, e essa é uma questão que devemos deixar de lado por enquanto.

O Elmo-de-dragão em si agora começa a ganhar sua própria história: ele veio

da terra dos anãos,   das entranhas do tempo,
antes que os Homens a Mithrim   e à brumosa Hithlum
chegassem vagando   (672–74)

e é obra de Telchar (678), citado aqui pela primeira vez. Mas ainda não há indicação do significado do penacho de dragão.

Os versos 758–62 (*Sus! Dávamos por morto o draco do Norte ... Deixou Húrin de Hithlum o Ínfero Reino?*), que não têm correspondência com nada na primeira versão, claramente anteveem o texto do *Narn*, p. 115:

e corria o rumor pelas florestas, e se ouvia muito além de Doriath, que o Elmo-de-dragão de Dor-lómin fora visto novamente. Então muitos se admiraram, dizendo: "Pode o espírito de Hador ou de Galdor, o Alto, retornar da morte? Ou Húrin de Hithlum verdadeiramente escapou das profundezas de Angband?"

(iii) Questões Miscelâneas

As curiosas referências a Beleg na primeira versão ("nato nas brenhas, de ignoto pai", ver p. 37) reaparecem na segunda, mas de

A BALADA DOS FILHOS DE HÚRIN

forma alterada, e em uma das ocorrências isso é colocado na boca do próprio Beleg: *o bosque é meu pai*, verso 536, cf. 772. A expressão *Beleg sem-idade* é mantida na segunda versão (793), e nos versos 544 e seguintes ele mostra uma capacidade de fazer fogo com madeira molhada ao estilo de Gandalf, com *mágica ou engenho* (cf. *A Sociedade do Anel*, II. 3).

O grande arco de Beleg agora finalmente recebe seu nome: *Balthronding* (773; mais tarde, *Belthronding*).

Ficamos sabendo agora que o forte vinho de Dor-Winion que Beleg dá aos viajantes, e que é bebido durante o banquete fatídico nas Mil Cavernas, foi trazido para as terras do Norte a partir de Nogrod, pelos Anãos (540–41); e também que a prática da viticultura existia em Valinor (543–44) — embora, depois dos relatos sobre a vida nos salões de Tulkas e Oromë no conto d'*A Vinda dos Valar* (I. 97), isso não cause surpresa. De fato, afirma-se que Nessa, esposa de Tulkas, portava "cálices do melhor vinho", enquanto Méassë andava entre os guerreiros em sua casa e "revigorava os vacilantes com vinho forte" (I. 100).

Um detalhe interessante no segundo relato sobre a recepção de Túrin em Doriath, que não aparece de novo depois disso, é o de que Melian teve um papel na generosidade do rei:

por Melian convencido   em murmúrio de conselho.   (580)

No banquete em que Túrin matou Orgof, *as belas canções dos rebentos de Ing* da primeira forma do poema (verso 421) agora desapareceram.

A cronologia da juventude de Túrin foi ligeiramente alterada na segunda versão. Na primeira, tal como no *Conto* (ver p. 36), Túrin passou sete anos em Doriath enquanto ainda vinham notícias de Morwen (verso 333); o período agora passa a ser de nove anos (verso 693), tal como em *O Silmarillion* (p. 269).

Por fim, no verso 812, uma nota a lápis ao lado do nome *Taingwethil* (Taniquetil) diz "em inglês, *Tindbrenting*". Esse nome aparece em notas sobre as formas em inglês antigo para os nomes élficos (ver a p. 108). *Tindbrenting þe þe Brega Taniquetil nemnað* ("Tindbrenting, que os Valar chamam de Taniquetil"; em inglês antigo, *bregu* é "rei, senhor, governante" = "Vala"). O nome talvez seja derivado do inglês antigo *tind* "ponta que se projeta" (em inglês moderno, *tine*) e *brenting* (derivado de *brant*, "íngreme, alta-neiro"), usado aqui num sentido não registrado (*brenting* ocorre apenas uma vez em inglês antigo, no poema *Beowulf*, no qual tem o significado de "navio").

※

Versos associados a *Os Filhos de Húrin*

Existe um poema registrado em três manuscritos, todos eles em papel "Oxford" (ver p. 100), no qual meu pai desenvolveu elemen-tos presentes nos versos 2082–113 de *Os Filhos de Húrin*, criando uma obra breve independente. O primeiro texto não tem título e diz o seguinte:

O forte verão

se tornava outonal,   e as ventanias do oeste
em sua faina soltavam   as folhas dos galhos.
O chão da floresta   de dourado esmaecido
5   e brônzeo-castanho   cobriu-se por completo;
um farfalhar constante   se escutava nas veredas,
sussurros nos recantos.   A Barcaça de Prata,
a Lua vagante   de esguio mastro,
cobria-se de chamas   como de basta fornalha;
10   seu âmago guardara   a calidez do verão,
seus véus iam cerzidos   com luzente flama
erguendo-se rubra   sobre a beira da Noite,
junto aos cais brumosos   na margem do mundo.
Então veio o inverno   e os ventos mais duros,
15   e a geada e a neve   e a áspera chuva
dos céus iracundos,   sem sol e grisalhos,
açoite em assobio,   cicio de tempestade
sobre terras desoladas,   tortura e tormento:
desabaladas enchentes   de amareladas águas
20   correram para o mar,   num ricto inchado
carregaram-se de entulho e,   com túrbida espuma,
iam fazendo estrondo.   A tempestade passou:
o gelo ia descendo   do cimo das montanhas,
sem pena qual aço.   Pétreo a cintilar,
25   o entardecer congelado   largo se abria,
um domo de cristal   sobre as profundezas de silêncio,

os ermos sem vento,   as vagas matas
feito fantasmas de gelo   sob estrelas piscantes.[G]

❧

Ao lado de *por completo* no verso 5, *fartamente* é usado como variante, e, no caso de *Barcaça* no verso 7, há a opção *batel*.

Os primeiros 13 versos são quase idênticos aos de número 2082–094 na Balada, com apenas algumas mudanças ligeiras (a maioria delas segundo um propósito comum nas revisões de meu pai para sua poesia aliterante, o de deixar os versos mais escorreitos). Depois disso se seguem os versos 14–16, que são adaptações de 2102–114; o de número 17 é novo; o 18 contém parte do 2119; 19–22a são baseados em 2106–109a; 22b–24 são novos; e 25–8 são quase idênticos a 2110–113.

A segunda versão do poema traz o título *Tempestade sobre o Narog* e foi bastante desenvolvida. Ela foi escrita mantendo os versos 14–5 da primeira, mas eles foram alterados e expandidos até se tornarem três versos; e o terceiro texto, intitulado *O inverno chega a Nargothrond*, é uma cópia do segundo com essa alteração e uma ou duas outras muito ligeiras. Apresento o terceiro texto aqui.

O inverno chega a Nargothrond

Devagar, o verão,   na floresta triste,
murcho fenecia.   Assomaram no oeste
ventos que zanzavam   pelas vagas em guerra.
Em sua faina soltavam   as folhas dos galhos:
5   tombavam douradas,   cobrindo os pés
das tesas árvores,   altivas e desnudas,
em farfalhar constante   escutado nas veredas,
desabando em rodopio.
           A barca fúlgida
da Lua vagante   de esguio mastro,
10   de véus que iam cerzidos   com luzente flama,
ergueu-se rubra   sobre a beirada da Noite
junto aos cais brumosos   na margem do mundo.
Ao sopro de suas trompas   caçava o inverno
nas matas enlutadas,   atroz e selvagem;
15   a geada cortava,   e o áspero granizo

vinha dos céus iracundos,   sem sol e grisalhos,
açoite em assobio,   cicio de tempestade.
Desabaladas enchentes   de amareladas águas
correram para o mar,   num ricto inchado

20   carregaram-se de entulho   e, com túrbida espuma,
iam fazendo estrondo.   A tempestade passou.
O gelo ia descendo   do cimo das montanhas,
sem pena qual aço.   Pétreo a cintilar,
o entardecer congelado   largo se abria,

25   um domo de cristal   sobre as profundezas de silêncio,
os ermos sem vento   e as vagas matas
feito fantasmas de gelo   sob estrelas piscantes.[H]

☙

Na parte de trás de *O inverno chega a Nargothrond* estão escritos os seguintes versos, que derivam dos de número 1554–570 da Balada. O poema não tem título.

Com o mar espumejante   os jorros do Sirion,
verdes torrentes   em meio às vagas grises,
em murmúrio se mesclam.   Há muitas gaivotas,
avejões ao léu   em solene concílio,

5   hostes de asas brancas   que berram tristonhas
com vozes incontáveis   numa terra de areias:
planícies e montanhas   de pálido amarelo
que a brisa salgada   abana e peneira,
amargas e crispadas.   Nas margens da praia

10   uma ilhota jaz,   brilhante e comprida,
com pedrinhas feito pérolas   ou pálido mármore:
quando a espuma das ondas   perpassa o vento
elas cintilam nos borrifos;   mais tarde, molhadas,
sob a Lua chamejam;   gemendo, raladas,

15   despencam no escuro;   são postas a rolar
quando a tormenta possante   comanda torrentes
numa guerra de águas   diante da terra.
Quando o Senhor do Oceano   suas altas trombetas
sopra no abismo   com som de batalha,

20   magnos corcéis   de comadas legiões,
de lombos qual baleias,   lépidos na espuma,

A BALADA DOS FILHOS DE HÚRIN

disparam aos relinchos,   suas patas sobre as algas;
com abalo de trovão   e de tambores às centenas
saltam as barreiras,   arrancam as defesas,
25   os montes de areia   varrendo ensandecidos,
irados rugindo   pelo rio acima.[1]

Os últimos três versos foram colocados entre colchetes mais tarde.

☙

Pode-se mencionar aqui que existe um poema em dísticos rimados intitulado *Os Filhos de Húrin*. Ele se estende por apenas 170 versos e termina de forma abrupta, depois de um curto prólogo baseado na abertura da versão posterior da Balada aliterante e de uma segunda seção incompleta com o título "A Batalha das Lágrimas Inumeráveis e a Maldição de Morgoth". Esse poema, entretanto, vem de um período consideravelmente mais tardio — por volta da época em que foi abandonada a *Balada de Leithian*, escrita na mesma métrica no começo dos anos 1930. Não apresentarei esse poema aqui.

2

Poemas Abandonados no Início

Durante o tempo que passou na Universidade de Leeds, meu pai embarcou na composição de cinco obras poéticas diferentes relacionadas à matéria de sua mitologia, mas três delas não foram adiante além dos versos de abertura. Este capítulo apresenta cada um desses poemas.

(i) A Fuga dos Noldoli

Não parecem existir indicações precisas da data desse breve poema em versos aliterantes em relação à de *Os Filhos de Húrin* (embora convenha notar que, já no primeiro dos três textos de *A Fuga dos Noldoli,* Cranthir, filho de Fëanor, recebe esse nome, enquanto essa forma só surgiu como emenda do nome "Cranthor" no texto datilografado da Balada, no verso 1719). Entretanto, seja em seu estilo geral, seja por meio de vários detalhes, é possível perceber que ele foi escrito na mesma época. E, já que parece improvável que, de um lado, meu pai teria embarcado a escrita de um novo poema em versos aliterantes a menos que tivesse abandonado o primeiro, ou que, por outro lado, ele tivesse retornado a trabalhar com esse estilo depois que estivesse totalmente mergulhado num poema longo em dísticos rimados, acho muito provável que *A Fuga dos Noldoli* tenha sido escrito no início de 1925 (ver pp. 12, 100).

Cada um dos três manuscritos do poema (A, B e C) recebe títulos diferentes. O de A é *A Fuga dos Gnomos conforme foi cantada nos Paços de Thingol;* o de B (escrito a lápis mais tarde) é *Fuga dos Gnomos;* e C traz como título *A Fuga dos Noldoli de Valinor.* A tem emendas que foram incorporadas no texto B, e as emendas a B foram incorporadas no texto C; quase todas são rearranjos métricos/verbais característicos, como, por exemplo, os do verso 17:

A *em angústia gemendo*, emendado com a versão de B;
B *e em angústia gemem*, emendado com a versão de C;
C *gemendo em angústia*.

Como acontece de forma geral neste livro, variantes anteriores que não têm impacto sobre os nomes e a história não são citadas. Todos os textos terminam no mesmo ponto, mas três versos posteriores foram escritos rapidamente na margem de A (ver a nota ao verso 146).

Apresento agora o texto da terceira versão, o C.

A FUGA DOS NOLDOLI DE VALINOR

Ah! As Árvores de Luz,   altas e formosas,
de ouro e de prata,   mais gloriosas que o Sol,
mais mágicas que a Lua,   sobre as matas dos Deuses,
sobre seus prados fragrantes   e pulcros jardins
5   bastos de flores   seu brilho luzia.
Na morte se escurecem,   derramam suas folhas
dos galhos negros   sangrados por Morgoth
e Ungoliant atroz,   Tecelã-de-Treva.
Em forma de aranha,   desesperança e sombra,
10   medo que estremece   e deformada noite
ela tece em teia   e tramas de veneno
negras e sem ar.   Fenecem os galhos,
a luz e o riso   da folhagem se apagam.
O breu avança,   brumas de negrume
15   pelos salões dos Magnos   silentes e vazios,
os portões dos Deuses   têm treva por manto.

Sus! os Elfos murmuram,   gemendo em angústia,
mas não mais terá lume   a alegre Côr,
as vias vagantes   da vasta cidade,
20   Tûn de muitas torres,   cujas lanternas brilhantes
se cobrem de ébano.   Os escuros dedos
de névoa vêm flutuando   do ermo informe
e dos mares sem sol.   O som de trompas,
de cascos de cavalos,   selvagens a correr
25   em caça sem esperança,   escutam ao longe,
onde a ira dos Deuses   os hórridos comparsas,

em meio à sombra enlutada   que assoma qual maré
sobre o Reino Abençoado,   com ódio cego
persegue sem cessar.   À sé dos Elfos
30   acorrem multidões.   Nas escadas, feito fios
esculpidos de cristal,   tochas infindas
montam guarda e tremulam,   mancham o crepúsculo
e os vastos balaústres   de verde berilo.
Um vago rumor de vozes   que se movem,
35   enquanto miríades sobem   as sendas de mármore,
preenche e perturba   aqueles altos lugares,
as vias largas de Tûn   e as peroladas muralhas.

Das Três Gentes   ao estrondo da multidão
só os Gnomos vão   em números grandes.
40   Os Elfos de Ing   aos ancianos salões
e jardins estrelados   que luzem altivos
sobre Timbrenting,   torre montanhosa,
naquele dia subiram,   aos domos de nuvens,
as mansões de Manwë,   para canção e regozijo.
45   Ali Bredhil, a Benta,   com blau em seu manto,
a Senhora dos montes,   tão amável quanto a neve
brilhando à luz   de estelares legiões,
gélida e imortal,   das alturas Rainha,
por demais bela e ingente,   longínqua e excelsa
50   para os olhos mortais,   diante de Manwë
se sentava silente   enquanto cantavam para ela.

Os Ginetes-de-Espuma,   povo das águas,
Elfos das infindas   e ecoantes praias,
das baías e grutas   e lagunas azuis,
55   das areias de prata   com respingos de luar,
de estelar e solar,   de lindos cristais,
gemas de fogo pálido,   pérolas e opalas,
nos cascalhos cintilantes,   onde inquietas sombras
agarravam seu sorriso,   davam rasgos de pranto
60   ao regozijo e assombro,   zanzavam dispersos
sob morros gelados   chamando ao longe,
ou em navios   com mortalhas trêmulos esperavam,
pois a luz, para sempre,   acesa não seria.

POEMAS ABANDONADOS NO INÍCIO

Gnomos inúmeros, por nome e por casa,
65 apressam-se em ordem à praça ampla
no topo de Côr. Estronda a voz
do filho de Finn. Flamas, tochas
ergue e volteia alto em suas mãos,
mãos que abrigam imenso engenho
70 que Gnomo algum, nem agora mortal
comanda ou iguala em mágica ou arte.
"Sus! A espada de monstros meu pai matou,
sorveu ele a morte em seu vasto salão
e forte onde estava, no fundo oculto,
75 o cofre das Três, coisas sem-par
que nem Gnomo nem Elfo nem os Nove Valar
na Terra poderão remontar outra vez,
recriar ou reacender por arte ou magia,
nem Fëanor, o filho de Finn, que as moldou —
80 a luz se perdeu que as alumbra ainda,
fero é o fado que as Fadas vitimam.

Dão-nos essa paga os Deuses néscios,
a inveja dos Valar, que em vão nos guardam,
a pedir nosso canto em doces jaulas,
85 nossas joias e gemas ajustam em rol,
seu deleite no ócio a beleza dos Elfos,
enquanto a obra de eras se esvai
e Morgoth não domina, mansos, sentados
em concílio insosso. Ora sus, ó vós
90 de coragem e esperança! Meu rogo ouvi,
livres fujamos para longe daqui!
As matas do mundo, de magnas trevas,
que sonham ainda em sono profundo,
campos sem sendas, costas perigosas
95 que nem luz do luar nem beleza d'alva
de orvalho ou manhã lavaram jamais,
melhor tudo isso, para o valor nosso,
que jardins dos Deuses onde adeja o escuro,
em que se zanza no ócio de vazios dias.
100 Sim! Cá servos fomos da doçura ímpar
da luz e da beleza, do deleite nosso,

por longo tempo.   Mas a luz se foi.
Nossas gemas levaram,   joias roubadas;
e as Três, minhas Três,   encantadas três vezes,
105   globos de cristal   por glória imortal
acesos, ardentes,   de esplendor vivo
multicolorido,   de ferozes chamas —
Morgoth, o monstro,   em suas mãos as tem,
as Silmarils.   Eis minha sacra jura,
110   imortal laço   a atar-me sempre,
por Timbrenting   e os eternos salões
de Bredhil, a Benta,   que habita lá —
que ela escute agora: dar caça sem fim
por mundo e mar   sem esfalfamento
115   por terras distantes,   montanhas ao léu,
em brejo e bosque   e em brancas neves,
até encontrar   do destino as joias
que regem o fado   da raça dos Elfos,
onde a luz divina   ora vive só."

120   Então surgem seus filhos,   sete irmãos,
Curufin Esquivo,   Celegorm Alvo,
Damrod e Díriel,   a Escuridão de Cranthir,
Maglor, o Magno,   Maidros, o Alto
(desse, o mais velho,   o ardor vencia
125   o fogo de seu pai,   de Fëanor, a ira;
cabia-lhe um fado   de fero propósito),
com riso no rosto,   arrimos do pai,
de mãos unidas,   ameno julgam ser
o sacro voto;   sangue dali
130   qual um mar veio,   já mancha espadas
de infindas hostes,   nem ao fim chegou:

"Seja amigo ou imigo   ou má prole
de Morgoth Bauglir,   seja rebento mortal
que mais tarde a Terra   há de habitar mofino,
135   nem amor, nem lei,   nem liga de Deuses,
nem poder nem piedade,   nem a destra do destino
há de lhe ser defesa   contra a fera vingança
dos filhos de Fëanor,   caso afane ou esconda

POEMAS ABANDONADOS NO INÍCIO

ou, achando, tome posse   das pedras encantadas,
140   dos globos de cristal   cuja glória não morre,
as Silmarils.   Para sempre juramos!"

Então magno murmúrio   somou-se em volta,
e a hoste que ouvia   com urros os saudou:
"Partamos! sim,   partamos desta terra para sempre,
145   na trilha de Morgoth   pelas montanhas do mundo,
por vingança e vitória!   Tendes nossa jura!"[A]

O poema termina aqui (mas ver a nota ao verso 146).

∾

NOTAS

41 *jardins estrelados* em C, *domos estrelados* em A, B.

42 *Tengwethil* em A (com *Timbrenting* escrito na margem), *Timbrenting* em B, *Timbrenting* em C (com *Taingwethil* escrito na margem). Ver a nota a *Os Filhos de Húrin* (segunda versão), verso 812.

45 *Bridhil* em A, B, C, emendado em C para *Bredhil*; ver também no verso 112.

107 *multicolorido*: esse hemistíquio ocorre também na segunda versão de *Os Filhos de Húrin*, verso 381, onde é aplicado à Silmaril de Beren.

111 *Tengwethil* em A, *Timbrenting* em B, C.

134 *que mais tarde a Terra há de habitar mofino*: esse verso, mais tarde, foi colocado entre colchetes a lápis no texto C.

146 Há três versos escritos rapidamente na margem da última página de A, que não foram incorporados em B e C, mas que, pode-se supor, vêm depois do verso 146:

Mas o filho de Fingolfin,   Finweg, gritou
quando seu pai percebeu   que puros conselhos,
que o juízo e o saber   não eram mais ouvidos:
"Tolos

Comentário a *A Fuga dos Noldoli*

Por mais triste que seja o fato de esse poema ter sido abandonado tão cedo — quando, com pleno domínio da versificação aliterante, meu pai poderia ter chegado a recontar o Fratricídio de Alqualondë, a Profecia do Norte, a travessia do Helcaraxë e a queima dos barcos, mesmo assim temos, em seus poucos versos, muitos elementos de interesse para o estudo do desenvolvimento da lenda. De forma mais notável, é aqui que aparece a mais antiga versão das palavras propriamente ditas do Juramento Fëanoriano.

AS BALADAS DE BELERIAND

O Juramento foi citado pela primeira vez nos esquemas do *Conto de Gilfanon* (I. 287, 289):

Os Sete Filhos de Fëanor fazem seu terrível juramento de ódio perpetuamente contra todos — Deuses, Elfos ou Homens — que se apossassem das Silmarils

mas, naquele texto, ele acontece depois da vinda dos Elfos de Valinor, e depois da morte de Fëanor. O presente poema contém a primeira aparição da história segundo a qual o Juramento foi feito em Valinor, antes da partida dos Gnomos. Também há uma referência a ele em *Os Filhos de Húrin*, versos 631 e seguintes da primeira versão, onde a implicação é que a montanha de Tain-Gwethil foi invocada como testemunha — tal como em *O Silmarillion* (p. 124): aqui (no verso 111), o próprio Fëanor jura por Timbrenting que nunca deixará de procurar as Silmarils.

Não sou capaz de explicar por que o verso 134

    que mais tarde   a Terra há de habitar mofino

foi colocado entre colchetes (algo que é sempre uma marca de exclusão ou, pelo menos, de dúvidas sobre manter o trecho) no texto C. O verso aparece de forma muito semelhante na *Balada de Leithian* (Canto VI, 1636); cf. *O Silmarillion*, "Vala, Demônio, Elfo ou Homem ainda não nascido".

Os epítetos fixos dos Filhos de Fëanor foram alterados em relação aos que constam de *Os Filhos de Húrin* (ver p. 106): Celegorm agora é "Alvo" e Maidros "o Alto", e assim permaneceram; Maglor é "o Magno" (em *O Silmarillion* "o grande cantor"). O verso que fala de Maidros

    cabia-lhe um fado   de fero propósito

talvez mostre que uma forma da história sobre seu fim já existia (no *Conto do Nauglafring*, ele sobrevive ao ataque a Dior, o Belo, mas nada mais se diz sobre ele), mas acho muito mais provável que a passagem se refira ao momento em que ele é capturado e aleijado por Morgoth.

No discurso de Fëanor aparecem duas referências interessantes, aos *Nove Valar* e ao pai dele, *Finn*. O número dos Valar não é

165

explicitado em nenhum ponto dos *Contos Perdidos* (onde, de qualquer modo, o termo inclui seres divinos menores: cf. por exemplo I. 86, " Com eles vieram muitos dos Vali menores... os Mánir e os Súruli, os silfos dos ares e dos ventos"); mas os "Nove Valar" são citados no "Esboço da Mitologia" (1926) e aparecem numa lista do "Silmarillion" de 1930: Manwë, Ulmo, Ossë, Aulë, Mandos, Lórien, Tulkas, Oromë e Melko.

O pai de Fëanor não tinha sido citado pelo nome desde o conto *O Roubo de Melko e o Obscurecer de Valinor* (I. 179 e seguintes), onde ele é chamado de Bruithwir, morto por Melko. Em *Os Filhos de Húrin* não há indicação de que Fëanor tenha parentesco com outros príncipes dos Gnomos — embora não possa haver dúvida de que, nessa época, era assim que ele era imaginado. Mas as características essenciais da casa real noldorin, da maneira como tinham emergido então e permaneceriam por muitos anos, agora podem ser deduzidas. Na primeira versão de *Os Filhos de Húrin* (verso 29 e nota correspondente), Turgon é o filho de Finwë (grafado como *Finweg*), tal como tinha sido nos *Contos Perdidos* (I. 145), mas passa a ser o herdeiro de Finwë, com a nota "ele era filho de Fingolfin"; e, na segunda versão, *Turgon, o magno, / filho de Fingolfin* é o que aparece na versão original do texto (48–9). Assim, temos:

Além disso, *Finweg* aparece em *Os Filhos de Húrin* (no primeiro texto, verso 1975, no segundo, versos 19 e 520) como o Rei dos Gnomos que morreu na Batalha das Lágrimas Inumeráveis; em dois desses casos, o nome depois foi alterado para *Fingon*. Nos versos acrescentados no fim do texto A de *A Fuga dos Noldoli* (nota ao verso 146), Finweg é filho de Fingolfin. Portanto, podemos acrescentar:

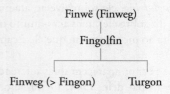

Ora, em *A Fuga dos Noldoli* Fëanor é chamado de filho de Finn; e, no "Esboço da Mitologia", o nome é usado como forma alternativa de Finwë:

> Os Eldar se dividem em três hostes: uma, cujo líder é Ingwë (Ing) ..., uma, cujo líder é Finwë (Finn), que depois é chamada de Noldoli...*

Assim, Fëanor passa a ser irmão de Fingolfin

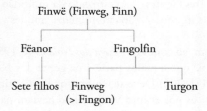

(Foi só numa nota posterior aos versos 1713–720 de *Os Filhos de Húrin* que apareceu Finrod, terceiro filho de Finwë, pai de Felagund, Angrod, Egnor e Orodreth.)

O discurso de Fëanor também contém uma previsão curiosa da criação do Sol e da Lua (92–6):

> As matas do mundo,   de magnas trevas,
> que sonham ainda   em sono profundo,
> campos sem sendas,   costas perigosas
> que nem luz do luar   nem beleza d'alva
> de orvalho ou manhã   lavaram jamais

São muito marcantes as palavras finais de Fëanor (117–18):

> até encontrar   do destino as joias
> que regem o fado   da raça dos Elfos

Cf. *O Silmarillion*, p. 104: "Mandos predisse que os destinos de Arda jaziam contidos dentro delas", e as palavras de Thingol a Beren (*ibid.*, p. 230): "embora o fado de Arda esteja contido nas

---

* No "Silmarillion" de 1930, afirma-se expressamente que *Ing* e *Finn* são as formas gnômicas de *Ingwë* e *Finwë*.

POEMAS ABANDONADOS NO INÍCIO

Silmarils, ainda assim hás de me achar generoso". Fica claro que as Silmarils já tinham adquirido uma significância muito maior em relação ao período mais antigo da mitologia (ver I. 191, 206, nota 2; II. 311).

Em nenhuma outra versão se vê, nesse momento, Fëanor segurando tochas em suas mãos e girando-as no alto.

Os versos (38–9)

Das Três Gentes   ao estrondo da multidão
só os Gnomos   vão em números grandes

remontam ao conto d'*A Fuga dos Noldoli* (I. 198): "Ora, quando… Fëanor vê que a maior parte é da gente dos Noldor", e sobre isso observei (I. 206) Deve-se lembrar que, na antiga história, os Teleri (ou seja, os posteriores Vanyar) não haviam partido de Kôr". Evidências posteriores mostram que essa história antiga não tinha sido alterada; mas o fato de que, no presente poema, *os Elfos de Ing* (Ingwë) estavam em Timbrenting (Taniquetil), nas mansões de Manwë e Varda, indica a introdução da narrativa posterior (que se encontra no "Esboço") sobre a destruição das Árvores. No antigo conto *O Roubo de Melko e o Obscurecer de Valinor* (I. 176 e seguintes, comentário em I. 193), o grande festival foi a ocasião do ataque de Melko ao lugar para onde os Gnomos foram banidos no norte de Valinor, do assassinato do pai de Fëanor e do roubo das Silmarils; e a destruição das Árvores aconteceu algum tempo depois. Agora, entretanto, o festival é a ocasião em que ocorre o ataque às Árvores; a Primeira Gente está em Taniquetil, mas a maioria dos Gnomos não está.

O nome pelo qual Varda é aqui chamada, Bridhil, a Benta ou Abençoada (alterado em C para Bredhil), encontra-se no antigo dicionário gnômico, bem como a forma Timbridhil (I. 324, 328, verbetes *Tinwetári, Varda*). Sobre *Timbrenting*, ver pp. 154–55, onde a forma *Tindbrenting*, que ocorre em *Os Filhos de Húrin* (numa nota ao segundo texto, verso 812) é discutida. Ambas as variantes aparecem no "Esboço":

(Timbrenting ou Tindbrenting em inglês, Tengwethil em gnômico, Taniquetil em élfico.

AS BALADAS DE BELERIAND

A forma com -*m*-, portanto, evidentemente se deve a uma alteração da pronúncia em inglês, *ndb* > *mb*.

No verso 41, a variante anterior *domos estrelados*, trocada por *jardins estrelados*, provavelmente tem relação com o relato no conto *A Vinda dos Valar e a Construção de Valinor* a respeito da morada de Manwë em Taniquetil (I. 95):

> Essa casa foi construída de mármore branco e azul, e ficava em meio aos campos nevados, e seus telhados eram feitos de uma trama daquele ar azul chamado *ilwë*, que fica acima do branco e cinzento. Aulë e sua esposa fizeram essa trama, mas Varda a salpicou de estrelas, e Manwë morava sob ela.

Essa ideia de um teto iluminado com estrelas nunca se perdeu e aparece muito depois, de forma alterada, embora não seja mencionada em *O Silmarillion*.

Os versos (21–3)

                               Os escuros dedos
de névoa vêm flutuando   do ermo informe
e dos mares sem sol.

têm um certo eco em *O Silmarillion* (p. 115):

> Pois o vento soprava gelado do Leste naquela hora, e as vastas sombras do mar rolavam por sobre as muralhas da costa.

Os versos no fim do texto A (nota ao verso 146) mostram que Fingolfin tomou o lugar de Finwë Nólemë como a voz da razão e moderação em meio ao entusiasmo revolucionário dos Noldoli na grande praça de Kôr (ver I. 199, 208).

Por fim, podemos notar o termo "Ginetes-de-Espuma", usado (no verso 52) para se referir à Terceira Gente (os Solosimpi dos *Contos Perdidos*, mais tarde rebatizados de Teleri); a expressão já foi usada uma vez antes, em *Ælfwine da Inglaterra* (II. 379 [lá traduzido "Ginetes D'Ondas"]), onde, a respeito de Éadgifu, mãe de Ælfwine, afirma-se que, com o nascimento dele

> os Ginetes D'Ondas, os Elfos da Margem-do-Mar, que ela conhecera outrora em Lionesse, mandaram enviados quando nasceu.

POEMAS ABANDONADOS NO INÍCIO

Análise da métrica do poema

No fim do segundo texto (B) de *A Fuga dos Noldoli*, meu pai empreendeu uma análise das formas métricas dos primeiros 20 versos e de alguns versos subsequentes. Para sua análise e explicação do funcionamento da métrica do inglês antigo, ver *On Translating Beowulf*, em *The Monsters and the Critics and Other Essays,* 1983, p. 61 e seguintes. As letras A, + A, B, C, D e E do lado esquerdo da tabela se referem aos "tipos" de hemistíquios do inglês antigo; as letras debaixo das análises de "subidas" e "descidas" correspondem às aliterações empregadas em cada verso, com a letra O assinalando o uso de qualquer vogal (já que todas as vogais "aliteram" entre si) e o X correspondendo a uma consoante que inicia uma subida mas não faz parte do esquema aliterante do verso; as palavras "completo", "simples" etc. referem-se à natureza do padrão aliterante em cada um dos casos.

#					
1	B A		‖		simples
2	A B		‖		cruzado
3	+A B		‖		completo
4	B C		‖		completo
5	A B		‖		completo
6	+A B		‖		completo
7	C A		‖		completo
8	B C		‖		completo
9	B B		‖		simples
10	B B		‖		simples
11	B B		‖		completo
12	C B		‖		completo
13	+A B		‖		complete
14	A A		‖		completo
15	+A A		‖		simples
16	B C		‖		completo

17	C A		‖		duplo
18	+A B		‖		cruzado
19	B C		‖		completo
20	E B		‖		completo
37	E B		‖		simples +
51	D B		‖		completo
57	E A		‖		simples
61	B A		‖		completo
67	+E A		‖		completo
79	+A B		‖		completo
107	+A B		‖		completo

Pode-se notar que a escansão da primeira metade do verso 8 (com -*goli*- como a primeira subida) mostra que a tonicidade primária recai sobre a segunda sílaba de *Ungóliant*; e que *sp* só pode aliterar com *sp* (versos 9, 130), tal como no inglês antigo (o mesmo, é claro, vale para *sh*, que é uma consoante separada).

⁂

(ii) Fragmento de uma Balada de Eärendel aliterante

Existe outra obra em versos aliterantes que aborda a matéria dos *Contos Perdidos*. Trata-se da abertura de um poema que não traz título e não avança suficientemente para que fique claro qual acabaria sendo o seu tema. A queda de Gondolin, a trajetória dos fugitivos pelo túnel secreto, a luta em Cristhorn e as longas andanças nos ermos que vieram depois são abordados rapidamente, e o tema parece prestes a aparecer no fim do fragmento:

> Tudo isso outros,   em ancianas histórias
> e canções desdobram,   mas digo ainda ...

e os versos de conclusão se referem à estada dos fugitivos na Terra dos Salgueiros. Mas, no fim do texto, meu pai escreveu várias vezes,

POEMAS ABANDONADOS NO INÍCIO

com diferentes caligrafias, "Earendel", "Earendel, filho de Fengel", "Earendel Fengelsson"; e acho que é extremamente provável, até mesmo quase certo, que o plano é que esse poema fosse uma Balada de Eärendel. (Sobre Fengel, ver a próxima seção).

O texto corresponde à fase inicial da escrita e seu estado é extremamente rudimentar, mas ele contém um verso de altíssimo interesse no que diz respeito à história de Eärendel. O poema foi escrito em folhas de prova da Universidade de Leeds e claramente é da mesma época que *A Balada dos Filhos de Húrin* e *A Fuga dos Noldoli*: parece impossível afirmar algo além disso.

Sus! a chama do fogo   e do fero ódio
engolfou Gondolin,   e sua glória tombou,
seus altivos tetos   e torres afiladas
enfim caíram,   e suas fontes fagueiras
5   não mais fizeram música   no monte de Gwareth,
seus muros caiados   um murmúrio de cinzas.
{ Mas Wade dos Helsings,   de ânimo exausto }
{ Tûr, nascido da terra   e testado na batalha, }
do horrendo desastre   um resto resgatou,
mulheres e crianças,   lívidas donzelas
10   e varões feridos   do desesperado povo,
seguindo a trilha   que cortava a encosta,
sob Tumladin os levou   através dos montes
que se erguiam íngremes   como altos pináculos
ao norte do vale.   Ali a via estreita
15   de Cristhorn descia fundo,   a Fenda das Águias,
de entremeio pelos montes.   E mais se conta
em lais e lendas   e baladas de outros
do agreste caminho   do vagante povo;
como os viandantes de Gondolin   iludiram a Melko,
20   desapareceram pelo vale   e venceram os montes,
como o louro Glorfindel   no valão das Águias
bateu-se com o Balrog,   matando a ambos:
um qual fogo chispando   na pedra dentada,
o outro qual corisco   ferido desabou
25   no abismo tremendo   aberto pelo Thornsir.
A sede e a fome   em sucessivas luas
quando buscavam o Sirion   e cercados se viam
por pragas e agruras;   os Alagados do Crepúsculo

e a Terra dos Salgueiros;   quando os lamentosos gritos
30   soaram nos salões   dos altos Deuses
velados em Valinor   ... as Ilhotas Sumidas;
Tudo isso outros,   em ancianas histórias
e canções desdobram,   mas digo ainda
como melhorou sua sorte   e descansaram enfim
35   na altiva relva   da Terra dos Salgueiros.
Ali o sol era suave,   ... a doçura das brisas
e ventos que sussurram,   de sono as nascentes
e o orvalho encantado[B]

❧

NOTAS

25 Os versos seguintes são

Onde a voz pedregosa   do regato das Águias
vai correndo pelas rochas

mas o segundo deles foi riscado e o primeiro ficou sem continuação.

31 O segundo hemistíquio foi escrito como *nas Ilhotas Sumidas*, mas o *nas* foi riscado e substituído por uma palavra que não consigo ler.

36 O segundo hemistíquio foi escrito como *e a doçura das brisas*, mas o *e* foi riscado e substituído por alguma outra palavra, possivelmente *então*.

Comentário

Sobre a forma *Tûr*, ver II. 182, 313.

No conto d'*A Queda de Gondolin*, Cristhorn, a Fenda das Águias, ficava nas Montanhas Circundantes, ao sul de Gondolin, e o túnel secreto partia da cidade na direção sul (II. 204 etc.); mas, a partir do verso 14 deste fragmento, percebe-se que a alteração do traçado desse caminho rumo ao norte já tinha sido feita na lenda.

Os versos 26–7 (as *sucessivas luas quando buscavam o Sirion*) remontam à *Queda de Gondolin*, texto no qual se afirma que os fugitivos vagaram "um ano e mais" nos ermos (ver II. 235, 258).

A forma do verso 7 quando foi escrito originalmente (ele não chegou a ser riscado, mas *Tûr, nascido da terra e testado na batalha* foi acrescentado na margem):

Mas Wade dos Helsings,   de ânimo exausto

é digna de nota. Ela foi emprestada diretamente do antiquíssimo poema anglo-saxão *Widsith*, no qual consta o verso *Wada*

Hælsingum, isto é, *Wada* [*weold*] *Hælsingum*, "Wada governava os Hælsingas". Faz sentido se perguntar por que a figura misteriosa de Wade foi aparecer aqui no lugar de Tuor, e, de fato, é algo que não consigo explicar: mas, qualquer que seja a razão para isso, a associação de Wade com Tuor não é casual.

Não se sabe quase nada sobre a história original de Wade, mas ele sobreviveu na memória popular durante toda a Idade Média e mesmo depois. Ele é mencionado por Malory[*] como um ser poderoso, e Chaucer se refere ao "barco de Wade" em *O Conto do Mercador*,[†] em *Troilo e Cressida*, Pândaro conta "um conto sobre Wade". R.W. Chambers[‡] (em seu livro *Widsith*, Cambridge, 1912, p. 95) diz que Wade talvez fosse "originalmente um gigante-do- -mar, temido e honrado pelas tribos costeiras do mar do Norte e do Báltico"; e a tribo dos Hælsingas, que ele teria governado, segundo o *Widsith*, teria deixado seu nome em localidades como Helsingör (Elsinore), na Dinamarca, e Helsingfors, na Finlândia. Chambers resumiu as poucas informações gerais que ele achava possível extrair das referências esparsas em inglês e alemão da seguinte maneira:

Encontramos estas características comuns no que podemos considerar ser o protótipo antigo de Wada dos Hælsingas:

1. Poder sobre o mar.
2. Força extraordinária — frequentemente ligada a uma estatura sobre-humana.
3. O uso desses poderes para ajudar àqueles que têm os favores de Wade.

... É provável que ele tenha surgido a partir de uma figura que era não um chefe histórico, mas um poder sobrenatural que não tinha história própria e interessava aos mortais apenas quando interferia nos assuntos deles. Portanto, ele é essencialmente alguém que traz ajuda na hora da necessidade, e podemos ter

---

[*] Autor da mais influente versão das lendas arthurianas em inglês, escrita no século XV. [N.T.]

[†] Parte da coletânea *Contos da Cantuária*, escrita em verso entre 1387 e 1400. [N.T.]

[‡] Professor de literatura inglesa no University College de Londres, falecido em 1942. [N.T.]

razoável confiança no fato de que, já nas baladas mais antigas, ele tinha essas características.

O mais interessante, porém, é que nas anotações de Speght[*] sobre a obra de Chaucer (1598), ele comenta:

> Acerca de Wade e seu barco *Guingelot*, bem como suas estranhas façanhas no mesmo, sendo a matéria longa e fabulosa, deixo-a de lado.

A semelhança de *Guingelot* com *Wingelot* já é bastante marcante; mas, quando juntamos os fatos de que Wingelot era o navio de Eärendel,[†] de que Eärendel era filho de Tuor, de que Tuor tinha uma associação especial com o mar e que, aqui, "Wade dos Helsings" está no lugar de Tuor, podemos descartar as coincidências. É tão certo que o nome *Wingelot* foi derivado do barco *Guingelot*, creio eu, quanto o fato de que Eärendel foi inspirado na figura com esse nome citada em inglês antigo (essa segunda afirmação foi confirmada expressamente por meu pai, II. 320–21).

O porquê de meu pai ter introduzido "Wade dos Helsings" nos versos nesse ponto é outra história. É concebível que não tenha sido intencional — as palavras *Wada Hælsingum* estariam passando pela cabeça dele (embora, nesse caso, poderíamos esperar que ele tivesse riscado o verso e não simplesmente escrito outro ao lado dele como alternativa). Mas, de qualquer modo, a razão pela qual essas palavras estavam passando pela cabeça dele é clara, e essa possibilidade não diminui, de forma alguma, o valor do verso como indício de que *Wingelot* é uma palavra derivada de *Guingelot*, e que havia uma conexão com um significado maior do que a mera incorporação de um nome — exatamente como no caso de Eärendel.

❧

---

[*] Thomas Speght, mestre-escola do norte da Inglaterra, editor das obras de Chaucer, falecido em 1621. [N.T.]

[†] No qual ele empreendeu suas "façanhas fabulosas". É concebível que houvesse alguma conexão entre a grande jornada de Eärendel ao redor do mundo e as viagens de Wade descritas pelo escritor inglês Walter Map no século XII. Map conta que *Gado* (isto é, Wade) viajou em seu barco até as Índias mais distantes.

POEMAS ABANDONADOS NO INÍCIO

(iii) A Balada da Queda de Gondolin

Foi esse título que, no fim da vida, meu pai escreveu no maço de papéis que constituem o início abandonado desse poema; mas parece que ele não foi concebido como algo de larga escala, já que a narrativa tinha alcançado o momento em que o fogo dos dragões se propaga nas elevações do norte nos primeiros 130 versos. É certo que ele o compôs enquanto estava na Universidade de Leeds, mas suspeito fortemente que essa tenha sido a primeira versificação da matéria dos *Contos Perdidos* que ele empreendeu, antes de adotar os versos aliterantes. A história, até onde prosseguiu, não passou por virtualmente nenhum desenvolvimento em relação ao conto em prosa d'*A Queda de Gondolin*, e a semelhança entre a Balada e o Conto pode ser observada nesta comparação (embora a passagem não seja representativa):

(Conto, II. 193)

Regozijai-vos por tê-la encontrado, pois eis diante de vós a Cidade de Sete Nomes onde todos os que guerreiam contra Melko podem achar esperança.'

"Então perguntou Tuor: 'Quais são esses nomes?' E o chefe da guarda deu esta resposta: "Isto é o que se diz e o que se canta: Gondobar sou chamada e Gondothlimbar, Cidade de Pedra e Cidade dos Habitantes da Pedra" etc.

(Balada)   Regozijai, pois já a achastes, descansai enfim da guerra
De sete nomes é a cidade a luzir naquele monte,
Onde a força dos que lutam contra Morgoth
tem sua fonte."
"Que nomes são", disse Tuor, "pois foi duro viajar?"
"Eis o que dizem e cantam", respondeu: "'Meu nome
é Gondobar
E Gondothlimbar também, a Cidade feita de Pedra,
A fortaleza dos Gnomos em seus Salões de Pedra etc.

Não apresentarei o poema *in extenso* aqui, já que, no que diz respeito à narrativa principal, ele não acrescenta nada ao Conto; e meu pai percebeu, conforme acredito, que a forma métrica dele não era adequada para seus propósitos. Existem, entretanto, várias passagens que são interessantes para o estudo do desenvolvimento mais amplo das lendas.

No *Conto*, Tuor era filho de Peleg (o qual, por sua vez, era filho de Indor, II. 195), mas aqui ele é filho de Fengel; ao mesmo tempo, num pedaço de papel que traz esboços iniciais da passagem citada acima,* o próprio Tuor é chamado de Fengel — cf. "Eärendel, filho de Fengel" no fim do fragmento da *Balada de Eärendel*, pp. 171–72. Muito mais tarde, Fengel foi o nome usado para designar o décimo--quinto Rei de Rohan na Terceira Era, avô de Théoden, a partir do substantivo em inglês antigo *fengel*, "rei, príncipe".

Há algumas afirmações esquisitas acerca de Fingolfin, cuja aparição aqui, tenho certeza, é mais antiga do que as dos poemas aliterantes; e a passagem na qual ele aparece introduz também a história de Isfin e Eöl.

> Foi tal príncipe de Gondobar [Meglin],
> filho do escuro Eöl, que Isfin, braços alvos a brilhar,
> nas trevas da mata em Doriath deu à luz como herdeiro,
> ela, a filha de Fingolfin, neta de Gelmir altaneiro.
> Os gládios dos Glamhoth o sangue do rei foram beber
> quando só ele ajudou Fëanor; mas sua filha e mulher
> perderam-se ao procurá-lo nas matas da escuridão,
> nos densos bosques de Doriath, em que estranha visão
> era a dos braços élficos refletindo a luz da lua,
> desgarrados na treva que morcegos chamam de sua,
> nas grutas que Thû cavara. Ali Eöl as viu luzir
> e tomou então a alva Isfin, não a deixou partir
> e fez dela sua esposa, por mais que chorasse no escuro;
> pois é um dos Elfos Sombrios que vivem em vagar duro.
> Meglin foi para Gondolin, onde teve honra subida
> por ter sangue de Fingolfin, de glória maior que a vida;

---

* É essa a página citada em *Contos Inacabados*, p. 17: "alguns versos onde constam os Sete Nomes de Gondolin foram rabiscados atrás de uma folha de papel que estipula 'a cadeia de responsabilidades em um batalhão'". Sem saber, naquela época, de onde vinha esse pedaço de papel isolado, inferi que essa era uma indicação de que ele era muito antigo, mas certamente isso foi um erro: o papel deve ter sobrevivido e foi utilizado anos mais tarde para rascunhos.

fez-se um senhor dos Gnomos, das profundezas mineiro,
a buscar joias antigas; mas pouco era prazenteiro,
antes sombrio e secreto, com a noite em seus cabelos,
feito as tramas de Taur Fuin,* a floresta de negros dédalos.^C

Nos *Contos Perdidos*, Finwë Nólemë, primeiro Senhor dos Noldoli, era o pai de Turgon (e, portanto, também de Isfin, que era irmã de Turgon), I. 145; Finwë Nólemë foi morto na Batalha das Lágrimas Inumeráveis e seu coração foi arrancado pelos Orques, mas Turgon resgatou o corpo e o coração de seu pai, e o Coração Escarlate passou a ser seu emblema sombrio (I. 290, II. 210). Finwë Nólemë também é chamado de Fingolma (I. 286–87, II. 265).

Nos poemas aliterantes, Fingolfin é o filho de Finwë (Finweg) e o pai de Turgon, e também de Finweg (> Fingon), como continuaria a ser (ver p. 166). Portanto:

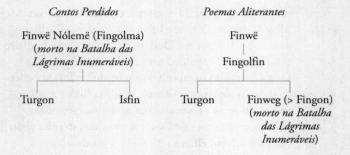

Mas, enquanto na *Balada da Queda de Gondolin* Fingolfin surgido e tomado o lugar de Finwë como pai de Turgon e Isfin, aqui ele não é filho de Finwë, mas de um certo *Gelmir*:

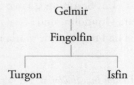

---

* *Taur Fuin* é a forma nos *Contos Perdidos*; aqui, ela foi emendada mais tarde para *Taur-na-Fuin*, que é a forma presente desde o começo em *Os Filhos de Húrin*.

Num texto inicial em prosa — um dos pouquíssimos fragmentos (a serem apresentados no próximo volume) que são uma ponte na história em prosa entre os *Contos Perdidos* e o "Esboço da Mitologia" — Gelmir aparece como o Rei dos Noldoli na época da fuga de Valinor, e um de seus filhos é chamado de *Golfin*.

Restaram poucas evidências (se é que mais material chegou a ser escrito) que nos permitam reconstruir com certeza a evolução inicial dos reis noldorin. A explicação mais simples é que esse Gelmir, pai de Golfin/Fingolfin, equivale a Fingolma/Finwë Nólemë, pai de Fingolfin. Mas também se diz nessa passagem que Fingolfin foi morto pelos Glamhoth "quando só ele ajudou Fëanor", e a história por trás dessa afirmação, qualquer que seja ela, agora está desaparecida (para as referências mais antigas, muito obscuras, à morte de Fëanor, ver I. 286, 289).

Essa passagem da *Balada da Queda de Gondolin* contém a primeira versão da história de Eöl, o Elfo Escuro, Isfin, irmã de Turgon, e o filho deles, Meglin (para uma forma muito primitiva da lenda, ver II. 265–66). Na narrativa em prosa d'*A Queda de Gondolin*, essa história é deixada de lado com as palavras "e essa história de Isfin e Eöl não pode ser contada aqui", II. 201. Na Balada, a esposa de Fingolfin e sua filha (Isfin) *perderam-se ao procurá-lo*, e foi assim que Eöl capturou Isfin. Uma vez que, no "Esboço", Isfin se perdeu em Taur-na-Fuin depois da Batalha das Lágrimas Inumeráveis e ali foi emboscada por Eöl, é possível que, nesse estágio, Fingolfin fosse o rei élfico que morreu (ao lado de Fëanor?) na grande batalha. Também é possível que estejamos vendo aqui a gênese da cena de Isfin vagando nos ermos, embora, é claro, com as alterações subsequentes, nas quais Fingolfin morreu no duelo com Morgoth depois da Batalha da Chama Repentina e Fingon (irmão de Isfin) passou a ser o rei noldorin morto na Batalha das Lágrimas Inumeráveis, a história de que ela estava procurando seu pai tenha sido abandonada. O que essa passagem certamente mostra é que a história de que Isfin mandou seu filho para Gondolin está presente desde o começo, mas também que, originalmente, Isfin permanecia com seu sequestrador, Eöl, e nunca escapava dele.

Aqui, Eöl habita "nas trevas da mata em Doriath", "nas matas da escuridão", "na treva que morcegos chamam de sua, nas grutas que Thû cavara". Essa deve ser a mais antiga referência a Thû, e, de qualquer modo, também a mais antiga menção a Doriath

POEMAS ABANDONADOS NO INÍCIO

em textos contínuos (a região era chamada de Artanor nos *Contos Perdidos*). Já sugeri (II. 82) que, no *Conto de Tinúviel*, "Artanor foi concebida como uma grande região de florestas no coração da qual estava a caverna de Tinwelint", e que a zona protegida pela Rainha "tinha, originalmente, fronteiras menos distintas e menos extensas do que o 'Cinturão de Melian' tornou-se posteriormente". Aqui, a descrição da morada de Eöl numa floresta sem luz (onde Thû vive em cavernas) tem mais semelhanças com a mata de Taur-nu-Fuin, onde

> a treva sem fim   estava pendurada
> nos galhos de ébano   das árvores frondosas

e onde

> mesmo os gobelins
> (cujos olhos fundos furam   qualquer sombra)
> confusos vagavam
> (*Os Filhos de Húrin*, p. 47, versos 753 e seguintes)

A passagem também contém uma referência interessante ao propósito dos mineiros de Gondolin: "buscar joias antigas".

Numa parte anterior da Balada, há alguns versos sobre a chegada de Tuor à porta oculta sob as Montanhas Circundantes:

> Chegou Tuor, filho de Fengel, vindo da terra sinistra
> que os Gnomos chamam Dor-Lómin, Bronweg à sua destra,
> fugindo das montanhas, rompendo de Melko a corrente
> e lançando fora o jugo de tormento e dor pungente;
> pois, com coração fiel, levou Tuor por longas vias,
> montes e vales vazios, tantas noites, tantos dias,
> até seu lume azul mágico, onde corre o ribeirão
> sob amieiros encantados, achar o oculto Portão,
> a porta em Dungorthin que só os Gnomos conheciam.

Num rascunho dessa passagem, o nome usado é *Nan Orwen*, depois emendado para *Dungorthin*. Em *Os Filhos de Húrin* (versos 1457 e seguintes), Túrin e Flinding chegaram a esse "estranho vale" depois que tinham atravessado o Sirion para a margem oeste

AS BALADAS DE BELERIAND

e alcançaram os sopés das Montanhas Sombrias "que Hithlum guardam". Para referências anteriores a Nan Dungorthin e diferentes localizações da região, ver as pp. 107–08; a presente passagem parece indicar ainda outro local, de modo que a porta oculta de Gondolin se abria para ele.

Algumas outras passagens são dignas de nota. No começo, há uma referência a antigas canções que narram

> como os Deuses em concílio chegaram aos arrecifes
> da Ilha Solitária no Oeste, e criaram terra de ócio
> além das grandes sombras marinhas e do mar sombrio;
> como abriram de Feéria o golfo, a costa tão solitária...

A cena dos Deuses sendo carregados numa ilha-balsa por Ossë e os Oarni na época da queda das Lamparinas é narrada no conto d'*A Vinda dos Valar* (I. 91), e o fato de que essa ilha, mais tarde, também foi usada como balsa pelos Elfos (tornando-se Tol Eressëa) está contado em *A Vinda dos Elfos* (I. 148).

Quando Gondolin foi construída, o povo gritou "Côr foi construída de novo!", e o guarda que falou a Tuor sobre os sete nomes da cidade disse:

> De Loth, a Flor, eles me chamam, dizem "Côr renasceu",
> e de Loth-a-ladwen,* lírio que na planície floresceu.

Já destaquei anteriormente (II. 250–51) que, enquanto fica explícito em *O Silmarillion* que Turgon criou a cidade para ser "um memorial de Tirion sobre Túna", e que ela se tornou "tão bela quanto uma memória da élfica Tirion", não é isso o que se afirma em *A Queda de Gondolin*: Turgon nascera nas Grandes Terras depois do retorno dos Noldoli de Valinor e nunca conhecera Kôr: "ainda assim, é possível sentir que a torre do Rei, as fontes e escadarias, e os mármores brancos de Gondolin incorporam uma reminiscência de Kôr conforme descrita em *A Vinda dos Elfos e a Criação de Kôr* (I. 152–53)

---

* Esse é o único ponto no qual os Sete Nomes diferem de suas formas no *Conto* (II. 193). No *Conto*, o nome da cidade com significado próximo de "Lírio do Vale" é *Lothengriol*. Para *ladwen*, "planície", ver II. 414. Num esboço dessa passagem na balada, o nome era *Loth Barodrin*.

Há também uma referência a Eärendel

que cruzou o Portão Temível,
meio mortal e meio-elfo, já morto e imperecível.

O Portão Temível provavelmente é o da Porta da Noite, pela qual Eärendel passou (II. 306).

A Balada de Leithian

Meu pai escreveu em seu diário que havia começado "o poema de Tinúviel" durante o período de exames de verão em 1925 (ver p. 11), e o abandonou em setembro de 1931 (ver adiante), quando tinha 39 anos de idade. Os trabalhos mal-acabados para o poema inteiro sobrevivem (e "mal-acabados" significa realmente bastante mal-acabados); a partir destes ele fez uma cópia limpa que chamarei de "A".*

Nesse manuscrito A, meu pai, de maneira pouquíssimo característica, inseriu datas, sendo a primeira no verso 557 (23 de agosto de 1925), e compôs os últimos cem versos ímpares do terceiro Canto (finalizando no verso 757) enquanto estava de férias em Filey, na costa de Yorkshire, em setembro de 1925. A data seguinte foi dois anos e meio e 400 versos depois, 27–8 de março de 1928, escrita ao lado do verso 1161; e, depois disso, outros nove dias estão assinalados individualmente até 6 de abril de 1928, durante os quais ele escreveu nada menos do que 1768 versos, até o 2929.

Visto que as datas se referem ao processo de passar as estrofes a limpo no manuscrito, e não à sua real composição, pode-se pensar que eles provam pouca coisa; mas o trabalho apressado nos versos 2497–504 foi feito em uma carta abandonada, datada de primeiro de abril de 1928, e esses versos foram passados a limpo na cópia A em 4 de abril, demonstrando que os versos 2505–929 foram de fato compostos entre 1 e 6 de abril. Penso, portanto, que é possível considerar as datas em A como uma indicação efetiva da época da composição.

A data de novembro de 1929 (no verso 3031) é seguida por uma quantidade substancial de versos compostos na última semana de

---

* Ela foi escrita no verso de folhas de prova, unidas e preparadas como se fossem um manuscrito em branco: era grande o bastante para durar pelos seis anos, e algumas folhas no final do maço ficaram sem uso.

setembro de 1930, e novamente em meados de setembro de 1931. A última data é 17 de setembro daquele ano, junto ao verso 4085, muito perto do ponto em que a Balada foi abandonada. Detalhes acerca das datas estão nas Notas.

Há também um texto datilografado ("B") feito por meu pai, no qual as últimas centenas de versos estão escritas à mão, e esse texto acaba no exato ponto em que A também termina. Esse texto datilografado foi iniciado bem cedo, já que meu pai mencionou em seu diário, no dia 16 de agosto de 1926, que tinha "datilografado uma parte de *Tinúviel*"; e, antes do fim de 1929, ele o entregou para C.S. Lewis ler. Em 7 de dezembro daquele ano, Lewis escreveu-lhe acerca do texto, dizendo

> Fiquei acordado até tarde na noite passada e li a *Gesta* até o ponto em que Beren e seus aliados gnômicos derrotam uma patrulha de orques acima das fontes do Narog e se disfarçam nos *rēaf* [inglês antigo: "indumentos, armamentos tomados dos mortos"]. Posso dizer com toda a honestidade que há séculos não tenho uma noite tão deliciosa: e o interesse pessoal em ler a obra de um amigo teve muito pouco a ver com isso — eu o teria apreciado da mesma maneira como fosse o trabalho de um autor desconhecido que eu tivesse encontrado numa livraria. As duas coisas que se sobressaem claramente são o senso de realidade no fundo e o valor mítico: sendo que a essência de um mito é que ele não deve ter mácula de alegoria para o criador e, ainda assim, deve sugerir alegorias incipientes para o leitor,

Lewis, portanto, havia lido até por volta do verso 2017. Ele evidentemente tinha recebido mais material; naquele momento, o texto datilografado talvez chegasse até o ataque a Lúthien e Beren por parte de Celegorm e Curufin fugindo de Nargothrond, junto ao qual (no verso 3031) está a data novembro de 1929 no manuscrito. Um tempo depois, provavelmente no início de 1930, Lewis enviou a meu pai catorze páginas de uma crítica detalhada, chegando até o verso 1161 (se havia mais, não sobreviveu). Ele concebeu esse trabalho crítico na forma de um comentário altamente acadêmico ao texto, fingindo tratar a Balada como uma obra antiga e anônima que perdurou em muitos manuscritos mais ou menos corrompidos, repletos de deturpações de escribas antigos e de argumentos eruditos feitos por acadêmicos do século XIX; assim, de modo divertido, abrandou algumas opiniões expressas causticamente, ao mesmo tempo em que manifestava, com esse exato disfarce, um forte elogio a passagens específicas. Quase todas as estrofes que Lewis achou deficientes por uma ou outra razão estão marcadas para revisão no texto datilografado B, mesmo as que não foram de fato reescritas, e em muitos casos as correções ou modificações propostas foram incorporadas ao texto. A maior parte do comentário de Lewis está incluída a partir da p. 369, com as estrofes que ele criticou e as alterações que daí resultaram.

Meu pai abandonou a Balada no ponto em que a mandíbula de Carcharoth *se fecha como alçapão* na mão de Beren e a Silmaril é engolida, mas, embora nunca tenha avançado a partir desse ponto na narrativa, não a abandonou para sempre. Quando *O Senhor dos Anéis* foi finalizado, ele retornou à Balada e reformulou os dois primeiros Cantos e uma boa parte do terceiro, e pequenos trechos de alguns outros.

Os elementos desta história podem ser resumidos assim:

1. Trabalhos mal-acabados do poema completo, compostos entre 1925 e 1931.
2. Manuscrito A do poema completo, escrito progressivamente de 1925 a 1931.
3. Texto datilografado B do poema completo (terminando de modo manuscrito), já em curso em 1926.

    Esse texto datilografado foi entregue a C.S. Lewis em fins de 1929, quando provavelmente alcançava mais ou menos o verso 3031.
4. Reformulação dos Cantos de abertura e de partes de alguns outros (depois da finalização de *O Senhor dos Anéis*).

❧

O manuscrito A foi corrigido — quer por alterações, quer por acréscimos — em diferentes momentos, e a maioria dessas alterações foi incorporada ao texto datilografado B; enquanto em B, da maneira como foi datilografado, há ainda outras mudanças que não se encontram em A.

A BALADA DE LEITHIAN

A quantidade de emendas feitas a B varia muito. Meu pai o usou como base para as reescrituras posteriores e, nessas partes, o antigo texto datilografado está inteiramente coberto de novas estrofes; mas em grandes porções — de longe, a maior parte do poema — o texto permanece intocado, exceto por modificações bem pequenas e casuais, por assim dizer, a versos individuais aqui e ali.

Depois de muita experimentação, concluí que fazer um texto único, um amálgama derivado do escrito mais recente do poema todo, seria completamente errado. Além da dificuldade prática dos nomes alterados nas partes reescritas que não se encaixam à métrica dos versos anteriores, o poema mais recente é muito distinto na abrangência e na realização técnica; tempo demais se havia passado e, na pequena porção que meu pai reescreveu da *Balada de Leithian* após *O Senhor dos Anéis*, temos fragmentos de um novo poema, a partir do qual temos uma ideia do que poderia ter sido. Portanto, separei essas partes e as incluo separadamente depois, no Capítulo IV.

Outra razão para fazer isso é o propósito deste livro, que inclui a reflexão sobre as Baladas como estágios importantes na evolução das lendas. Algumas revisões à *Balada de Leithian* foram feitas pelo menos trinta anos depois de o poema ter sido começado. Portanto, do ponto de vista da "história", o abandono do poema em setembro de 1931 ou logo após isso constitui um ponto terminal, e excluí correções a nomes que são (acredito) certamente posteriores a isso, mas incluí as que são anteriores.* Em um caso como o de *Beleriand*, por exemplo, que era *Broseliand* em grande parte do poema em B e depois sempre emendado para *Beleriand*, mas que a partir do verso 3957 passou a ser originalmente *Beleriand*, empreguei *Beleriand* no poema todo. Por outro lado, mantive *Gnomos*, já que meu pai ainda utilizava o termo em *O Hobbit*.

As numerosas alteraçõezinhas feitas por razões métricas/estilísticas, contudo, constituem um problema ao se tentar produzir um "texto de 1931", já que é frequentemente impossível ter certeza sobre a "fase" a que pertencem. Algumas são evidentemente muito

---

* Isso acaba levando a um tratamento inconsistente de certos nomes entre as duas longas Baladas, p. ex. *Finweg*, filho de Fingolfin em *Os Filhos de Húrin*, mas *Fingon* na *Balada de Leithian*. *Finweg* sobreviveu na versão de 1930 de "O Silmarillion", mas foi logo corrigido para *Fingon*.

186

antigas — por exemplo *haste florida*, corrigido para *flóreo hastil* (verso 516), já que C.S. Lewis comentou sobre o último — ao mesmo tempo em que se pode demonstrar que outras alterações foram feitas muitos anos depois e, a rigor, fazem parte das reescrituras tardias; mas muitas não podem ser determinadas com certeza. De todo modo, tais alterações — muitas vezes feitas para se livrar de artifícios métricos, notavelmente a formação de tempos verbais enfáticos com *doth* e *did* simplesmente para se obter uma sílaba a mais — não têm repercussão além do aperfeiçoamento daquele verso específico; e, nesses casos, parece uma pena perder, por rígida aderência à base textual, essas pequenas melhorias, ou pelo menos ocultá-las em uma longa lista de enfadonhas notas textuais, e manter no texto as menos felizes leituras anteriores. Achei justificável, portanto, ser francamente inconsistente nesses detalhes e, por exemplo, se mantive *Gnomos* (no lugar de *Elfos* ou de outro substituto) ou *Thû* (no lugar de *Gorthû* ou *Sauron*), também introduzi pequenas alterações de palavreado que são certamente posteriores a esses.

Assim como na *Balada dos Filhos de Húrin*, não há notas numeradas ao texto. As notas, ligadas ao número do verso no poema, estão amplamente restritas a leituras anteriores, e essas, por sua vez, restringem-se a casos em que há alguma diferença significativa, como de um nome ou de um motivo. As citações feitas ao manuscrito A são sempre ao texto *conforme escrito inicialmente* (em muitíssimos casos ele foi corrigido para o texto encontrado em B).

Deve-se notar que, enquanto a *Balada de Leithian* estava sendo composta, o "Esboço da Mitologia" foi escrito (primeiro em 1926) e reescrito, conduzindo diretamente à versão de "O Silmarillion" que atribuo a 1930, na qual muitas características essenciais tanto de narrativa quanto de linguagem da obra publicada já estavam presentes. Nos meus comentários a cada um dos Cantos, tentei levar em consideração o desenvolvimento nas lendas *pari passu* com o texto do poema, e refiro-me apenas excepcionalmente às obras em prosa da época.

O texto A não tem título, mas na capa do maço de trabalhos mal-acabados está escrito *Tinúviel*, e em suas referências iniciais ao poema meu pai o chamava assim, da mesma forma que chamava de *Túrin* o poema aliterante. O texto B tem este título:

A
GESTA
de
BEREN, filho de BARAHIR,
e
LÚTHIEN, a FATA,
chamada
TINÚVIEL, o ROUXINOL,
ou a
BALADA DE LEITHIAN
Libertação do Cativeiro

A "Gesta de Beren e Lúthien" refere-se a uma narrativa em verso contando as façanhas de Beren e Lúthien. A palavra *gest* [gesta] é pronunciada como *jest* em inglês moderno, sendo de fato a "mesma palavra" com grafia fonológica, embora agora com o sentido totalmente alterado.

Meu pai nunca explicou o nome *Leithian*, "Libertação do Cativeiro", e, se quisermos, podemos escolher entre as várias aplicações discerníveis no poema. Também não deixou nenhum comentário sobre a relevância — se é que há uma relevância — da similaridade entre *Leithian* e *Leithien*, "Inglaterra". No conto de *Ælfwine da Inglaterra*, o nome élfico da Inglaterra é *Lúthien* (que anteriormente era o nome do próprio Ælfwine, e a Inglaterra era *Luthany*), mas na primeira ocorrência (apenas) desse nome, a palavra *Leithian* está escrita em cima a lápis (II. 397, nota 20). No "Esboço da Mitologia", a Inglaterra ainda era *Lúthien* (e naquela época o nome da filha de Thingol também era *Lúthien*), mas foi corrigido para *Leithien*, e é essa a forma na versão de "O Silmarillion" de 1930. Não sei dizer (i) qual a relação, se é que havia uma, entre os dois significados de *Lúthien*, e nem (ii) se *Leithien* (anteriormente *Leithian*), "Inglaterra", é ou era relacionado a *Leithian*, "Libertação do Cativeiro". A única evidência de natureza etimológica que encontrei é uma nota apressada, impossível de ser datada, que faz menção a um radical *leth-* "libertar", com *leithia* "soltar, libertar", e faz uma comparação com a *Balada de Leithian*.

☙

A GESTA DE BEREN E LÚTHIEN

I

Houve um rei num antigo dia:
Homem nenhum inda existia;
detém poder numa caverna,
clareira e vale ele governa.
5   Broquéis luzentes qual luar,
lanças finas de aço a brilhar,
coroa argêntea feita co'arte,
e a luz d'estrelas no estandarte;
trompas de prata, o som se ouviu
10   sob os astros, em desafio;
o reino encoberto de encanto,
de glória, poder, tesouro tanto,
em seu marfíneo assento trata
em salões de pedra com colunata.
15   Berilo, pérola, opala em chama,
metal trabalhado como escama,
broquel e couraça, machado e espada,
e lança no arsenal guardada —
mas tão maior amor conhece
20   a sua filha de Elfinesse:
que aquelas dos Homens mais bela
era Lúthien, a donzela.

Tais ágeis pés não correm mais
ao sol, por terras verdeais;
25   beleza assim não tem mais par
da aurora à tarde, do sol ao mar.
Vestido azul qual céu de estio,
e os olhos de um cinza sombrio,
tem lírios d'ouro a entretecê-lo
30   mas muito escuro é seu cabelo.
Qual ave vão seus pés ligeiros,
vernal é o seu riso faceiro;
era mais bela e venturosa,
mais delicada e gloriosa
35   que os campos que florem com viço,

A BALADA DE LEITHIAN

que esguio chorão, gentil caniço,
que a luz na floresta folhuda,
e a voz que nas águas se escuta;
e o rei lhe dava mais valor
40   que a luz dos olhos, mão e cor.

Viviam em meio a Beleriand,
lá o poder élfico era grande,
em Doriath, crespo arvoredo;
pra lá o caminho era segredo;
45   poucos na mata se atreviam
a afligir folhas que tudo ouviam
com cavalos ou cães no encalço,
com trompas ou com mortal passo.
Terra do Horror ao Norte estava
50   só mau caminho ali levava,
por monte triste e frio ruim,
por forte em Taur-na-Fuin,
e essa Mortal Sombra Noturna
nem lua nem dia importuna;
55   ao Sul ficava virgem terra;
o Oeste o velho Oceano encerra,
sem vela ou praia, amplo e fero;
picos no Leste, azuis e austeros,
e a névoa cobre o horizonte:
60   são do Mundo de Fora os montes,
pra lá da sombra da floresta,
espinho, mouta e clara aberta
de galhos mágicos, profundos,
velhos, quando novo era o mundo.

65   Lá Thingol em Cavernas Mil,
de portais banhados por rio —
Esgalduin a fada o chama —
salões de fama à luz de chama
lá fez morada o oculto rei
70   mata e monte sob sua lei;
aguda espada, elmo altaneiro,
rei de faia, carvalho e olmeiro.

Lá, Lúthien, a donzela presta
dança em vales e na floresta,
75   chega música, doce e clara,
descendo, mais bonita e rara
que em seus festins ouvem mortais,
e que das aves os corais.
Folha longa, verde gazão,
80   Dairon chega co'esguia mão,
e qual brilho em sombra mesclada,
passa a fazer doce toada,
num flautar mágico de escol,
pois ama a filha de Thingol.

85   Lá tangem arcos, lançam flechas,
e o cervo foge pelas brechas,
corcéis co'a crina encanastrada
flâmeos bocais, freios de prata,
correm por noite de luar
90   como andorinhas a voar;
um som de sinos ali toca,
caçada oculta em fenda oca.
Fazem canções e coisas d'ouro,
copas de prata e grão tesouro,
95   e de Feéria anos infindos
na longe Beleriand fluindo,
até que então mil maravilhas
se deram sob o sol que brilha.[A]

છ৩

NOTAS

A abertura do poema em B se complica pelo fato de que meu pai reescreveu e redatilografou parcialmente o primeiro Canto — uma reescrita inteiramente distinta da fundamental reformulação pela qual passou o trecho inicial do poema posteriormente. Essa primeira reescrita do Canto de abertura foi feita enquanto a composição original do poema ainda prosseguia, mas estava bem avançada. A segunda versão foi datilografada na forma exata da que ela substituiu, ao passo que a última parte do texto B não foi datilografada; mas o nome *Beleriand* aparece aí datilografado originalmente, e não

A BALADA DE LEITHIAN

como uma correção, enquanto em outros lugares de B a forma é *Broseliand*, sempre corrigida a tinta para *Beleriand*.* Ademais, foi a primeira versão do Canto I no texto B que C.S. Lewis leu na noite de 6 de dezembro de 1929, e acho muito provável que tenha sido a crítica de Lewis que levou meu pai a reescrever a abertura (ver pp. 369–70). Nas notas seguintes, a primeira versão de B é chamada de B(1), e o texto incluído anteriormente é chamado de B(2).

1–30 A: Houve um rei em dias de outrora:
   tinha coroa como a aurora
   rubi incrustado e cristal claro;
   repastos bastos, pratos caros;
  5 rubras vestes, marfíneo trono,
   de salões pétreos era dono,
   vinho e música aos borbotões
   e mais trinta e três campeões,
   tinha tudo, mas pouco nota.
  10 Sua filha era Melilota:
   da aurora à tarde, do mar ao sol,
   mais bela nunca se encontrou.
   Vestido azul costuma usar,
   mas mais azul é o seu olhar;
  15 têm lírios d'ouro a entretecê-lo,
   mas mais dourado é seu cabelo.

Depois do verso 12, *nunca se encontrou*, em um rascunho anterior há o seguinte dístico:

   desde a Inglaterra até Eglamar,
   povos e campos a varar.

B(1): Houve um rei em dia de outrora:
   &c. como em A, até o verso 6
   e ouro guardava em clara grota,
   tinha tudo, mas pouco nota.
   Mas que as filhas de Homens mais bela
   era Lúthien, filha e donzela:
   &c. como em B(2)

14–18 Esses versos foram posteriormente usados na canção de Gimli em Moria (*A Sociedade do Anel*, livro II, capítulo 4); ver o Comentário de C.S. Lewis, p. 370.

41–4 A: Viviam em Broceliand
   lá a solidão inda era grande.

B(1): Viviam além de Broseliand,

---

* Em uma ocorrência, bem perto do fim (verso 3957), na conclusão manuscrita do texto B, a forma escrita originalmente é *Beleriand*, e não *Broseliand*.

e a solidão ali era grande
em Doriath, atro arvoredo.
pra lá o caminho era segredo;

Em B(1), *Ossiriande* está escrito a lápis acima de *Broseliand*. Como se disse anteriormente, B(2) tem *Beleriand* datilografado.

48   Depois desse verso, A e B(1) têm:
Mas às vezes, de longe e escuso,
debaixo dos montes escuros,
um som de sinos ali toca,
caçada oculta em fenda oca.

O segundo dístico reaparece posteriormente em B(2), versos 91–2.

49–61   A e B(1):
Terra do Horror ao Norte estava
só mau caminho ali levava,
por monte triste e frio ruim;
a Oeste e Sul, mares sem fim,
sem vela ou cais, bravios, tremendos;
no Leste, os montes vão descendo
ao pé da sombra da floresta,

65–6   A: Lá Celegorm passa os seus dias
sem fim em meio a urdidas vias,
corredores e naves mil
seus pilares lavava o rio.

67   *Esgalduin* A, mas *Esgaduin* nos trabalhos mal-acabados, a mesma forma de *Os Filhos de Húrin* (p. 94, verso 2164), antes de ser corrigido.

73   A: Melilota, a donzela presta

79–84   Ausentes em A.

85–93   A e B(1) (com uma pequena diferença):
Lá tangem arcos, lançam flechas
e o corço foge pelas brechas,
corcéis com arreio a brilhar
repicavam sob o luar;
fazem canções e coisas d'ouro

Ver nota ao verso 48.

96   A: na escura Broceliand fluindo,
B(1): na longe Broseliand fluindo,

Em B(1), *Ossiriande* está escrito a lápis ao lado de *Broseliand*, assim como no verso 41.

Comentário ao Canto I

Uma característica extraordinária da versão A é o nome *Celegorm*, atribuído ao Rei dos Elfos da floresta (Thingol); ademais, no Canto

A BALADA DE LEITHIAN

seguinte, o papel de Beren em A é desempenhado por *Maglor*, filho de Egnor. A única conclusão possível, por mais estranha que seja, é que meu pai estava disposto a abandonar *Thingol* em favor de *Celegorm* e (ainda mais impressionante) *Beren* em favor de *Maglor*. Tanto *Celegorm* quanto *Maglor* como filhos de Fëanor apareceram no *Conto do Nauglafring* e na *Balada dos Filhos de Húrin*.

O nome da filha do rei em A, *Melilota*, também é enigmático (seria o nome da planta em inglês, *Melilot* [meliloto], como o da convidada na festa de despedida de Bilbo Bolseiro, Melilota Brandebuque?). Já na segunda versão de *Os Filhos de Húrin*, Lúthien aparece como o nome "verdadeiro" de Tinúviel (ver p. 145, nota a 358–66). É possível que meu pai de fato tenha começado a *Balada de Leithian* antes de interromper o trabalho em *Os Filhos de Húrin*, caso no qual *Melilota* talvez fosse o primeiro nome "verdadeiro" de Tinúviel, que deu lugar a *Lúthien*; mas acho isso extremamente improvável.[*] Considerando-se *Beren* > *Maglor*, penso que *Lúthien* > *Melilota* é muito mais provável. Em todo caso, *Beren* e *Lúthien* logo aparecem nos rascunhos originais da *Balada de Leithian*.

Também é estranho que, em A, a filha do rei tivesse olhos azuis e cabelos dourados, pois isso estaria em desacordo com as vestes de escuridão que ela teceu de seus cabelos: no *Conto de Tinúviel*, seus cabelos eram "escuros" (II. 32).

O nome *Broceliand* que aparece em A (*Broseliand* em B) é notável, mas não consigo jogar luz na razão para meu pai escolher esse nome (a famosa Floresta de Brocéliande na Bretanha das lendas arthurianas).[†] Seria interessante saber como *Broseliand* levou a *Beleriand*, e uma pista talvez se encontre em uma página da abertura da Balada apressadamente escrita, onde ele rabiscou vários nomes, os quais devem ser possibilidades que estava aventando para o nome

---

[*] Meu pai afirmou explicitamente em seu diário que deu início a *Tinúviel* no verão de 1925; e há que se notar que uma referência à *Balada de Leithian* aparece no título aliterante de um dos textos datilografos de *Leve como Folha de Tília*, publicado em junho de 1925 (ver pp. 146–47). Portanto, a referência na segunda versão de *Os Filhos de Húrin* à *Balada de Leithian* (p. 131, verso 356) não é evidência de que ele a havia realmente iniciado.

[†] No mais antigo mapa do "Silmarillion", afirma-se que "todas as terras banhadas pelo Sirion ao sul de Gondolin são chamadas *em inglês* 'Broseliand'".

da terra. O fato de que *Ossiriand* ocorre entre eles, e de que também está escrito ao lado de *Broseliand* nos versos 41 e 96 em B(1), pode sugerir que esses nomes emergiram durante a busca por um substituto para *Broseliand*. Os nomes são estes:

> *Golodhinand, Noldórinan, Geleriand, Bladorinand, Belaurien, Arsiriand, Lassiriand, Ossiriand.*

Golodhinand é incidentalmente interessante por conter *Golodh*, o posterior equivalente do quenya *Noldo* (no antigo dicionário gnômico, *Golda* era o equivalente gnômico do "élfico" *Noldo*, I. 316). Não consigo explicar *Geleriand*, mas *Belaurien* está obviamente ligado a *Belaurin*, forma gnômica de *Palúrien* (I. 318), e *Bladorinand*, com o nome de Palúrien *Bladorwen*, "a vasta terra, Mãe Terra" (*ibid.*). Parece no mínimo possível que *Belaurien* esteja por trás de *Beleriand* (que foi posteriormente explicado de maneira bem diferente).

Outra característica curiosa é a palavra *além* em *Viviam além de Broseliand*, em B(1), verso 41, onde A tem *em* e B(2), *em meio*.

Esga(l)duin, Taur-na-Fuin (no lugar de *Taur Fuin* dos *Contos Perdidos*), e *as Mil Cavernas* já apareceram todos em *Os Filhos de Húrin*; mas nos versos

> picos no Leste, azuis e austeros,
> e a névoa cobre o horizonte

— ausentes em A e B(1) — temos a primeira aparição das Montanhas Azuis (*Ered Luin*) das lendas posteriores: cercando Beleriand, ao que parece, do *Mundo de Fora*.

Em todos os textos do primeiro Canto, o Rei dos Elfos da floresta é apresentado como dono de grande riqueza. Essa concepção já aparece em *Os Filhos de Húrin* (ver p. 38), contrastando fortemente com tudo o que é dito nos *Contos Perdidos*: ver o *Conto de Turambar* (II. 119), "o povo de Tinwelint era das florestas e tinha poucas riquezas", "suas riquezas eram pequenas", e o *Conto do Nauglafring* (II. 274), "[os Anãos] fizeram uma coroa dourada para Tinwelint, que até então não usava nada além de uma guirlanda de folhas escarlates".

A BALADA DE LEITHIAN

II

Em pétreos morros muito ao Norte,
100   há um trono em furna escura e forte,
a luz lhe dão fogos que fremem
e os ventos gélidos que gemem
a fraca luz vêm fumaçar;
lá, as acres espirais no ar
105   sem sol sufocam o calabouço
e os nóxios seres em alvoroço.
Há ali um Rei: não é da raça
d'Elfos, nem mortal, nem a graça
de céu ou terra se lhe assenta;
110   que a pedra que o mundo sustenta,
mais velho e mais forte; maior
que o fogo que arde no interior;
no cor, pensar profundo e vário:
sombrio poder é solitário.

115   Tem mando sobre lanças de aço,
e sentiam remorso escasso
as tropas de ordenada ira
que o lobo e que o corvo servira;
negro corvo em pendão crocita
120   e ao longe a toada maldita
se ouve por cima do fedor
dos corpos a se decompor.
Deitava cruel gume e fogo
em todo aquele que ao seu rogo
125   não se curvasse. E nessa terra
do Norte, medonho ele impera.

      Mas vivia no oculto frio
Barahir, sem seu poderio,
sem terras, mas inda valente,
130   de Homens foi príncipe e regente,
mas agora, como proscrito,
pisava a urze e a mata, aflito,
consigo havia alguns fiéis:

AS BALADAS DE BELERIAND

seu filho, Beren, e outros dez.
135 Por mais que assim tão minuídos,
eram ferozes e aguerridos,
de feitos nenhum carecia,
e a mata amavam, cujas vias
preferiam à escravatura
140 do trono negro em sala escura.
O Rei Morgoth os encalçava:
co'encantos de furor mandava
javali, lobo, homem, mastim,
pra nas florestas lhes dar fim.
145 Mas escaparam longamente,
e, para contar brevemente
as tantas lágrimas vertidas
por sobrevenças tão doridas,
foi isto aqui que se seguiu:
150 Morgoth os apanhou co'ardil.

     É Gorlim que vem fatigado
de luta e fuga, maltratado,
percorre à noite, acaso e medo,
campos escuros em segredo
155 em vale que sua gente abriga,
e dá com uma casa antiga —
diante do céu escura é ela,
mas um clarão vem da janela,
de solitária vela escapa.
160 Espia dentro, à socapa,
e vê, qual sonho inclemente,
quando a saudade ilude a mente,
a esposa junto da lareira
a lamentá-lo, em luto inteira,
165 cabelos brancos, branca tez
que a solidão e o choro fez.
"Ó Eilinel, tão linda e terna,
que eu cria estar na treva eterna,
jazendo! Ao fugir pela porta
170 pensei te ver inerte e morta
na noite de pavor amaro

197

A BALADA DE LEITHIAN

quando perdi o que me era caro":
diz admirado o coração
a vigiar na escuridão.
175 Não chega o nome a lhe chamar,
como escapou lhe perguntar,
ao vale, longe sob os morros,
ele ouve um grito sob os morros!
Lá perto um mocho solta um pio;
180 um uivo causa-lhe arrepio,
lobos selvagens em caçada
seus pés seguiram pela estrada.
Pois sabe bem que sem cessar
Morgoth o está sempre a caçar.
185 Teme ser morto co'Eilinel,
retoma o caminho seu,
e vai selvagem, tortuoso,
na trilha, em leito pedregoso
do rio, sobre o incerto charco,
190 e num deserto ermo e parco
encontra os seus, a pouca gente,
em ponto oculto; já cadente
a luz; sem sono vê agora
chegar aos poucos feia aurora
195 sobre os ramos, triste céu.
Enfermo está o juízo seu,
sem paz; aceitaria grilhão
se a esposa reencontrasse então.
Mas entre apreço do senhor
200 e ódio pelo rei do horror
e angústia por sua Eilinel,
quem contará do transe seu?

Dias depois, turvado o siso,
a ruminar, já sem juízo,
205 servos do rei atroz avista,
pede que o levem à sua vista,
rebelde a implorar perdão,
se este puder ser dado então
por novas do bom Barahir,

198

210   onde vivia, aonde ir
        de noite ou dia ao seu covil.
        O triste Gorlim pois partiu
        à profundeza, atra caverna;
        aos pés de Morgoth se prosterna,
215   ao coração cruel indica,
        ao que a verdade não pratica.
        Diz Morgoth: "Eilinel, a bela
        certo acharás, e lá com ela,
        onde habite e te aguarda,
220   juntos vós estareis, não tarda,
        não vos separo nunca mais.
        Este é o prêmio a quem traz
        tal boa nova, delator meu!
        Cá já não mora Eilinel,
225   em mortal treva tem corrido,
        sem lar, viúva do marido —
        espectro do que havia de ser,
        assim parece, tens de ver!
        Agora pelo umbral da dor
230   irás à terra, meu favor;
        baixas à treva atroz sem lua
        pra lá buscar Eilinel tua."

        Já Gorlim sofre morte atroz
        e se maldiz c'o fim da voz,
235   é morto Barahir, então
        tornam seus feitos bons em vão.
        Porém de Morgoth o terror
        nem sempre engana o contendor;
        ainda alguns usam perícia
240   pra desfazer a sua malícia.
        Pois Morgoth fez, assim se cria,
        o espectro atroz que Gorlim via
        c'os olhos seus, tornou em nada
        a esperança preservada
245   lá na floresta solitária;
        mas Beren, com fortuna vária,
        naquele dia longe caça,

A BALADA DE LEITHIAN

a noite em lugares passa
longe dos seus. Durante o sono
250 sente grã treva e abandono,
pensa que os ramos que divisa
são nus e os move triste brisa;
sem folhas, mas com negros corvos
em casca e ramo, são estorvos;
255 grasnando, os bicos deitam sangue;
rede o envolve, fica langue,
envolto, mão e perna inteira,
até que exausto junto à beira
de lago morto deita oculto.
260 Mas vê que se agita um vulto
bem longe n'água tão trevosa,
assume forma nebulosa,
desliza no silente lago,
de perto faz discurso aziago
265 e triste diz: "Gorlim tu vês,
traidor traído! Desta vez
corre! Pois Morgoth já aperta
teu pai pela garganta; é certa
a reunião tua, teu covil",
270 revela então o mal que viu,
que fez e Morgoth deu por certo.
Acorda Beren, busca esperto
espada e arco, sai alado
qual vento em ramo desnudado
275 no outono. Chega co'aflição,
fogo e ardor no coração,
vê Barahir jazer, seu pai;
tarde demais. A noite vai,
encontra as casas dos caçados,
280 ilha de mata em alagados,
aves em nuvem esvoaçam —
não são do charco aves que passam.
Gralhas e corvos no amieiro,
aves de agouro num poleiro;
285 um grasna: "Beren chegou tarde",
todos em coro: "Tarde! Tarde!".

200

AS BALADAS DE BELERIAND

Sepulta do seu pai os ossos,
empilha ali rochedos grossos;
três vezes Morgoth é imprecado,
290   sem pranto, coração gelado.

Percorre charco, campo, monte,
persegue, chega a uma fonte
que das profundas traz calor.
Vê assassinos, matador,
295   cruéis soldados do monarca.
Um deles ri, na mão abarca
anel de Barahir finado.
"Lá em Beleriand forjado,
atenta", diz, "este tesouro.
300   Já não se compra nem com ouro,
matei por ele Barahir,
tolo e ladrão, que foi servir,
prestar favores de outrora
pra Felagund. Assim é agora;
305   pois Morgoth mo mandou levar,
não que me conste lhe faltar
maior tesouro em seu cofre.
Quem tem cobiça nada sofre
e eu pretendo insistir:
310   vazia a mão de Barahir!"
Seta mortal remata o feito;
fende-lhe o coração no peito.
Vê Morgoth que seu contendor
prestou serviço, executor
315   do traidor, servo sem siso.
Mas Morgoth já não vê com riso
que Beren, lobo a sós na caça,
de trás da rocha salta, e passa
junto ao poço no bivaque,
320   apanha o anel antes do ataque
de raiva e ira do inimigo,
e deles foge. Tem o abrigo
d'anéis de aço dos ananos
a que a seta não faz danos;

A BALADA DE LEITHIAN

325 esconde-se em rocha e mato
Beren em boa hora nato;
ignora o inimigo vil
aonde foi buscar covil.

Foi Beren sempre destemido,
330 por resistente sempre havido,
quando vivia Barahir;
mas ora vem pesar partir
a alma, a vida lhe amargar,
que seu punhal já pensa usar,
335 espada ou lança, fim estreme
da vida, e só correntes teme.
Busca perigos, busca a morte,
escapa assim à fatal sorte
ousando feitos de nomeada,
340 de glória ao vento sussurrada;
canções entoam-se, acesas,
acerca de suas proezas
a sós, cercado no negrume
de névoa, e lua, sob o lume
345 do dia claro. Enche as matas
do norte com batalhas gratas
ceifando de Morgoth a laia;
com ele só carvalho e faia,
sempre fiéis, bestas pequenas
350 de pelo, couro, asas, penas;
espíritos dos quais a voz
em velhos montes, ermos sós
habita e vaga, seus amigos.
Mas o proscrito tem perigos
355 e Morgoth é um rei mais vil
que o mundo em canto já previu,
e seu saber de amplidão
amarra e cerca em precisão
quem o enfrenta. Pois assim
360 Beren da mata foge, enfim,
da terra amada onde em paz
seu pai, que os juncos choram, jaz.

Sob rocha em monte, musgos grossos
desmancham-se do herói os ossos.
365 Já Beren foge ao norte imigo,
noite de outono o traz consigo;
o cerco de seus contendores
já passa — anda sem rumores.
Do arco a corda já não canta,
370 seta talhada não levanta,
e já não deita o crânio seu
sobre a charneca sob o céu.
Luar no pinho em movimento
por entre a névoa, chia o vento
375 em feto e charneca à tarde,
ninguém o encontra. Um vulto arde
no ar gelado, prata quente,
no norte está a Urze Ardente,
que a gente humana assim dizia,
380 deixa pra trás, o que alumia
planície, lago, morro e terra,
charco maldito, monte e serra.

Terra do Horror ao sul estava
aonde só má senda levava,
385 homens audazes só as frias
Montanhas cruzam, as Sombrias.
A encosta norte é dor, perigo,
cruel, mortal é o inimigo;
a face sul a pino, então,
390 é pico, rocha e paredão;
são enganosas suas raízes
e amargas águas infelizes.
Em cova e vale há magia,
pois muito longe todavia,
395 além de onde a vista aponta,
talvez de torre alta e tonta,
ninho de águia a erguer-se,
um brilho cinza possa ver-se,
Beleriand, Beleriand,
400 terra das fadas bela e grande.[B]

A BALADA DE LEITHIAN

NOTAS

128 A: senhor de Homens cheio de brio

134 A: seu filho, Maglor, e outros dez.

141 A: O Rei Bauglir os encalçava

177–79: Texto anterior:

> ao vale, longe em meio à serra,
> faminto povo arava a terra,
> próximo, um mocho solta um pio

205 Texto anterior: dos servos do rei segue a pista

209–11 A: por novas de Egnor e seu bando
> e de onde estavam se ocultando
> de dia ou noite o seu covil.

235 A: Egnor é morto por traição

246 A: mas Maglor, por fortuna vária,

272 A: Desperta Maglor, busca esperto

277 A: até onde jaz Egnor, seu pai

297 A: o anel de Egnor, já finado:

298 *Broceliand* A, *Broseliand* B, emendado para *Beleriand*

301 A: por ele, Egnor fiz cair

304 *Celegorm* A, emendado para *Felagoth* e, depois, para *Felagund*

310 A: Na mão de Egnor nada vi!"

313–16 Esses quatro versos foram postos entre parênteses, e a palavra *que* no verso 317 foi alterada para *E*, antes de o texto B ser enviado para C.S. Lewis (a numeração dos versos feita por meu pai exclui esses quatro, e as referências de Lewis estão de acordo). Lewis não concordava com a exclusão dos versos 313–14, e eu mantive os quatro versos. Ver pp. 373–74.

317, 329 *Maglor* A, *Beren* B

326 A: a fenda em montes vai no ato.

331–33 A: quando Egnor ainda vivia,
> mas solidão ora o afligia,
> tão cheia a vida de pesar

360 A: Maglor da mata foge, enfim
(*fast* [no verso em inglês] é usado com o sentido de "seguro contra ataques". Compare com *fastness*.)

365 *Maglor* A, *Beren* B

377–81 A: no Norte a prata chamejava
> no ar frio, essa que se chamava
> Timbridhil num passado dia;
> deu-lhe as costas, e ali alumia
> do prado celestial a foice
> que por Bridhil, Rainha, pôs-se
> a reluzir por lago e terra,

O quinto e o sexto versos foram colocados entre colchetes e, no quarto verso, *e ali alumia* foi alterado para *Ali alumia*.
383–84 Compare com os versos 49–50.
399 *Broceliand* A, *Broseliand* B, emendado para *Beleriand*.

Comentário ao Canto II

Neste segundo Canto, a história da traição do bando de proscritos já está, na versão A, próxima à forma final nos elementos essenciais, mas não há vestígio da história em nenhuma forma antes dos primeiros rascunhos da *Balada de Leithian*, composta no verão de 1925 (ver p. 183). Ao comentar o *Conto de Tinúviel*, afirmei (II. 69):

> Parece claro que, nesse momento, a história de Beren e seu pai (Egnor) ainda estava numa forma muito rudimentar; de todo modo, não há indício da história do bando de proscritos liderados por seu pai e da traição de Gorlim, o Infeliz, antes da primeira versão da *Balada de Leithian*.

De fato, há diferenças entre o enredo da Balada e da história contada em *O Silmarillion* (p. 223 e seguintes): na Balada, a casa onde Gorlim viu o fantasma de Eilinel não era dele; sua traição foi muito mais profunda e deliberada, pois ele procurou pelos serviçais de Morgoth com a intenção de revelar o esconderijo dos proscritos; e ele se apresentou diante do próprio Morgoth (e não de Thû-Sauron). Mas essas diferenças são muito menos numerosas do que as semelhanças, tais como a ausência de Maglor-Beren no dia fatal, a aparição de Gorlim em sonho cruzando a água, as aves carniceiras nos amieiros, o teso de pedras, a tomada do anel, sua amizade com os pássaros e feras.

Quanto aos nomes no texto A: *Gorlim* e *Eilinel* haveriam de permanecer. Maglor-Beren já foi discutido (pp. 193–94). *Egnor* ainda era seu pai, assim como nos *Contos Perdidos* (a correção para *Barahir* na segunda versão do *Conto de Tinúviel*, II. 58, foi uma alteração feita fortuitamente anos depois). *Bauglir* (que apareceu durante a composição de *Os Filhos de Húrin*, ver p. 67) foi alterado em todos os lugares para *Morgoth*, mas isso não parece indicar que o nome foi rejeitado, visto que ele aparece mais tarde no texto B da Balada e sobrevive em *O Silmarillion*.

A BALADA DE LEITHIAN

Em A, Varda é chamada de *Bridhil* (nota aos versos 377–81), assim como no poema aliterante *A Fuga dos Noldoli* (pp. 164, 168); mas é surpreendente que a constelação da Ursa Maior seja, na mesma passagem, chamada de *Timbridhil*, visto que, de acordo com o antigo dicionário gnômico, esse é o título da própria Varda (como seria de se esperar: ver *Tinwetári*, I. 324). A "Foice dos Deuses" (*Valacirca*) é aqui a "foice do prado celestial", empunhada por Bridhil, Rainha das Estrelas. Não consigo explicar de modo algum o nome *Urze Ardente* que aparece em B (378); ele reaparece na versão de 1930 de "O Silmarillion":

Por muitos nomes elas [as Sete Estrelas] foram chamadas; mas, nos dias de antanho do Norte, tanto Elfos como Homens as chamavam de Urze Ardente, e alguns de Foice dos Deuses.

Para o mito mais antigo acerca da Ursa Maior, ver I. 143, 165.

Indicações geográficas são esparsas, e não ficam mais numerosas no texto B. Taur-na-Fuin já foi nomeada anteriormente em B (verso 52), mas não se diz de fato, no presente Canto, que essa era a região onde espreitavam os proscritos, embora não haja razão para duvidar de que foi aí que meu pai os colocou. Voltando-se para sul, Maglor-Beren cruzou as Montanhas Sombrias (386). As Montanhas Sombrias são mencionadas diversas vezes em *Os Filhos de Húrin*, onde são as montanhas que cercam Hithlum, espelhadas nas lagoas de Ivrin, assim como em *O Silmarillion*. Mas, nessa acepção do nome, seria obviamente impossível para Beren cruzar as Montanhas Sombrias caso ele estivesse saindo de Taur-na-Fuin e movendo-se para o sul em direção a Doriath. No "Esboço da Mitologia", Beren igualmente "cruza as Montanhas Sombrias e, após atrozes provações, chega a Doriath", e algo semelhante acontece na versão de 1930; nessa última, contudo, "Montanhas de Sombra" foi corrigido para "Montanhas de Terror". Fica claro, portanto, que na *Balada de Leithian* meu pai empregou "Montanhas Sombrias" em um sentido diferente de *Os Filhos de Húrin*, e que as Montanhas Sombrias do presente Canto são a primeira alusão às Ered Gorgoroth, as Montanhas de Terror, os "precipícios a partir dos quais Dorthonion [Taur-nu-Fuin] descia para o sul" (*O Silmarillion*, p. 140); mas o outro sentido reaparece (p. 277).

O lago onde Egnor-Barahir e seu bando moravam às escondidas, *Tarn Aeluin* em *O Silmarillion* (p. 223), não é nomeado na Balada, onde o esconderijo era uma "ilha de mata em alagados" (280). O fato de que o acampamento-órquico ficava junto a uma fonte ou poço (também sem nome) aparece na Balada, e é aqui uma fonte quente (292–93); em *O Silmarillion* (p. 225), era o *Poço do Rivil*, acima do Pântano de Serech.

A mais notável característica deste Canto até agora, no que diz respeito ao desenvolvimento das lendas, é que o resgate de Felagund por Barahir na Batalha da Chama Repentina (*O Silmarillion*, p. 211) aparece pela primeira vez nos "favores" que Egnor prestou a Celegorm em A (versos 301–04, no lugar em que B tem Felagund e Barahir). A breve vida do nome "Celegorm" como substituto de "Thingol" já acabou (ver pp. 193–94), e agora voltou a ser um dos filhos de Fëanor, como em *Os Filhos de Húrin*. Quando esses versos em A foram escritos, a história era que Celegorm (e Curufin) fundaram Nargothrond depois do rompimento do Sítio de Angband — uma história que parece ter surgido durante a composição de *Os Filhos de Húrin*, ver pp. 102–05; e foi Celegorm que Egnor-Barahir resgatou naquela batalha e que entregou o anel a Egnor-Barahir. No texto B, a história já avançou novamente, com o surgimento de (Felagoth >) Felagund como aquele a quem Barahir salvou e fundador de Nargothrond, colocando Celegorm e Curufin em um papel muito diferente.

Em A, Egnor e seu filho Maglor (Beren) são Homens (por exemplo, Egnor era um "senhor de Homens", nota ao verso 128). Na primeira versão de *Os Filhos de Húrin*, Beren ainda era um Elfo, ao passo que, na segunda versão, meu pai parece ter avançado e retrocedido nessa questão (ver pp. 149–51). Mesmo agora, como se verá depois, ele ainda não tinha se decidido sobre o assunto.

⁂

III

Isto há muito tempo se deu,
antes de singrarem o céu,
iluminados, sol e lua;
floresta agreste se insinua,
405   formas sombrias deixam rastro

sob o domo estrelado e vasto
acima da aurora da Terra;
gáudio argênteo o silêncio encerra:
imensas pedreiras tilintam,
410   as aves de Melian pipilam,
as primeiras em mortal chão,
e os rouxinóis, co'a própria mão,
nutre a fata em cinzenta bata;
desce pelo cinto de prata
415   a sua longa e escura trança
e junto a argênteos pés descansa.

Um dia saiu do jardim
dos Deuses, e chegou, por fim,
aos montes altos, sempiternos
420   que olham pros mares mais externos,
jamais voltou, e nas clareiras
cantava com a voz fagueira.
Foi ela que Thingol ouviu,
e de aves repentino pio,
425   num tempo em que Elfos, recém-vindos,
andavam sós no mundo infindo.
Mas sua gente foi-se embora
para a baía — conta a estória —
na praia mortal mais distante:
430   fizeram naus com mão possante
e então partiram pelo mar.
Jardins e terras de folgar
em plaga onde ninguém perece
foram dos Deuses a benesse.
435   Mas Thingol ficou, enlevado,
por um tempo ouvindo o trinado,
no bosque o dulcíssimo canto.
Tais momentos de grande encanto
dos jardins do Senhor do Sono —
440   cheios de sombra, fonte e tono —
chegam, parecem durar tanto
em mortal chão. Com grande pranto
procuram-no antes de zarpar,

mas Thingol fica lá, a escutar.
445 Parece uma hora, não mais,
e encontra, onde sonhando jaz,
Melian, com seu negro penteado,
em leito de folhas. Cuidado!
Há sono e modorra latentes!
450 Tocou-lhe as tranças, sua mente
afunda em torpor e em olvido;
por anos jaz, desfalecido.

Assim, Thingol jamais zarpou
e em meio às matas habitou,
455 e a Melian, celsa, amou sozinho,
a de voz forte como o vinho
que os Valar servem nos salões
de fontes, florentes botões;
seu canto mágico, porém,
460 as fontes e as flores detém.
De Doriath eram soberanos,
em doces sons passaram anos.
E muitos Elfos, afinal,
sem achar praia ocidental,
465 nem do seu lar fulgente muro
à alva espuma e ao mar escuro,
os que áureo chão jamais trilharam
na terra que os Valar criaram,
estes trouxeram pro seu reino
470 sob faia, carvalho e olmeiro.

Quando Morgoth o cativeiro
dos Deuses rompeu, foi ligeiro
às terras mortais, e no Norte
fundou seu trono e praça-forte;
475 e os novatos Homens mortais
tomou todos por serviçais;
Gnomo e Elfo escravizava,
e uma parte sem lar vagava,
e baluartes, com temor,
480 erguiam nas fímbrias de horror;

A BALADA DE LEITHIAN

caíram todos, menos um:
em Doriath, por força incomum,
Thingol e Melian reinam inda,
pois da fata a magia os blinda
485   do mal que avança pela borda.
O riso a grama verde acorda
a folhagem ao sol rebrilha,
e têm início maravilhas.

Sob o sol e a lua celestes
490   calçado prata e finas vestes,
a filha da imortal rainha
dança em relva que não definha,
meio élfica, meio divina;
quando o céu de astros se ilumina
495   ali se escuta um som de flauta
lá no carvalho de rama alta,
nas folhas da faia marrom,
música o moreno Dairon
começa com fascinante arte
500   e todo coração se parte.
Menestréis tais somente três
teve Elfinesse alguma vez:
Tinfang Gelion que em junho encanta
a lua que no estio levanta,
505   e faz com que a prima estrela saia;
aquele que em remota praia
harpeja, lá onde à costa escura
marulha a ocidental espuma,
co'a voz do mar, esse é Maglor;
510   e Dairon, dos três, o maior.

Em uma noite de verão
a luz inda tocava o chão
cinzenta, de um lânguido tom
Lúthien dançava com o seu som.
515   Das castanheiras cai o amento
seu flóreo hastil, rubro, alvacento;
havia ali um olmo silente

210

e embaixo da sombra, palentes
umbelas grossas de cicuta;
520 e volitando ali se escuta
um bando de alvas mariposas
de olhinhos de cores fogosas,
os ratinhos saem da toca
pra ouvir a música que toca;
525 o mocho se asserena, teso;
e a lua passa atrás do teso.
Os braços como marfim luzem
as melenas voam qual nuvem,
seus pés caminham ao acaso
530 como em labirintos de ocaso;
larvas luzentes dando volta,
as mariposas vão em frota
sobre a cabeça como um véu —
a lua tudo vê do céu,
535 erguendo-se branca e redonda,
e acima da ramagem ronda.
Com clara voz ela trinou,
em súbito êxtase cantou
de rouxinóis bela canção,
540 e co'élfica magia então
deu-lhe enleio tão deslumbrante
que a lua parou nesse instante.
Foi isso que Beren ouviu,
e que, emudecido, ele viu,
545 mas seu fogo ardia sem freio
por tal prodígio e tal anseio,
turvou-se do mortal a mente;
a magia o atou firmemente,
sem força, apoiou-se num tronco.
550 Cansado estava, lasso e bronco,
grisalho e com o coração frio:
perdera o viço juvenil;
quinhão de pena e dor é a paga
pra quem naquela estrada vaga.
555 Seu coração, curado e morto,
em nova vida e dor absorto.

A BALADA DE LEITHIAN

Os seus cabelos ele fita,
nublada rede, a selenita
luz captura, e então derrama
560   brilhante e branca em meio à rama,
e o lume de celeste estrela
nos seus olhos se pode vê-la.
E sua cansativa viagem,
a fome, seu vulto selvagem,
565   as rochas que, com pé sangrento,
manchou, só pra se ver detento
em ravinas de obscuro mal
no seio de terra espectral —
viviam lá grandes aranhas,
570   seres antigos que artimanhas
com seus bicos fiavam no ar,
enchendo-o de negro pesar,
e ali sugavam brancos ossos
jogando-os em leitos rochosos —
575   todo esse horror ora se esvai,
não ouve mais a água que cai
dos pinheirais, cinzenta e fria,
amarga à boca que a bebia,
enchendo de loucura a mente —
580   tudo isso estava ora dormente.
Não mais o ardor da estrada o agita,
a douda vereda, infinita...
sem cessar, um novo horizonte
passava-lhe à vista defronte,
585   conforme seus sangrentos pés
escalavam azuis sopés;
e com fera pujante, antiga,
com monstro escuro Beren briga;
em longa vigília noturna
590   via atroz forma à luz soturna
que com olhos vis se arrastava
debaixo d'árvore em que estava —
um preço baixo a se pagar
por esta noite de luar
595   e estrelas claras de Elfinesse,
beleza que o cor enternece.

Ai! sem se dar conta, e esquecido
pra relva clara é atraído,
por amor, espanto que faz
600   com que os pés não se escondam mais;
o peito de música cheio,
novos temas, canções de enleio,
n'alma dulçor; dá um passo adiante,
sombra escura ao luar brilhante —
605   Dairon a flauta silencia
e abaixa-se, qual cotovia,
como um grilo que, no relvado,
ouve passarem pés pesados.
"Lúthien, foge!", Dairon exclama,
610   "Lúthien!", grita outra vez da grama;
"Há aí um estranho! Vai-te embora!"
Perplexa, Lúthien se demora,
pois não sabia o que é temer,
mas ora teme ao perceber
615   a desguedelhada visão
lançando sombras pelo chão.
Mas logo ela tinha sumido,
qual sonho num escuro olvido,
clarão nas nuvens, ela salta
620   no meio da cicuta alta,
e vai pra baixo de uma delas,
de folha longa e escura, e umbelas
pulcras, e dessas tinha um cento;
seu ombro nu, o braço alvacento,
625   a veste pálida, e o cabelo
co'alvas rosas a entretecê-lo
qual salpicos de gris luar
em poças no chão a brilhar.
Fitou selvagem, boquiaberto
630   quietas árvores, chão deserto;
às cegas, travessa a clareira,
té do anel d'árvores a beira;
ela o encara com olhos baços,
perplexo, ele lhe toca o braço.
635   E, qual surpresa mariposa

A BALADA DE LEITHIAN

que se acorda enquanto repousa,
foge presta à presença estranha,
dançarina de élfica manha,
fantástico caminho faz
640   pelas árvores. Vem lá atrás,
sozinho, encantado e atroado,
Beren, canhestro e machucado:
o Esgalduin, élfica torrente
na mata, de estrelas luzente,
645   ante os seus pés, forte fluía.
Ela encontrou secreta via,
e sumiu ao fugir veloz,
deixando-o na margem a sós.
"Separa-nos o atro Esgalduin!
650   Da minha jornada este é o fim:
grande desejo e solidão,
mágico rio sem compaixão."

    O estio se vai, o outono vem,
Beren na mata abrigo tem,
655   vive qual fauno arisco e alerta
que, súbito, à manhã desperta,
vai de sombra em sombra, e se esquiva
do sol, mas todas as furtivas
agitações na mata sente.
660   Os murmúrios do tempo quente;
o bater de asas e a toada
dos pássaros; a inesperada
chuva que nas frondes martela,
num mar de folhas a procela,
665   o ramo que estala ele escuta;
mas dos doces sons não desfruta,
não tem conforto ou alegria
na isolada vida vadia;
queria em vão e sem cessar
670   inda outra vez ouvir e olhar
do rouxinol canção mais bela
portento que o luar revela.

Foi-se o outono, o inverno envolveu
de folhas secas o vergel;
675   sob as faias grises, sombrias,
está vermelha a folharia.
Da alva cava, a lua descerra
a bruma que se ergue da terra,
encobre o sol no amanhecer
680   depois vem do galho escorrer.
Da alba ao ocaso ele a procura,
nos vales, dia e noite escura,
nada escuta além da batida
dos seus pés nas folhas caídas.

685   O vento invernal soa a trompa
té que o véu de bruma se rompa.
O vento cessa; os corais
d'astros qual fogos celestiais
têm luz cujo fulgor amaro
690   vara domos de cristal claro.

Um lampejo atravessa a mata,
logo, uma luz ele constata:
sozinha, num desnudo outeiro
dançava com passo ligeiro!
695   Manto azul co'alva pedraria
apanha os raios de luz fria.
Luzia com invernal facho
vindo dançar colina abaixo;
ele observa, ela passa rente
700   como brilho d'estrela ardente.
Sob os seus pés, brotam galantos,
súbito vem de uma ave um canto
doce, quando ela passa perto.
E um rio congelado, desperto,
705   canta e ri; mas inda o feitiço
faz Beren na mata submisso.
A luz se apaga, a noite desce
sobre o galanto que floresce.

Depois, num morro de verdor,
710 viu de longe élfico fulgor
em membro e gemas refratado
amiúde em céu enluarado;
Dairon flauta mais uma vez,
e Lúthien canta com levez.
715 Furtivo ele chega por trás,
mesclava em si dor e solaz.

Numa noite o inverno termina;
e sozinha ela canta e trina
dançando até a aurora vernal,
720 canta algo de magia tal
que o agita, rompendo a corda
que o prendia, e então ele acorda
em doce insânia e desalento.
Os braços ele ergue no vento,
725 dança sem tino, enfeitiçado,
e célere é o passo encantado.
Corre pro morro verdejante
co'os pés ágeis, brilho dançante;
pro morro relvado ele passa:
730 quer abraçar tamanha graça.
Mas nada abraça, ela fugiu;
com brancos pés veloz partiu.
Ele a encalça enquanto ela some,
chamava-a pelo doce nome
735 em élfico do rouxinol,
súbito a mata ressoou:
"Tinúviel! Tinúviel!"
Clara qual sino a voz ergueu
e encanto de amarras teceu:
740 "Tinúviel! Tinúviel!"
Tanto amor tinha a voz querente
que ela um instante, de repente,
só um instante, parou sem medo;
ele salta pra perto dela
745 e beija a élfica donzela.

AS BALADAS DE BELERIAND

O amor nascia ali, surpreso,
nos olhos dela, um astro aceso.
Ah! Lúthien! Ah! Lúthien!
Tal beleza os Homens não têm;
750 Oh! mais graciosa de Elfinesse
de que loucura tu padeces?
Ah! os ágeis pés, mecha sombria
galanto em grinalda a atavia;
Oh! diadema branco e estelar
755 alvas mãos sob alvo luar!
Ela se esquivou, foi-se embora
logo quando raiava a aurora.^{C}

∽

NOTAS

439 Texto original de B:

lá dos jardins do Deus do Sono,

457 Texto original de B:

que os Deuses servem nos salões

467–68 Texto original de B:

que áureos portões jamais cruzaram
lá onde os Deuses aguardavam.

Essas três alterações são tardias e têm o propósito de remover a palavra *Deus(es)*.
A alteração no verso 468 também remove o auxiliar *do*, puramente métrico, em
do wait. De modo semelhante, as alterações *did build and fortify > founded and
fortified* (475) e *did raise > upraised* (480), parecem ter sido feitas na mesma
época. Por outro lado, *did flutter > were fluttering* (523) e *did waver > went
wavering* (533) parecem ser emendas antigas (ver o comentário de C.S. Lewis,
p. 376). Faço menção a essas mudanças para ilustrar minhas observações acerca
do assunto, pp. 185–87.*

493 [No verso em inglês], *elfin-* em B corrigido para *elven-*. Aqui e subsequentemente, essa alteração faz parte do grupo mais antigo, assim como *elfin* para
elvish no verso 540 e outros.

503 *Tinfang Trinado* em A, e B conforme datilografado; *Gelion* é uma alteração
antiga em B.

508 Depois desse verso, A tem um dístico omitido em B:

desde a Inglaterra até Eglamar
em rocha, duna e barra alvar,

---

* As alterações mencionadas por Christopher dizem respeito ao poema em
inglês. [N.T.]

O primeiro desses versos também ocorre em um rascunho antigo da abertura do poema, ver p. 192, nota aos versos 1–30.

509 *Maglor*, A, B; no rascunho mal-acabado dessa passagem, *Ivárë* (com *Maglor* escrito ao lado).

527–30 Em B, foram marcados com um X (ou seja, precisavam de revisão), mas não há versos substituindo.

557 Este verso começa em uma nova página no manuscrito A; no alto da página está a data "23/8/25".

558 *dourada* A, e em B, conforme datilografado (sem dúvida, por descuido), logo corrigido para *nublada*. Ver nota aos versos 1–30 e pp. 193–95.

648 Depois desse verso, o maço de folhas de prova que contém o manuscrito A (p. 183) está entremeado com outras páginas que conduzem o poema até o final do Canto III. No pé da primeira páginas está escrito *Filey 1925*, onde meu pai estava passando férias em setembro daquele ano.

743 Falta o segundo verso deste dístico. A passagem do verso 741 ao 745 é uma revisão apressada, feita com base na crítica de Lewis, para a qual veja o comentário, p. 381.

Comentário ao Canto III

Neste Canto há muitas coisas que derivam do *Conto de Tinúviel* (II. 21 e seguintes): as castanheiras, as mariposas brancas, a lua se erguendo, a súbita interrupção no flautar de Dairon, a relutância de Tinúviel em fugir, ela se escondendo sob a cicuta *qual salpicos de gris luar* (compare com II. 22, "um salpico de luar luzindo"), o toque de Beren em seu braço, ela fugindo em meio às árvores e, depois, o "montículo despido de árvores" onde ela dançou no inverno. Mas o Canto também guarda relação com o poema *Leve como Folha de Tília* (ver pp. 133–35, 146–48), que fora publicado em junho de 1925, ao passo que esta porção da *Balada de Leithian* foi escrita um pouco depois, naquele mesmo ano. É possível ouvir ecos de um poema no outro, e mais do que um eco no verso em inglês *and out he danced unheeding, fleet*, que se encontra em ambos os poemas (p. 134, verso 447; p. 216, verso 725).

Os nomes anômalos nos dois primeiros Cantos de A agora desapareceram do texto. No segundo Canto, meu pai já havia devolvido o nome *Celegorm* para o filho de Fëanor (nota ao verso 304), e agora *Thingol* aparece em A; *Lúthien* substitui *Melilota*, e *Beren* substitui *Maglor*. *Morgoth* fica no lugar de *Bauglir* em A (ver p. 205).

Em ambos os textos, *Tinúviel* é agora explicitamente a palavra élfica para "rouxinol" (verso 735; ver p. 150); e *Maglor*, novamente em ambos os textos, é o nome de um dos três maiores músicos de Elfinesse:

> aquele que em remota praia
> harpeja, lá onde à costa escura
> marulha a ocidental espuma,
> co'a voz do mar, esse é Maglor; (506–09)

No rascunho dessa passagem, o nome do menestrel é, contudo, *Ivárë* (embora *Maglor* esteja escrito ao lado), e Ivárë foi nomeado no *Conto de Tinúviel* (II. 21), junto com Tinfang e Dairon, como um dos "três músicos mais mágicos dos Elfos", que "toca junto ao mar". Esse é o primeiro indício da história posterior de Maglor, filho de Fëanor, que no *Conto do Nauglafring* (II. 290) foi morto no ataque a Dior, assim como Celegorm. Os versos em A, omitidos em B (nota ao verso 508) são interessantes:

> desde a Inglaterra até Eglamar
> em rocha, duna e barra alvar,

A forma *Eglamar* (gnômico, = *Eldamar*) ocorre no poema *As Costas de Feéria* e no prefácio em prosa a ele (II. 315, 327); e o mesmo verso, *desde a Inglaterra até Eglamar*, se encontra nos trabalhos mal-acabados do início da Balada (nota aos versos 1–30). A menção à *Inglaterra* é um lembrete de que, naquela época, a associação das lendas com Eriol/Ælfwine ainda estava muitíssimo viva, embora não haja qualquer outra indicação disso na *Balada de Leithian*.

Tinfang Trinado reaparece, vindo dos *Contos Perdidos*, no verso 503, alterado para *Tinfang Gelion*; o significado de *Gelion* não é explicado.

Em apenas um aspecto o conteúdo narrativo do Canto desvia significativamente da "tradição" comum dos textos, e isso é notável o bastante: os Elfos partiram sobre o mar até Valinor, no final da Grande Jornada, em uma frota de barcos!

> Mas sua gente foi-se embora
> para a baía — conta a estória —
> na praia mortal mais distante:

fizeram naus com mão possante
e então partiram pelo mar. (427–31)

Isso é estranhíssimo (e não consigo dar nenhum esclarecimento além da óbvia explicação de que foi uma alteração passageira) pois a história da "ilha-carruagem" (Tol Eressëa), que remonta aos *Contos Perdidos* (I. 148–51), está presente em todas as versões de "O Silmarillion". Por outro lado, os Elfos são aqui apresentados como grandes construtores de navios no princípio dos seus dias. Nesses versos recém-citados, compare a referência à *baía* de onde os Elfos zarparam com *O Silmarillion*, pp. 91–2, onde se diz que Ulmo ancorou a "ilha-carruagem" na Baía de Balar (e que o cabo leste da ilha, ao se partir, tornou-se a Ilha de Balar).

Na descrição da jornada de Beren até Doriath, verso 563 e seguintes, está o primeiro relato acerca das Ered Gorgoroth, as Montanhas de Terror (chamadas de "Montanhas Sombrias" no Canto II, ver p. 206), com suas aranhas e as águas que levavam quem as bebesse à loucura (ver *O Silmarillion*, p. 173; e compare os versos 590–1, *via atroz forma à luz soturna / que com olhos vis se arrastava* com *ibid.* p. 226: "monstros [...] caçando em silêncio com seus muitos olhos").

⁘

IV

Em leito folhoso deposto
na terra gelada o seu rosto,
760 tomado de êxtase sobejo
do encanto de um élfico beijo,
nos olhos turvados se via
luz que no escuro persistia,
beleza que jamais vacila
765 mesmo sobre fria favila.
Entorpecente névoa o embrulha
em fundo abismo ele mergulha,
grande é o pesar e o desaponto
por causa de tão breve encontro;
770 uma sombra, um olor sutil
tardou e depois se extinguiu.

O dia o encontra esmorecido,
sozinho, gélido e esquecido.

"Onde estás? O dia está só,
775   algente o ar e escuro o sol!
Que é dos teus pés, Tinúviel?
Astro errante! Donzela bel!
Flor de élfico cháo, por demais
bela pros coraçóes mortais!
780   A mata murchou!" assevera,
"Já nasceu morta a primavera!"
E vaga na trilha e na mente,
vai tateando cegamente,
como quem busca lume escuso
785   com vacilantes máos no escuro.

E Beren pagou co'agonia
pela sina que em si jazia,
o amor de Lúthien, imortal,
bela demais pra Homem mortal;
790   e ela na sina se enredou,
da morte a imortal partilhou;
e o Fado lhes forjou corrente
de dor mortal e amor vivente.

Sem esperança de revê-la,
795   ela voltou sob as estrelas;
nos olhos dela, fogaréu
fremia co'os astros do céu,
das mechas vinha aroma qual
élfica flor de élfico val.

800   E Lúthien, que dardos, ardil
e caçada sempre evadiu,
sem jamais ser pega, achegou-se
ao ouvir seu nome, táo doce;
a máo enlaçou-se num instante
805   à dele, em Beleriand, distante;
há tempos isso se passou,

o seu pescoço ela abraçou
e a fronte, cheia de cansaço,
fez repousar no seu regaço.
810   Ah! Lúthien, Tinúviel,
por que a este escuro vale o teu
passo dançou, o olhar brilhante,
e o pôr do sol no teu semblante?
Todo dia, antes de anoutar
815   buscava-o. Soía ficar
té que toda estrela sumisse,
e a manhã no leste surgisse.
Vinha envolta em fremente manto
e dançava com certo espanto;
820   aos pés dele, volita presta,
com gentileza o admoesta:
"Vem cá dançar, Beren! Vem cá!
Quero ver-te dançando já.
Teus pés deviam ter mais manha
825   do que pra andar pela montanha
sob o céu além deste reino
de bel luar, faial e olmeiro."

Veio ele em Doriath a aprender
arte nova e novo saber;
830   os pés livres; nova magia
nos fúlgidos olhos se via;
toaram-se dos dois os pés
e dançavam de lés a lés;
seu riso era tal qual nascente
835   de sons, e como aquela gente
de Doriath, entoa canção,
em flórea trilha e flóreo chão.
O ano anuncia o estio vindouro,
e a primavera acaba em ouro.

840   Assim se passa a hora fugaz
e Dairon, com olhar mordaz,
à sombra no bosque vigia,
e à noite, quando acaba o dia,

ao luar vê seus pés dançantes,
845 os doces pés dos dois amantes;
da relva um par de sombras vinha,
onde antes dançara sozinha.
"Terra das Árvores, odiosa!
Torna-te agora silenciosa!
850 Da minha mão cairá a flauta,
em Beleriand haverá falta
de música e vozes contentes,
e as matas ficarão silentes!"

Uma quieteza então se sente
855 no ar da floresta, de repente.
Murmura de Thingol a grei,
e indaga assombrada seu rei:
"Donde a quietude, este feitiço
que ao som de Dairon deu sumiço?
860 Quase não se ouve canto de ave,
sem som, o Esgalduin flui suave;
na mata, a folhagem não fala,
da abelha não se ouve mais ala!"

Lúthien ouviu, e seu olhar
865 a rainha pôde notar.
Mas Thingol chamou, abismado,
Dairon, antes que ao elevado
assento se fosse o flautista —
trono verde que aos pés se avista
870 de Hirilorn, Faia Rainha.
Sobre os seus três caules sustinha
um arco de ramos, folhoso
do mundo inteiro o mais vultoso;
às margens do Esgalduin se posta,
875 próxima de onde longa encosta
chega aos fortes portões diante
das Mil Cavernas ressoantes.
Nada escuta Thingol no paço
salvo no chão distante passo;
880 nem flauta, nem voz, nem gorjeio

A BALADA DE LEITHIAN

nenhum coral de folhas veio;
Dairon chega e não diz palavra
à gente que ali se encontrava.
Diz então Thingol: "Ó Dairon,
885   mestre de todo raro som,
de mago cor, mente silvana,
cujo olho e ouvido nada engana,
que este silêncio está a agourar?
Uma trompa longínqua no ar,
890   nas matas uma intimação?
Ou o Senhor Tavros, do salão
de escora arbórea, deus das matas,
vem com corcel de críseas patas,
ao som de cornes rugidores,
895   e seus valentes caçadores,
longe do prado divinal,
de fera e mata? Este é um sinal,
talvez, de uma grande investida
no vento Oeste e, emudecida,
900   a mata está atenta a caçada,
que nova rugiente arrancada
em mortais bosques vai se dar.
É bom! Das Terras de Folgar
de raro Tavros se retira;
905   dês que Morgoth guerreou com ira
desde que arruinaram o Norte,
que os Gnomos vagaram à sua sorte.
Se não ele, o que vem, ou quem?
E Dairon diz: "Ele não vem!
910   Não virão pés além dos baixios
onde rugem Mares Sombrios
té que muita cousa aconteça
muitos males, muita tristeza.
Já está aqui o conviva! Calaram-se
915   as matas porque arrebataram-se
quando viram estranhos feitos.
Os reis não veem, mas suspeito
que o veem donzelas e rainhas.
Há dois onde era uma sozinha!"

224

920 "O enigma está claro," zangado
o rei falou, "mas de bom-grado,
deixa-o mais claro! Com quem é
que devo irar-me, cujo pé
vaga nos meus bosques, alheio
925 à gente, a faia e a carvalheiro?"
Mas quando Lúthien olhou fito,
quis que nada tivesse dito,
nada fez com que mais falasse
por mais que o rei inda se irasse.

930 Lúthien então dá um passo adiante:
"Meu pai, lá no Norte distante,
fica a terra de montes cheia
que sob o Rei Morgoth pranteia.
De lá um exausto alguém chegou,
935 a guerra sofrida o curvou,
e de ódio ao rei fez juramento;
de Bëor o último rebento,
e mesmo a esta remota e vasta
floresta tua, o eco se arrasta,
940 por montes frios, do derradeiro
da casa de Bëor, altaneiro,
a empunhar uma invicta espada,
de audácia por mal intocada.
Não temas que o mal possa vir
945 de Beren, filho de Barahir!
Se algo quiseres lhe dizer,
promete mal não lhe fazer,
até o teu paço eu o trarei
não um servo, mas filho de rei."

950 O Rei Thingol fica a encará-la,
não se move e também não fala,
e Melian toda aquela cena
olhava calada e serena.
"Não verá ferro e nem grilhagem"
955 jurou ele. "Faz longas viagens,
talvez novas tenha pra mim,
e novas receba, outrossim!"
Mandou-os embora Thingol,

A BALADA DE LEITHIAN

salvo Dairon, a quem chamou:
960 "Que feitiço Setentrional
trouxe este importuno mortal?
Doriath conheces por inteiro,
pois vai por secreto sendeiro,
e Lúthien — minha filha e graça,
965 que doudice no cor se enlaça;
de Morgoth horrenda maranha
escraviza-te co'artimanha! —
vê, não deixes Lúthien mandá-lo
fugir, pois eu quero encontrá-lo!
970 Leva uns arqueiros como ajuda.
Que nada o vosso tino iluda!"

Isso fez Dairon, abatido,
postou vigias escondidos
em vão, porque Lúthien conduz
975 Beren à noite, sob a luz
dourada da lua até a ponte
aos portões do seu pai defronte;
a luz branca as portas adentra
bocejando turva e lenta.

980 Desceram, e ela conduziu
por corredor, com mão gentil,
que era iluminado por tochas
ou chamas que vinham das rochas
lavradas qual dragões ardentes
985 co'olhos de joias e ósseos dentes.
E de súbito, sob a terra
gáudio argênteo o silêncio encerra:
imensas pedreiras tilintam,
as aves de Melian pipilam;
990 revela-se trilha sombria
e ampla, enquanto ela o conduzia
atônito a arcados salões.
Há lume de diurnos clarões
e de noite limpa e estrelada.
995 Uma câmara abobadada

troncos apoiam, pedernais,
qual fossem torres florestais
mágicas a escorar o teto
de ramos e galhos repleto,
1000 meandros de verde atavio
com brilho que às folhas caiu
de lua e sol, e gemas tem;
a rama áureos caules sustêm.

      Nas pérgolas de eternas flores
1005 gorjeiam rouxinóis cantores
perto de Melian; entrementes,
a água corre incessantemente
desde as fontes no chão rochoso.
Thingol usa coroa, airoso,
1010 de verde e prata; e à toda volta
do trono havia armada escolta.
Então Beren olhou, pasmado,
pro rei, mas logo foi cercado
por armas élficas, e então
1015 baixou os seus olhos ao chão,
pois o olhar de Melian o achou
e, estupefato, fraquejou.
O rei falou com profundez:
"Diz quem tu és de uma só vez!
1020 Destes salões não se permite
que parta quem vem sem convite!"
Por medo, não logrou falar,
mas Lúthien disse em seu lugar:
"Eis, meu pai, alguém perseguido
1025 por um ódio grande e incendido!
Beren, filho de Barahir!
Deve ele tua ira sentir,
se é co'amizade que se mostra?
Pois a Morgoth não se prostra!"

1030   E Thingol: "Ele que responda!
O que queres? Por que aqui ronda
teu passo mortal e selvagem?
Quais engodos a Lúthien coagem?

A BALADA DE LEITHIAN

E por que ousaste andar esquivo
1035 nestas matas? Um bom motivo
é mister que me dês agora,
ou não verás chegar a aurora!"
Beren, fitando os olhos dela,
viu luz qual fosse um céu de estrela;
1040 e o rosto de Melian mirou.
De um labirinto despertou
de mudo espanto; o coração
quebrou os grilhos de aflição,
enchendo-se do antigo brio;
1045 no olhar ardia um ódio frio.
Falou: "Ó rei, meus pés o fado
por montes trouxe, ensanguentados,
e algo imprevisto eu encontrei,
por grande amor aqui fiquei.
1050 Teu maior tesouro é o meu rogo.
Nem aço, rocha e nem fogo
de Morgoth, élfico poder
a minha gema há de reter.
Pois mais bela que os Homens têm,
1055 tens tu uma filha, Lúthien."

O paço inteiro emudeceu;
qual pedra, ninguém se moveu,
salvo uma, que olhou pro chão
e outro que riu, a flauta em mãos.
1060 Junto ao pilar está Dairon,
mas ora não fazia som
a flauta nos seus dedos finos;
o cor fervente; o olhar ferino.
"O teu galardão será a morte,
1065 mortal vil que aprendeu, no Norte,
com Morgoth a espionar, qual
Orque trabalhando pro Mal!"
"Morte!" a voz de Dairon ecoa,
e a aflição Lúthien aferroa.
1070 "Morte terias," Thingol diz,
"não fosse essa jura que fiz,

que ferro e grilhão não verias.
Mas passarás cativo os dias
sem grilhão, corrente ou recinto,
1075 num atro e infindo labirinto
que as minhas câmaras profundas
com grande magia circunda;
sem esperança, tu hás de ver
de Elfinesse o grande poder!"
1080 Mas Beren diz: "Não será assim!"
E às palavras do rei, pôs fim.
"Teus labirintos, o que são
senão também mortal prisão?
Falseias, qual Morgoth, infiel,
1085 tua jura. Por este anel —
sinal da aliança duradoura
que Felagund jurou outrora
a Barahir, com grande apreço,
porque certa vez, indefeso,
1090 acudiu-o com lança e broquel
no Norte, em batalha cruel —
morte injusta podes me dar
mas pecha não vou aceitar
de espião, vil, servo do Mal!
1095 Tal modo em teu paço é usual?"
À fala altiva, a gente encara
o anel com joias verdes, raras,
pelos Gnomos incrustadas
no olho de serpes enlaçadas,
1100 sob coroa de áurea flora
que uma sustenta, outra devora:
brasão que outrora Finrod cria
o filho Felagund exibia.
        O ódio fica um pouco mais frio,
1105 mas Thingol pensa inda sombrio,
sussurra Melian nessa hora:
"Ó rei, o orgulho, deita-o fora!
Isto digo. Pois cá Beren
não há de morrer, pois além
1110 destes paços leva-o o fado,

A BALADA DE LEITHIAN

mas com o teu próprio entrelaçado!"
Para Lúthien olhou Thingol,
e assim com o coração pensou:
"Ó, d'Elfos mais bela! Mofinos
1115 Homens, filhos de reis franzinos,
povo fraco e perecedor,
hão de te olhar com tal amor?"
Disse: "Homem, vejo o anel que brilha!
Mas pra ter de Melian a filha,
1120 feitos do pai não bastarão,
nem orgulhosa alocução.
Também um tesouro é meu rogo,
mas aço, rocha, além de fogo
de Morgoth, do élfico poder
1125 estão essa gema a reter.
Mas vejo que empecilhos tais
não te amedrontam. Então vai!
Uma Silmaril hás de buscar
da fronte de Morgoth tirar.
1130 Depois, se Lúthien aquiescer,
tal gema minha podes ter."

E a guarda de Thingol, ruidosa,
riu-se; pois eram mui famosas
as gemas que Fëanor fez,
1135 ímpares Silmarils, só três;
ele as inflamou com vagar
há tempos na terra dos Valar,
co'a própria luz em Tûn ardiam
como astros que à noite luziam
1140 em Tûn de gnômicos tesouros
e de Glingal e Belthil flores
luziam além dos baixios
onde rugem Mares Sombrios,
antes de o Mal roubá-las; de os Gnomos,
1145 buscando-as, deixarem seus domos;
de o pesar não poupar ninguém;
antes de Beren, de Lúthien;
de os filhos de Fëanor o voto

AS BALADAS DE BELERIAND

fazerem. Mas ora em remoto
1150   lugar fulgem esses cristais:
nos salões de Morgoth, ferais.
Da férrea coroa ornamentos
brilham sobre Orques e detentos;
naquele Inferno, mais as preza
1155   que os próprios olhos ou riqueza;
por nada se as pode tocar
e nem sua magia observar.
Orques com rubras cimitarras
à sua volta; fortes barras
1160   protegem, muralhas, portões,
este que entre servos se põe.
    Mas Beren riu-se ainda mais
e assim ele atalhou, mordaz:
"Por preço baixo élficos reis
1165   as filhas vendem. Por anéis,
ouro e gemas! Pois se é só isso,
parto agora pra este serviço.
Mas receio que inda hás de ouvir
de mim, filho de Barahir.
1170   Adeus, Tinúviel estrelada,
volto antes do fim da invernada.
Não volto, porém, pra comprar-te
com joia alguma em Elfinesse,
mas, sim, pra ver o amor que cresce
1175   como flor sob o céu, dessarte."
Curvou-se a Thingol e a Melian,
virando-se, passou co'afã
pela guarda e foi-se do paço,
logo se perde o som dos passos.
1180   "Meu pai! Que juramento tredo!
Mandou-o a ferro, grilho e medo
naquela profunda masmorra
de Morgoth para que lá morra."
Assim diz Lúthien, a donzela,
1185   há lágrimas nos olhos dela,
no coração, tremendo horror.
Todos lembraram-se da dor

231

A BALADA DE LEITHIAN

quando, após esse triste dia,
Lúthien cessou a cantoria.
1190 E Melian diz com voz algente:
"O alvitre é astuto, realmente,
mas se inda meu olhar tem dom,
pra ti, se ele falhar, é bom.
Mas aguarda pra tua filha
1195 um fado triste de andarilha."

"Quem amo não vendo e não dou
aos Homens," Thingol declarou.
"Se houvesse uma chance sequer
de Beren com vida volver
1200 às Mil Cavernas, digo-te isto:
nunca ele teria revisto
o céu em que as estrelas vão."
Mas Melian sorriu co'a aflição
de um longínquo saber no olhar;
1205 tal é dos sábios o pesar.[D]

కు

NOTAS

A abertura deste canto sobrevive em dois textos datilografados (até
o verso 863), sendo que a segunda versão foi expandida substancialmente; foi a primeira delas que C.S. Lewis recebeu — de fato,
fica claro que a reescrita se deu em parte por causa da crítica dele.

758–863 Os rascunhos dessa porção da Balada (muito mais curta do que o texto
posterior aqui publicado) foram escritos no verso de faturas de livreiros datadas
de 31 de dezembro de 1925 e 2 de fevereiro de 1926.

761 Neste Canto, a forma *elvish*, e não *elfin*, já é encontrada no texto A, mas ainda
é *elfin* em ambos os textos no verso 1164 (alterada para *elven-* no texto B). No
verso 799, *elven-* ocorre apenas na reescrita posterior, B(2).

762–73 Esses versos não constam em A; a versão de B(1), severamente criticada
por C.S. Lewis, está incluída juntamente com seu comentário, p. 382.

781–841 A: e a mata murcha e quieta espera.
Mas quando vinha lua, estrela,
ou névoa, ele tornava a vê-la
um pouco antes do anoitecer,
5 e soía permanecer
té que a noite inteira sumia

AS BALADAS DE BELERIAND

> e no leste apontava o dia.
> E em Broseliand, distante,
> sente o toque dela, constante;
> 10 seus pés se tornaram ligeiros,
> o riso manso e sem receios,
> e a voz como a dos que vagavam
> em Doriath, onde as sendas faltam.
> É um tempo vernal e dourado,
> 15 e Dairon tudo observa, irado.

A grafia *Broseliand*, com *s*, surge agora no texto A. B(1) é idêntico ao texto A, exceto pelo fato de que, entre os versos 7 e 8 acima, foram inseridos dez versos que meu pai manteve no texto B(2), muito mais longo, 818–27 (*Vinha envolta em fremente* etc.)

805 *Broseliand* em B(2) emendado para *Beleriand*.

849–51 Esses versos são uma correção em B(2), com *Beleriand* assim escrito originalmente. Para a versão de B(1) criticada por C.S. Lewis e a versão de B(2) antes da correção, ver o comentário de Lewis, p. 383.

891, 904 *Tavros* foi emendado, em B, para *Tauros*, mas esta parece ser uma alteração muito posterior. Os rascunhos neste ponto traziam primeiro o nome (*Ormain* >) *Ormaid* e, depois, *Tavros*.

937 Texto original de B: dos Homens último rebento (com *qual eco* 939).

941 Texto original de B: da casa de Homens, altaneiro

983–85 Esses versos estão marcados com um X no texto B, e a palavra *dragões* sublinhada e assinalada com X — presumivelmente porque as criaturas de Morgoth não estariam esculpidas nas paredes das Mil Cavernas.

987–89 Esses versos se repetem do Canto III, versos 408–10.

1010 *prata*: o texto original de B dizia *ouro*.

1059–063 Esses versos foram assinalados com um X no texto B, assim como os versos 1068–069. Talvez meu pai desejasse representar Dairon como menos inequivocamente hostil a Beren, e também envergonhado por suas palavras a Thingol (909–19).

1087 A: que Celegorm fez outrora
Sendo que *Celegorm* foi inicialmente emendado para *Felagoth* e, depois, para *Felagund* (assim como no verso 304).

1098 *Gnomos*: na margem de B está escrito *Elfos/artífices*. Essa é claramente uma alteração tardia com o simples propósito de eliminar a palavra *Gnomos* (ver I. 59–61).

1102–103 A: brasão que outrora Fëanor cria
o filho Celegorm exibia.

Celegorm não está emendado aqui como no verso 1087, mas o dístico está colocado entre parênteses no manuscrito.

1141 *Glingal, Belthil*: no texto original de B, *Glingol, Bansil*. As mesmas alterações foram feitas em *Os Filhos de Húrin* (p. 99, notas aos versos 2027–028), onde eu mantive as formas antigas.

1144–145 Esses versos estão marcados com um X no texto B, talvez simplesmente por causa da palavra *Gnomos*, que ocorre em posição de rima e não é facilmente

233

A BALADA DE LEITHIAN

substituída (ver nota ao verso 1098); mas C.S. Lewis criticou o uso da palavra *seus* no verso 1145, julgando ter uma referência obscura (ver o comentário dele, p. 385).

1150–151 A: cárcere estão a fulgir:
nos salões de Morgoth Bauglir. Ver p. 218.

1161 Aqui está escrito na margem do manuscrito A: "27–28 mar., 1928".

1175 Esse verso não constava originalmente em A, mas foi escrito a lápis com indicações incertas para ser colocado ou depois de 1172, ou (com esquema de rima irregular) depois de 1174, assim como em B.

Comentário ao Canto IV

A comparação deste canto com o *Conto de Tinúviel* demonstra que a narrativa passou por um aprofundamento na importância, e isso se dá mormente pela alteração primordial de que Beren não é mais um Elfo, mas um Homem mortal (ver p. 207). A história contada no poema é a de *O Silmarillion* (pp. 226–31); pois a versão em prosa, semelhante à Balada em todas as características, grandes e pequenas, e, de fato, até mesmo em muitas frases, foi baseada diretamente nos versos, e neste Canto os versos não passaram por nenhuma revisão significativa depois. Há alguns elementos no poema que não foram assimilados na versão em prosa, tais como a descrição das Mil Cavernas (verso 980 e seguintes), cujo esplendor e beleza aparecem agora pela primeira vez (ver minhas observações sobre a riqueza de Thingol, p. 195) — mas uma descrição da habitação de Thingol foi incluída em um ponto anterior de *O Silmarillion*, p. 136–37. No texto original da versão de *O Silmarillion*, a parte de Daeron foi, na verdade, inteiramente excluída, embora obviamente apenas por motivos de compressão (ela foi reinserida na obra publicada).* A gargalhada ruidosa dos guerreiros de Thingol diante do pedido do rei, exigindo que Beren buscasse uma Silmaril, não consta no relato em prosa, e talvez tenha sido excluída deliberadamente. Essa característica remonta, antes, à cena do *Conto de Tinúviel* (II. 24) em que Thingol "irrompeu em riso" diante do aspecto de Beren como pretendente da filha, e em que os cortesãos sorriram quando Thingol exigiu uma Silmaril

---

* Nas pp. 228, 236; mas a passagem acerca de Daeron na p. 250 é original. Meu pai aparentemente pretendia inserir referências às traições de Daeron a Lúthien, mas não o fez.

como preço pela noiva, vendo que ele "tratara o assunto como pilhéria grosseira". Veja meu comentário ao Conto, II. 69–70:

> Mas o tom é absolutamente mais leve e menos sério do que se tornou depois; no riso zombeteiro de Tinwelint, que trata o assunto como pilhéria e Beren como um tolo ignaro, não há indício do que está explícito na estória posterior: "Assim ele causou a condenação de Doriath e foi enredado pela maldição de Mandos".

O Canto III já existia no outono de 1925; ao passo que, no Canto IV, verso 1161 de A, consta a data 27–8 de março de 1928. Os rascunhos para a abertura do Canto IV (758–863) estão escritos no verso de faturas datadas de dezembro de 1925 e fevereiro de 1926, mas isso não demonstra muita coisa. De todo modo, parece-me muitíssimo improvável que meu pai tenha trabalhado nos versos 758–1161 por um período de dois anos e meio (setembro de 1925 a março de 1928): é muito mais provável que tenha havido um longo intervalo e que o quarto Canto tenha basicamente sido escrito de uma vez só. Outras evidências sugerem, de fato, que ele fez uma pausa. Há três páginas de notas no verso de faturas de livreiros datadas de fevereiro, março e maio de 1926, e elas são de grande interesse para o desenvolvimento da lenda, pois contêm um rascunho do enredo feito muito apressadamente, no qual se vê meu pai trabalhando a narrativa dos Cantos seguintes da Balada.

Farei referência a este rascunho como "Sinopse I". Incluo aqui o conteúdo até o final do Canto IV. Contrações de nomes são desdobradas e trechos riscados (no momento da escrita) estão incluídos.

> Beren e Tinúviel dançam nas matas.
> Dairon informa ao rei.
> Beren é levado cativo ao rei.
> Dairon quer que seja morto.
> O rei quer que seja preso nas masmorras.
> Tinúviel suplica.
> Melian [*riscado*: diz que ele não deve ser morto e que] se recusa a aconselhar, mas alerta Thingol sombriamente que Beren não deve ser morto por ele, e que sua chegada não é alheia ao fado.
> Thingol manda-o atrás da Silmaril.
> Discurso de Beren.

Melian diz [*riscado*: que isso é melhor que a morte, mas] que seria melhor para Thingol se Beren não fosse bem-sucedido. Thingol diz que não o enviaria se ele pudesse ter sucesso. Melian sorri.

Fuga de Beren.

No *Conto de Tinúviel*, Beren foi levado até as cavernas de Thingol por Tinúviel (II. 24) e, como eu observei (II. 69):

A traição de Daeron, que denunciou Beren a Thingol [...] não existia, portanto, na história antiga — não havia o que trair; e, de fato, não se demonstra no conto que Dairon soubesse qualquer coisa em absoluto de Beren até que Tinúviel o levou para a caverna, excetuando-se o fato de que vira uma vez seu rosto ao luar.

Ademais, no *Conto*, Dairon era irmão de Tinúviel (II. 21; ver p. 150). Na Balada (verso 909 e seguintes), Dairon dá pistas contundentes acerca da estranha quietude na floresta, o que leva diretamente à declaração de Lúthien sobre a presença de Beren, e à exigência de que seu pai não o machuque. Thingol jura que não o fará, mas envia Dairon com arqueiros para impedir Beren de escapar — inutilmente, pois Lúthien o traz consigo naquela mesma noite ao paço de Thingol. A primeira parte da Sinopse I sugere ideias que nunca tomaram forma. Assim, Dairon fala a Thingol de Beren, como acontece na Balada, mas Beren é, na verdade, capturado e levado ao rei como prisioneiro; além disso (embora seja, é claro, impossível ter certeza quanto à articulação precisa do enredo a partir de um esboço extremamente condensado como este), Dairon parece empenhar-se mais ativamente para que Beren seja morto do que no poema (apesar do verso 1068), e Tinúviel roga contra as diretrizes do pai.

Para uma explicação das referências a Celegorm em A (notas aos versos 1087, 1102–103), ver p. 207. De acordo com a história anterior vista em A, o anel dado a Barahir foi feito por Fëanor, pai de Celegorm. Em B, a história posterior está presente, e o brasão de serpentes entrelaçadas é o do pai de Felagund, Finrod (Finarfin em *O Silmarillion*) que faz agora sua primeira aparição (exceto por uma nota tardia a *Os Filhos de Húrin*, ver pp. 98–9, 167). Barahir agora pela primeira vez substitui Egnor como pai de Beren em A; e, por meio de emendas posteriores a B (versos 937, 941), Bëor aparece, ele que era pai de Barahir nessa época, como se vê pelos textos em prosa. Com uma reestruturação genealógica e cronológica muitíssimo complexa das casas dos Amigos-dos-Elfos nos anos posteriores, Bëor e Barahir ficaram separados por muitas gerações.

O nome *Tavros* dado a Oromë (891, 904) já ocorreu muito tempo antes no dicionário gnômico, definido como "fata-do-bosque chefe, o Espírito Azul dos Bosques" (I. 322, verbete *Tavari*). Compare o *salão de escora arbórea* (891–892) com a descrição da morada de Oromë em Valmar, no conto *A Vinda dos Valar e a Construção de Valinor*, I. 97. No verso 893 está a primeira menção aos cascos dourados do cavalo de Oromë.

℘

V

Os dias arrastam-se ainda;
a praga de silêncio é finda
em Doriath, mas Dairon não mais
toca, e Lúthien canção não faz.
1210 Há suave rumor novamente
nas matas, e ruge a torrente
que passa nos portões do paço.
Mas já não há dançante passo
de Lúthien em turfa ou folhagem.
1215 Onde antes — cansado da viagem,
ferido e co'anseio sonhoso —
Beren sentou-se ao rio ruidoso,
escuro e forte, Esgalduin,
ela ora lamentava assim:
1220 "As águas passam sem cessar!
Nisto meu amor veio dar,
mágico rio sem compaixão
grande sofrer e solidão."

O estio se vai. Na galharia
1225 ela ouve a chuva que caía,

A BALADA DE LEITHIAN

num mar de folhas a procela
estala a mata à volta dela;
em vão um desejo a consome:
inda outra vez ouvir o nome
1230 dos rouxinóis, o qual se fala
desde outrora. O eco se cala.
"Tinúviel! Tinúviel!"
a lembrança é assaz bel,
remoto repique do céu:
1235 "Tinúviel! Tinúviel!"

"Ó Melian, mãe, diz-me, por bem,
algo do que os teus olhos veem!
Por tua magia, onde ele anda?
Encontrou-o coisa nefanda?
1240 Diz-me se inda vive, decerto,
por sobre colina e deserto.
Sob sol e lua caminha
e sob a chuva, ó mãe minha?"

"Não Lúthien, minha filha, creio
1245 que vive em cruel cativeiro.
Senhor dos Lobos tem masmorra
onde o prendem té que morra;
prendem-no com tortura atroz,
mas Beren sonha com tua voz."

1250 "Pois sozinha até ele eu parto
a enfrentar calabouço atro;
ajuda ninguém lhe dará,
só de Elfa donzela o terá,
a quem dons de canto e alegria
1255 tiveram pouca serventia."

Melian nada disse, no entanto,
e ela correu à mata aos prantos,
qual presa fugindo, no olhar
temor, as mechas a esvoaçar.
1260 Então ela encontrou Dairon

nas folhas da faia marrom,
e atirou-se ao lado, no chão.
"Dairon, minhas lágrimas são
por pena aos nossos dias idos!
1265 Faz música pra um cor dorido,
desalentado, sem conforto,
pra luz que apaga, e riso morto!"

"Pra canção morta não há nota,"
diz ele co'os dedos em volta
1270 da garganta. Mas pega a flauta,
triste música freme e salta;
tudo parou ao som plangente,
todos atentos e silentes;
esquecem-se dos quefazeres
1275 da luz da terra e dos prazeres;
a passarada o som sufoca
enquanto a flébil flauta toca.
Grande pesar Lúthien aguenta,
a flauta cessa, ela lamenta:
1280 "Meu amigo, amigos procuro,
como quem toma um rumo escuro,
tem medo, e não ousa tornar
pra olhar as velas a queimar
na janela atrás, e receia
1285 não ver, à noite, a luz que anseia
além das colinas remotas."
Ao que a mãe disse se reporta,
fala da sina e o que deseja;
enfrentar o fogo que ardeja
1290 na ruína da terra boreal —
donzela sem força braçal,
sem elmo e também sem espada —
onde a magia acaba em nada.
Pediu ajuda pra ir adiante,
1295 e chegar ao Norte distante,
se não quisesse, por amor,
ir ao seu lado qual viajor.
"Por que haveria de perigo

A BALADA DE LEITHIAN

enfrentar em reino inimigo,
1300   por um mortal que rouba o riso?
Com Beren eu não simpatizo,
nem tampouco ao pranto me presto
só porque está em lugar funesto.
Grilhos também tenho eu aqui,
1305   fortes, sombrios. Mas juro a ti:
hei de te proteger do mal,
e da horrenda trilha infernal."

Nada mais falaram e nem
tudo ela compreendeu bem.
1310   Com pesar, ela o agradeceu,
subiu numa árvore e, do céu
o ar soprou no escuro cabelo,
olhando ao longe, pôde vê-lo:
o vulto embaçado e cinzento
1315   dos altos torreões nebulentos,
a face sul a pino, então,
é pico, rocha e paredão:
palentes Montanhas Sombrias,
à frente, vastidão havia.
1320   Dairon busca o rei prontamente,
conta o que a filha tinha em mente
diz que a morte dessa sandice
viria se o rei permitisse.
Pasmado e com grande furor,
1325   olha Dairon co'algum temor:
"Porque há verdade na tua voz,
existirá amor entre nós
pra sempre dentro deste reino
ó príncipe de faia e olmeiro!"
1330   Chamou Lúthien e disse a ela:
"O que te faz pensar, donzela,
nessa sandice e desespero,
partir pra morte em destempero
de Doriath, e sem minha graça,
1335   furtiva como besta à caça,
rumo ao mundo ermo e vazio?"

"O juízo, pai," retorquiu.
Voto nenhum ela professa
nem co'ameaça faz promessa
1340 de esquecer a tolice e, mansa,
atender do pai a cobrança.
Só jura que, tendo que ir,
não tentaria persuadir
ninguém mais, contra a decisão
1345 de Thingol, a estender-lhe a mão;
sozinha iria, sem amigos,
aos muros de pedra e ao perigo.

Com medo e amor embravecido,
decide seu bem mais querido
1350 guardar. Porém não na intrincada
caverna seria encerrada:
a bela Lúthien, sem ter ar,
certo iria se dissipar,
sem poder ver o céu que brilha,
1355 o sol e a lua em sua trilha.
Mas perto do assento elevado,
do trono verde está do lado
Hirilorn, a Faia Rainha.
Em nenhum dos três caules tinha
1360 fenda ou galho, té que, na altura,
verde e remoto se afigura
um arco de ramos, folhoso
do mundo inteiro o mais vultoso,
acima do Esgalduin se posta,
1365 e dos portões junto da encosta.
Gris era a casca dos pilares,
e lisa e sedosa, e aos olhares
dos esquilos, eram mirrados
os que andavam sobre o relvado.
1370 Na faia, seus homens Thingol,
sobre a grã árvore, mandou,
na altura da mais longa escada,
erguer uma casa arejada;
e uma casinha de madeira

A BALADA DE LEITHIAN

1375 foi feita, oculta em ramalheira
nos primeiros galhos. E tinha
três cantos, também janelinhas.
Os três caules daquela faia
Impedem que cada canto caia.
1380 Lá mandaram que ela habitasse
até que o tino se curasse
do encanto. Então pôs-se a escalar
a escada do seu novo lar
em meio aos pássaros e à rama;
1385 não fala, não canta e não chama.
Alça-se branca e cintilando,
a portinha ouvem-na fechando.
Tiraram a escada e, no fim,
não mais andou ao Esgalduin.

1390 E eles traziam o necessário
e atendiam desejo vário;
mas pagariam com a vida
se escada lhe fosse cedida,
se uma deixassem, indo embora.
1395 Tinha guardas do ocaso a aurora
Hirilorn, a de pés cinzentos,
e Lúthien, presa e sem alento.
Dairon amiúde sente dó
da cativa na mata, só,
1400 e faz na flauta melodia
encostado à raiz sombria.
Lúthien das janelas olhava
Dairon enquanto ele trinava,
e desculpou-lhe as traições
1405 por seu pesar, suas canções,
e da casinha o limiar
só Dairon deixava cruzar.
Mas, longamente, a luz do sol
fitava deitando o arrebol
1410 nas folhas da faia, ou estrelas
passando em noites claras pelas
ramas da faia. E de uma feita,

242

quando a luz do ocaso se ajeita,
sonha — pelos Deuses, talvez,
1415 ou quem sabe Melian o fez —
co'a voz de Beren nas colinas
"Tinúviel", chama sibilina.
Seu cor responde: "Deixa-me ir,
e a quem ninguém mais quer me unir!"
1420 Acorda ao pálido luar
nas folhas, a bruxulear
nos braços, conforme os abria,
curva a cabeça em agonia,
por fuga e liberdade anela.

1425 Novo alvitre forma a donzela;
Saber e magia Lúthien
possui, mais do que agora os têm
élficas moças que nas claras
das florestas cintilam, raras.
1430 Longo ponderar a consome;
a luz de lua e estrela some,
chega o dia e, enfim, um sorriso
emerge e tremula no viso.
Enquanto o sol ergue seu facho,
1435 chama alguém que andava lá embaixo.
Quando subiu, pediu-lhe, assim,
que dos remansos do Esgalduin,
onde a água é gélida e escura,
desejava água clara e pura.
1440 "À meia-noite eu a queria,
numa argêntea e alva bacia,
traz-ma em silêncio, sem dizer
nenhuma palavra sequer."
Pediu, porém, vinho de um outro,
1445 trazida em flórea jarra d'ouro —
"Traz-ma cantando, ao meio-dia,
mas canta com grande alegria."
Diz: "Peço agora que vás ter
co'a rainha pra lhe dizer:
1450 'tua filha passa horas a fio

A BALADA DE LEITHIAN

na alcova com grande fastio,
e implora uma roda de fiar.'"
E a Dairon: "Vem cá conversar,
meu amigo, com Lúthien!"
1455   À janela ele se detém.
"Dairon, sei que coisas inventas
além da flauta, e em ferramentas
de madeira és destro. Portanto,
farias, pra ficar no canto
1460   do quarto, um pequeno tear?
E eu haveria de tramar,
co'esses meus dedos indolentes,
cores da aurora e do poente,
de sol, de lua e luz cambiante
1465   no meio da faia brilhante."
Dairon pergunta-lhe, porém:
"Ó Lúthien, ó Lúthien,
o que vais fiar e tecer?"
"Fio prodigioso e entretecer
1470   nele magia, e, nessa trama,
feitiço tamanho que a chama
do inferno e o Mal não quebrarão."
Dairon se espantou, porém, não
falou a Thingol. Mas temia
1475   essa arte de intenção sombria.

E, sozinha, uma canção faz,
de magia, ignota aos mortais.
Três vezes nove, enquanto entoa,
o vinho na água Lúthien escoa;
1480   quando em jarro d'ouro jazia,
canta sobre o crescer e o dia,
e estando em bacia de prata,
ainda outra canção desata:
canta da noite longa e escura,
1485   de fuga, de estelar altura,
liberdade. Também não falta
nome de coisa longa e alta:
Barbas-longas de grenha extensa;

244

AS BALADAS DE BELERIAND

      na cauda de Draugluin pensa,
1490 em Glómund, a serpe gigante;
      n'imensos picos chacoalhantes
      de Angband com fogo e escuridão.
      Angainor, que à Condenação
      de Morgoth os Deuses com ira
1495 farão. Outros nomes reunira:
      Glend, que era a espada de Nan,
      Gilim, gigante de Eruman;
      co'a coisa mais longa conclui:
      o cabelo de Uinen que flui
1500 sem fim, da Senhora do Mar,
      por sob os céus a se espalhar.

        Enquanto a cabeça lavava,
      tema de sono ela cantava
      e de torpor profundo e escuro
1505 tal qual seu cabelo era escuro —
      fios mais finos que fios trançados
      de ocaso nos murchos gramados,
      que os fios que nas flores se enlaçam
      conforme os instantes se passam.
1510   Cresceu o cabelo até seus pés
      vagueando ali do chão ao rés
      como se fosse escura poça.
      Lúthien com sono então repousa
      na sua cama, até que amanhece;
1515 fraca, a luz na janela desce,
      e, ao acordar, seu aposento
      está como se fumacento,
      cheio de uma névoa noturna,
      e, sonada, ela ali se enfurna.
1520 Eis que, escuro, o cabelo dela
      a manhã sopra da janela,
      fica dos caules a pender
      de Hirilorn no alvorecer.

        As tesouras procura e as nota,
1525 rente à orelha o cabelo corta,
      curtos como nunca se os viu,

245

A BALADA DE LEITHIAN

mágicas tranças, fio a fio.
Cresce-os de novo com demora
mais escuros que eram outrora.
1530 Faz que o labor então comece:
fiou com vagar a negra messe
apesar da élfica destreza,
e se os homens pela princesa
gritassem desde os pés da faia,
1535 dizia: "Nada quero, saia!
Eu, que só pranteio acordada,
desejo dormir e mais nada."

Dairon, espantado, temia;
e a chama, porém, por três dias
1540 nada diz. Do cabelo seu,
trama como névoas teceu
de noite sem lua e sem lume;
fez uma capa de negrume
sob as copas; mágica veste
1545 que grã sonolência reveste,
e a essa veste, feitiço dá-lhe
maior que o de Melian no vale
onde Thingol deixara rastro
sob o domo estrelado e vasto
1550 acima da aurora da terra.
Naquela capa então se encerra,
cobre as alvas vestes, portanto,
e as joias todas do azul manto,
qual estrelas, e os lírios dourados,
1555 oculta; e por todos os lados
há túrbido sono e sonhar
manando serenos pelo ar.
Toma então, com gesto fugaz,
os fios sem uso, e deles faz
1560 uma corda delgada, extensa
e forte, deixando-a suspensa
e presa na haste agigantada
de Hirilorn, e é consumada
a labuta. Então a donzela
1565 olha ao Norte pela janela.

246

           Já as árvores a luz do sol
           desce, tingindo-as co'arrebol,
           quando vê chegando o poente,
           murmura baixo e lentamente.
1570   Com canto mais distinto, lança
           o cabelo té que ele alcança
           o chão lá embaixo, escurecido.
           Os homens ouvem o ruído;
           mas o fio de sono brandia
1575   e agitava sobre os vigias.
           Cessa a fala, e à voz de Lúthien
           feitiço de amarra os detém.

           Envolta no nubloso véu,
           como esquilo desceu o cordel,
1580   e pra muito longe dançou.
           Quem dirá que vias tomou
           se, dançando, os élficos passos
           não deixaram no chão seus traços?[E]

                          ⁊

NOTAS

1222–223 Na altura de 651–52, esses versos foram transpostos, seguindo a sugestão de C.S. Lewis (ver p. 379); e *sofrer* foi alterado para *desejo*.

1226 Cf. verso 664.

1231 Texto original de B: *em casadelfos. O eco se cala.* A alteração provavelmente se
deu simplesmente para eliminar "casadelfos".

1249 *mas*: interpretação incerta (texto original *e Beren sonha*, corrigido para *?mas
Beren sonha*).

1253 Ao longo deste Canto, [nos versos em inglês], *elven-* e *elvish* são emendas
feitas a partir de *elfin* no texto B.

1260–261 Cf. versos 497–98.

1308–310 Marcado com *revisar* no texto B.

1312 *escuro cabelo*: assim também em A. Ver nota ao verso 558.

1316–317 Cf. versos 389–90. As *Montanhas Sombrias* (1318) são as Montanhas
de Terror (Ered Gorgoroth): ver p. 206.

1323 Este verso está marcado com um X no texto B.

1329 Idem 1323.

1358 Ao lado de *Hirilorn*, em A, está escrito *Hiradorn*, assim como nos versos
1396, 1523. Em 1563, *Hiradorn* é a forma no texto A.

1362–363 Cf. versos 872–73.

1370 *homens* > *eles* A. Em 1390, onde B tem *eles*, A tinha *homens* > *eles*; em 1533,
1573, *homens* não foi alterado em nenhum texto.

A BALADA DE LEITHIAN

1414–417 Marcados com uma linha no texto B; na margem, alguns versos novos foram escritos, mas tão fraca e rapidamente que são praticamente ilegíveis.

1488 *grenha* B] *barba* A

1489 A: em Carcharas, o lobo, pensa;

No rascunho original, a grafia é *Carcaras*, assim como na versão datilografada do *Conto de Tinúviel* (versão manuscrita, *Karkaras*). Na segunda versão de *Os Filhos de Húrin* (p. 132, verso 374), a forma é *Carcharoth* (alterado a partir de *Carcharolch*).

1490 *Glómund* B] *Glórund* A (assim como nos *Contos Perdidos*, mas, ali, sempre sem acento).

1493 *Angainor* A, B] *Engainor* no rascunho original.

1496 *Nan* B] *Nann* A (mas *Nan* no rascunho original).

1549–550 Cf. versos 406–07.

1563 *Hirilorn* B] *Hiradorn* A. Ver nota ao verso 1358.

Comentário ao Canto V

O esboço do enredo na "Sinopse I" que cobre a narrativa deste Canto é muito breve:

> Lamento de Tinúviel.
> Traição de Dairon.
> Construção da Casa na Árvore em Hirilorn.
> Fuga de Tinúviel.
> [*Acréscimo*: Arrependimento, errância e perda de Dairon.]

A errância e a perda de Dairon remonta ao *Conto de Tinúviel* (II. 33) e sobreviveu em *O Silmarillion* (p. 250), mas não há nenhuma outra menção ao seu "arrependimento" (embora isso talvez esteja implícito na Balada, verso 1398 e seguintes).

Em meu comentário à passagem no *Conto de Tinúviel* que corresponde a este Canto, observei que (II. 71):

> a história do seu aprisionamento na casa sobre Hirilorn e sua fuga de lá nunca passou por qualquer alteração significativa. O trecho em *O Silmarillion* (p. 236) é de fato muito breve, mas a falta de detalhes ali se deve à compressão, e não a uma omissão advinda de insatisfação; a *Balada de Leithian*, da qual deriva diretamente o relato em prosa em *O Silmarillion*, é tão parecida com o *Conto de Tinúviel* nesse trecho, em termos de detalhe narrativo, a ponto de ser quase idêntica a ele.

Há pouco aqui para acrescentar. Em um aspecto a narrativa da Balada está em desacordo com a história contada em *O Silmarillion*. O que era a "praga de silêncio" (1207)? Foi causada por Dairon (848–53). Em um rascunho preliminar, logo abandonado, para a versão do "Silmarillion", onde a história seria contada de modo muito mais extenso (porque seguia a Balada mais de perto), a questão fica mais explícita:

> Mas Dairon espreitava nas árvores e os observava de longe; e clamou alto, no rancor de seu coração: "Odiosa tornou-se agora a terra que eu amava, e as árvores, disformes. Não mais há de se ouvir música aqui. Que todas as vozes fraquejem em Doriath, e que as árvores silenciem em todo vale e sobre todas as colinas!" E houve uma quietude e uma grande calmaria; e o povo de Thingol encheu-se de espanto. E falaram ao rei, perguntando-lhe a razão do silêncio.

A "praga" de Dairon cessou depois da partida de Beren, embora Lúthien não mais cantasse e Dairon não mais tocasse a flauta. Isso contrasta com *O Silmarillion* (p. 231), em que, depois de Beren partir,

> Lúthien ficou em silêncio e, desde aquela hora, não cantou mais em Doriath. *Uma quietude cheia de presságios caiu sobre as matas.*

Para os nomes no "encanto de alongamento", ver II. 88–9. Um novo elemento é introduzido entre as "coisas mais longas" na Balada: os picos acima de Angband (1491–492); e, em B, o nome do grande Dragão se torna *Glómund*. A corrente com que Morgoth foi preso, *Angaino/Angainu* nos *Contos Perdidos*, torna-se *Angainor*; mas é curioso que, na Balada, só se fale dela como uma punição que aguarda Morgoth no futuro (*à Condenação* [...]/ *os Deuses* [...]/ *farão*, 1493–495), enquanto na antiga história do *Acorrentamento de Melko* (I. 131), foi a corrente com a qual fizeram-no prisioneiro na guerra original que levou ao seu cativeiro em Valinor, e isso permaneceu em *O Silmarillion* (p. 84): ao final dos Dias Antigos, ele "foi atado com a corrente Angainor, que tinha usado outrora" (*ibid*. p. 335).

Novos elementos na história que ainda apareceriam na narrativa em si da Balada são *Draugluin*, que, em B, substituiu o *Carcharas* de A no "encanto de alongamento" (assim, Carcharas não é mais o

A BALADA DE LEITHIAN

"pai dos lobos", ver II. 89), e a referência de Melian a Beren jazendo nas masmorras do Senhor dos Lobos (1246).

O sonho de Lúthien, no qual ela ouve a voz de Beren ao longe, ainda é atribuído, como o é no *Conto*, aos Deuses, mesmo que com menos certeza (*pelos Deuses, talvez, / ou quem sabe Melian o fez*, 1414–415); ver II. 31, 89. Mas o trecho está assinalado em B, talvez indicando insatisfação com a ideia.

Há um detalhe curioso em uma nota marginal ao texto B. Em dado momento, muito tempo depois (creio), algum desconhecido escreveu, frente aos versos 1331–336: "Thingol está sendo bastante obtuso aqui" e, ao lado dessa observação, meu pai rabiscou: "Mas ele não podia acreditar que ela *amava* Beren — a menos que algum feitiço maligno tivesse sido lançado sobre ela."

℘

VI

Quando Morgoth, em dia de sina,
1585   às Árvores trouxe ruína
e de Valinor matou o brilho,
Fëanor fez, junto aos seus filhos,
sobre a colina, magna jura,
em Tûn, e inda muita tristura
1590   e guerras no mundo causava.
De atros mares, névoa se alçava
com sombras cinzentas e frias,
lá onde Glingal co'ouro floria
e Belthil tinha argênteas flores.
1595   A névoa poisava nas torres
dos Elfos, em alva cidade.
E lá, um sem-fim de tochas arde,
cintilando conforme os Gnomos
reuniam-se em pálidos domos,
1600   ou na sinuosa escadaria
que até a praça ecoante subia.

Fëanor as joias lamenta,
as Silmarils que fez, e alenta

com vínea e selvagem palavra
1605 a hoste que, muda, o escutava.
Tudo o que diz, sábio e loquaz,
meio veraz, meio falaz
de intrigas que Morgoth plantou
em Valinor se registrou
1610 noutros cantos. Mandou-os zarpar
das terras divinas, por mar,
prados sem trilha, pelas costas
ao gelo rugidor expostas;
seguir Morgoth à terra escura
1615 deixar pra trás lar e ventura;
retornar às Terras de Fora
pra guerra e tormento. Na hora,
juraram os sete parentes
às estrelas no Céu, fulgentes,
1620 por Varda, a Sagrada, que as fez,
deu-lhes flamejante fluidez,
nas profundas as colocou.
A alta Timbrenting se invocou
onde erguem-se os salões de honor
1625 de Manwë, dos Deuses Senhor.
Quem por tais nomes voto faz
não pode quebrá-lo jamais.

        Curufin, Celegorm, o Bel
Damrod, e também Díriel,
1630 Cranthir, moreno, Maidros, alto
(que de tormentos não foi falto),
e o forte Maglor, com pesar,
inda canta co'a voz do mar.
"Seja amigo ou rival, semente
1635 de Morgoth Bauglir, mortal gente
que há de a terra habitar; por lei,
por amor, por infernal grei,
por divino poder ou fado
do ódio jamais será escudado
1640 da prole de Fëanor quem
roubar as Silmarils e nem

A BALADA DE LEITHIAN

quem as guardar, globos de lume
fulgindo ao último negrume."

Dos Gnomos a luta e o vagar
1645 neste conto não têm lugar.
Lidaram, lutaram no Norte,
e a sós, Fingon tentou a sorte
buscando Maidros, em suplício,
pendurado num precipício;
1650 lá balançava pelo braço,
o pulso atado em tira de aço,
do alto há visão vertiginosa
das Thangorodrim pedregosas.
De Fingon, Elfos têm canção,
1655 gnômico rei e capitão,
que em flama de espadas morreu
co'alvos pendões e os lordes seus.
Cantam que Maidros libertou,
e a hostilidade apaziguou
1660 entre os filhos de Finn, altivos.
Com vínculo assim redivivo,
cercaram Morgoth e Angband
sem deixar que nada debande;
contêm co'o cerco um ser pior que
1665 cruel demônio e feroz Orque.
Chegam então solazes dias
sob o Sol novo, e alegria
há nas Grandes Terras e os Homens
andam entre eles, raça jovem.
1670 E tal época era chamada
de "Cerco de Angband"; a espada
dos Gnomos à terra traz paz
contra Morgoth. Tempo feraz,
de florescer, de crescimento;
1675 mas inda havia o juramento,
e as Silmarils inda estão presas
em Angband de atras fortalezas.

Chega o fim, vira a sorte,
chamas de Morgoth trazem morte,

AS BALADAS DE BELERIAND

1680   todo o poder lá preparado
em seu bastião é inflamado;
a negra tropa na Sedenta
Planície parte e rebenta.
    De Angband Morgoth rompe o assédio;
1685   com fogo e fumo, cruel remédio,
dispersa imigos; Orques com talho
atacam; sangue qual orvalho
dos cruéis gumes curvos pinga.
    Lá Barahir ajuda e vinga
1690   com feroz lança, escudo e arco
a Felagund ferido. Ao charco
escapam, juram mútua fé,
e Felagund promete até
estima, amor à humana gente,
1695   socorro em risco inclemente.
    Filhos de Finrod quatro são;
Angrod e Egnor caem então.
Felagund, Orodreth prudentes
juntam o resto de suas gentes,
1700   belas crianças e donzelas;
deixam a guerra, vão com elas
ao sul, caverna mui segura.
Junto ao Narog se perfura
o seu portal secreto, oculto,
1705   forte portão que ante o vulto
de Túrin inda estava ileso,
sob árvores, de grande peso.
Ali viveram, no castelo,
Curufin, Celegorm o belo;
1710   cresceu o povo oculto e forte
na área de Narog, dessa sorte.

    Lá Felagund corte segura
tem: Nargothrond, o que a jura
a Barahir fez, o audaz.
1715   O filho deste trilha faz
em mata escura, só, confuso.
Percorre Esgalduin, rio escuso,

253

A BALADA DE LEITHIAN

té que seu fluxo esbranquiçado
une-se a Sirion gelado,
1720 água de prata a rolar,
ampla e esplêndida, ao mar.
    Beren alcança as lagoas
de Sirion, rasas e boas;
sob as estrelas cresce o rio,
1725 por fim divide-se em baixio,
margens de juncos num banhado
que alaga e enche, e apressado
mergulha em cova sob a terra:
por muitas milhas ela o encerra.
1730 Umboth-Muilin, Lago-Ocaso
nome que os elfos, cinza e raso,
lhe deram. Sob tormenta inchada,
lá da Planície Vigiada
Morros da Caça Beren vê
1735 de picos nus e à mercê
do vento oeste, mas na bruma
da chuva, raio, silvo, espuma
nos lagos, sabe que lá perto,
sob esses morros encoberto,
1740 é o Narog, forte de vigia
de Felagund na queda fria
de Ingwil, rio que vem do alto.
Sempre alertas contra o assalto,
de Nargothrond Gnomos de estima;
1745 tem cada morro torre em cima
e jamais dormem sentinelas,
planície e estrada guardam elas
do Sirion e o Narog pardo;
arqueiros com certeiro dardo
1750 correm a mata, aniquilando
quem for à revelia entrando.
    Vem ele agora à terra, ao léu,
na mão o luzidio anel
de Felagund, e exclama então:
1755 "Nem Orque sou, nem espião,
Beren, filho de Barahir,

254

que a Felagund se quis unir."
　　Antes que chegue à margem leste
　　de Narog, rio que fero investe
1760　nas negras rochas, vem plantel
　　de verdes arcos. Visto o anel,
　　saúdam-no, pareça embora
　　pobre vagante. À noite, fora
　　ao norte o levam, pois nem ponte
1765　nem vau o Narog tem defronte
　　de Nargothrond do grão portal,
　　não passa amigo nem rival.
　　　Ao norte, estreito ainda, o rio
　　corre bem junto do baixio
1770　do Ginglith, rio de espuma linda,
　　onde seu fluxo d'ouro finda,
　　conflui c'o Narog, lá o passam.
　　Dali caminho breve traçam
　　a Nargothrond, aos seus terraços,
1775　seus grandes e obscuros paços.
　　　Sob lua-foice vêm sem falha
　　às portas atras, bela talha,
　　de forte pedra traves certas,
　　vigas de lenho. Já abertas
1780　as portas, entram com abono
　　onde está Felagund no trono.

　　　O rei de Narog bom discurso
　　a Beren faz; todo o seu curso,
　　combates, guerras, todo o enredo
1785　relata logo. Em segredo
　　conversam, Beren tudo fala
　　de Doriath; mas logo cala
　　lembrando Lúthien na dança,
　　as rosas alvas em sua trança,
1790　a voz de elfa a ressoar
　　e luz de estrelas pelo ar.
　　De Thingol relembrou as salas
　　de luz-magia, e fontes ralas,
　　o rouxinol lá canta, é lei,

A BALADA DE LEITHIAN

1795   a Melian e ao seu rei.
De Thingol conta o penhor
feito em desdém, que por amor
da que é mais linda e fiel,
de Lúthien Tinúviel,
1800   deve aturar deserto ardente,
terror, suplício inclemente.

De ouvi-lo Felagund se admira,
e diz por fim com certa ira:
"Deseja Thingol tua morte.
1805   Das joias de encanto forte,
sabido é, a chama pura
tem maldição de feroz jura,
aos filhos só de Fëanor
pertence todo o seu fulgor.
1810   Não pode ter em sua arca
a gema, pois não é monarca
dos Elfos todos, eu confesso.
Mas dizes tu que é esse o preço
para voltar, se for possível,
1815   a Doriath? Muita trilha horrível
diante do teu pé veloz —
depois de Morgoth, ira atroz,
eu bem o sei, ódio eterno,
te caçará em céu e inferno.
1820   De Fëanor a prole ingrata
ceifar-te-á antes que à mata
de Thingol chegues, dês o fogo,
conquistes o teu doce rogo.
Eis! Celegorm e Curufin
1825   habitam neste reino, enfim,
e eu, filho de Finrod, rei,
que grande glória conquistei,
cá reino sobre suas gentes.
Têm sido mui benevolentes
1830   no que lhes resolvi pedir;
a Beren, novo Barahir,
não hão de dar mercê após
saberem tua demanda atroz."

E quando o rei, ímpeto novo,
1835 conta essa história a todo o povo,
fala de jura a Barahir,
humano armado pra impedir
ação de Morgoth, e o pesar
no norte outrora fez cessar,
1840 muitos já tomam decisão
de combater. Na multidão
se ergue, em voz alta clama
que ouçam todos, olho em chama,
altivo Celegorm da espada
1845 luzente. A turba abalada
fita o severo, duro rosto
e grão silêncio invade o posto.

"Amigo, ser cruel, rival,
nem Morgoth, Elfo nem mortal,
1850 quem seja que na terra habita,
nem lei, amor, liga maldita,
poder dum Deus, magia aflita,
vai defendê-lo da desdita
de Fëanor da prole hostil
1855 quem tome ou guarde Silmaril.
Pois só a nós pertencem elas,
as encantadas joias belas."

São falas ríspidas, possantes,
são como a voz do pai que antes
1860 em Tûn nas mentes infundiu
atro temor e ira vil;
agora lhes prevê perigo
violento: amigo contra amigo,
veem do sangue o rubro tom,
1865 cadáveres em Nargothrond,
se a hoste ali com Beren for;
ruína em Doriath, horror,
se Thingol ganha afinal
de Fëanor joia fatal.
1870 Mesmo os de Felagund fiéis

A BALADA DE LEITHIAN

temem tais juras tão cruéis
e pensam com terror hostil
Morgoth buscar em seu covil
por força ou arte. Curufin
1875 após o irmão começa assim
a se infiltrar em cada mente;
os enfeitiça totalmente
e antes de Túrin nunca mais
Gnomos a Nargothrond leais
1880 à guerra marcham. Depois disso
ciladas, espiões, feitiço,
magia, silenciosa aliança
com ser selvagem que avança,
caça sutil, peçonha em seta,
1885 tropa que engatinha quieta,
ódio que corre em frente mudo,
caminha com pés de veludo,
seguindo a presa tão deciso
e mata à noite de improviso —
1890 assim defendem Nargothrond,
esquecem jura, laço bom,
temendo Morgoth, pois a fala
de Curufin sua mente abala.

No dia não fazem favor
1895 a Felagund, seu rei senhor;
não é divino Finrod, falam,
nem o seu filho, assim propalam.
De Felagund a voz ressoa,
arranca, arroja a coroa,
1900 de Nargothrond o elmo-prata:
"Não romperei a jura que ata,
o trono abandono cedo.
Se existe alguém que não tem medo,
de Finrod que obedeça ao filho,
1905 e me acompanhe quando trilho
a via minha, não qual pobre
pedinte viva, o que foi nobre,
expulso deixo a urbe boa,
a gente, o reino e a coroa!"

258

1910   Isto ouvindo, eis parados
dez bons guerreiros a seus lados,
da casa sua, sempre à parte
onde estivesse o estandarte.
Um pega a coroa e diz:
1915   "Ó rei, é sina infeliz
daqui partir, mas não perder
o teu domínio. Hás de escolher
regente pela tua pessoa."
Põe Felagund sua coroa
1920   em Orodreth e diz: "Irmão,
o reino é teu, que eu volte ou não."
Lá Celegorm não fica, e sai,
ri Curufin, se volta e vai.[F]

❧

NOTAS

1593–594 Lições originais de B, *Glingol, Bansil,* como no verso 1141.

1598–599 Dístico marcado para revisão, em parte por causa de *did start* [no verso em inglês], em parte por causa de *Gnomos.* Não registrarei mais exemplos desse tipo, que ocorrem ocasionalmente ao longo da Balada.

1619 No texto B, está escrito aqui: "Λ ver o Qenta". Trata-se da versão de 1930 do "Silmarillion", e presumivelmente se refere à versão do Juramento conforme aparece ali.

1620 *Varda, a Sagrada* está escrito na margem do texto B, que, assim como A, tem *Bridhil, a Sacra. Bridhil* ocorre anteriormente em A (nota aos versos 377–81), onde B tem um texto diferente.

1632–633 Cf. versos 506–09.

1647 *Finweg* A, e B conforme datilografado, logo alterado em B para *Fingon.*

1654 Idem verso 1647.

1656 Cf. *Os Filhos de Húrin,* primeira versão, verso 1975, segunda versão, verso 19, dos quais derivam as palavras *em flama de espadas morreu*; na segunda versão os *alvos pendões* do rei também aparecem.

1710–711   A: medra um grande povo dos Gnomos
      nesses novos, secretos domos.

1736 Ao lado das palavras *do vento oeste* está escrita a data "29 mar. de 1928" (de maneira a indicar que este era o ponto a que tinha chegado, e não de onde estava começando), sendo que a data anterior tinha sido 27–8 de março de 1928, no verso 1161.

1860 *Tûn* B] *Côr* A

1866 A: se Felagund com Beren for;

1891 A: esquecem sangue, laço bom,

1900 *elmo* é uma emenda de *coroa* em B.

A BALADA DE LEITHIAN

1920 Um X foi colocado ao lado desse verso, provavelmente muito tempo depois, quando a posição de Orodreth como irmão de Felagund foi alterada (ver pp. 112–13).

1921 *reino* B] *coroa* A

Comentário ao Canto VI

O esboço do enredo na "Sinopse I" continua assim:

> Beren vai até Celegorm, que o disfarça [*excluído*: e lhe dá uma faca mágica. Beren e seus guias gnômicos* são capturados por Orques: e uns poucos sobreviventes são levados diante de (Melko >) Morgoth. Beren diz a M. que é um "caçador das matas".]
> Eles partem e tentam invadir Angband disfarçados de Orques, mas são capturados [*excluído*: e agrilhoados, e mortos um a um. Beren fica deitado pensando quando será sua vez.] pelo Senhor dos Lobos, e atados, e devorados um a um.

É interessante aqui ver como as características relevantes da história são tratadas no "Esboço da Mitologia" de 1926, conforme escrito originalmente. Neste relato, o pai de Beren é Barahir, e ele "fora amigo de Celegorm de Nargothrond". Depois da exigência de Thingol para que Beren lhe consiga uma Silmaril:

> Beren parte para realizar isto, é capturado e posto num calabouço em Angband, mas oculta sua verdadeira identidade e é dado como escravo a Thû, o caçador.

Essa passagem é evidentemente anterior à "Sinopse I" (é, no mínimo, do final de maio de 1926, a data da mais recente das três faturas em que está escrita), visto que o "Esboço" não contém referências ao auxílio de Celegorm, aos companheiros de Beren, ao disfarce como Orques e à captura pelo Senhor dos Lobos. Pelo contrário, Beren vai até Angband sozinho, exatamente como fez no *Conto de Tinúviel* e — o mais notável — é dado a "Thû, o caçador" como escravo, assim como foi entregue no *Conto* como escravo a Tevildo, Príncipe dos Gatos. Na Sinopse I, vemos, penso eu, o exato

---

* Essa frase foi alterada para: "Beren se perde e aparta-se dos seus guias gnômicos"; e depois foi excluída junto com o restante da passagem.

260

AS BALADAS DE BELERIAND

momento em que surge a história dos companheiros gnômicos de Beren, de seu disfarce como Orques e da morte deles, um a um, nas masmorras do Senhor dos Lobos. (Thû aparece pela primeira vez no fragmento da *Balada da Queda de Gondolin* (p. 177), e em *Os Filhos de Húrin* como o mais poderoso capitão de Morgoth: primeira versão, verso 391, segunda versão, verso 763).

Mas já a partir do verso 296 no texto A da *Balada de Leithian* (verão de 1925), há uma referência ao favor prestado por Egnor, pai de Beren, a Celegorm, e ao anel dado de presente, ao passo que, no "Esboço", Barahir "fora amigo de Celegorm de Nargothrond". Portanto:

Balada de Leithian Canto II (verão de 1925)	Egnor, pai de Beren, prestou um serviço a Celegorm, de quem recebeu um anel.
Esboço da Mitologia (início de 1926, ver p. 11)	Barahir, pai de Beren, era amigo de Celegorm de Nargothrond. Beren parte sozinho e é capturado e preso em Angband, mas é entregue como escravo a Thû, o caçador.
Sinopse I (depois de maio de 1926)	Beren vai até Celegorm, que o auxilia (surge a história dos companheiros gnômicos).

A conclusão, bastante surpreendente, deve ser que a associação entre Egnor/Barahir e Celegorm, e o anel presenteado *precederam* o surgimento da história de Beren saindo em busca de Celegorm atrás de ajuda.

Na porção rejeitada da Sinopse I aqui, vemos um último vestígio que sobreviveu do *Conto de Tinúviel*: Beren diz a Morgoth que é um caçador das matas; compare com o *Conto* (II. 27): "Beren disse então que era excelente caçador de pequenos animais e que laçava pássaros" — e, de fato, foi essa explicação de Beren para Melko que lhe conquistou o posto nas cozinhas de Tevildo. A menção, no trecho rejeitado, a uma faca mágica que Celegorm deu a Beren foi claramente uma ideia passageira para explicar a faca com a qual Beren haveria de cortar a Silmaril da Coroa de Ferro, já que a faca de cozinha que usou no *Conto* (II. 46) foi abandonada juntamente com as próprias cozinhas.

Outros papéis soltos além da Sinopse I mostram os desdobramentos posteriores da narrativa. Chamarei o primeiro deles de

A BALADA DE LEITHIAN

"Sinopse II". Ele começa no início do Canto VI e cito-o aqui até o final do Canto.

Beren vai até Felagund em Nargothrond; ele o recepciona bem, mas alerta-o acerca do juramento dos filhos de Fëanor e diz que Curufin e Celegorm, morando consigo, têm grande poder em seu reino.

Curufin e Celegorm descobrem o propósito de Beren e, relembrando seu juramento, proíbem os Gnomos de ajudar Beren a conseguir a Silmaril para Thingol. Os Gnomos, temendo uma guerra em Nargothrond, ou uma guerra contra Thingol e, de [toda] forma, extremamente apavorados diante da ideia de chegar às profundezas de Angband por força ou ardil, não apoiam Felagund. Ciente de seu próprio juramento, Felagund entrega o reino a Orodreth e, apenas com os seguidores fiéis de sua casa (dez ao todo), parte com Beren.

Na *Balada de Leithian*, o "Elemento Nargothrond" na história tinha, nessa época (primavera de 1928) evoluído (ver p. 207). A importante figura de (Felagoth >) Felagund, filho de Finrod, o terceiro filho de Finwë, surgira (ver p. 113) e, no Canto VI, já estava presente no texto A; foi ele, e não Celegorm, quem foi resgatado na batalha que encerrou o Cerco de Angband e que, depois, foi para o sul com o irmão Orodreth para fundar Nargothrond. Com o movimento na lenda, Celegorm e seu irmão Curufin foram deslocados, desempenhando o papel de "hóspedes" demasiadamente poderosos de Felagund (não fica explícito na Balada por que eles estavam lá, embora se possa inferir que também haviam fugido do "Norte, [de] batalha cruel"). No trecho da Sinopse II recém-incluído, é possível ver meu pai trabalhando a partir desse ponto e a partir dessa base narrativa, e muitos dos motivos importantes na versão final aparecem agora: devido ao seu juramento, Celegorm e Curufin são o motivo pelo qual os Elfos de Nargothrond se recusam a apoiar Felagund no auxílio a Beren; Felagund entrega a coroa a Orodreth; e somente dez dentre a gente de Felagund partem com ele.[*] É certo,

---

[*] É possível ver um estágio intermediário em um trecho reescrito do "Esboço da Mitologia" de 1926, que aparecerá no Volume IV, onde Celegorm já foi substituído por Felagoth (ainda não era Felagund), mas Celegorm só descobre a missão de Felagoth e Beren *depois* que eles já partiram de Nargothrond, e saem de lá com uma grande força.

penso, que a Sinopse II foi escrita para ser o esboço narrativo deste e os Cantos seguintes e, de fato, forneceu a eles tal esboço.

No Canto VI, vemos pela primeira vez muitas características centrais da história antiga dos Gnomos em Beleriand e no Norte, embora não seja necessariamente a primeira vez que ocorrem nos escritos de meu pai. Assim, a história do resgate de Maidros por (Finweg >) Fingon do seu suplício em Thangorodrim, onde estava suspenso pela mão direita, está quase que certamente implícita em *Os Filhos de Húrin*, onde se diz que Maidros empunhava a espada com a canhota (ver p. 106), e é relatada por inteiro no "Esboço", conforme escrito no início de 1926, uns dois anos antes da data do presente Canto (ver nota ao verso 1736). Aqui também há referências aos longos anos do Cerco de Angband depois de a rixa entre os príncipes gnômicos ser apaziguada (mas cuja causa ainda não sabemos); e à irrupção da *negra tropa* de Morgoth (compare com *O Silmarillion*, p. 210: "os exércitos sombrios dos Orques") pela *Planície Sedenta* (para a qual, ver p. 72). Aqui encontramos pela primeira vez (exceto por uma nota tardia em *Os Filhos de Húrin*, pp. 98–9) Angrod e Egnor, filhos de Finrod e irmãos de Felagund e Orodreth, que tombam na batalha; e aqui se diz que Felagund foi ferido (verso 1691), e que aqueles que o resgataram escaparam para "o charco", muito provavelmente o mesmo "banhado" do Sirion mencionado no verso 1726.

Acerca de Finweg > Fingon, e Finn (verso 1660) = Finwë, ver pp. 166–67. A genealogia dos príncipes dos Gnomos, conforme aparece nos anos 1920, está agora completa:

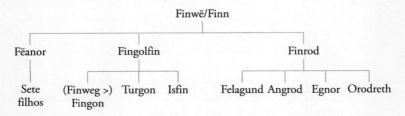

A versão mais antiga do Juramento Fëanoriano encontra-se em verso aliterante, em *A Fuga dos Noldoli* (ver p. 164), e este que se encontra na *Balada de Leithian* (versos 1634–643) o acompanha bem de perto, apesar de estar em dísticos rimados, com muitas

A BALADA DE LEITHIAN

frases idênticas [nos versos em inglês]. Outras variações são introduzidas na versão de Celegorm (versos 1848–857). Sobre o nome *Timbrenting* de Taniquetil (invocada como testemunha do Juramento) ver pp. 154, 168–69.

A maior parte das referências geográficas e nomes neste Canto está amplamente explicada na Parte III, "Failivrin", de *Os Filhos de Húrin*. Acerca dos Morros da Caça/dos Caçadores, dos rios Ginglith e Ingwil, e da Planície Vigiada/Protegida, ver pp. 109–10. Fica claro agora que os Alagados do Crepúsculo, Umboth-Muilin, ficavam ao norte da queda e da passagem subterrânea do Sirion (à qual há uma referência em *Os Filhos de Húrin*, verso 1467), ao passo que, nos *Contos Perdidos*, acontecia o oposto (ver II. 262); e também que o Esgalduin era afluente do Sirion (versos 1717–720). Nos versos que descrevem Nargothrond, a *Balada de Leithian* se reporta a *Os Filhos de Húrin* e lhe faz eco. Compare

> Portões escuros,   gigantescos nas sombras,
> foram cortados no barranco;   tinham troncos imensos,
> e batentes e vergas   de vastas pedras.   (pp. 85–6, 1828–830)

com

> a Nargothrond, aos seus terraços,
> seus grandes e obscuros paços.   (1774–775)

e

> às portas atras, bela talha,
> de forte pedra traves certas,
> vigas de lenho.   (1777–779)

Mencionei anteriormente (pp. 109, 112) a ilustração e a aquarela da entrada de Nargothrond. A ilustração traz a legenda "Lyme 1928" (férias de verão em Lyme Regis, em Dorset) e a aquarela foi muito provavelmente feita na mesma época: portanto, alguns meses depois da elaboração do Canto VI da *Balada de Leithian*. Em ambas é possível ver os desnudos Morros dos Caçadores mais adiante (*de picos nus e à mercê / do vento oeste*, 1735–736) e, na aquarela, *Nargothrond,* [e] *seus terraços* (1774); mas nenhuma delas sugere que o portal era *secreto, oculto* (1704) *sob árvores, de grande peso* (1707) — uma característica da descrição que remonta ao *Conto de Turambar* ("as portas das cavernas [...] eram habilmente ocultas por árvores", II. 104).

Em meu comentário ao *Conto de Turambar* (II. 151 e nota de rodapé), observei que "a política dos Elfos de Nargothrond de se manterem em sigilo e de se recusarem a entrar em guerra aberta foi sempre um elemento essencial", mas que, a julgar por *O Silmarillion,* pp. 231–32, "parece que quando Beren chegou a Nargothrond a política de 'sigilo' já estava em vigor sob Felagund", ao passo que, a julgar pela p. 233, "parece que ela passou a vigorar devido à potente retórica de Curufin após a chegada de Beren". Considerando-se este Canto, é possível ver que a contradição — se é que há uma contradição — tem origem nas duas passagens, versos 1743–751 e 1877–893.

Nessa última passagem, novamente há ecos fortes de *Os Filhos de Húrin.* Compare

> silente barreira,
> invisível, furtiva,   os estranhos cercava,
> como de coisas selvagens   que veem imóveis
> e então seguem céleres,   com seda nas patas,
> a presa distraída   com ódio constante. (pp. 83–4, 1749–753)

Com

> silenciosa aliança
> com ser selvagem que avança,
> caça sutil, peçonha em seta,
> tropa que engatinha quieta,
> ódio que corre em frente mudo,
> caminha com pés de veludo,
> seguindo a presa tão deciso   (1882–888)

Restam dois pontos acerca dos nomes. As Grandes Terras ainda são assim chamadas (1668); mas, no verso 1616, ocorre a expressão "Terras de Fora". Esse nome foi usado em *O Chalé do Brincar Perdido,* conforme inicialmente escrito, com o sentido de Grandes

A BALADA DE LEITHIAN

Terras, mas foi subsequentemente atribuído às terras além do Mar do Oeste (ver I. 32, 103). "Terras de Fora" com o sentido de "Terra-média" é frequente em *O Silmarillion*.

O nome do rio, Narog, é usado para se referir ao reino de Nargothrond, como acontece frequentemente depois: o Rei de Nargothrond é o Rei de Narog (verso 1782).

രൂ

VII

Só uma dúzia parte então
1925 de Nargothrond, ao norte vão,
deixando o lar, secreta via,
já longe estão ao fim do dia.
Não canta voz nem soa clarim,
em malha de anéis, assim
1930 de negro marcham, elmo escuro,
manto sombrio, passo inseguro.

O Narog seguem, rio corrente,
até chegarem à nascente,
que cai em íngreme cachoeira
1935 e enche a taça clara inteira
com um borrifo cristalino
do lago Ivrin muito fino,
Ivrin a refletir tamanhas
encostas nuas das Montanhas
1940 Sombrias sob a luz da lua.

Já longe vão da terra sua,
livre de Orque, demônio e medo
de Morgoth, vão pelo arvoredo.
No bosque em sombra do outeiro
1945 lá passam noites, tempo inteiro,
até que a nuvem que lá passa
constelação e lua embaça,
ventos d'outono, do começo,
sopram num remoinho espesso
1950 folhas girando pouco a pouco,
escutam um murmúrio rouco

de longe, risos guturais;
mais forte; já são pés fatais
tamborilando nas colinas
1955 exaustas. Muitas lamparinas
vermelhas já o olhar alcança,
luz que oscila em cada lança
e cimitarra. Escondidos,
veem passar Orques bandidos,
1960 cara de trasgo, escura e suja.
Trazem morcego e coruja,
ave da noite, aparição
no ramo está. Silêncio então;
o riso, som de rocha e aço,
1965 se vai. Já seguem cada passo
Elfos e Beren, mais silentes
que a fera atroz em ermos quentes
caçando. Chegam às barracas
no lume ardente, chamas fracas,
1970 contam: à luz que a treva pinta
de rubro brilho Orques são trinta.
Sem fala e sem som maior
postam-se quietos ao redor,
nas árvores vultos sombrios,
1975 lentos, ocultos, gestos frios,
curvam o arco, olho na meta.

Eis! canta a repentina seta
de Felagund ao grito forte;
são doze Orques tombando à morte.
1980 Largam os arcos, salto leve,
brilhante espada em golpe breve!
Orques golpeados gritam, berram,
como que em atro inferno erram.
Travam batalha na floresta
1985 e breve nenhum Orque resta;
o bando lá deixou a vida
sem mais manchar a terra ardida
com roubo e morte. Nem canção
de triunfo ou satisfação

A BALADA DE LEITHIAN

1990   soa dos Elfos. Grão perigo
lá correm, pois o inimigo
não sai à guerra em bando miúdo.
Despojam corpos, tiram tudo
e lançam-nos em uma cova,
1995   pois esta é tática nova
de Felagund e sua fileira:
veste de Orques a tropa inteira.

Arcos de chifre, mortal dardo,
espada, o nojento fardo,
2000   tomam e vestem, cada um,
traje que em Angband é comum.
Rosto e mão pintam com zelo
de negra tinta; o rude pelo
dos Orques a soldadesca corta
2005   e tece em cabeleira torta,
arte de Gnomo. Esgar co'a boca
faz cada um, então coloca
na testa sua peruca fria.
    E Felagund entoa magia
2010   de alteração, forma cambiante;
feias orelhas têm; hiante
a boca, o dente afiado
durante o canto compassado.
De Gnomo o traje põem à beira,
2015   e cada um na sua fileira
vai a seguir o vil horror
que outrora foi Elfo senhor.

    Ao norte rumam; Orques que cruzam
nem os detêm e nem acusam,
2020   saúdam-nos e, pelas trilhas,
audazes andam longas milhas.
    Com pés exaustos, muitas mágoas,
passam Beleriand. As águas
encontram límpidas, de argento,
2025   lá onde o Sirion corre atento
e Taur-na-Fuin, Noite-Morte,

de escuros pinhos contraforte,
cai pouco a pouco pro oriente;
do lado oeste está à frente
2030 a curva dos Montes, cinzenta,
barrando a luz da tarde lenta.

Qual ilha nasce a sós do chão,
morro no vale, um matacão
dos vastos montes deslocado
2035 pelos gigantes do passado.
O rio dá volta no sopé,
um fluxo que escavou até
grutas nas rochas dessas plagas.
Agita Sirion as vagas
2040 correndo junto à margem fria.
Dos Elfos foi torre-vigia,
ainda forte, ainda bela;
com ameaça fita ela
Beleriand de um seu lado,
2045 do outro o vasto descampado
além do vale, da sua boca.
Ali se enxerga erva pouca,
dunas de pó, amplo deserto;
além observa o olho esperto
2050 nuvens nas torres, construção
de Thangorodrim qual trovão.

Pois nesse morro é a morada
d'alguém mui vil, que a estrada
que de Beleriand lá vem
2055 observa e olho em chama tem.
(Do Norte não chega outra via,
só a leste, onde a Fenda do Aglon ia,
mas naquela senda de horror
nem Orques iam sem temor
2060 pela Sombra Mortal Noturna
que é Taur-na-Fuin, soturna;
e Aglon a Doriath levava
lá a prole de Fëanor guardava.)

A BALADA DE LEITHIAN

É Thû o nome que os humanos
2065 lhe dão; depois por muitos anos
o adoraram como deus,
erguendo em treva os templos seus.
Homens domina ainda não,
mas é sob Morgoth capitão,
2070 Mestre dos Lobos, uivos loucos
soam no monte, e não poucos
encantos e feitiçaria
tece e detém. Em tirania
domina os seus o necromante,
2075 fantasma e espectro errante,
o enfeitiçado, deformado
grupo de monstros a seu lado,
de lobisomens, povo aziago,
repleta a Ilha que é do Mago.

2080 Vêm pela mata, porém Thû
a vinda deles põe a nu;
mesmo ocultos sob a rama,
ele os vê, e lobos chama:
"Trazei os Orques que se esgueiram
2085 de modo estranho; talvez queiram
passar ao largo, evitando
fazer relato, como mando,
a Thû, de tudo desta feita."

Da torre espia; grã suspeita
2090 abriga, e pensamento incerto;
aguarda que os tragam perto.
À volta deles, lobos vis;
temem sua sina. Ó país,
terra de Narog tão distante!
2095 O mau presságio é constante,
desanimados, tropeçando,
ponte de pedra vão cruzando
à Ilha que é do Mago, ao trono
de rocha, sangue e abandono.

AS BALADAS DE BELERIAND

2100   "Qual foi a via? O que se espia?"

"Élfica terra, choro e guerra,
de fogo chama, sangue derrama,
foi essa a via, o que se espia.
Trinta matamos e os lançamos
2105 em poço torvo. Pousa o corvo
e o mocho pia em nossa via."

"Servos de Morgoth, Elfinesse,
dizei verdade, que acontece?
E Nargothrond? Quem reina lá?
2110 A esse reino fostes já?"

"Até a fronteira foi rapina.
Lá Felagund é rei, domina."

"Sabeis que foi-se em abandono,
que Celegorm está no trono?"

2115   "Não pode ser! Se há abandono,
é Orodreth que está no trono."

"Ouvido esperto, que escutou
do reino em que não entrou!
Quais vossos nomes, ó lanceiros?
2120 E o capitão desses guerreiros?

"Nereb e Dungalef, mais dez;
nosso covil é a muitos pés
sob a montanha. No deserto
marchamos nós com rumo certo.
2125 Boldog, o capitão, espera
onde o fogo fumo gera."

"Boldog, eu sei, morreu recém
perto do reino onde também
Thingol Ladrão, esse escorralho,
2130 se arrasta sob olmo e carvalho

em Doriath. Não sabeis nem
da bela fata Lúthien?
Seu lindo corpo juvenil
Morgoth deseja no covil.

2135 Boldog partiu, Boldog morreu:
não fostes vós do bando seu?
        Nereb agora franze a testa.
É Lúthien? Que angústia é esta?
Por que não ri se quero a ela
2140 em minha posse, a donzela,
imunda a que já foi pura,
onde houve luz só sombra escura?
        A quem servis, a Treva ou Luz?
E quem obra maior produz?
2145 Quem é no mundo o rei dos reis,
que doa ouro e anéis?
E quem domina a terra vasta,
quem da alegria vos afasta,
avaros Deuses? Voto novo,
2150 de Bauglir Orques! Bravura, ó povo!
É morte à luz, à lei, à fé!
Maldita a lua, astros até!
A antiga, interminável treva
que a fria tormenta longe leva
2155 afogue Manwë, o sol e Varda!
No berço tudo em ódio arda
pra tudo em dano terminar
no choro do infindo Mar!"

        Mas nunca Elfo nem mortal
2160 jamais falou blasfêmia tal,
"Mas quem é Thû," Beren murmura,
"pra nos fazer tanta estritura?
Não o servimos, e agora
sem vênia vamo-nos embora."

2165   Thû ri: "Paciência! Muito não
vós ficareis. Minha canção
ouvi, que atenção reclama."

AS BALADAS DE BELERIAND

Fitando-os c'olhos de chama
na treva os faz perder o rumo.
2170 Enxergam através dum fumo,
de névoa, os olhos sem aprumo,
se atordoam seus sentidos.
A canção dele é de magia,
perfura, abre, é aleivosia,
2175 revela, e descobre, e trai.
Por sua vez Felagund sai,
entoa um canto que o distrai,
de resistência que não morre,
secreto e forte como torre,
2180 de livre fuga confiante,
transformação, forma cambiante,
rompe a armadilha e o cordão,
quebra a cadeia, abre a prisão.
Num vai-e-vem oscila o canto.
2185 A balançar, mais forte entanto
é Thû, mas Felagund porfia,
traz o poder, traz a magia
de Elfinesse aos versos graves.
Na treva ouvem logo as aves
2190 em Nargothrond longe a cantar,
suspiros que vêm lá do mar,
da areia além do ocidente,
em Casadelfos, orla ardente.

Então cai sombra; a luz já morre
2195 em Valinor, e o sangue escorre,
na costa onde irmãos tombaram
nas mãos dos Gnomos, que roubaram
as brancas naus de branca vela
do alvo cais. Geme procela.
2200 Uiva o lobo. Foge o corvo.
No mar o gelo estala, estorvo.
Em Angband todo escravo clama.
Trovão ribomba, arde a chama,
fumaça jorra com rugidos —
2205 e Felagund cai sem sentidos.

273

A BALADA DE LEITHIAN

Ao usual sua forma troca,
claros de olho e tez. A boca
não mais de Orque; o vulto inteiro
está patente ao feiticeiro.
2210 Ali os infelizes lança:
cela sem luz nem esperança,
cadeia que a carne talha,
presos a estrangulante malha
jazem exaustos em seus cantos.

2215 Mas não em vão são os encantos
de Felagund; pois Thû ignora
seus nomes, a que vêm agora.
Muito pondera, muito pensa,
aos prisioneiros dá sentença
2220 de morte horrível, grande dor
se não falar um traidor.
Diz que lobos trará, vassalos
pra um a um lá devorá-los
ante eles todos; no final
2225 restando um, pena brutal,
vai suspendê-lo em horror,
torcer-lhe os membros com grã dor,
ali da terra nas entranhas
lhe infligir penas tamanhas
2230 que atormentado ele confesse.

O que ameaça acontece.
Na treva vil de tanto em tanto
dois olhos veem, e com espanto
escutam berros, um rumor
2235 dilacerante, e o odor
de sangue seu olfato abala.
Mas nenhum cede e nenhum fala.[G]

☙

NOTAS

1943 Ao lado do final deste verso está escrita a data "30 de março de 1928". A data
anterior era 29 de março de 1928 no verso 1736.

274

2023 (e subsequentemente) *Broseliand* A, e em B conforme datilografado.

2026 *Noite-Morte*] *Noite-Enleio* / *Floresta de escuro pinheiro* A, e em B conforme datilografado. Ver *Floresta Mortal* como nome de Taur-na-Fuin em *Os Filhos de Húrin* (p. 72) e no verso 2060 do presente Canto.

2047 [no verso em inglês] *fields of drouth* [campos de secura]: a expressão *Plains of Drouth* ocorre em *Os Filhos de Húrin*, p. 49, verso 826 [traduzido como *Estepes Ressequidas*].

2056–063 Estes versos estão assinalados com um X e um sinal de exclusão no texto B, provavelmente não por algo no conteúdo, mas porque meu pai talvez os achasse inoportunos.

2064–066 Alterados em B para:

> Gorthû os Gnomos o chamavam
> quando sob o seu jugo estavam,
> e eles o adoraram qual deus,

(*Thû* foi inicialmente substituído por *Sauron*. *Homens* está escrito ao lado de *eles* no verso 2066.) *Thû* se torna *Gorthû* em todas as ocorrências subsequentes neste Canto ou então se evita o nome substituindo-o por um pronome ou artigo; assim, 2088 *a Gorthû, de tudo desta feita*; 2161–162 *Ora Gorthû / é quem nos faz tanta estritura*; 2165 *Ele ri*; 2186 *canta*; etc.

Essa alteração é difícil de datar, mas foi feita quando a palavra *Gnomos* ainda estava em uso (2064). No Canto VIII, *Thû* foi mantido sem alteração, e isso até o verso 3290, emendado para *de Gorthû, volta à doce água*; no final do poema (3947, 3951), *Thû* foi alterado para *Sauron*.

2100–106 Acerca da alteração do metro desses versos, ver o Comentário.

2114 Após esse verso está escrita a data "31 de março" (isto é, 1928). A data anterior era 30 de março de 1928, no verso 1943.

2121 *Nereb e Dungalef*: emendado em B para *Ira e Ódio somos* ao mesmo tempo em que *Thû > Gorthû*.

2137 *Nereb agora franze a testa*: emendado em B para *Seu chefe irado franze a testa*.

2155 *Bridhil* A, e em B conforme datilografado; a alteração para *Varda* foi feita ao mesmo tempo em que *Thû > Gorthû*. Ver nota ao verso 1620.

2175–177 Esses três versos em rima remontam a A e ao rascunho original.

2193 *Casadelfos* é uma alteração feita a partir de *Terrafada* em B.

Comentário ao Canto VII

O esboço do enredo na "Sinopse I" que traz a narrativa deste Canto já foi fornecido (p. 260). A "Sinopse II" continua a partir do que consta na p. 262.

> Eles armam uma emboscada para um bando de Orques e, disfarçando-se com as roupas e os modos dos mortos, marcham para o Norte. Entre as Montanhas Sombrias e a Floresta da Noite, onde o jovem Sirion flui no vale que se estreita, eles se deparam

com os *lobisomens* e a hoste de Thû, Senhor dos Lobos. São levados diante de Thû e, depois de uma disputa de perguntas enigmáticas e respostas, revelam-se espiões, mas Beren é levado como Gnomo, e o fato de que Felagund é Rei de Nargothrond permanece oculto.

São colocados numa masmorra funda. Thû pretende descobrir seu propósito e seus nomes verdadeiros, e jura matar um a um, e torturar o último, caso não os revelem. De tempo em tempo, um grande lobisomem [*excluído*: Thû disfarçado] chega e devora um dos companheiros.

Essa é obviamente a base narrativa do Canto VII, e a história aqui atinge sua forma final. Pode parecer que há uma discrepância entre o esboço e a Balada, pois aquele diz que, "depois de uma disputa de perguntas enigmáticas e respostas, revelam-se espiões", ao passo que, nesta, Felagund é sobrepujado por uma canção de maior poder. Na verdade, a disputa de perguntas enigmáticas está presente, mas parece não ter sido completamente desenvolvida. No rascunho original, meu pai rabiscou a seguinte nota antes de escrever a passagem no verso 2100 e seguintes:

Perguntas enigmáticas. Onde estiveram, quem mataram? Trinta homens. Quem reina em Nargothrond? Quem é capitão de Orques? Quem fez o mundo? Quem é rei &c. Eles demonstram uma [?parcialidade] élfica, pouquíssimo conhecimento acerca de Angband e demasiado conhecimento de Casadelfos. Thû e Felagund . . . . . encantamentos um contra o outro, e Thû lentamente vence, até que eles são revelados como Elfos.

Os versos 2100–6 estão em um metro alterado, especialmente apropriado para uma disputa de adivinhas, e o conteúdo deles (a resposta à pergunta de Thû "Qual foi a via? O que se espia?") é enigmático ("precisão enganosa"). Contudo, depois disso o poema retorna ao metro comum, e o elemento enigmático desaparece (exceto em *nosso covil é a muitos pés / sob a montanha*). O nome *Dungalef* (2121), embora soe órquico o bastante, é um artifício estranhamente transparente, visto que *Felagund* acabou de ser mencionado, mas o artifício teve êxito (2216–217). Sem dúvida, as reflexões de Thû sobre o assunto eram demasiadamente sutis.

276

Aqui está o primeiro retrato completo de Thû, que surge como um ser de grande poder, avançadíssimo em feitiçaria, e é de fato chamado de "necromante" (2074). Aqui há também a primeira sugestão de que sua história se estenderia muito além do conto de Beren e Lúthien, quando "depois por muitos anos" os Homens haveriam de adorá-lo, e erguer "em treva os templos seus".

É neste Canto também que a ilha no rio Sirion (não mencionada de fato na Sinopse II) aparece pela primeira vez, junto de uma menção à origem da fortaleza:

> Dos Elfos foi torre-vigia,
> ainda forte, ainda bela. (2041–042)

A ilustração de meu pai (*Pictures by J.R.R. Tolkien*, n. 36) foi feita em Lyme Regis, em Dorset, em julho de 1928, menos de quatro meses depois de esses versos serem compostos; e, na ilustração, as grutas escavadas pelas águas nas beiradas da ilha (versos 2037–038) podem ser vistas.

As Montanhas Sombrias mencionadas na Sinopse II e no poema não são mais as Montanhas de Terror (Ered Gorgoroth), como eram nos versos 386, 1318 (ver p. 318). Na Sinopse II, conta-se que o jovem Sirion flui no vale que se estreita entre as Montanhas Sombrias e a Floresta da Noite (Taur-na-Fuin) e, no poema, o lago de Ivrin reflete as

> encostas nuas das Montanhas
> Sombrias sob a luz da lua (1939–940)

assim como em *Os Filhos de Húrin* (p. 79, versos 1581–582). Portanto, o termo agora é revertido ao significado do poema aliterante, significado que seria mantido daí em diante. Também há que se notar que essa cordilheira se volta para o norte, conforme o verso 2030 [no poema em inglês].

Os versos que dizem respeito a Ivrin em *Os Filhos de Húrin* (1594–597):

> o Narog recém-nascido, por dezenove braças
> com força cintilante fero despenca,
> e uma taça luzente com fontanas vítreas
> preenche o rio, rasgo de chafarizes

são ecoados na *Balada de Leithian* (1934–936):

> que cai em íngreme cachoeira
> e enche a taça clara inteira
> com um borrifo cristalino [...]

Uma nova característica das terras do norte aparece neste Canto: a Fenda do Aglon (2057), já localizada (como demonstram outras evidências) na extremidade leste de Taur-na-Fuin; e o verso 2063 dá o primeiro indício de que essa região era território dos Fëanorianos.

O assalto do capitão-órquico Boldog a Doriath, com o objetivo de capturar Lúthien para Morgoth, era um elemento importante da história nessa época, mas depois desapareceu e não há vestígios dele em *O Silmarillion*. A discussão sobre isso será adiada até um ponto adiante na *Balada de Leithian*, mas pode-se notar aqui que há uma referência antiga em *Os Filhos de Húrin* (p. 27, versos 392–94, p. 142, versos 764–66). Lá, Morgoth mandou o próprio Thû [*destruir*] *o reino de Thingol, o ladrão*.

A expressão *Foamriders* [Ginetes D'Ondas], usado em referência ao Terceiro Clã dos Elfos no verso 2197 [em inglês], aparece anteriormente na aliterante *Fuga dos Noldoli* (ver p. 169) [lá traduzido *Ginetes-de-Espuma*].

∽

VIII

De aros de prata enfeitados
são cães de Valinor. Veados,
2240   raposa, lebre, javali
no verde bosque vive ali.
É Oromë o senhor divo
de toda a mata. Odre festivo
em seu salão, cantos declamam.
2245   Seu nome novo os Gnomos chamam
Tavros, o divo que suas trompas
nos montes fez soar com pompas;
só entre os Deuses a amar o mundo

ao desfraldarem-se no fundo
2250 a Lua, o Sol; cascos de ouro
têm seus cavalos. Cães em coro
ladrando em mata além d'Oeste
possui o divo inconteste:
um ágil cinza, um negro e forte,
2255 branco sedoso, belo porte,
marrom malhado, fiel, atleta,
do arco de teixo é como a seta;
voz grave qual campanas belas
de Valmar lá nas cidadelas,
2260 presa é marfim, o olho é gema.
Qual lâmina de aço extrema,
qual raio vão da guia ao faro,
a Tavros todo o bando é caro.

Nos prados onde Tavros mora
2265 foi Huan um filhote outrora.
É o mais ágil, mais ardente,
e Oromë o deu, presente,
a Celegorm, o que seguia
sua trompa em vale e serrania.
2270 Só ele, cão de Valinor,
os pósteros de Fëanor
segue, c'o dono vai ao norte,
presente em cada ataque à morte,
em todo assalto ele se bate,
2275 audaz até em mortal combate.
O senhor seu protege, arranca
de lobo, Orque e arma branca.
Lobeiro gris, feroz criatura,
seu reluzente olho fura
2280 névoa e sombra; embora parco
o odor, fareja-o no charco,
em folhas, pó, areia fina;
toda Beleriand domina.
Os lobos busca, traz, espanca
2285 e das goelas lhes arranca
o alento, a vida, o calor.

O az de Thû lhe tem pavor.
　　Nem seta, encanto nem feitiço,
peçonha, presa, nada disso
2290　lhe causa mal, pois sua sina
tecida está. Não se alucina
c'o fardo que é bem sabido:
só do mais forte ser vencido,
mais forte lobo, criatura
2295　que já nasceu em cova dura.

　　Em Nargothrond, escutai bem,
além do Sirion, além,
soa trombeta, gritos roucos,
os cães no bosque correm loucos.
2300　　A mata agita-se. É caçada.
Mas quem vem lá? A tropa armada
de Celegorm e Curufin
que com seus cães partiu assim
que a madrugada o céu alcança;
2305　cada um tomou seu arco e lança.
Lobos de Thû andam sondando
por toda parte, olhos brilhando
na noite além do rio corrente
do Narog. Terá Thû em mente
2310　conselhos, planos e enredos
d'Elfos senhores, seus segredos
dos Gnomos em seu reino inteiro,
sob olmo e faia mensageiro?

　　Diz Curufin: "Irmão, amigo,
2315　mal me parece. Que perigo
nos acomete? O quanto antes
cumpre deter estes errantes!
E mais, terei grande prazer
em muitos lobos abater."
2320　Depois em baixa voz murmura
que é Orodreth tolo sem cura;
o rei partiu muito já faz,
boato ou nova ninguém traz.

"Pra ti seria bom conforto
2325   saber se livre está, ou morto;
junta assim tua gente armada,
dize 'Já parto em caçada';
crerão que em prol do reino vais.
Na mata buscarás sinais;
2330   se ele voltar por sorte cega
e a cruzar tua trilha chega,
e se, insano, traz o rei
a Silmaril — não mais direi;
mas dentre as claras joias belas
2335   é tua (e nossa) uma delas;
também o trono é ganhadia.
O sangue nosso é primazia."

Calado, Celegorm escuta,
imensa hoste leva à luta;
2340   Huan se agita c'o fragor,
cão capitão do seu senhor.
Três dias corre hoste, matilha,
lobos de Thû matam na trilha,
cortam cabeças, pelo ostentam
2345   dos lobos gris, os afugentam;
quase a Doriath seu avanço
os leva; lá têm seu descanso.

Soa trombeta, gritos roucos,
os cães na mata correm loucos.
2350   A mata agita-se, é caçada,
escapa alguém, ave assustada,
pé que dançava foge já,
não sabe ela quem vem lá.
Longe do lar, branca, perdida,
2355   a aparição corre transida;
o coração lhe impele o passo,
olho abatido, membro lasso.
Huan espia, vê um vulto
numa clareira meio oculto,
2360   névoa noturna à luz da aurora

A BALADA DE LEITHIAN

que temerosa vai-se embora.
Com salto forte, grão latido,
persegue o espectro retraído.
Qual mariposa assustada
2365 que a ave caça em disparada,
ela adeja, esvoaça,
detém-se, pelo ar já passa —
em vão. Por fim, já sem alento,
busca um tronco. Ele atento.
2370 Não há palavra de feitiço,
mistério élfico, nem isso,
que ela conheça, afinal,
pra cativar esse rival
de imortal raça e casta
2375 que encanto não detém e afasta.
Nunca houve outro, Huan só,
que ela não fascinou sem dó
e com magia. Sua graça
e voz gentil sob ameaça,
2380 olhos d'estrela, rara sorte,
domam a quem não teme a morte.

Ergue-a fácil, forte cão,
trêmulo fardo. Antes não
viu Celegorm tal presa atada.
2385 "Huan, quem trazes apresada?
Donzela élfica ou fada?
Disso não é nossa caçada."

"De Doriath sou Lúthien",
diz a donzela. "A trilha vem
2390 longe dos Elfos, via escura
percorro eu, já sem bravura
e pouca fé." Dizendo tanto
deixa cair sombroso manto,
posta-se lá de branco e prata.
2395 Cada sua joia luz refrata,
orvalho ao sol que ruma só sul;
lírios de ouro em manto azul

brilham, rebrilham. Mas quem fita
sem pasmo a face tão bonita?
2400 Queda-se Curufin e encara.
O odor da trança com flor rara,
esbelto membro, élfica face
tomam-lhe a mente. Até que passe
é longo o tempo. "Mas que luta,
2405 bela senhora, que labuta
te move ao rumo solitário?
Que novas tens, qual o cenário
em Doriath de guerra e morte?
Pois te guiou tão bem a sorte",
2410 Celegorm diz, "sou teu amigo"
e à linda Elfa dá abrigo.

Parece a ele: a sina dela
conhece em parte, e não revela
no rosto nenhuma artimanha.
2415 "Mas quem sois vós, caça tamanha,
correndo a mata perigosa?"
Resposta dão, parece honrosa.
"Teus serviçais, doce senhora,
amos de Nargothrond agora,
2420 que rogam venhas, isto posto,
lá pras colinas, sem desgosto,
repouso e esperança achar.
Teu conto vamos escutar."

De Beren Lúthien relata,
2425 do norte, a sina que o ata
a Doriath, Thingol irado,
de como deu atroz mandado
a Beren. Nada dizem, fato,
os dois irmãos que seu relato
2430 afete-os. De como fugiu,
do manto incrível que urdiu,
logo relata, mas hesita,
do sol no vale fala aflita,
em Doriath astro e luar

A BALADA DE LEITHIAN

2435 antes de Beren a deixar.
"Senhores, pressa peço agora!
De repousar já não é hora.
Já tempos faz que a rainha,
Melian que visão clara tinha,
2440 me revelou tão temerosa
de Beren servidão gravosa.
Senhor dos Lobos tem masmorra
onde o prendem té que morra,
Beren encantos e cadeia
2445 ora suporta — sorte feia,
se não a morte ou sofrimento":
a dor lhe tolhe todo o alento.

A Celegorm diz Curufin
em baixa voz: "Notícia assim
2450 temos de Felagund, e de onde
de Thû o feio bando ronde",
também lhe dá opinião posta
do que o irmão dê em resposta.
"Senhora" — Celegorm — "avante
2455 vamos caçar besta errante;
hoste de intrépida grandeza
não ousa opor-se à fortaleza
nem retomar do mago a ilha.
Ousar seria maravilha.
2460 Aqui cessar vamos a caça,
tomar a estrada, a que passa
ao lar, pra decidir ajuda
a Beren em angústia ruda."

A Nargothrond levam então
2465 Lúthien, pesado coração,
que teme atraso, cada instante,
mas crê que toda a tropa andante
não vai co'a pressa que devia.
Huan à frente, noite e dia,
2470 olha pra trás desconfiando
do que seu mestre anda biscando,

por que sem pressa o cortejo,
qual é de Curufin desejo
por Lúthien, nisso medita,
2475   sente chegar sombra maldita,
pros Elfos uma antiga praga,
pois sofre com a sorte aziaga
do ousado Beren, Lúthien,
valido Felagund também.

2480   Em Nargothrond o fogo arde,
canto e banquete até tarde.
Lúthien a sós não come nada.
Está barrada e vigiada,
fugir não pode. O mago manto
2485   oculto está, nem rogo entanto
atendem, nem resposta dão
às suas perguntas. Ora então,
já se esqueceram dos coitados
n'angústia e cárcere encerrados,
2490   sofrendo na prisão imiga.
Tarde demais viu a intriga.
Em Nargothrond não é surpresa
que dos irmãos ela está presa
que Beren querem ignorar,
2495   de Thû rejeitam libertar
o rei — desprezam-no. A missão
ódio antigo ao coração
trouxe. Orodreth vê depois
a intenção hostil dos dois:
2500   deixar rei Felagund à morte,
com Thingol ter aliança forte
de Fëanor o sangue em paz
ou força. Mas não é capaz
de os deter, pois sua gente
2505   é aos irmãos subserviente,
às suas falas obedecem
e as de Orodreth esquecem;
nem se envergonham, rebatendo
de Felagund o transe horrendo.

A BALADA DE LEITHIAN

2510 Aos pés de Lúthien de dia,
de noite o leito lhe vigia
Huan, de Nargothrond o cão;
ela lhe fala ao coração:
"Ó Huan, Huan, mais ligeiro
2515 que anda em mortal solo inteiro,
que mal domina teus senhores
que não me atendem os clamores?
Foi Barahir dos homens todos
que amor aos cães deu, e denodos;
2520 e Beren, no norte maldito
vagando bravo e proscrito,
tomou amigo que lhe apraza
de pelo, pele, pena e asa,
do espírito que inda medra
2525 em monte antigo e nua pedra.
Nem Elfo ou Homem, tal família,
só Lúthien, de Melian filha
recorda aquele que lutou
com Morgoth, nunca se curvou."

2530 Lá Huan cala; e Curufin
não mais se aproxima, enfim,
de Lúthien desprevenida;
teme de Huan a mordida.
É no outono, noite escura,
2535 à luz da lua, débil, pura,
veem-se astros hesitantes
por entre nuvens perpassantes
quando a trompa hibernal
já soa em mata boreal,
2540 Huan se foi! Lúthien jaz
até a matina, quando faz
silêncio morto, temor certo
aflige quem inda é desperto,
vem rente ao muro estranho vulto
2545 que deposita, meio oculto,
o mago manto ao pé do leito.
Trêmula vê, e vê direito,

AS BALADAS DE BELERIAND

o cão, e ouve fala grave
qual sino de uma torre ou nave.

2550 Declara Huan, que jamais
falou, e duas vezes mais
falou depois em termos planos:
"Senhora amada, que os Humanos,
os Elfos, toda a fauna rasa
2555 de pelo, pele, pena e asa
devem servir e amar — em frente!
Veste teu manto! Ao sol nascente
de Nargothrond fujamos, sorte,
só tu e eu, rumo ao norte."
2560 Ainda deu opinião reta
pra alcançarem sua meta.
Lúthien ouve com assombro,
apoia em Huan o seu ombro.
Depois abraça-o desta sorte —
2565 em amizade até a morte.[H]

∾

NOTAS

2246 *Tavros* não foi emendado aqui, e nem nos versos 2263–264 (ver p. 233, nota aos versos 891, 904).

2248 *entre os Deuses* B] *entre os Valar* A

2283 *Beleriand*] *Broseliand* A, e em B conforme datilografado.

2385 Após esse verso está escrita a data "2 de abril". A data anterior era 31 de março de 1928 no verso 2114.

2423 Após esse verso está escrita a data "3 de abril". A data anterior era 2 de abril de 1928 no verso 2385.

2442–443 Cf. versos 1246–247

2484–485 A referência à ocultação do manto de Lúthien não consta em A.

2522–526 Compare com os versos 349–53. O verso 2523 se repete em 2555.

2551 *duas vezes mais*, emenda em B; *e nenhuma vez mais* A, *e só uma vez mais* B conforme datilografado.

2552 *elven* [no verso em inglês]: *elfin* B, mas como *elfin* foi alterado em quase todas as ocorrências, assim o fiz aqui também.

Comentário ao Canto VIII

O desenvolvimento da narrativa deste Canto a partir do *Conto de Tinúviel* até *O Silmarillion* pode ser acompanhado passo a passo.

A BALADA DE LEITHIAN

É possível ver o primeiro estágio nas brevíssimas palavras do "Esboço" que seguem a passagem incluída nas pp. 260–61.

Lúthien é aprisionada por Thingol, mas escapa e vai em busca de Beren. Com a ajuda de Huan, senhor dos cães, ela resgata Beren [de "Thû, o caçador"] e obtém acesso a Angband [...]

Isso é resumido demais para revelar quais ideias estão subjacentes, mas, no mínimo, fica claro que Huan ainda era independente de qualquer senhor. No mapa mais antigo, atribui-se um território a Huan (ao sul e ao leste de Ivrin) e isso claramente faz parte da antiga concepção.

A Sinopse I, escrita um pouco depois do "Esboço" (ver pp. 260–61), continua a partir do ponto alcançado na p. 260:

Tinúviel foge em suas vestes mágicas, encontra Celegorm, que saiu para caçar, e é perseguida por ele e capturada por seu cão Huan, e é ferida. [*Excluído*: Como reparação, ele oferece ajuda] Ele oferece reparação — mas não pode ajudar; cedeu seus Gnomos a Beren e todos pereceram, e o mesmo deve acontecer a Beren. Huan vai com ela.

Um pouco adiante no esboço, conta-se:

Estava escrito no fado de Huan que ele só poderia ser morto por um lobo.

Neste estágio, em que Celegorm era o governante de Nargothrond a quem Beren procurou em sua aflição, Celegorm "cedeu seus Gnomos" a Beren;[*] Lúthien, fugindo de Doriath, foi perseguida por Celegorm que estava caçando, e ferida por Huan, que aparece agora pela primeira vez como cão de Celegorm. Não há aqui sugestão de um comportamento maligno contra ela (e Curufin não é mencionado); Celegorm é incapaz de lhe dar auxílio além do

---

[*] Caso a passagem anterior da Sinopse I (p. 260) seja interpretada com rigor, Celegorm partiu com Beren de Nargothrond, mas obviamente não era esse o sentido: meu pai deve ter riscado mais do que pretendia. Fica claro agora que, nessa versão da história, Celegorm disfarçou Beren e lhe cedeu guias.

que já deu a Beren, mas Huan parte com ela em sua demanda: teria sido essa a "reparação" oferecida pelo ferimento causado? Não se diz. Fica claro que a posição do governante de Nargothrond como filho de Fëanor, atado ao Juramento, teria se desdobrado de modo bem diferente caso essa versão da história tivesse se mantido, visto que ele também estava obrigado por juramento a auxiliar a parentela de Barahir (ver adiante, p. 292).

Na Sinopse II, incluída nas pp. 275–76 até o ponto que corresponde ao fim do Canto VII, o enredo chega quase ao desenvolvimento que recebeu no presente Canto da Balada; mas isso se deu em estágios, e o texto original do esboço foi tão alterado e expandido por mudanças posteriores que seria extremamente difícil de acompanhar se fosse exposto da maneira que tem sido até agora. Portanto, forneço-o em duas versões. Da maneira que foi inicialmente escrito, o esboço dizia:

> Curufin e Celegorm saem para caçar com todos os seus cães. Huan, o insone, é o chefe. Ele é imune a sono mágico ou morte — é seu fado ser morto apenas pelo "maior dos lobos". Eles espionam Lúthien, que foge, mas é apresada por Huan, a quem ela não consegue encantar. O cão a leva até Celegorm, que descobre sua intenção. Ao saber quem ela é, e apaixonando-se por ela, tira dela seu manto mágico e a faz cativa.
>
> Por fim, ele cede às lágrimas dela e a liberta, e lhe devolve o manto, mas não a ajuda por causa do seu juramento. E também não deseja resgatar Felagund, visto que agora é todo-poderoso em Nargothrond. Ela foge de Celegorm. Mas Huan se lhe tornou leal, e foge com ela.

Nesse estágio, a caçada em si evidentemente não tinha importância: era o artifício pelo qual Huan (que já na Sinopse I era o cão de Celegorm com um destino peculiar) passaria a acompanhar Lúthien, um elemento essencial que remonta ao *Conto de Tinúviel*. Não há menção a qualquer ferimento que Huan tenha causado, como há na Sinopse I (e, portanto, não existe a questão da "reparação"); e aqui Celegorm se apaixona por ela e, por isso, a mantém cativa. Mas só por um tempo: ele cede às súplicas dela e lhe devolve o manto, embora seu juramento o impeça de ajudá-la; e surge o

A BALADA DE LEITHIAN

maléfico motivo de que ele desejava deixar Felagund morrer para que pudesse manter o poder em Nargothrond. Lúthien deixa Celegorm; Huan vai com ela, assim como na Sinopse I, mas o motivo agora é explicitamente o amor que o cão lhe tem.

Após as alterações, o esboço ficou assim:

O disfarce de Felagund desperta a suspeita de Thû, que manda seus lobos espreitarem longe. Celegorm encontra um pretexto para uma caça aos lobos.

Curufin e Celegorm saem para caçar lobos ardilosamente (na verdade, é para interceptar Felagund)* com todos os cães. Huan, o insone, é o chefe. (Huan veio com ele [isto é, Celegorm] dos salões de Tavros). Ele é imune a sono mágico ou morte — é seu fado ser morto apenas pelo "maior dos lobos". Eles espionam Lúthien, que foge, mas é apresada por Huan, a quem ela não consegue encantar. O cão a leva até Celegorm, que descobre sua intenção. Ao saber quem ela é, e apaixonando-se por ela, Curufin tira dela seu manto mágico e a faz cativa. Ainda que ela lhe diga as palavras de Melian, e que Felagund e Beren estão sob o poder de Thû, ele não arrisca resgatar nem mesmo Felagund. (*Nota marginal*: Foi Curufin que instilou o mal no coração de Celegorm).

Apesar das lágrimas dela para que fosse libertada e seu manto, devolvido, ele não a ajuda devido ao seu juramento e amor. E também não deseja resgatar Felagund, visto que agora é todo--poderoso em Nargothrond. Ela foge de Celegorm. Mas Huan se lhe tornou leal, e a ajuda a escapar *sem seu manto*.

A caçada de Celegorm e Curufin agora recebe uma carga sinistra, relacionando-se aos lobos de Thû que estão espreitando longe. A linhagem valinóreana de Huan aparece e Curufin se torna o gênio maligno dos irmãos, e também aquele que ama Lúthien. Lúthien é agora feita prisioneira em Nargothrond até escapar com auxílio de Huan, mas não consegue seu manto de volta.

Não fica claro a qual dos irmãos se faz referência na porção final do esboço corrigido: conforme originalmente escrito, a referência era sempre Celegorm, mas com a alteração da frase "Ao saber quem

---

* Isto é, caso ele retornasse a Nargothrond; vide verso 2330 e seguintes.

ela é, e apaixonando-se por ela, tira dela seu manto mágico" para "Ao saber quem ela é, e apaixonando-se por ela, Curufin tira dela seu manto mágico", o sujeito de tudo o que se segue passa a ser Curufin. É difícil dizer se essa era realmente a intenção de meu pai.

Quando ele passou a escrever o Canto VIII, baseado nesse esboço corrigido, outras mudanças foram inseridas — notavelmente Huan devolvendo o manto a Lúthien antes de deixarem Nargothrond; e o elemento acrescentado ao esboço, "Foi Curufin que instilou o mal no coração de Celegorm", se expande. Agora, é Curufin quem sugere a caça aos lobos, com seu propósito escuso, e os versos 2452–453 mostram que, dos dois, ele é o maquinador mais sutil e sagaz que incita o irmão às escondidas. Fica claro pelo verso 2324 e seguintes que Celegorm tem alguma autoridade — ou Curufin sente que tem alguma autoridade — que falta ao irmão.

Curufin expressa seu desprezo por Orodreth ("tolo sem cura", 2321), e esse é o primeiro indício do enfraquecimento do caráter de Orodreth a que fiz alusão anteriormente (p. 112). É claro que, de todo modo, o surgimento de Felagund o empurrou para o papel subordinado de irmão mais novo do fundador de Nargothrond, e o concomitante desenrolar da história, segundo o qual Celegorm e Curufin permaneceram em Nargothrond como intrusos poderosos, enfraqueceu ainda mais sua posição. Talvez a posição imposta a ele pelo vaivém da lenda tenha levado à conclusão de que ele não poderia ser feito de matéria muito inflexível.

Essas sutilezas na relação entre Celegorm e Curufin são omitidas na versão em prosa (*O Silmarillion*, pp. 237–38) e não há sugestão de que Curufin fosse o mais sinistro dos dois e o cabeça das armações. Celegorm recupera seu papel anterior como aquele que se enamorou de Lúthien. Na Balada aparece o motivo, não mencionado na Sinopse II, da intenção de Celegorm e Curufin de "com Thingol ter aliança forte" pelo casamento forçado com Lúthien (versos 2498–503); e isso reaparece em *O Silmarillion*, em que Thingol seria obrigado a ceder a mão de Lúthien a Celegorm.

O processo pelo qual as lendas de Beren e Lúthien e de Nargothrond se entrelaçaram (até este ponto na história) está quase completo agora, e este é um momento conveniente para recapitular as principais mudanças na evolução.

A BALADA DE LEITHIAN

Nos *Contos Perdidos*, Orodreth era senhor dos Rodothlim, um povo dos Gnomos, nas cavernas que se tornariam Nargothrond, mas Beren não tinha ligação alguma com os Rodothlim (e Huan não tinha senhor). Então, Celegorm surgiu como o príncipe gnômico resgatado pelo pai de Beren (Egnor > Barahir) na batalha que, depois, se tornou a Batalha da Chama Repentina, a quem fez um juramento de inquebrantável amizade e auxílio; e Celegorm e Curufin tornaram-se os fundadores de Nargothrond após a batalha (p. 103). Foi a Celegorm que Beren, portanto, partiu em busca de ajuda; e Celegorm desempenha o posterior papel de Felagund na Sinopse I, pois lhe cede guias gnômicos. Lúthien, fugindo de Doriath, é pega por Huan, agora o cão de Celegorm, e ferida, mas isso não tem nenhuma consequência além da partida de Lúthien na companhia de Huan (Sinopse I).

A principal mudança se deu com o surgimento de Felagund e com o fato de ele tomar de Celegorm o papel tanto de fundador de Nargothrond como daquele que foi salvo por Barahir. Orodreth se torna seu irmão mais novo, o único outro filho de Finrod a sobreviver à batalha na qual o Cerco de Angband acabou. Mas a associação de Celegorm com Nargothrond não foi abandonada, e sua poderosa presença ali, juntamente com o irmão Curufin — novamente como resultado daquela batalha — introduz o motivo do conflito entre os Fëanorianos e o Rei, cada parte atada por seus próprios juramentos. Esse conflito estava presente no enredo antigo, mas lá era um apenas um conflito mental interno de Celegorm, visto que fizera dois juramentos; não há, contudo, real evidência sobre o tratamento que meu pai teria dado a isso, a menos que suponhamos, pelo fato de ele ceder guias gnômicos a Beren na Sinopse I, que ele deu prioridade ao juramento feito a Barahir.

Quando Lúthien é capturada por Huan e levada a Nargothrond, é enredada nas ambições de Celegorm e Curufin e, de fato, a captura dela acontece por causa das intenções malignas deles quanto a Felagund e a determinação de impedir seu retorno.

Sobre Huan, está dito na Balada que ele foi o único cão de Valinor a passar para o leste sobre o mar (2270). A sina de que morreria somente quando "encontrasse o lobo mais poderoso a jamais caminhar pelo mundo" (*O Silmarillion*, p. 237) aparece (já aludida na Sinopse II, pp. 289–90), mas não se diz, como acontece

292

em *O Silmarillion*, que isso era porque, sendo o cão de Celegorm, estava sob a Condenação dos Noldor. No texto A da Balada (nota ao verso 2551), ele só falou uma vez na vida e, no texto B, duas vezes; mas isso foi alterado para três vezes, como permaneceu em *O Silmarillion*.

A afirmação nos versos 2248–250 de que Oromë era

> só entre os Deuses a amar o mundo
> ao desfraldarem-se no fundo
> a Lua, o Sol

parece se esquecer de Yavanna: ver o conto *O Acorrentamento de Melko* (I. 125–26) e *O Silmarillion*, p. 70.

A *trombeta [que soa], gritos roucos, / os cães no bosque [correndo] loucos* (versos 2298–299, repetidos com alguma variação nos versos 2348–349) derivam do Lai de Sir Orfeu em inglês médio:

> With dim cri & bloweing
> & houndes also wiþ him berking.[*]

℘

IX

N'Ilha do Mago esquecidos,
em grã tortura envolvidos,
em gruta fria, desalumiada,
olhos vazios, fitando o nada,
2570   dois companheiros sós nos fossos.
Mortos os outros, os seus ossos

---

[*] Manuscrito Auchinleck, versos 285–86 (edição de A.J. Bliss, Oxford, 1954, p. 26); cf. a tradução feita por meu pai (*Sir Gawain and the Green Knight, Pearl, and Sir Orfeo*, 1975):
> with blowing far and crying dim
> and barking hounds that were with him

[*com trompas e vozes distantes / e sabujos beligerantes*. Para uma breve explicação e a tradução desses e alguns outros versos do lai medieval de *Sir Orfeo*, cf. *O Hobbit Anotado*, pp. 185–87, HarperCollins Brasil, 2021. {N.T.}].

revelam, a jazer rompidos,
que dez ao rei seu foram fidos.

A Felagund já Beren diz:
2575 "Se eu morrer, que pouco fiz,
é pouca perda; conto tudo,
assim do cárcere agudo
talvez te livre. Sê liberto
da velha jura, pois é certo
2580 que mais sofreste que mereces."

"Ah! Beren, Beren, tu esqueces
que débil sopro é a promessa
de Morgoth e dos seus. Cá dessa
prisão de dor ninguém mais some,
2585 aprenda ou não o nosso nome
por Thû. Eu creio, ao contrário,
maior tormento é necessário
se ele souber que Beren já
e Felagund tem presos cá,
2590 pior ainda é se sabe
que colossal missão nos cabe."

Funesto riso então lhes vem
no poço. "É certo, dizeis bem"
diz uma voz, atroz e rouca.
2595 "Se ele morre a perda é pouca,
mortal proscrito. Mas ao rei,
imortal Elfo, infligirei
mais do que homem sofrer possa.
Se a dor, que na muralha nossa
2600 está, tua gente conhecer,
real resgate hão de ceder
de ouro e gemas ao cativo;
quem sabe Celegorm altivo
despreze o teu mau agouro,
2605 guarde pra si coroa e ouro.
Quanto à missão que a vós cabe,
em pouco tempo já se sabe.

AS BALADAS DE BELERIAND

O lobo, Beren, já tem fome;
em breve a morte te consome."

2610   O tempo passa. Discrimina
brilho de olhos. Vê sua sina,
embora pronto pro duelo,
Beren ligado a cada elo.
Eis! súbito um som frangente,
2615   partem-se os elos da corrente.
Lá salta, pronto pra peleja,
sobre o lobo que rasteja,
fiel nas sombras, Felagund,
da fera sem temor nenhum.
2620   Na treva batem-se no chão,
uivos, rosnados, vêm e vão,
dente a morder, mão na goela,
dedos no pelo que escabela;
Beren, inerte, não socorre,
2625   e o lobisomem arfa e morre.
Então vem uma voz: "Adeus!
Não me verás c'os olhos teus,
amigo, companheiro, irmão.
O frio me parte o coração.
2630   O meu poder gastei rompendo
amarras, tenho o peito ardendo
da vil peçonha dessa fera.
Agora vou à longa espera
sob Timbrenting, eterna sala,
2635   lá bebem Deuses, luz resvala
no mar brilhante." O rei expira,
inda o diz élfica lira.

Lá Beren jaz. Lágrimas faltam,
medo e pavor não o assaltam,
2640   aguarda passos, voz, o fado.
Silêncios como do passado
em tumba de findos monarcas,
areias grossas nas suas arcas
fundo sepultas, mui intensos
2645   envolvem-no, lentos e densos.

A BALADA DE LEITHIAN

Logo o silêncio se espedaça
em prata. Muito débil passa
nos muros voz, canção que arranca
do morro vil tramela e tranca,
2650 e traz à treva luz infinda.
À sua volta a noite é linda,
de astros mil, e no ar claro
sussurros e perfume raro;
os rouxinóis pousam na rama,
2655 a flauta, a viola clama
sob o luar, lá dança ela,
dos que viveram a mais bela,
em solitário topo, rocha,
com veste trêmula qual tocha.

2660 Ele em sonho canto entoa
forte, feroz nos ares soa,
canto de lutas lá no norte,
marcha longínqua, feito forte,
audaz rompendo em batalhas
2665 poderes, torres e muralhas;
e sobre tudo o fogo prata
que Urze Ardente se relata,
os Sete Astros que pôs Varda
no norte, pra que sempre arda
2670 luz no escuro, fé na dor,
de Morgoth vasto contendor.

"Huan, Huan! Ouço um canto
de baixo, longe, forte entanto,
canção que Beren canta aqui.
2675 Ouço sua voz. Muito a ouvi
em sonho e trilha." Lúthien
sussurra. Na ponte também,
em manto envolta, noite escura,
senta e canta; até a altura
2680 e fundo da Ilha do Mago,
parede, rocha, grande estrago,
tremor. O lobisomem chora,

AS BALADAS DE BELERIAND

Huan oculto rosna agora,
escuta atento lá na treva
2685   o som que à batalha leva.

Thû ouve a voz, detém-se entanto,
envolto em touca e negro manto
na alta torre. Com sorriso
sabe que é élfico aviso.
2690   "Ah! Lúthien! Assim passeia
a tola mosca em minha teia!
Morgoth! um prêmio grande e rico
me deves se ao tesouro aplico
tal joia." Desce à profunda
2695   e manda sua cria imunda.

Lúthien canta. Algo se arrasta
com língua rubra e nefasta
na ponte; o canto é retornado,
trêmulo membro, olho embotado.
2700   O vulto salta pro seu lado
e logo tomba sufocado.
E chegam mais, vêm um a um,
perecem, não resta nenhum
que conte ao mestre dessa feita
2705   da sombra que feroz espreita
no fim da ponte, e que embaixo
correm as águas do riacho
nos corpos gris que matou Huan.
Maiores sombras já flutuam
2710   na ponte estreita e a consomem;
grande e odioso é o lobisomem:
pálido Draugluin, gris senhor
de lobos, bestas de pavor;
Homens e Elfos a contento
2715   de Thû devora sob o assento.

Já não é silente sua luta.
Ressoa a noite em grita bruta
até que ao trono onde comia

297

A BALADA DE LEITHIAN

o lobisomem foge e chia.
2720 "Huan chegou" ofega e morre.
Irado, altivo, Thû acórre.
"Ante o maior sucumbirá,
ante o maior lobo que há",
pensa assim, crendo saber
2725 a sina antiga preencher.
Já surge devagar no escuro
vulto peludo, ódio puro,
olho fatal, peçonha em riste,
lupino e ávido; lá existe
2730 luz mais cruel, mais desatino
que já animou olho lupino.
Enorme pé, boca faminta,
presa mais afiada e tinta
de dor, peçonha, ódio e morte.
2735 Do seu alento o vapor forte
lhe vem diante. Desfalece
a voz de Lúthien, escurece
seu olho pleno de pavor,
de frio, veneno e temor.

2740 É Thû quem chega, campeão
dos lobos de Angband do portão
ao sul ardente, que assolou
terra mortal e assassinou.
Súbito ataca, Huan salta
2745 pra sombra. Logo Thû assalta
Lúthien que jaz desfalecida.
Ela percebe, torna à vida,
o alento vil nela resvala;
tonta, sussurra uma fala,
2750 o véu no seu focinho roça.
O monstro hesita, não a acossa.
Huan ataca. Thû revida.
Sob as estrelas é ouvida
grita de lobo encurralado,
2755 latir do cão mais arrojado.
Saltam e correm, cá e lá,

fingem fugir, dão volta já,
e se engalfinham, presa à mostra.
Huan por fim agarra e prostra
2760 o contendor; rompe a goela,
afoga Thû. Mas não, cautela!
Forma a forma, lobo a dragão,
do monstro à própria sua feição,
transmuta Thû, mas o aperto
2765 não pode desfazer decerto.
· Nem seta, encanto nem feitiço
peçonha, presa, nada disso
faz mal ao que cervo e varrão
em Valinor caçou, ao cão.

2770 O espírito feito de mal
por Morgoth solta-se afinal
a deixa enfim a mortal casca,
e Lúthien contempla a vasca.

"Atro demônio, imundícia,
2775 feito de nojo e malícia,
morres aqui, tua alma erra,
trêmula torna ao mestre, à terra
onde há de arcar com seu desdém;
no imo infamará também
2780 da terra uivante, e numa grota
pra sempre tua alma rota
há de gemer, será assim
se as chaves não deres a mim
do teu castelo, e o encanto
2785 que as pedras une, e no entanto
também palavras de abertura."

Arfando então, e com tremura,
revela-lhe, forçoso é;
vencido, trai do mestre a fé.

2790 Eis! um lampejo junto à ponte
como astro que no céu desponte

A BALADA DE LEITHIAN

pra arder, estremecer aquém.
Abre os braços Lúthien,
exclama em tão clara voz
2795   como ouvem os mortais após
élficas trompas no outeiro
quando está quieto o mundo inteiro.
    Nasce o sol no monte ardente;
seu topo gris vigia silente.
2800   Oscila o morro; a cidadela
desfaz-se, e as torres dela;
a rocha fende, a ponte rompe,
e Sirion em fumaça irrompe.
    Espectros voam, são corujas,
2805   morcegos batem asas sujas,
guincham no ar escuro e frio
em busca de novo covil
na Noturna Sombra Mortal.
O az foge, choroso e feral,
2810   sombras obscuras. Já rastejam
pálidos vultos, mal os vejam,
fecham o olho, a luz o ofusca:
medo, surpresa e sua busca
após a dor, não mais atados,
2815   do desespero libertados.

    Atroz vampiro, vasto e aflito,
salta do chão ao céu num grito,
de sangue escuro deixa rasto.
Huan de lobo vê nefasto
2820   inerte corpo — em abandono
em Taur-na-Fuin novo trono
Thû vai fazer, novo castelo.
    Vêm os cativos já sem elo,
dando louvor e gratidão.
2825   Mas Lúthien os fita então.
Beren não vem. Lúthien: "Eu sinto,
ó Huan, estará extinto
e entre os mortos o buscamos,
por cujo amor nós cá lutamos?"

2830	De pedra em pedra ambos vão
	atravessando o Sirion.
	Imóvel acham-no, em pranto
	junto a Felagund, no entanto
	não ergue os olhos nem a fita.
2835	"Ah! Beren, Beren!" ela grita,
	"eu te encontrei já sem consolo.
	Ai! eis que jaz aqui no solo
	da nobre raça o mais nobre,
	em vão o teu amplexo o cobre!
2840	Ai! novo encontro é lamento,
	nós cujo encontro era bento!"

	Tanto amor tinha a voz querente
	que ele ergue os olhos, depois sente
	calar o pranto, ali aos pés
2845	da que o acha no revés.

	"Ó Lúthien, fiel donzela,
	que és dos viventes a mais bela,
	dos Elfos a filha mais linda,
	que amor tu tens, que prenda infinda,
2850	de vires ao covil do horror!
	Ó fronte alva, laço em flor,
	trança de sombra que seduz,
	delgadas mãos à nova luz!"

	Ela lhe cai nos braços quando
2855	no leste o dia vem raiando.[1]

∽

NOTAS

2637 *elfin* B [no texto em inglês], não foi emendado aqui, mas é claro que a intenção era mudar *elfin* para *elvish* (*elven*) em todos os casos.

2666–667 Compare com os versos 377–79 e nota. Na presente passagem, o texto em A é igual ao de B.

2699 Verso marcado com um X no texto B.

2712–713 Estes versos (referindo-se a Draugluin) não constam em A.

2722–723 Compare com os versos 2293–294.

2755 Verso marcado com um X no texto B.

A BALADA DE LEITHIAN

2766–767 Cf. versos 2288–289.

2769 Após este verso está escrita a data "4 de abril". A data anterior era 3 de abril de 1928, no verso 2423.

2842 Cf. verso 741.

2854–855 Compare com o remate do Canto III, versos 756–57.

Comentário ao Canto IX

A Sinopse I prossegue do ponto alcançado na p. 288:

> Huan vai com ela. Ela vai ao castelo do Senhor dos Lobos e canta para ele. Os cativos nas masmorras a escutam.
>
> Está escrito no fado de Huan que ele só poderia ser morto por um lobo.
>
> Ela fala (como combinado) da doença de Huan e, assim, induz o Senhor dos Lobos a tornar-se lobisomem e buscá-lo. A batalha-lupina da clareira. As "palavras de abertura" extraídas do Senhor dos Lobos e o castelo desfeito. Resgate a Beren.

A Sinopse II, neste ponto, foi menos afetada pelas alterações posteriores e pode ser incluída em um texto único (retomando a partir do trecho na p. 290).

> Mas Huan se lhe tornou leal, e a ajuda a escapar *sem seu manto*. [*Entre parênteses*: Ele fareja Beren e Felagund até a Casa de Thû].
>
> Por fim, só restam Felagund e Beren. Chega a vez de Beren ser devorado. Mas Felagund rompe seus grilhões e contende com o lobisomem, matando-o, mas é morto. Beren é retido para ser torturado.
>
> Lúthien canta do lado de fora da casa [*acréscimo*: na ponte de aflição] de Thû, e Beren escuta sua voz, e sua canção-resposta vem do subterrâneo até os ouvidos de Huan.
>
> Thû a recepciona. Ela lhe conta uma história deturpada — conforme o desejo de Huan e porque, sem seu manto, não pode encantá-lo. Ela fala do cativeiro imposto por Celegorm e sua captura por Huan, de quem finge ter ódio. De todas as coisas no mundo, Huan é quem Thû mais odeia. Seu destino, ser morto somente pelo "maior dos lobos", é conhecido. Lúthien diz que Huan jaz doente nas matas. Thû se disfarça como um magno lobisomem e é conduzido por ela até onde Huan está de tocaia. [*Acréscimo*: Mas ele tenciona fazer dela uma serviçal.]

302

Segue-se a batalha do lobisomem. Huan mata os companheiros de Thû e, com os dentes na garganta de Thû, extrai dele, em troca de deixá-lo viver, as "palavras de abertura". A casa de Thû é desfeita, e os cativos, libertados. Beren é encontrado [*excluído*: e levado de volta a Nargothrond.]

Há também que se considerar agora um novo esboço, "Sinopse III", escrito muito rapidamente e não inteiramente legível. Esse esboço começa aqui e eu o incluo até o final da narrativa deste Canto.

Thû está sufocando sob Huan. Lúthien se ergue. Diz "espectro feito de imundície por Morgoth, hás de morrer e teu espírito há de voltar amedrontado a Angband e deparar-se com o desprezo do teu mestre e definhar no regaço sombrio do mundo, se não entregares as 'chaves faladas' da tua fortaleza."

Ofegando, ele as diz. Lúthien, postada na ponte com os braços abertos, as recita em voz alta. A aurora chega pálida sobre as montanhas. A colina estremece e se fende, as torres caem, a ponte colapsa e bloqueia uma margem do Sirion, as masmorras se rompem. As corujas fogem como espectros à primeira luz, grandes morcegos são vistos voando apressados para Taur-na--Fuin, com guinchos agudos. [*Acréscimo*: liderados por um que é grande como uma águia. O espírito de Thû. Seu corpo tem um . . . . um lobo.] Os lobos fogem choramingando. Prisioneiros lívidos piscando à claridade rastejam para a luz. [*Excluído*: Beren aparece.] Nem sinal de Beren. Procuram por ele e o encontram sentado ao lado de Felagund.

Esses esboços são de grande interesse, visto que mostram claramente um estágio intermediário na evolução da lenda, entre a história original de Tevildo, Príncipe dos Gatos no *Conto de Tinúviel*, e a história de Thû na *Balada de Leithian*. Ainda está presente a falsa história de Lúthien de que Huan jaz doente nas matas (ver II. 39) e, na Sinopse II, Thû conserva o traço (originalmente felino) de Tevildo de odiar Huan mais do que a qualquer outra criatura no mundo (II. 33–4). O antigo elemento da entrada de Tinúviel no castelo sozinha para atrair Tevildo para fora, de modo que Huan pudesse atacá-lo, ainda não fora abandonado — mas, na Sinopse II, ela não tem seu manto e, assim, não consegue

A BALADA DE LEITHIAN

encantar Thû, ao passo que, no *Conto*, o sono que acometeu o gato-porteiro Umuiyan e, depois, o próprio Tevildo é atribuído à sua "veste de névoa negra" (II. 36–7). Na Balada, assim como no relato de *O Silmarillion* baseado na Balada, o manto de sono de Lúthien voltou à história nessa junção, visto que Huan o recuperou antes de deixarem Nargothrond, e ela o usou contra Thû na batalha na ponte.

Um elemento novo aparece na Sinopse I com o canto de Lúthien diante de Thû, ouvido pelos cativos nas masmorras; no antigo *Conto*, Tinúviel simplesmente falou em altas vozes para que Beren pudesse escutá-la da cozinha onde labutava. Na Sinopse II, esse elemento se desenrola para sua forma final, com Lúthien cantando na ponte que conduz à Ilha do Mago; mas ela ainda entra no castelo sozinha antes da "batalha do lobisomem".

A frase acrescentada à Sinopse II, dizendo que Thû "tenciona fazer dela uma serviçal", remonta ao *Conto* (II. 38) e sobreviveu na Balada e em *O Silmarillion* (p. 239, "e ele pensou em fazê-la cativa e entregá-la ao poder de Morgoth, pois sua recompensa seria grande").

A afirmação em II, "Huan mata os companheiros de Thû", sem dúvida deriva da história no *Conto*, onde Tevildo está acompanhado por dois de seus "capitães" quando sai para encontrar Huan, embora no *Conto* apenas Oikeroi tenha sido morto por Huan; o outro gato (sem nome) fugiu escalando uma árvore, assim como o próprio Tevildo (II. 40–1). Em II, e com mais detalhes em III, Thû está à mercê de Huan no chão. Não há, em I ou II (e III só retoma depois desse ponto), qualquer sugestão de que os lobos saem do castelo e são mortos por Huan um a um, em silêncio, até que, por fim, Draugluin avança; mas, como observei no comentário ao *Conto* (II. 72), "a morte do gato Oikeroi é o gérmen da luta de Huan com Draugluin — a pele do oponente morto de Huan é usada da mesma maneira em ambos os casos". Esse elemento, a sequência de lobos antes da chegada de Thû, surge apenas com o poema. Os versos que falam de Draugluin, o último e maior dos lobos (2712–713), não constam em A, mas no "encanto de alongamento" de Lúthien, *Draugluin*, o pálido lobisomem, é nomeado em B (1489), onde A tem *Carcharas*.

A mais interessante de todas as características dessa parte da história é as "palavras de abertura" ou "chaves faladas", que remontam ao *Conto* (II. 41–2). Lá (II. 72), discuti as implicações desse elemento no contexto mais amplo (a fortaleza de Thû tinha sido uma torre élfica de vigia): o consequente "deslocamento" do feitiço que unia as pedras.

Na Sinopse III aparecem outras características da história final: a fuga de Thû como um grande morcego; o encontro com Beren ao lado do corpo de Felagund. Os lívidos cativos que se arrastam piscando na claridade estão, em última análise, relacionados à hoste de gatos — reduzidos a um tamanho diminuto quando o feitiço de Tevildo é rompido — que sai do castelo no *Conto* (II. 41–2, 72).

No Canto IX, a história alcança sua forma final, e a passagem em *O Silmarillion* deriva dele apenas com diferenças menores — a principal é a omissão de qualquer referência à voz de Thû na masmorra, encontrada apenas no poema (versos 2592–609). O antigo elemento da Sinopse II, Lúthien entrando no castelo sozinha, desapareceu, por fim.

Restam alguns tópicos de interesse além do desenvolvimento da história. As palavras de Felagund ao morrer (2633–636):

> Agora vou à longa espera
> sob Timbrenting, eterna sala,
> lá bebem Deuses, luz resvala
> no mar brilhante.

são muito parecidas com as palavras de despedida de Túrin a Beleg, morto (pp. 74–5, 1408–411):

> Boa jornada, Beleg,   para inúmeros banquetes
> nos Salões Sem-Tempo   sob Tengwethil
> onde bebem os Deuses,   sob domos dourados
> no além-mar luzente.

Como observei (p. 116), Túrin prevê para Beleg uma vida após a morte em Valinor, nos salões dos Deuses, e não fala, como o faz o próprio Beleg no sonho de Túrin, sobre um tempo de "espera":

> mas minha vida voou   para a vasta espera
> nos salões da Lua,   muito além do mar. (p. 82, 1696–697)

A BALADA DE LEITHIAN

São muito notáveis as palavras sobre Thû: "O espírito *feito* de mal / *por* Morgoth" (versos 2770–771).

No trecho (2666–671) que faz referência à constelação da Ursa Maior, há a primeira sugestão de que Varda colocou as Sete Estrelas no céu como sinal de esperança contra Morgoth. Ver *O Silmarillion* (p. 239):

[Beren] cantou uma canção de desafio que fizera em louvor às Sete Estrelas, a Foice dos Valar que Varda alçara acima do Norte como um sinal da queda de Morgoth.

&

X

Os Elfos cantam o ocorrido
no seu idioma esquecido:
que vagam Beren, Lúthien
do Sirion nas margens. Vêm
2860 alegres às clareiras, leves
os pés, e doces dias breves.
Mesmo no inverno, na procela,
as flores duram aos pés dela.
Tinúviel! Tinúviel!
2865 cantam nos montes em tropel
as aves. Sem temor também,
junto a Beren, Lúthien.

Ilha e Sirion deixam já;
mas lá no topo inda está
2870 túmulo verde, laje alçada,
inda jaz lá branca ossada
de Felagund, de Finrod raça,
até que o mar a terra abraça
e engole em profundo abisso.
2875 Felagund ri enquanto isso
em Valinor e não mais erra
no mundo gris de choro e guerra.

A Nargothrond não tornou mais;
mas correm lá relatos tais

AS BALADAS DE BELERIAND

2880   do rei que é morto, Thû vencido,
do grande castro demolido.
Pois muitos tornam para o lar
que em sombra iam se tornar;
e como sombra volta reto
2885   Huan, o cão, com pouco afeto
nem gratidão do amo bravo;
mas foi fiel em seu agravo.
Em Narog um clamor se abala
que Celegorm a custo cala.
2890   O rei tombou, dizem em pranto;
uma donzela ousou tanto,
mais que de Fëanor os filhos.
"Cumpre abater os empecilhos!"
já grita assim a gente inglória
2895   que Felagund tem na memória.
Orodreth diz: "Agora o rei
sou eu, e não permitirei
essa matança. Não terão
nem seu repouso, nem seu pão
2900   os dois que tal afronta fazem
à casta Finrod." Já os trazem.
Desdenha, ereto e não covarde,
Celegorm. Em seu olho arde
a ameaça. Curufin
2905   sorri matreiro, astuto enfim.

    "Ide pra sempre — enquanto é dia
e brilha o sol. A vossa via
não vos trará ao meu redor,
nem filho algum de Fëanor;
2910   nem há de haver acordo bom
entre vós sete e Nargothrond."

    "Recordaremos" dizem logo
e dão as costas; com afogo
sobem à sela com a gente
2915   que inda os segue, bem silente.
Soam a trompa com ardor
e partem em grande furor.

A BALADA DE LEITHIAN

De Doriath os caminhantes
se aproximam. São cortantes
2920 os ventos, ramos nus, cinzenta
a erva que o inverno enfrenta,
mas cantam sob o céu gelado
que sobre eles é alçado.
A Mindeb, rio estreito, chegam,
2925 às águas que os morros regam,
à borda oeste onde inicia
de Melian a grã magia,
terra de Thingol soberano
que ao forasteiro causa engano.

2930 Diz Beren, coração sombrio:
"Tinúviel, cá neste rio
termina o canto que entoamos,
por diferentes vias vamos!"

"Que dizes? O que te desvia
2935 se ora raia um novo dia?"

"Chegaste livre à fronteira
da terra protegida inteira
por Melian; poderás andar
por entre os bosques de teu lar."

2940 Meu coração está feliz
ao ver surgir a mata gris
de Doriath inviolada.
Mas foi por mim tão detestada
que o meu pé a abandonou,
2945 meu lar, meu povo. Olhar não vou
sua erva, folha, campo ou vargem
sem ter-te ao lado. Obscura a margem
de Esgalduin, profundo e forte!
Por que sem canto, entregue à sorte,
2950 águas infindas vou fitar
sentada a sós, desesperar,
água a passar sem compaixão,
com dor no peito e solidão?"

308

"A trilha a Doriath não mais
2955　percorrerei, até teus pais,
mesmo que Thingol deixe ou queira;
pois a teu pai fiz jura inteira
de só voltar, demanda pronta,
com Silmaril, valor sem conta,
2960　o alto preço do meu rogo.
'Nem aço, rocha e nem fogo
de Morgoth, élfico poder
a minha gema há de reter':
jurei a Lúthien, donzela
2965　que é dos viventes a mais bela.
A jura há de ser cumprida,
dói o pesar, pesa a partida."

"Lúthien não torna à velha plaga,
em prantos cá nos bosques vaga,
2970　não teme risco nem sorri.
E se não for ao pé de ti,
hei de seguir passos que dês
té que se encontrem outra vez
Beren e Lúthien, amantes,
2975　na terra ou sombras margeantes."

"Não, Lúthien, brava querida,
assim mais pesa a partida.
Sou livre pelo teu amor,
mas nunca ao extremo pavor,
2980　mansão de medo horrorosa,
irá tua luz que é tão ditosa."

"Jamais, jamais! diz ele e treme.
Ela o abraça, rogo estreme,
vem um fragor, tormenta enorme.
2985　São Curufin e Celegorm,
qual vento brusco seus tropéis,
ressoam cascos dos corcéis,
a terra treme. Rumo ao norte
correm insanos, gana forte,

A BALADA DE LEITHIAN

2990 de Doriath achar a estrada
em torvas sombras enredada
de Taur-na-Fuin. Essa trilha
é a mais direta à sua família
em Himling, monte que vigia
2995 no leste Aglon, brecha fria.

Vendo os errantes, com um grito
os acomete o bando aflito
como quem tenta bem assim
aos dois e seu amor pôr fim.
3000 A tropa então desvia atenta,
curvo o cachaço, larga a venta;
dobra-se Curufin, e a bela
recolhe à força e traz à sela,
e ri. Mas salta nele então,
3005 bravo qual fulvo rei-leão
por setas mil enfurecido,
veloz qual cervo perseguido
que salta ágil o barranco,
Beren, bradando num arranco;
3010 abraça-o firme pela nuca,
ágil derruba e machuca,
corcel, ginete ao solo abate;
ali silente é o combate.
Lúthien pasma jaz ao léu
3015 sob ramas secas e o céu;
de Beren sente o Gnomo a mão
que o estrangula, e então
saltam-lhe os olhos e a língua,
arfando sua força míngua.
3020 Vem Celegorm de lança em riste,
Beren já teme morte triste.
Quase se vai no élfico aço
quem Lúthien tirou do baraço,
mas Huan ladra, salta ingente
3025 ante seu amo, branco o dente,
em grande raiva eriça o pelo
qual lobo fero a acometê-lo.

Trépido o corcel desvia;
diz Celegorm em fúria fria:
3030 "Maldito cão abominando,
o amo seu ameaçando!"
Nem cão, ginete nem cavalo
arrojo têm para enfrentá-lo,
enorme Huan irritado,
3035 de rubra fauce. Saem de lado,
fitam de longe a fera irada:
punhal nem cimitarra, espada,
seta de arco, dardo ou peia,
amo nem homem Huan receia.

3040 Pereceria Curufin
se Lúthien não pusesse fim
à luta, pois desperta, abala,
com Beren a seu lado fala:
"Afasta a ira, meu senhor!
3045 Não faças do Orque o horror;
os Elfos têm bastante imigos,
cada vez mais, ódios antigos,
e aqui lutais por velha praga
e o mundo, desventura aziaga,
3050 já desmorona. Faze paz!"

Beren na luta volta atrás;
toma a cota, o animal
de Curufin, e seu punhal
de aço nu, uma arma pura
3055 cuja ferida não tem cura;
pois muito tempo faz que anões
fizeram-no com suas canções
e encantos, com martelos finos
soando em Nogrod como sinos.
3060 Como madeira o ferro talha,
como tecido férrea malha.
Mas outro lá tem o punhal
de amo abatido por mortal.
Beren o ergue, lança avante,

311

A BALADA DE LEITHIAN

3065 "Vai-te!" exclama, voz soante;
"Vai-te! és renegado e tolo,
o exílio sirva de consolo!
Ergue-te, vai, sem mais intriga
como Orque de Morgoth, laia imiga;
3070 de Fëanor altivo herdeiro,
honra melhor teu ramo inteiro!"
Leva embora Lúthien,
Huan em guarda se mantém.

"Adeus," diz Celegorm, o nobre.
3075 "Pra longe! Melhor morras pobre,
faminto em meio ao deserto
que teres ódio nosso certo
que alcance aquele que fugiu.
Donzela, joia ou Silmaril
3080 não vai durar no alcance teu!
Maldito em terra, sob o céu,
seja dormindo ou acordado!
Adeus!" Apeia apressado,
ergue o irmão do seu desdouro;
3085 arco de teixo, corda d'ouro
arma, dispara sua seta,
os de mãos dadas são a meta;
flecha de anão, farpa atroz.
Mas não se voltam, vão a sós.
3090 Latindo, Huan salta, apanha
a seta em voo. Com tamanha
presteza voa outra, canta;
mas Beren volta-se, levanta,
defende Lúthien c'o peito.
3095 Funda é a ferida com efeito.
Tomba, e os irmãos partem já
e, rindo, o abandonam lá;
temendo, voam como o vento,
pois Huan os persegue atento.
3100 Ferido ri-se Curufin,
porém mais tarde a seta ruim
no Norte foi lembrança atroz

dos Homens dita em alta voz,
ódio que a Morgoth não foi vão.

3105   Após o dia nenhum cão
de Celegorm seguiu clarim
nem combateu por Curufin,
mesmo co'a casa em ruína
Huan não mais a testa inclina
3110 nem desse amo deita ao pé,
seguindo Lúthien vai com fé.
Junto a Beren ela chora,
tenta estancar de fora a fora
o sangue que lhe flui em jorro.
3115 A veste arranca-lhe em socorro;
tira do ombro a seta ardida;
com lágrimas lava a ferida.
    Vem Huan com folha de cura
mui poderosa, erva pura,
3120 que nas clareiras, na barranca
cresce com folha larga e branca.
Huan poder de toda erva
nas trilhas da floresta observa.
Com elas cura o ferimento,
3125 Lúthien murmura num momento
canto das Elfas que estanca,
delas cantado em vida franca
de guerra e armas, tece a teia.

    A sombra cai da serra feia.
3130 Ergue-se então no véu do Norte
Foice dos Deuses, e a corte
d'estrelas pela seca tarde
em frio, branco brilho arde.
Porém no chão clarão se abate,
3135 surge centelha escarlate:
sob ramos fogo se embrenha,
crepita a urze, estala a lenha;
lá Beren jaz em abandono,
caminha, vaga em seu sono.

A BALADA DE LEITHIAN

3140 Sobre ele inclina-se em cantiga
donzela; a sede lhe mitiga,
afaga a´ fronte em cantoria
do que mais forte em runa fria
e uso de cura foi escrito.
3145 A noite cede ao sol constrito.
Matinal névoa se arrasta
na aurora que a noite afasta.

Beren já abre o olho seu,
ergue-se, diz: "Sob outro céu,
3150 terra ignota, admiranda,
trilhei a sós, como quem anda
na funda treva do finado;
mas uma voz tive a meu lado,
sino, viola, harpa, ave,
3155 canção sem fala´ tão suave
que chama, chama no negrume
e após me trouxe cá pro lume!
Cura da chaga, alívio à dor!
Nasceu o dia com alvor,
3160 novas jornadas nos esperam,
perigos que mais vida geram,
mas não pra mim; e para ti
tardança lá no bosque vi
na Doriath da verde copa,
3165 e minha trilha sempre topa
com ecos d'élfica cantiga
nos morros ruços, via antiga."

"Não mais só Morgoth por imigo
já temos nós, mas vão contigo
3170 as guerras, feudos d'elfa gente,
e a morte espera certamente
por ti, por mim, Huan audaz,
o fim do que a sina traz,
tudo isso vem veloz, eu digo,
3175 se prosseguires. Ter contigo,
A Thingol entregar por rogo

314

AS BALADAS DE BELERIAND

gema de luz, de Fëanor fogo,
jamais, jamais! Por que seguir?
Vamos do medo e mal fugir,
3180   vagar, andar sob a ramada,
ter todo o mundo por morada,
sobre o morro, junto ao mar,
na brisa e à luz solar?"

Deles o coração se parte;
3185   mas dessa Elfa toda a arte,
braço esguio, olho luzente —
em céu de chuva astro ardente —
lábio macio, voz encantada,
dele não muda a ação optada.
3190   A Doriath jamais iria
senão levá-la sob vigia;
a Nargothrond não quer viajar,
pois teme guerra e pesar;
não quer deixá-la andar na terra
3195   descalça, insone, Elfa que erra
exausta, que ele removeu
co'amor do reino oculto seu.
"De Morgoth o poder desperta;
já morro e vale fica alerta
3200   à caça; a presa se revela:
jovem perdida, Elfa bela.
Orque e fantasma caça, espia
de tronco em tronco; já vigia
em sombra e grota. És tu, criança!
3205   Pensar me tolhe a esperança,
a mente gela. Triste jura,
sina que nos uniu, ventura
que atou teus pés em meu destino,
fugir, vagar em desatino!
3210   É pressa, antes que o dia
acabe, nos impeça a via,
pra sermos vistos do atalaia
da terra sob carvalho e faia,
é Doriath, Doriath tua

3215 onde o mal jamais atua
já que não passa gente ingrata
das folhas da beira da mata."

Ela concorda com seu rogo.
A Doriath eles partem logo,
3220 chegam, repousam lá na beira
em musgo e sombra da clareira;
do vento abriga-os alameda
de faias — casca como seda —
cantam do amor que vai durar
3225 mesmo que a terra imerja em mar,
mesmo que após desvio fatal
cheguem à Praia Ocidental.

Certa manhã dorme ela ainda
no musgo, como se pra linda
3230 flor fosse amargo o dia agora,
sem sol nascendo em má hora.
Beren lhe beija a madeixa,
em pranto parte, lá a deixa.
"Bom Huan," diz, "muito cuidado!
3235 Nem lírio em campo desfolhado,
nem rosa em espinheiro agudo
tão frágil é, mais do que tudo.
Do vento e gelo a guarda, esconde
das mãos que vêm não sei de onde;
3240 não sofra mal na andança vasta,
orgulho e sina já me arrasta."

Parte montado, toma a via
e não se volta; nesse dia
torna-se pedra o coração,
3245 ao Norte parte com paixão.[J]

❧

NOTAS

2877 Ao lado deste verso está escrita a data "5 de abril". A data anterior era 4 de
abril de 1928 no verso 2769.

AS BALADAS DE BELERIAND

2929 Ao final deste verso está escrita a data "6 de abril".

2950–953 Compare com os versos 649–52, 1220–223.

2998 Ao lado deste verso está a data "27 de abril de 1928".

3031 Antes desse verso está escrita a data "nov. 1929". Essa data pode se referir tanto ao que vem antes quanto ao que vem depois; mas tanto ela quanto o texto que a segue estão escritos com uma pena ligeiramente mais fina do que a usada na porção anterior do poema. A data anterior era 27 de abril de 1928 no verso 2998.

3076–084 Ao lado desses sete versos, conforme escritos inicialmente na margem do manuscrito A, está a data "set. 1930".

3119 Ao lado desse verso, meu pai escreveu na margem do texto B a palavra *athelas*. Em *A Sociedade do Anel* (livro I, capítulo 12), Aragorn disse que ela foi trazida à Terra-média pelos Númenóreanos.

3220 Depois da palavra *beira* está escrita a data "25 de setembro de 1930".

3242–245 Esses últimos quatro versos do Canto só se encontram em A, mas suspeito que foram omitidos inadvertidamente.

Comentário ao Canto X

O desenvolvimento da história neste Canto pode, outra vez, ser acompanhado passo a passo nos esboços. No *Conto de Tinúviel* (II. 43–4), Beren e Tinúviel apartam-se de Huan após a derrota de Tevildo, e foi o desejo dela de regressar a Artanor, mas sua relutância em se separar de Beren, que os fez tomar a decisão de tentar conquistar uma Silmaril. O pelame de gato de Oikeroi, capitão de Tevildo, foi levado por Huan como troféu, e eles imploraram que lhes cedesse; disfarçado de gato, Beren partiu para Angband. A Sinopse I não diz, nesta parte da narrativa, nada além de "Tinúviel e Beren disfarçado de lobisomem partem para Angband" e, exceto pelo fato de que o pelame era de um lobisomem, e não de um gato, provavelmente não houve desenvolvimento em relação ao *Conto*.

A Sinopse II prossegue assim a partir do trecho na p. 303:

Lúthien cura Beren na mata. Huan leva notícias a Nargothrond. Os Gnomos expulsam Curufin e Celegorm, lamentando-se por Felagund, e enviam o manto de volta a Lúthien. Lúthien recupera seu manto e, conduzidos por Huan, partem para Angband. Com a liderança dele e a magia dela, evitam a captura. Huan não ousa ir adiante. Beren se disfarça de lobisomem. Eles entram em Angband.

As frases "e enviam o manto de volta para Lúthien. Lúthien recupera seu manto" foram alteradas, no momento da composição,

317

para: "e enviam socorro para Beren e Lúthien. Huan leva o manto de volta para Lúthien." (Esse esboço foi escrito, é claro, antes de meu pai chegar ao Canto VIII, ao fim do qual Huan devolveu o manto a Lúthien antes de ela escapar de Nargothrond.)

Aqui a Sinopse II termina. Ao pé da página, está escrito de maneira muito descuidada:

> Embaixada de Celegorm a Thingol, de modo que Thingol sabe, ou acha que sabe, que Beren está morto e que Lúthien está em Nargothrond.
>
> Por que Celegorm e Curufin são odiados por Thingol . . . . .
> A perda de Dairon.

Enquanto a expulsão de Celegorm e Curufin de Nargothrond é aqui mencionada pela primeira vez, fica claro que a história do ataque deles a Beren e Lúthien não existia. Huan traz as notícias da destruição da Torre do Mago, mas parece que ele não parte de Nargothrond com Celegorm, e devolve o manto a Lúthien de modo independente.

A Sinopse III foi incluída na p. 303 até o ponto em que Lúthien e Huan encontram Beren "sentado ao lado de Felagund". Incluo a porção seguinte deste esboço conforme foi inicialmente escrito:

> Eles consagram a ilha e enterram Felagund no alto dela, e nenhum lobo ou criatura maligna jamais se aproximará de lá novamente. Beren é conduzido às matas. [*A frase seguinte foi posta entre parênteses com uma indicação marginal de que deveria vir depois*: Morgoth, sabendo do desmantelamento da Torre do Mago, envia um exército de Orques; ao descobrir que os lobos estão mortos com . . . . . . gargantas, supõe que seja Huan e dá feitio um lobo enorme — Carcharas — o mais magno de todos os lobos a guardar seu portão.]
>
> Escondem-se em Taur-na-Fuin, tendo o cuidado de não perder de vista a luz nas fímbrias. Lúthien pede que Beren desista. Ele diz que não pode retornar a Doriath. Então, ela diz que viverá nas matas com Beren e Huan. Mas ele deu sua palavra; jurou não temer Morgoth . . . inferno. Então ela diz [que] teme que suas vidas serão perdidas. Mas talvez haja vida depois da morte. Aonde Beren for, ela irá. Isso faz com que ele pare para

pensar. Inquirem Huan. Ele fala pela segunda e última vez. "Huan não pode mais seguir convosco — o que vós virdes no portão, ele verá depois — seu fado não leva para Angband. Quiçá, embora seus olhos estejam turvos [?vossos] caminhos saiam de lá novamente." Ele vai a Nargothrond. Eles não se dispõem a voltar para Nargothrond com ele.

Lúthien e Beren deixam Taur-na-Fuin e vagam juntos ao léu por um tempo. O anseio de rever Doriath a domina, e Beren pensa na demanda incompleta. Beren se oferece para levá-la até as fronteiras de Doriath, mas não suportam a ideia de se separarem.

Vão até a Ilha do Mago e pegam um "pelo-de-lobo" e uma veste-de-morcego. Assim, tremendo por dentro, eles partem. A jornada até Angband por Dor-na-Fauglith e adentrando as sombrias ravinas das colinas.

Aqui aparece pela primeira vez o enterro de Felagund no topo da ilha, e sua consagração. Esse esboço não faz menção aos eventos em Nargothrond e concentra-se exclusivamente em Beren e Lúthien. Eles estão em Taur-na-Fuin, e Huan está com eles; e temos a primeira versão do aconselhamento que Huan lhes dá, e sua previsão de que aquilo que encontrarão no Portão de Angband, ele mesmo verá depois. Como o ataque de Celegorm e Curufin ainda não fora criado, a história é mais curta do que haveria de se tornar; assim, Huan lhes fala em Taur-na-Fuin logo depois da destruição da Torre do Mago, e então parte para Nargothrond, ao passo que eles, depois de um tempo, vão até a Ilha e tomam o "pelo-de-lobo" ("pelame de lobo" em *O Silmarillion*, p. 244) e a "veste-de-morcego", que agora aparecem pela primeira vez (embora o "pelo-de-lobo" derive do pelame de gato de Oikeroi no *Conto*). A julgar pelas palavras "Eles não se dispõem a voltar para Nargothrond com ele" e pelo fato de que, da forma que o esboço foi escrito, ele não é mencionado novamente, fica claro que Huan estava agora fora da história (até sua reaparição em um episódio posterior). Conta-se aqui que é a "segunda e última vez" que falou com palavras. Posteriormente, a história foi alterada neste ponto, pois ele falou a Beren uma terceira vez ao morrer (ver nota ao verso 2551).

Alterações foram feitas a lápis nesse trecho da Sinopse III, as quais conduzem a narrativa por um longo caminho até a versão final:

A BALADA DE LEITHIAN

Eles consagram a ilha e enterram Felagund no alto dela, e nenhum lobo ou criatura maligna jamais se aproximará de lá novamente.

Lúthien e Beren deixam Taur-na-Fuin e vagam juntos ao léu por um tempo. O anseio de rever Doriath a domina, e Beren pensa na demanda incompleta. Beren se oferece para levá-la até as fronteiras de Doriath, mas não suportam a ideia de se separarem.

Notícias são levadas a Nargothrond por prisioneiros e Huan. Celegorm e Curufin com sentimento de revolta, os nargo-throndenses querem assassiná-los. Orodreth não permite. Eles e todos os Fëanorianos são exilados de Nargothrond para sempre. Partem cavalgando. Assalto de Celegorm e Curufin a Beren e Lúthien na mata. Resgate por Huan. Beren luta com Curufin e obtém sua faca mágica — [oito palavras ilegíveis]

Huan traz a eles uma pele-de-lobo. Assim, tremendo por dentro, eles partem. Huan fala pela última vez e diz adeus. Ele não se dispõe a ir junto. A jornada até Angband etc.

Aqui se fala mais da expulsão de Celegorm e Curufin de Nargo-thrond e da recusa de Orodreth em permitir que fossem mortos, e aqui, por fim, há menção — provavelmente escrita no exato momento em que foi concebido — ao ataque a Beren e Lúthien quando os Fëanorianos vinham cavalgando de Nargothrond. Fica implícito que Huan deserta Celegorm; Beren toma a faca de Curufin, a qual substitui a faca das cozinhas de Tevildo como o instrumento com o qual Beren cortou a Silmaril da Coroa de Ferro; e é Huan que traz o pelame de lobo e depois diz adeus.

Uma página extremamente difícil, a lápis, ("Sinopse IV") mostra o desenvolvimento desses novos elementos:

O coração de Beren se entristece. Ele diz ter levado Tinúviel de volta às fronteiras de sua terra, onde ela está a salvo. Lamenta por sua segunda separação. Ela diz, contudo, que daquela terra ela mesma escapou e fugiu só para estar com ele — mas admite que seu coração tem saudades de Doriath e de Melian também, mas não de Doriath sem ele. Ele cita suas próprias palavras a Thingol: "Nem fogo de Morgoth etc." — e diz que não pode (mesmo que Thingol permitisse) voltar de mãos vazias . . . .
. ela não quer voltar. Quer vagar nas matas — e, se ele não se

dispuser a levá-la consigo, seguirá seus passos contra a vontade dele. Ele protesta — nesse momento, Celegorm e Curufin passam cavalgando no rumo norte [*excluído no momento da composição*: dando a volta em Doriath pelas Gorgoroth] entre Doriath e Taur-na-Fuin, até a Fenda do Aglon e sua própria parentela.

Cavalgam diretamente até eles e tentam atropelar Beren. Curufin abaixa-se e ergue Lúthien para sua sela. Beren pula para o lado e salta no pescoço de Curufin [?atirando-o] para baixo. Celegorm, com sua lança, parte para matar Beren. Huan intervém, dispersando a gente e os cães [?dos irmãos] e acua Celegorm enquanto Beren luta com Curufin, asfixiando-o até perder os sentidos. Beren toma seu armamento — em especial sua faca mágica, e ordena que suba no cavalo e vá embora. Eles partem cavalgando. Huan permanece com Beren e Lúthien e abandona seu senhor [?para sempre]. Celegorm subitamente dá a volta e dispara uma flecha contra Huan, a qual, é claro, cai inocuamente ao seu lado, mas Curufin dispara contra Beren (e Lúthien) [*alterado para*: dispara contra Lúthien] e fere Beren.

Lúthien cura Beren. Eles falam a Huan sobre suas dúvidas e discussões e ele parte e traz o pelo-de-lobo e o couro de morcego da Ilha do Mago. Então, fala pela última vez.

Preparam-se para partir a Angband.

Isso foi certamente escrito como um esboço para o Canto 10 da Balada, pois a seção da sinopse que se segue está intitulada "11".

Há aqui o desenvolvimento adicional de que Beren e Lúthien chegaram às fronteiras de Doriath; mas a partida solitária de Beren após sua cura, deixando Lúthien com Huan, ainda não surgiu. Há algumas diferenças na narrativa da contenda com Celegorm e Curufin em relação à forma final, mas a maior parte dos detalhes do acontecimento jamais foi alterada desde a primeira vez em que ele foi escrito nesta página (como acredito ser o caso). Aqui não há menção a Beren tomando o cavalo de Curufin, no qual posteriormente cavalgaria ao norte sozinho, rumo a Anfauglith; e os detalhes da flechada são diferentes — na sinopse, Celegorm mirou em Huan, e Curufin (que aparentemente ficou com o arco, apesar de Beren ter tomado seu armamento) mira em (Beren e) Lúthien. Também há menção a alguma "gente" acompanhando os irmãos na jornada a partir de Nargothrond.

A BALADA DE LEITHIAN

Neste esboço ocorre pela primeira vez o nome *Gorgoroth*.

Há um outro esboço ("Sinopse V") que consiste em quatro páginas, sendo elas a conclusão de um texto cujo início desapareceu: começa com um título "continuação de 10", certamente o número do Canto, embora o conteúdo extrapole em muito o final do Canto X na Balada.* O texto retoma com a cura do ferimento de Beren.

Huan traz uma erva de cura, e Lúthien e o cão curam Beren na floresta, construindo uma cabana com ramos. Beren, ao se curar, ainda está disposto a partir em sua demanda. Mas Lúthien prediz que todas as suas vidas serão perdidas caso eles prossigam. Beren não quer voltar a Doriath de outra forma. E nem ele, nem Huan, estão dispostos a ir a Nargothrond, ou a ficar com Lúthien contra a vontade de Thingol, pois certamente haveria guerra entre Elfo e Elfo, [?mesmo] se Orodreth lhes desse guarida. "Então por que não moramos aqui nas matas?" diz Lúthien. Por causa do perigo fora de Doriath, e dos Orques, e do conhecimento que Morgoth agora deve ter acerca das errâncias de Lúthien.

Cedo, numa manhã, Beren parte furtivamente no cavalo de Curufin e chega às fímbrias de Taur-na-Fuin.

Aqui, afinal, está o elemento da partida solitária de Beren.

A expulsão de Celegorm e Curufin de Nargothrond, conforme ocorre na Balada, é acompanhada de perto em *O Silmarillion* (até mesmo no nível das frases, como "nem pão nem pouso" [*O Silmarillion* p. 241] e *nem seu repouso, nem seu pão* [verso 2899]); na Balada, contudo, alguns ainda os seguem (versos 2914–915), um detalhe que se encontra na Sinopse IV, ao passo que, em *O Silmarillion*, fica explícito que eles partiram sozinhos.[†]

O debate entre Beren e Lúthien, interrompido pela chegada de Celegorm e Curufin (versos 2930–982) é claramente baseado

---

* Também é possível que "continuação de 10" signifique apenas que meu pai começou a Sinopse V neste ponto, ou seja, ele já chegara até por volta do verso 3117 na composição em si da Balada quando começou o esboço.

† A referência, em *O Silmarillion*, a Celebrimbor, filho de Curufin, que permaneceu em Nargothrond naquele tempo e repudiou os feitos do pai, foi um desenvolvimento muito posterior.

no esquema da Sinopse IV (pp. 320–21); em *O Silmarillion*, ele reaparece, ainda que muito reduzido e alterado. A contenda com Celegorm e Curufin deriva igualmente da Sinopse IV, e é seguida na prosa de *O Silmarillion* — inclusive em detalhes como Beren sendo amaldiçoado "sob nuvem e céu", e a faca de Curufin, que cortava ferro como se fosse madeira verde, pendendo sem bainha ao seu lado. Na Balada, a faca passa a ser uma arma anânica de Nogrod, embora nem ela e nem quem a fez tenham sido ainda nomeados. Na Balada, é Celegorm quem dispara as flechas traiçoeiras; em *O Silmarillion*, é Curufin, usando o arco de Celegorm, e a vilania é atribuída ao mais malvado (que certamente era também o mais esperto) dos irmãos — neste Canto, ele recebe o semblante apropriado de um ardiloso vilão: "sorri matreiro, astuto" (2905). A referência no verso 3103 [em inglês], "and Men remembered at the Marching Forth" [e os Homens se lembraram na Marcha Afora], é à União de Maidros antes da Batalha das Lágrimas Inumeráveis.

O segundo debate entre Beren e Lúthien após ele se recuperar do ferimento deriva da Sinopse V e não está presente em *O Silmarillion*, embora não seja irrelevante para o retrato da determinação extrema de Beren diante da insistência de Lúthien para que abandonasse a demanda.

Dois novos elementos na geografia aparecem neste canto: o Monte de Himling (posteriormente Himring) erguendo-se a leste da Fenda do Aglon (2994), e o rio Mindeb: os versos 2924–925 (e os versos reescritos, fornecidos na p. 419) aparentemente são a única descrição dele em qualquer lugar.

O curioso interesse particular de Morgoth por Lúthien (que o fez mandar o capitão-órquico Boldog até Doriath para capturá-la, versos 2127–136) reaparece nesse Canto (3198–201).

No início do Canto, o enterro de Felagund leva a outra referência ao seu destino após a morte, sem menção a Mandos (ver p. 306):

> Felagund ri enquanto isso
> em Valinor e não mais erra
> no mundo gris de choro e guerra.

XI

Foi certa vez lisa planura;
o Rei Fingolfin se aventura
com haste argêntea em campo vivo,
branco corcel, dardo incisivo;
3250   de aço o elmo, alto, fiel,
há luz da lua no broquel.
    A trompa entoa toque frio,
às nuvens sobe o desafio
ao torreão que está no norte;
3255   aguarda Morgoth sua sorte.

    Um rio de chama irrompe à noite
no branco invernal, açoite
sobre a planície, e o céu
espelha rubro o fogaréu.
3260   De Hithlum, da muralha, fitam:
fumo e vapor torres imitam
até que em confusão ruim
sufocam astros. É o fim;
o campo é vasto e poeirento,
3265   ferrugem só, areia ao vento,
dunas sedentas onde os ossos
recobrem os rochedos grossos.
    Dor-na-Fauglith, torrão sedento,
chamam-no assim, deserto odiento,
3270   lugar de corvo, tumba aberta
de gente bela, brava, esperta.
Rochosa encosta tem ao norte
pra Taur-na-Fuin, Noite-Morte,
pinhal escuro, vasta rama
3275   que como mastros se derrama
de negras naus, sombrio tormento
soprado de espectral alento.

    Beren severo fita a imagem
das dunas, dura estiagem,

3280 divisa as torres carrancudas
de Thangorodrim, nuvens mudas.
Faminto, curvo está o cavalo,
à mata atroz não quer levá-lo;
na várzea assombrada, fria
3285 não pisa mais nem montaria.
"Cavalo bom de amo eivado,
adeus! Mantém-te animado,
de Sirion o vale trilha
como viemos, passa a ilha
3290 de Thû, retorna à doce água
e erva longa lá, sem mágoa.
Se não encontras Curufin,
alegre com o cervo, enfim,
passeia, esquece faina e guerra,
3295 sonha com Valinor, a terra
onde nasceu tua grande raça
que Tavros guia lá à caça."

Lá senta Beren, só e à toa,
canção de solidão entoa.
3300 Escute-o Orque, lobo a esmo,
ou outro ser imundo mesmo
que nessa sombra vai furtivo
em Taur-na-Fuin, não é motivo
de se cuidar, o que se aparta
3305 com mente amarga, atroz e farta.

"Adeus, ó folhas da ramagem,
ó canto em matinal aragem!
Adeus, ó erva, flor, capim
mudando na estação assim;
3310 ó água que na pedra canta,
ó charco com caniço e planta!
Adeus, planície, vale, outeiro,
ó vento, gelo, aguaceiro,
ó nuvem, névoa, firmamento;
3315 estrela e lua que a contento
ainda espiarão do céu

A BALADA DE LEITHIAN

mesmo que Beren morra ao léu —
ou que não morra, e na fundura
donde o grito não perdura
3320 dos que lá choram, na caverna
tenha seu fim a treva eterna.
Adeus, ó firmamento e terra,
benditos desde que cá erra
e corre cá com membro ágil
3325 ao sol, à lua, donzela frágil,
Lúthien Tinúviel
que é a mais bela sob o céu.
Que o mundo todo se arruíne,
dissolva-se, ou que termine,
3330 desfaça-se no velho abisso,
não terá sido em vão, por isso —
a terra, o mar, noite, alvorada —
que Lúthien foi ao mundo dada!"

Ergue a espada em porfia,
3335 a sós de pé, lá desafia
de Morgoth o poder tão crasso;
e o maldiz, a torre, o paço,
a mão que eclipsa, pé que oprime,
início, fim, coroa e crime;
3340 desce obstinado pela encosta,
sem esperança, audácia posta.

"Ah, Beren, Beren!" um alarde,
"já te encontro, quase é tarde!
Ó destemida, altiva mente,
3345 não é adeus, vamos em frente!
Não é assim que a elfa raça
rejeita amor de quem abraça.
Eu amo com igual poder
que tu, pra torre abater
3350 da morte, repto que é bem frágil,
mas dura inda, terco e ágil,
mesmo que o lancem lá no fundo
do alicerce deste mundo.

AS BALADAS DE BELERIAND

Amado tolo! Escapar
3355 de busca tal; não confiar
na pouca força, proteger
do amor a amada, que acolher
prefere a dura pena e morte
que suspirar num vão suporte
3360 sem asa, sem nenhum vigor
para ajudar o seu amor!"

Volta a ele Lúthien:
da via humana vão além;
estão à beira, terror certo,
3365 entre a mata e o deserto.
Ele a fita, lábio erguido
ao dele, amplexo tão sentido:
"Três vezes praga em minha jura
que nesta sombra te segura!
3370 Que é de Huan, esse cão
a quem eu confiei missão
de te guardar em prol do amor,
te proteger de todo horror?"

"Não sei! Mas Huan, esse cão,
3375 melhor que tu tem coração,
senhor severo, ai de ti!
Por longo tempo lhe pedi
té que me trouxe muito bem
no encalço teu — bom palafrém
3380 seria ele, boa corrida:
irias rir dessa investida,
qual Orque que licantropo açoite
em lama e lodo, noite a noite,
em ermo e mata! Quando ouvi
3385 teu canto — (cada fala ali
que desafia ouvido imigo
foi sobre Lúthien, eu digo) —,
parou, partiu e cá fiquei;
o que pretende, isso não sei."

A BALADA DE LEITHIAN

3390   Mas sabem já: eis Huan chegando,
olhos em chama e arfando,
temendo que a tutelada
em risco esteja, abandonada.
Diante deles põe — assombra —
3395   dois vultos de obscura sombra
que trouxe, feios em destom,
da grande ilha em Sirion:
pele de lobo — enfeitiçado
é o pelo longo e eriçado,
3400   pelagem pavorosa enfim,
do lobisomem Draugluin;
o outro é traje de morcego,
grás asas, farpa como prego
de ferro cada junta leva —
3405   asas que ocultam com sua treva
a própria lua, quando erram
da Noite-Morte, em voo berram
de Thû arautos.

          "Que nos trazes,
bom Huan? Que conselhos fazes?
3410   É um troféu do raro feito,
que Thû venceste? Qual proveito
aqui no ermo?" Beren fala
e Huan desta vez não cala:
tem voz como campanas belas
3415   de Valmar lá nas cidadelas:

          "Só uma joia hás de roubar,
de Morgoth ou do rei, sem par;
Escolhe entre amor e jura!
Se vais manter palavra dura
3420   a sós vai Lúthien expirar
ou vai contigo enfrentar
a morte, acompanhando a sina
que ante vós se descortina.
Dura a demanda, não demente,
3425   exceto se tu vais em frente

em mortal veste ostentada
chamar a morte na empreitada.
De Felagund foi bom o plano,
porém melhor e sem engano
3430 é o de Huan com arrojo,
pois sofrereis mudança e nojo
a formas vis, aspecto aziago:
um lobo da Ilha que é do Mago
e um morcego fantasmal
3435 com asa, garra que é fatal.
Ai! que chegastes a tal lei,
os que amo e por quem lutei.
Convosco já não sigo mais —
quem conheceu um cão jamais
3440 que junto com um lobisomem
vai aos portões que tudo comem?
Mas sinto que nesse portal
o que achardes, é fatal,
também verei, porém pra lá
3445 meu pé jamais me levará.
Há pouca luz, pouca esperança,
não vejo como a trilha avança;
talvez na volta a senda acabe
fortuita em Doriath, quem sabe,
3450 talvez tornemos nós assim
à reunião antes do fim."

Pasmados ficam de ouvi-lo
falar tão claro e com estilo;
já cala nessa mesma hora,
3455 ao pôr do sol, e vai embora.

Ouvido o odioso parecer,
suas belas formas vão perder;
de pele, pelo, asa, cor
se vestem eles com tremor.
3460 Lúthien faz élfica magia
pra que a roupagem feia e fria
não enlouqueça o coração;

329

A BALADA DE LEITHIAN

com arte élfica então
monta defesa, cria enleio,
3465 até que vai a noite a meio.

Já Beren põe pele de lobo,
ao solo cai e baba, improbo,
de língua rubra, esfomeado;
com pena, anseio a seu lado
3470 vê vulto de horror, morcego
que vai se erguendo, dessossego,
e arrasta, estala a asa sua.
Salta ele, uivando sob a lua,
de quatro, pula pedra e pó,
3475 do morro ao plano — mas não só:
vulto escuro desce a encosta,
esvoaçando quase o acosta.

Cinza e pó, duna sedenta
sob lua, seca e modorrenta,
3480 no frio ar, ao vento aberto
que geme nu, a descoberto;
de rocha brava, areia arfante,
lascas de osso é a terra adiante
onde furtivo vai correr
3485 um babujante e fero ser.
Há muitas léguas inda à frente
quando retorna o dia doente;
há muitas milhas nessa via
quando desaba a noite fria
3490 com sombra dúbia, som matreiro
que chia, passa sobre o outeiro.
Outra manhã: nuvem, neblina;
vem cega, fraca, é a sina,
forma de lobo ao contraforte
3495 dos morros frios lá do Norte,
no lombo criatura arisca,
rugada, que no dia pisca.

As rochas erguem-se, bocarra
de dente que a presa agarra,

330

AS BALADAS DE BELERIAND

3500   ladeando a fúnebre estrada
        que segue avante à morada
        no alto da Montanha morta
        de túnel triste e atra porta.
            Abrigam-se na sombra austera,
3505   se encolhem lá, morcego e fera.
        Por longo tempo jazem, temem,
        com Doriath sonhando tremem,
        com riso, música e ar,
        aves nas folhas a cantar.
3510   Despertam com ruído e sismo,
        eco pulsando no abismo;
        sob eles forjas com fragor
        de Morgoth; ouvem com pavor
        bater de passos, burburinho
3515   de pés ferrados no caminho:
        partem os Orques, guerra e saque,
        capitães Balrogs no ataque.

            Saem no ocaso, névoa, fumo,
        em frente vão, põem-se a prumo;
3520   são atros seres, atra lida,
        sobem encostas em corrida.
        Penhasco íngreme se iça,
        lá sentam aves de carniça;
        abismo negro, fumo ardente
3525   gerando vultos de serpente;
        por fim, na nevoeira escura,
        pesada como má ventura,
        de Thangorodrim faldas vis,
        trovão no monte, em sua raiz,
3530   chegam em átrio mui sombrio
        com altas torres, forte frio,
        penhasco abrupto; a planura
        se alastra abissal e escura
        diante da muralha informe
3535   de Bauglir do palácio enorme,
        onde se ocultam tão letais
        em sombra imensa seus portais.[K]

A BALADA DE LEITHIAN

NOTAS

3249–253 Compare com a abertura da Balada, versos 5–10.

3267 Ao lado deste verso está escrita a data "26 de set. de 1930". A data anterior era 25 de setembro de 1930, no verso 3220.

3297 *Tavros* > *Tauros* B: ver notas aos versos 891, 904; 2246.

3303 *Taur-na-Fuin* > *Taur-nu-Fuin* B (uma alteração tardia).

3401 *Draugluin* aparece aqui no texto A (ver p. 304).

3414–415 Cf. versos 2258–259.

3419–423 A mudança de *tu* para *vós* é intencional, e indica que Huan agora está se referindo tanto a Beren quanto a Lúthien.

3478 Ao lado deste verso está escrita a data "27 de set. de 1930".

Comentário ao Canto XI

A versão mais antiga da narrativa deste Canto descreve Tinúviel costurando o pelame de gato de Oikeroi sobre Beren e ensinando-lhe alguns aspectos do comportamento felino; ela mesma não estava disfarçada. Pouquíssimo caso se faz da jornada até Angamandi, mas a aproximação aos portões é descrita:

> Após algum tempo, porém, acercaram-se de Angamandi, como de fato os estrondos e ruídos graves e o som de grandes marteladas de dez mil ferreiros labutando sem cessar lhes declaravam. Estavam próximos os tristes recintos onde os Noldoli escravizados labutavam amargamente sob os Orques e Gobelins das colinas, e ali a obscuridade e treva era grande, de modo que desanimaram [...] (II. 44).

As Sinopses I e II não descrevem praticamente nada além do evento em si (p. 317). Conforme corrigida, a Sinopse III aproxima-se da história final da "pele-de-lobo" e da separação de Huan (p. 320). Esse rascunho continua:

> Thangorodrim assoma sobre eles. Há estrondos, névoa e vapores sendo ejetados de fissuras na rocha. Dez mil ferreiros estão martelando — eles passam pelas câmaras onde os Noldoli escravizados labutavam sem descanso. A treva afunda em seus corações.

Há uma notável proximidade com a passagem supracitada do *Conto de Tinúviel*.

AS BALADAS DE BELERIAND

A Sinopse IV (p. 321) nada acrescenta, visto que, depois de "Preparam-se para partir a Angband", ela continua com os eventos em Doriath e a embaixada de Celegorm a Thingol, a qual meu pai, nesse estágio, introduziria antes da aventura a Angband, e neste esboço não se diz praticamente nada sobre isso.

Resta a Sinopse V, cujo esboço para o Canto "10" foi incluído na p. 322 até "Cedo, numa manhã, Beren parte furtivamente no cavalo de Curufin e chega às fímbrias de Taur-na-Fuin", e é aí que a partida solitária de Beren aparece pela primeira vez. Esse esboço prossegue, ainda sob o título "Canto 10":

> Ali, ele olha sobre Thangorodrim e entoa uma canção de despedida a terra e luz, e a Lúthien. No meio, chegam Lúthien e Huan! Com o auxílio do cão, ela o seguiu; e, ademais, da Ilha do Mago Huan trouxe um pelo-de-lobo e uma capa-de-morcego. [*Excluído no momento da composição*: Beren coloca Lúthien no cavalo e eles cavalgam por Taur-na-Fuin.*] Beren solta o cavalo de Curufin para que galope livremente, e ele vai rapidamente embora. Agora, Beren toma a forma de lobisomem e Tinúviel, de morcego. Então, Huan diz adeus. E fala. Nenhum cão pode andar com lobisomem — eu seria mais perigo do que auxílio na terra de Morgoth. No entanto, o que vós haveis de ver no portão de Angband, quiçá também eu hei de ver, ainda que meu fado não leve àquelas portas. Toda esperança está escurecida, e meus olhos, turvados, mas quiçá eu veja teus caminhos saindo daquele lugar inda outra vez. Ele então desaparece. Fazem uma jornada atroz. Thangorodrim assoma sobre eles, ... em seus sopés esfumaçados.

Isso encerra o esboço do "Canto 10" na Sinopse V.

Há uma diferença notável entre a estrutura da história na Balada e em *O Silmarillion* (pp. 244–45): na Balada, Huan está ausente (ele foi até a Ilha do Mago em busca da veste de lobo e do couro de morcego) quando Lúthien encontra Beren — ela não sabe

---

* Na verdade, Beren deve ter estado na fronteira norte de Taur-na-Fuin quando Lúthien e Huan chegaram, visto que ele "olha sobre Thangorodrim".

aonde ele tinha ido — mas aparece um pouco depois; ao passo que, no relato em prosa, Huan e Lúthien chegam juntos, vestindo o "horrendo pelame de lobo de Draugluin e o couro de morcego de Thuringwethil" — uma aparição que encheu Beren de temor. A história em *O Silmarillion* é um retorno à Sinopse V, pelo menos quanto ao fato de que Huan e Lúthien chegam juntos ("No meio, chegam Lúthien e Huan", p. 333).

Na Balada, conta-se apenas que as asas de morcego carregam os mensageiros de Thû, e não são associadas a um mensageiro particular ou mais importante (Thuringwethil, "mensageira de Sauron").

Mas, em outros aspectos, a versão em prosa acompanha a Balada de perto, mantendo até mesmo frases, como anteriormente ("entre o deserto e a mata", "Três vezes agora maldigo a jura", "asas com dedos [...] armadas, na ponta de cada junta", "o morcego girava e voejava acima dele"); e o molde da fala de Huan é bem próximo ao da Balada.

Pelas palavras de Beren ao cavalo (3288–290)

> de Sirion o vale trilha
> como viemos, passa a ilha
> de Thû, retorna à doce água

fica claro que, assim como em *O Silmarillion*, "ele cavalgou de novo para o norte com toda a velocidade, até o Passo do Sirion; e, chegando às fímbrias de Taur-nu-Fuin, olhou através do deserto de Anfauglith". Não se diz na Balada como Lúthien e Huan chegaram lá, mas, em *O Silmarillion*, "vestidos nesses horríveis trajes", eles "correram por Taur-nu-Fuin, e todas as coisas fugiram diante deles".

A Batalha da Chama Repentina (verso 3256 e seguintes) foi descrita anteriormente na Balada (verso 1687 e seguintes), mas não se afirmou, de fato, que a planície setentrional certa vez fora verde e gramada (3246–248), um "campo vivo", e que se tornou um deserto depois que "um rio de chama irrompe [...] sobre a planície".

Compare as palavras de Beren para o cavalo de Curufin (3295–296):

> sonha com Valinor, a terra
> onde nasceu tua grande raça

AS BALADAS DE BELERIAND

com *O Silmarillion*, p. 170, onde se diz que "muitos dos antepassados" dos cavalos dos Noldor de Hithlum que cavalgavam em Ard-galen tinham vindo de Valinor.

ᥱᥣ

XII

Na treva esteve outrora rudo
Fingolfin: tinha azul escudo
3540 com astros lá do firmamento,
cristais luzindo a contento.
Com gana forte, indignação,
bateu aflito no portão
o rei dos Gnomos, isolado,
3545 fortes de rocha em todo lado;
o toque agudo trompa é
de prata em verde boldrié.
A incitação ressoa alerta,
Fingolfin: "Abre bem aberta
3550 a brônzea porta, rei cruel!
Assoma, horror de terra e céu!
Assoma, monstro, rei poltrão,
de própria espada, própria mão
luta, senhor de hostes imundas,
3555 tirano oculto nas profundas,
d'Elfos e Deuses és rival!
Espero aqui. Vem afinal!"

Morgoth vem. Vez derradeira
nas guerras sai da cova inteira,
3560 do trono oculto e imundo;
seus pés ressoam pelo mundo
qual terremoto, sismo fundo.
Férrea coroa, furibundo
o vulto seu; enorme escudo
3565 vem sem brasão, de negro tudo,
sombra que é nuvem de trovão;
se curva sobre o rei então
qual maça lança, subitâneo,
martelo que é do subterrâneo,

335

A BALADA DE LEITHIAN

3570   é Grond; ruidoso vem descendo
como relâmpago, moendo
as rochas; fumo ali derrama,
abre-se cova, salta chama.

    Desvia Fingolfin num arranco,
3575   lampejo em nuvem, raio branco,
saca o montante, Ringil belo
luzindo frio, azul qual gelo,
espada de élfica finura
que com frieza a carne fura.
3580   Com sete chagas o trespassa,
e sete gritos de desgraça
soam nos montes, treme a terra,
de Angband treme o az de guerra.
    Foi dentre os Orques escárnio eterno
3585   combate no portal do inferno;
canção dos Elfos houve uma
só antes desta — quando se inuma
o grande rei no morro seu.
    Thorndor, Águia que é do céu,
3590   leva notícia, aos Elfos conta
a sina triste de grã monta.
Três vezes é o rei batido,
cai de joelhos, põe-se erguido,
traz o escudo tempestivo
3595   com brilho estelar, altivo,
o elmo rompido sob açoite
que nada fere, força ou noite,
té que o solo esteja feito
em covas ao redor. Desfeito,
3600   tropeça e tomba. Em sua nuca
imenso pé pisa e machuca,
como um monte desmedido;
está esmagado — não vencido,
desfere ali golpe final:
3605   Ringil atinge o pé fatal
no talão, sangue negro em jorro
vem qual nascente do alto morro.

336

Morgoth é coxo desse corte,
e rei Fingolfin leva à morte;
3610 deixá-lo-ia no abandono
aos lobos seus. Mas eis! do trono
que Manwë o fez pôr, alçado
em pico nunca escalado,
vigiando Morgoth que o mal tece,
3615 Thorndor, Rei das Águias, desce
e ataca com dourado bico
a Bauglir vil, e sobe a pico —
têm trinta braças suas asas —
levanta o rei das covas rasas,
3620 carrega o corpo, o acomoda
lá onde os montes fazem roda
em torno da planície, enfim,
onde depois foi Gondolin,
em grande cume, imensa altura
3625 que cobre a neve em sua alvura,
pilha de pedras faz montar
pro rei no pico sepultar.
Orque nem demônio mais pisou
no alto passo onde ficou
3630 do rei a tumba nobre e fina
té Gondolin sofrer sua sina.

Bauglir ganhou a cicatriz
que leva ainda, assim se diz,
e assim ganhou seu passo coxo;
3635 depois do dia reinou co'arrocho
em trono oculto no escuro;
percorre seu palácio duro,
constrói o vasto seu projeto:
tornar o mundo servo abjeto.
3640 Maneja a hoste, amo antigo,
não dá descanso a servo, imigo;
triplica olheiro e vigia,
a Leste e Oeste manda espia
que traz notícias lá do Norte:
3645 quem luta ou tomba; qual coorte

A BALADA DE LEITHIAN

se apresta oculta; onde tesouro,
bela donzela; quem tem ouro;
tudo sabendo cada mente
enreda em arte inclemente.

3650   Só Doriath, atrás do véu
de Melian, não sofre tropel,
ataque ou dano; só rumor
dali vem ao atroz senhor.
Notícia viva porém há
3655 dos movimentos cá e lá
dos inimigos, empecilhos,
de Fëanor dos sete filhos,
de Nargothrond, Fingon então,
que já reúne legião
3660 junto a Hithlum na floresta;
narração diária que é molesta
também lhe chega ao ouvido:
sabe de Beren, e o latido
de Huan soa lá na mata
correndo solto.

3665   Já constata,
ouve falar de Lúthien,
nos bosques, clareiras também,
de Thingol pesa a querela,
medita na linda donzela
3670 tão frágil. Manda capitão,
Boldog, com arma e fogo então,
a Doriath; mas um assalto
o acomete; ao trono alto
jamais voltou um da quadrilha,
3675 e assim Thingol o humilha.
Com ira sua mente arde:
ouve outra nova então, mais tarde:
Thû derrotado, a forte ilha
que o opositor destrói e pilha;
3680 teme ardis, traições feitas,
de cada Orque tem suspeitas,
e sempre vêm notícias lestas

338

AS BALADAS DE BELERIAND

do cão latindo nas florestas,
de Huan a causar pavor,
3685 criado lá em Valinor.

Morgoth pondera então a sina
de Huan, no negror rumina.
Matilhas tem, esfomeadas,
a lobo em forma assemelhadas,
3690 espíritos de diabos têm;
selvagens, suas vozes vêm
de monte e cova onde habitam
e infindos ecos lá suscitam.
Escolhe um filhote forte
3695 e alimenta-o co'a morte,
corpos de Elfos e Humanos,
té que imenso, em poucos anos
não no covil, mas junto ao trono
de Morgoth vai deitar, seu dono;
3700 nem Balrog, Orque, nem animais
o tocam. Refeições fatais
faz ele sob o atroz assento,
com carne e osso a contento.
Sofre feitiço lá total,
3705 angústia, poder infernal;
torna-se um horror enorme,
olhos de chama, fauce informe,
alento que é vapor, é praga,
pior que besta em cova ou fraga,
3710 besta qualquer de inferno imundo
que veio já pro nosso mundo,
maior que sua raça, enfim,
tribo feroz de Draugluin.

É Carcharoth, Rubra Goela,
3715 dizem os Elfos. Com cautela
sai do portão, ávida fera,
de Angband, onde insone espera;
onde o portal é ameaça,
tem olhos rubros na fumaça,

339

A BALADA DE LEITHIAN

3720 tem presa à vista, fauce asta;
lá ninguém anda nem se arrasta
nem enfrentando a ameaça
para o covil de Morgoth passa.

Eis que seu olho vigilante
3725 detecta vulto lá adiante
que vem pela planície, fita
à volta sua, e hesita,
vem passo a passo, é lupino,
boquiaberto, sem destino;
3730 acima dele a volitar
sombra que oscila devagar.
Ali tais vultos se dirigem,
pois essa terra é sua origem;
ainda assim acha incorreto
3735 o par, e aguarda lá inquieto.

"Que grão terror, que guarda fria
pôs Morgoth lá, o que vigia,
impede entrada nos portais?
Longe viemos, vias fatais,
3740 à mortal fauce que alcança
nosso caminho! Esperança
jamais tivemos. Avançar!"
Assim diz Beren ao parar,
vendo com olhos de homem-lobo
3745 ao longe o horror improbo.
Desesperado vai avante,
desvia de cada poço hiante
onde Fingolfin rei tombou
a sós, o que enfrentar ousou.

3750 Sozinhos vão ante o portal,
e Carcharoth, ânimo mau,
encara-os e diz rosnando,
ecos nos arcos despertando:
"Draugluin, salve! Meu senhor,
3755 há muito tempo no arredor

340

não estiveste. É admiração
ver-te agora, Alteração
sofreste tu nesse repente,
que eras como fogo ardente,
3760   veloz no ermo, mas que a sina
agora cansa, curva, inclina!
O fôlego por certo falta
quando grão Huan te assalta,
morde a goela? O que a ti
3765   te traz, ventura, vivo aqui —
se Draugluin tu és? Avança!
Vem onde minha vista alcança!"

    "E quem és tu, ó cria ousada,
que não ajuda, impede a entrada?
3770   Pra Morgoth tenho nova exata
de Thû, o que assola a mata.
Arreda! deixa-me entrar
ou vai no fundo me anunciar!"

    Ergue-se lento o grão vigia,
3775   olho a brilhar, com ira fria,
grunhindo inquieto. "Draugluin,
se és tu que vens, pois entra sim!
Mas o que se arrasta, vulto
que atrás de ti se põe oculto?
3780   Conheço todo ser de asa
que entra e sai da atra casa.
Mas este não. Fica aqui!
Odeio a raça, odeio a ti.
Dize qual é o vil recado
3785   que ao rei te traz, ó verme alado!
Pouco me importa. Vamos, passa
ou fica, pois te faço caça,
mosca, te esmago pra que vejas,
arranco as asas, e rastejas."

3790   Vem vindo, fétido, imenso.
No olho de Beren, fogo intenso;

A BALADA DE LEITHIAN

na nuca se eriça a crina.
Pois a fragrância predomina,
odor de flores tão sutil
3795 sob chuva que é primaveril,
luzindo, prata sobre a grama,
em Valinor. O odor proclama
Tinúviel, aonde for.
Do faro do infernal terror
3800 nenhum disfarce oculta o doce
perfume que o vulto trouxe,
se venta vil lá chega perto,
fareja. Beren, mui esperto,
na beira do inferno aguarda
3805 combate e morte. Mas não tarda
que Carcharoth, vulto ruim,
também o falso Draugluin,
de pasmo veem lá transidos
poder que vem de tempos idos,
3810 de diva gente além d'Oeste:
assim Tinúviel investe,
com fogo interno se avia,
despe o morcego e — cotovia —
da noite à luz sai num arranco
3815 e a voz com som argênteo, branco,
ressoa como trompa aguda
que a matutina luz saúda
nos paços da manhã. O manto,
por alvas mãos feito, entretanto,
3820 é como a tarde que encanta
e tudo envolve, acalanta,
suspenso em seus erguidos braços;
diante dele dá uns passos,
sombra de sonho qual neblina
3825 que a luz dos astros ilumina.

"Dorme, escravo torturado!
Ó infeliz, tomba de lado,
foge da angústia, ódio, dor,
luxúria, fome, elo, pavor,

342

AS BALADAS DE BELERIAND

3830 para o olvido atro, grosso,
do fundo sono obscuro poço!
Só uma hora, após termina,
da vida má esquece a sina!"

Apaga o olho, afrouxa o passo;
3835 é como touro que no laço
tropeça, ao solo abatido.
Qual morto, imóvel, sem ruído,
como se o raio um carvalho
lá derrubasse, tronco e galho.[L]

❧

NOTAS

3554 [no verso em inglês] *banded* A, B; > *branded* em B, mas suspeito que o *r* tenha sido acrescentado por outra pessoa.

3589 *Thorndor* alterado para *Thorondor* em B, mas suspeito que essa tenha sido uma correção tardia.

3606 *e o finca* A, B; *no talão* é aparentemente uma emenda tardia em B.

3615 *Thorndor* emendado depois para *Thorondor* em B, ver 3589.

3623 *onde depois* > *lá na secreta* B, uma emenda tardia, feita quando se estabeleceu que a fundação de Gondolin seria muito antes.

3638–639 A: não mais tentou em guerra a sorte,

té a última batalha ao Norte;
mas modelou seu magno intento
co'orgulho e desejo cruento.

3650 Ao lado desse verso está a data "28 de set.". A data anterior era 27 de setembro de 1930, no verso 3478.

3658 *Finweg* A, B, emendado para *Fingon* em B, assim como nos versos 1647, 1654.

3712–713 Esse dístico não consta no texto A originalmente escrito.

3714–715 A (conforme escrito originalmente):

Carcharos, Presa-de-Punhal,
dizem os Elfos. Inda mal

Carcharos e então > *Carcharas* e depois > *Carcharoth* (ver notas aos versos 3751, 3807). Na margem de A, está escrito *Rubra Goela*, e *Caras* com outra palavra ilegível, começando com *Car-*; também *Gargaroth*; e *É Draugluin Espectro-de- -Medo*. Isso talvez signifique que meu pai estava pensando em usar o nome *Draugluin* para o Lobo de Angband, ainda que a essa altura *Draugluin* tivesse aparecido no texto A (3401) como nome do grande lobo da Ilha do Mago.

3751 *Carcharas* em A, não emendado para *Carcharoth* (ver nota a 3714).

3790 Ao lado desse verso está a data "30 de set. de 1930". A data anterior era 28 de setembro de 1930, no verso 3650.

3806 *Carcharoth* em A; ver notas a 3714, 3751.

A BALADA DE LEITHIAN

Comentário ao Canto XII

A maior parte deste Canto é retrospectiva: começando com a morte de Fingolfin em combate com Morgoth, passa às dúvidas e temores de Morgoth e à criação de Carcharoth. De todo modo, nessa época (setembro de 1930), grande parte do "Silmarillion" em prosa que se desenvolveu a partir do "Esboço da Mitologia" havia sido escrita, como espero demonstrar mais adiante, e parece certo que a história do duelo de Fingolfin com Morgoth, conforme aparece neste Canto, acompanhou a versão em prosa, embora aqui nós a encontremos pela primeira vez (junto com os nomes *Grond*, o Martelo do Mundo Ínfero, e *Ringil*, a espada de Fingolfin). O texto em *O Silmarillion* (pp. 213–15) foi bastante baseado na Balada, acompanhando-a na estrutura do relato e retirando dela muitas frases;[*] mas traços independentes da "tradição em prosa" também são encontrados. O relato no poema não dá indícios de quando a batalha se deu, ou do que levou Fingolfin a desafiar Morgoth. Sobre a menção muito anterior à morte de Fingolfin (agora bastante obscura, mas certamente concebida de maneira bem diferente) ver pp. 178–79.

A outra menção que se faz, neste Canto, ao ataque de Boldog (versos 3665–675) será discutida no final do poema (pp. 363–67).

Voltando-nos para a narrativa "em primeiro plano", o trecho na Sinopse III já incluído (pp. 318–19) diz respeito ao conteúdo do Canto XII: ele foi colocado entre parênteses e marcado com "Depois".

Morgoth, sabendo do desmantelamento da Torre do Mago, envia um exército de Orques; ao descobrir que os lobos estão mortos com . . . . . . gargantas, supõe que seja Huan e dá feitio um lobo enorme — Carcharas — o mais magno de todos os lobos a guardar seu portão.

A Sinopse III continua a partir do trecho na p. 332:

---

[*] Por exemplo: "o rumor de seus pés" (compare com 3561); Morgoth "como uma torre, coroado de ferro" (compare com 3562); ele baixou Grond "como se fosse raio e trovão" (compare com 3571); "fumaça e fogo brotaram" (compare com 3572–573); "o sangue brotou, negro e cheio de fumaça" (compare com 3606–607) etc.

Os horrendos portões de Angband. Lá jaz *Carcharoth presa-de-*
-punhal. Ele se ergue lentamente e bloqueia o portão. "Não ros-
nes, ó Lobo, pois vou em busca de Morgoth com novas de Thû."
Ele se aproximou para farejar o seu ar, pois uma leve suspeita se
agitava em seu coração maligno, e ele adormeceu.

A interpretação do nome do lobo como "Presa-de-Punhal"
remonta ao *Conto de Tinúviel* e sobreviveu no texto A da Balada
(ver nota ao verso 3714), mas foi substituído em B pela tradução
"Rubra Goela". As palavras "goela vermelha" são usadas para des-
crever Karkaras no *Conto*, mas não como seu nome (II. 47).
    A ideia de que Carcharoth se aproxima de Lúthien para "farejar o
seu ar" também deriva do *Conto* (II. 44), e com as mesmas palavras.

A Sinopse IV não é relevante neste ponto (ver p. 333); a Sinopse
V, depois do trecho nas pp. 333–34, agora traz o título "11", e é
claramente a base para a história no Canto XII da Balada:

[*Acréscimo a lápis*: Batalha de Morgoth e Fingolfin.]
    Morgoth ouve falar da ruína do castelo de Thû. Sua mente se
enche de inquietação e ódio. Os portões de Angband são forti-
ficados; devido ao rumor de Huan, ele [*excluído no momento da
composição*: cria o maior] escolhe o mais feroz dos lobos dentre
todos os filhotes de suas alcateias, e o alimenta com carne de
Homens e Elfos, e o encanta para que se torne a mais pujante e
terrível de todas as feras que jamais existiram — Carcharos.
    Beren e Lúthien se aproximam. [*Acréscimo a lápis*: a planície
esburacada da luta de Fingolfin.] O encantamento de Carcharos.

❧

XIII

3840 À vasta treva dos recintos,
pavor de tumbas, labirintos,
túneis, pirâmides, lá onde
a morte eterna se esconde,
por corredor, descendo escada
3845 para ameaça enclausurada;
descendo à base da montanha
atormentada, oca entranha

A BALADA DE LEITHIAN

que escavada foi por vermes;
ao fundo vão a sós, inermes.
3850   Passando o arco, lhes parece
que ele míngua, a treva cresce;
das forjas ergue-se o rumor,
em vento ruge, traz calor,
vapores dos poços ocultos.
3855 Lá há enormes, pétreos vultos
de rocha dura que se arromba
em forma que do mortal zomba;
ameaçadoras, sepultadas,
em cada curva estão paradas,
3860 olhar feroz como flagelos.
Lá retinindo estão martelos,
vozes como rochas batidas
vêm bem de baixo, estão perdidas
das vis correntes no fragor,
3865 são de cativos lá na dor.

    Ergue-se alto um riso rouco,
sarcástico, remorso é pouco;
ergue-se canto cru, feroz,
que a alma fere com sua voz.
3870 É rubro o brilho em portão,
de fogo em piso de latão,
fileira d'arcos lá segura
no alto, cúpula obscura
envolta em fumo, em vapor
3875 varado em raios de fulgor.
Paço de Morgoth onde bebe
da besta o sangue, onde recebe
os Homens que são desgraçados:
lá chegam, olhos abrasados.
3880 Colunas, colossais escoras,
da terra acima portadoras,
são entalhadas com medonhos
fantasmas de atrozes sonhos:
sobem com troncos infelizes,
3885 no desespero têm raízes,

sombra mortal, fruto é peçonha,
o ramo é cobra, carantonha.
　　Ali com lança, espada age
horda de Morgoth, negro traje:
3890　o fogo brilha em gume, escudo
qual sangue que se verte em tudo.
Sob grão pilar assoma o trono
de Morgoth, e em abandono
arfam danados pelo chão:
3895　seu escabelo eles são.
Em torno, capitães de frente,
são Balrogs de melena ardente,
mão rubra, dentição de aço;
lobos famintos junto ao braço.
3900　Fulguram sobre a hoste ingente
com brilho frio, resplandecente,
as Silmarils, gemas da sina
que a férrea coroa confina.

　　Eis! pelas portas do pavor
3905　volita sombra com vigor;
Beren ofega — só e audaz,
de bruços sobre a pedra jaz:
vulto-morcego voa silente
onde ergue-se pilar ingente
3910　entre a fumaça e o vapor.
Bem como em sonho de terror
cresce fantasma ali, contorto,
a nuvem de grão desconforto,
rolam pesares que consomem
3915　a alma, bem assim já somem
as vozes, morre a risada,
toda em silêncio transformada.
Temor sem forma, duvidoso,
penetra no covil sombroso
3920　e cresce sobre a turba inquieta
que de olvidado deus trombeta
lá ouve. Morgoth fala então,
rompe o silêncio qual trovão:

"Ó sombra, desce! E não queiras
3925   lograr-me assim. Em vão te esgueiras
do Senhor teu, e te homizias.
O meu querer não desafias.
Nem fuga há nem esperança
pra quem o meu portão alcança.
3930   Desce! que vou te abater,
o que morcego finge ser,
mas que não é! Desce, não passa!"

Sobre a coroa ela esvoaça,
reluta, oscila e se esvai;
3935   já Beren vê que o vulto cai,
despenca ante o nefando trono,
trêmulo, fraco, em abandono.
De Morgoth a figura vasta
se curva ali; Beren se afasta,
3940   de rastos, com o suor frio
no pelo, e com arrepio
vai sob o trono, afinal,
dos pés à sombra colossal.

Tinúviel fala, estridente,
3945   rompe o silêncio de repente:
"Mensagem séria cá me traz;
vim da mansão de Thû lá atrás,
de Taur-na-Fuin, longa trilha,
até defronte tua silha!"

3950   "Teu nome, dévio ser, teu nome!
Muito ouvi de Thû renome
faz pouco. Que quer ele mais?
Pra que vêm mensageiros tais?"

"Thuringwethil sou eu, que alcanço
3955   a lua pálida, lhe lanço
a sombra sobre a face grande
na trêmula Beleriand!"

AS BALADAS DE BELERIAND

"Tu mentes; fraude, e nem queixa,
aos olhos meus permito. Deixa
3960 tua forma e veste. Sê então
entregue aqui em minha mão!"

Mudança lenta vem, tamanha:
veste-morcego, obscura, estranha,
cai e revela sua coragem,
3965 a põe à vista na voragem.
No ombro esguio qual sombra pendem
os seus cabelos, lá se estendem
sombrias vestes, e no véu
mágico há estrelas lá do céu.
3970 Opaco sonho, sono, olvido,
lançam no cárcere perdido,
odor de flores nos outeiros,
vales, de prata aguaceiros,
gotejam lentos pelo ar;
3975 vultos em volta a rastejar,
bando por fome invadido.
De fronte baixa, braço erguido
começa um canto embalador,
tema de sono e torpor,
3980 vagando, encanto mais profundo
que os cantos lá do verde mundo
que Melian cantou na aurora,
fundos, extensos, toda hora.

O fogo de Angband já oscila,
3985 nas trevas cessa, e desfila
em salas, ocos corredores,
sombra de infernais horrores.
Nada se move, só empesta
o hálito de Orque e besta.
3990 Sem pálpebra, o olhar desnudo
de Morgoth é a flama de tudo;
a voz de Morgoth se levanta
e o silêncio arfante espanta.

349

A BALADA DE LEITHIAN

"Ó Lúthien, ó Lúthien,
3995   trapaça Elfos e Homens têm!
Benvinda sê aqui no paço!
Pra servos sempre tenho espaço.
Como vai Thingol, grão mendaz,
à espreita, tímido arganaz?
4000   A qual tolice ele se entrega
que não mantém sua prole cega
longe daqui? e não tem, não,
melhor conselho pro espião?"

Ela hesita, cessa o canto.
4005   "Selvagem foi a via, entanto
não sabe Thingol em qual trilha
caminha sua rebelde filha.
Mas toda estrada, toda via
conduz ao Norte, desafia;
4010   sigo humilde meu destino,
ante teu trono me inclino;
pois Lúthien tem muitas artes,
do rei alívio nestas partes."

"Aqui tu ficas, Lúthien,
4015   prazer ou dor, por mal ou bem —
ou dor, a sina mais constante
pra servo falso e arrogante.
Partilha aqui nosso destino,
pesar e lida! É desatino
4020   poupar donzela fraca, esguia
deste penar! Que serventia
terão teu canto, teus rumores,
teu riso tolo? Trovadores
me sobram. Mas vou conceder
4025   descanso breve pra viver
um pouco mais, caro porém,
à bela, clara Lúthien,
brinquedo para hora ociosa.
Em seus jardins tal flor cheirosa
4030   os deuses têm para beijar,

A Balada de Leithian, versos 3994–4027.

doce qual mel, e descartar,
já sem fragrância, sob seus pés.
Aqui porém tal como és
não vemos no labor nocivo,
4035   privados cá do ócio divo.
Quem não prefere o doce mel
nos lábios, pisar em tropel
das flores pétalas suaves
pra aliviar as horas graves?
4040   Malditos Deuses! Cruel fome,
sede que cega e consome!
Cessai, saciai vosso ferrão
co'este petisco em minha mão!"

O olho em chama se acende,
4045   a impudente mão estende.
Lúthien, a sombra, se esquiva.
"Mas não assim, ó rei!" altiva,
"toma um senhor a prenda dada!
Cada jogral tem sua toada;
4050   suave um, o outro forte,
deixai a cada um a sorte,
que ora canta, ora cala,
por rude a nota, leve a fala.
Arte sutil tem Lúthien
4055   pro régio coração também.
Escuta!" Asas ela apanha,
sobe com rapidez tamanha
que o giro seu ele não alcança;
volita à sua frente, dança
4060   balé confuso, envolve alada
cabeça em ferro coroada.
O canto outra vez ressoa;
cai leve como uma garoa
dos altos do imenso paço
4065   mágica voz, que passo a passo
se estende em ribeirão de prata
que em negros poços sonhos ata.

Desliza o traje em abandono
envolto em trama urdida em sono,
4070 girando vaga lá na treva.
De muro a muro a dança eleva,
bailado tal que nunca fata
bailou, nem desde essa data;
nem andorinha nem morcego
4075 errou assim sem assossego,
nem mais sedosos a rodar
silfas donzelas pelo Ar
que giram no salão de Varda
em ritmo certo que não tarda.
4080 Desaba Orque, Balrog altivo;
morre o olhar, o juízo vivo;
sossegam apetite e mente,
e ela canta, ave insistente,
em mundo obscuro, desolado,
4085 levada em êxtase encantado.
Morre o olhar, mas não no cenho
de Morgoth que fita ferrenho,
os olhos que buscam pasmados
mas são por fim enfeitiçados.
4090 Foge a vontade, apaga a vista,
mais pálida, com sono mista,
e cada Silmaril qual astro
se acende nesse escuro castro,
ascende e no alto brilha,
4095 cintila ali qual maravilha.

Súbito descem com clarão,
despencam no medonho chão.
A fronte escura está pensa;
qual píncaro em bruma imensa
4100 submerge o ombro, se estatela
o vulto, como na procela
penha desaba em destruição;
Morgoth despenca em seu salão.
No chão então rola a coroa,
4105 ribomba, e não mais ecoa

A BALADA DE LEITHIAN

um som — silêncio tão profundo
que dorme o coração do Mundo.

Sob a cadeira vasta e vaga
serpentes há qual rocha aziaga,
4110   lobos também no chão, horror,
lá Beren jaz em grão torpor:
nem pensamento ou sonho leva
em sua mente imersa em treva.
"Avante! A hora já chegou,
4115   de Angband o senhor tombou!
Desperta! Estamos sós, lamento,
ante o pavoroso assento."
A voz ele ouve no abandono
dos fundos poços do seu sono;
4120   mão suave e fresca como flor
lhe roça a face pra compor
a mente obtusa. Já peleja
pra despertar, e já rasteja.
Rechaça a lupina pele,
4125   põe-se de pé, ali repele
treva e silêncio que retumba,
arfa qual vivo envolto em tumba.
Mas a seu lado ela já desce,
a Lúthien que estremece,
4130   força e magia desgastada,
e em seus braços cai cansada.

Ante seus pés vê ele então
gemas de Fëanor no chão,
com fogo branco na coroa
4135   de Morgoth, que tombar deixou-a.
Pra remover a peça vasta
de ferro a força não lhe basta;
tenta arrancar com mãos e gana
a meta da demanda insana,
4140   té recordar a manhã fria
em que lutou, grande porfia,
com Curufin; saca e alinha

o seu punhal que é sem bainha,
e testa o gume, frio qual gelo,
4145 que em Nogrod escutou com zelo
cantar armeiros dos ananos
a martelar, faz muitos anos,
que fende ferro qual madeira,
malha d'anéis qual mole esteira.
4150 Recorta as garras do engaste,
separa e dobra cada haste;
a Silmaril retém na mão,
o brilho rubro passa então,
radioso, a carne através.
4155 Inclina-se, outra das três
sagradas joias sacar fora
que Fëanor lavrou outrora.
Mas esses fogos têm sua sina;
ali sua história não termina.
4160 A faca de artesãos matreiros
feita em Nogrod por ferreiros
se parte em dois, e retinindo
voa qual dardo, e ferindo
a fronte que está dormente
4165 de Morgoth; susto de repente
sentem os dois. Morgoth murmura
com voz de vento em sepultura,
em oca cova encerrado.
Respira então; aleento arfado
4170 sai pela sala; Orque e besta
tremem no sonho de vil festa;
Balrogs agitam-se dormindo,
no alto, longe, lá vem vindo
eco no túnel que é vazio,
4175 uivo de lobo, longo e frio.^{M}

❧

NOTAS

3840 No início do Canto está escrita a data "1 de out. de 1930". A data anterior
era 30 de setembro de 1930 no verso 3790.
3860 Depois desse verso, o texto datilografado B termina, e o texto continua até
o fim em um manuscrito bem-acabado.

A BALADA DE LEITHIAN

3881 Este verso está datado de "14 de set. de 1931". A data anterior era 1 de outubro de 1930 no verso 3840.

3887 Este verso está datado de "15 de set." (1931).

3947 Alteração tardia em B: *da mansão de Sauron lá atrás*. Ver p. 275, nota aos versos 2064–066.

3951 Alteração tardia em B: *De Sauron muito ouvi renome*.

3954 Na margem de B, ao lado de *Thuringwethil*, foi acrescentado, no momento em que o texto era escrito, "isto é, a de sombra oculta".

3957 *Beleriand* A e B (ou seja, não foi uma emenda de *Broseliand*).

3962 Este verso está datado de "16 de set. de 1931".

3969 *mágico* > *élfico* em B, mas isso foi sem dúvida uma mudança tardia, quando meu pai não mais usava essa palavra antigamente dileta.

4029 Ao lado deste verso está escrita a data "14. de set.", duplicando a data do verso 3881.

4045 Ao lado deste verso está escrita a data "16. de set.", duplicando a data do verso 3962.

4085 Depois desse verso está escrita a última data no manuscrito A, "17 de set. de 1931".

4092–093 Esses versos foram escritos na margem de B, mas os versos originais,

> e cada Silmaril, qual estrela
> com o fumo da Terra a envolvê-la

não foram excluídos.

4163–166 A: voa qual dardo; medo infindo
sentem os dois. Morgoth murmura

Comentário ao Canto XIII

Não há muito para se descobrir nas Sinopses a respeito desta parte da narrativa, mas a cena de Angband nunca foi demasiadamente alterada a partir de sua forma original no *Conto de Tinúviel* (II. 44 e seguintes). O final da Sinopse I se restringe a meros títulos, II já se encerrou, e IV não fala da entrada em Angband. A Sinopse III, que em pp. 344–45 chega até o ponto em que Carcharoth é encantado, continua:

Após infinita andança em corredores, eles chegam à presença de Morgoth. Morgoth fala: "Quem és tu que adejas em meus paços como um morcego, mas que morcego não é? Tu não pertences a este lugar, e nem foste convocada. Quem jamais chegou aqui sem convocações? Ninguém!" "Mas eu fui convocada. Sou Lúthien, filha de Thingol." Morgoth então gargalhou, mas estava perturbado com desconfianças, e falou que sua raça maldita não encontraria palavras suaves ou favores em Angband. O que ela poderia fazer para lhe dar prazer e salvar-se das masmorras mais profundas? Ele estendeu sua grande mão impudente, mas ela se esquivou. Ele fica irado, mas ela se oferece para dançar.

[*O restante do esboço está a lápis, indecifrável em alguns pontos*:] Ela deixa cair seu traje de morcego. Seus cabelos caem à volta. As luzes de Angband morrem. Escuridão impenetrável sobrevém: só os olhos de Morgoth e o débil tremeluzir de Tinúviel . . . . Sua fragrância faz com que todos se aproximem, sôfregos. Tinúviel adeja [?para dentro] de uma porta, deixando Beren pasmado de horror . . . .

Aqui esse esboço termina. As palavras de Morgoth, "Quem és tu que adejas em meus paços como um morcego", também ocorrem no *Conto de Tinúviel* (II. 45) — esse rascunho frequentemente retira palavras diretamente do *Conto*, ver pp. 333, 345. Esse é um ponto curioso, pois, no *Conto*, Tinúviel não estava vestida em um couro de morcego, ao passo que, na Sinopse III, ela estava. É possível que as palavras de Melko tenham, de fato, dado origem a esse elemento na história.

No *Conto*, Tinúviel mentiu a Melko, dizendo que seu pai Tinwelint a expulsara e, em resposta, ele lhe diz que não deve esperar por "palavras suaves" — outra frase que se repete na Sinopse III. Mas o restante desse esboço não tem proximidade com o *Conto*.

Nesse ponto, a Sinopse V é muito curta. Após o "encantamento de Carcharos" (p. 345), ainda sob o título "11" ela traz:

O logro a Morgoth e o roubo da Silmaril. A faca anânica de Curufin se parte.

Fica claro que a passagem que encerra a Sinopse III acima foi precursora direta do Canto XIII; mas alguns elementos — e mesmo o fraseado — da cena remontam ao *Conto* sem que sejam mencionados na Sinopse. As palavras de Lúthien "sua rebelde filha" (4007) parecem ecoar "é um Elfo imperioso e não concedo meu amor a mando dele" (II. 45). Há uma clara relação entre as palavras do *Conto* (II. 46):

Então Tinúviel iniciou uma dança tal que nem ela, nem qualquer outro espírito, ou fata, ou Elfa jamais dançara antes, nem dançou desde então

A BALADA DE LEITHIAN

e os versos 4072–073

> bailado tal que nunca fata
> bailou, nem desde essa data;

e compare "serpentes há qual rocha aziaga" (4109) com "Sob seu assento as víboras jaziam como pedras". É interessante ver a ideia do estilhaço de faca atingindo a fronte de Morgoth (o rosto, em *O Silmarillion*) surgir a partir da composição deste Canto; da maneira que foi escrito da primeira vez (ver nota aos versos 4163–166), parece que foi o som da faca se partindo que incomodou os que dormiam, como acontece explicitamente no *Conto* (II. 46–7). Compare os "artesãos matreiros", os ferreiros de Nogrod (4160–161) que fizeram a faca de Curufin, com a passagem em *Os Filhos de Húrin*, acerca dos *barbados Anãos / que juras não respeitam* que fizeram a faca de Flinding, a qual escorregou da bainha (p. 57, verso 1142 e seguintes): ela foi feita pelos Anãos de Belegost e, como a faca de Curufin,

> seu gume devorava sem agrura o ferro,
> feito o arado que racha um torrão de argila.

O relato em *O Silmarillion* (pp. 246–47) é claramente baseado no Canto XIII, do qual retira muitos elementos, mesmo que seja reduzido, notavelmente pela compressão de dois episódios em que Lúthien canta (iniciando nos versos 3977 e 4062) em apenas um; e a prosa aqui deve menos à poesia do que em outros lugares.

O nome que Lúthien atribui a si mesma diante de Morgoth, *Thuringwethil* (verso 3954), é notável. Em *O Silmarillion* (p. 244), o couro de morcego que Huan trouxe de Tol-in-Gaurhoth era o de Thuringwethil: "era a mensageira de Sauron e costumava voar em forma de vampira até Angband", ao passo que, na Balada (verso 3402 e seguintes), como observei, (p. 334), "as asas de morcego carregam os mensageiros de Thû, e não são associadas a um mensageiro particular ou mais importante". Parece possível que, na Balada, Lúthien cunhou o nome ("a de sombra oculta") como uma descrição enigmática de si mesma, e isso levou à concepção da mensageira-morcego que ia da Ilha do Mago até Angband, chamada Thuringwethil; mas não há como provar isso.

Compare os versos 4077–079,

silfas donzelas pelo Ar
que giram no salão de Varda
em ritmo certo que não tarda.

com o conto *A Vinda dos Valar e a Construção de Valinor* (I. 86),
onde se diz que, com Manwë e Varda entraram no mundo "muitos
dos Vali menores que os amavam e tocaram perto deles e afinaram
sua música à deles, e esses são os Mánir e os Súruli, *os silfos dos ares
e dos ventos*".

಄

XIV

Subindo por escada e rampa,
fantasmas a fugir da campa,
da raiz funda da montanha,
da ameaça que é tamanha,
4180   receio trêmulo, incontido,
no olho terror, medo no ouvido,
vão impelidos na batida
dos pés que voam em corrida.

Perto do fim da longa via
4185   vem um lampejo que é do dia,
o amplo arco do portão —
novo terror aguarda então.
Desperto, alerta no limiar,
olhos com fogo a brilhar,
4190   é Carcharoth, sina constante:
a boca é túmulo hiante,
presas à mostra, língua em brasa;
que ninguém fuja de sua casa,
sombra ágil nem vulto caçado
4195   saia de Angband acossado.
Que fraude ou força há de passar
da morte à luz e escapar?

Escuta os passos à distância,
sente sutil, doce fragrância;

A BALADA DE LEITHIAN

4200   fareja a vinda do casal
antes que o vejam no portal.
Espanta o sono, põe-se ativo,
alerta espreita. Ataque vivo
faz aos que passam em carreira,
4205   com uivos pela arcada inteira.
       Mais rápido é o assalto, tanto
que é mais veloz do que um encanto;
Beren põe Lúthien de lado
e vai em frente desarmado
4210   pra sem defesa defender
Tinúviel do que vier.
Esquerda agarra o gasganete,
direita no olho já se mete —
a sua direita com luz pura
4215   em que a Silmaril segura.
Reluz ali, espada em fogo,
de Carcharoth a fauce, e logo
se fecha como alçapão,
do pulso ali arranca a mão,
4220   rasga tendão e rompe osso,
devora a mão esse colosso,
e a boca impura do terror
engole a joia e seu fulgor.[N]

ా

Os Cantos Não Escritos

Praticamente não houve alterações na narrativa do *Conto* para a Balada nessa passagem de abertura do Canto XIV, mas o relato em *O Silmarillion* é diferente, pois ali Beren não golpeou os olhos do lobo com a mão direita que segurava a Silmaril, mas segurou a joia diante de Carcharoth para intimidá-lo. Meu pai pretendia alterar a Balada aqui, como se vê por uma indicação marginal para introduzir o elemento de "intimidação".

A Balada de Leithian termina aqui, tanto no texto A quanto no B, e também nas páginas do rascunho mal-acabado, mas uma folha isolada, em outro lugar, fornece alguns versos adicionais, junto com variantes, no primeiro estágio da composição.

AS BALADAS DE BELERIAND

Ao muro então Beren vai ter,
co'a esquerda tenta proteger
a bela Lúthien, que chora
vendo sua dor, e que agora
ao chão se abate com angústia.

Há também um trecho curto, encontrado em uma folha separada,
no final do texto B, com o título "um fragmento do final do poema":

    Onde o riacho passa a mata
    e cada tronco de remata
    em alta copa, carregada
    casca de sombra pintalgada
5   junto ao verde, claro rio,
    vem pelas folhas arrepio,
    sussurro em vento no ligeiro
    silêncio calmo; vem do outeiro
    alento como de quem dorme,
10   eco de morte, frio enorme:
    "De longa sombra é a trilha
    que nenhum pé jamais palmilha,
    sobre a colina, além do mar!
    Longes as Terras de Folgar,
15   mais longes são as dos Perdidos,
    lá estão os Mortos, esquecidos.
    Sem lua, voz, e sem ruído
    de coração; fundo gemido
    em cada era, quando a era
20   acaba. A Terra da Espera
    dos Mortos é longe a buscar,
    sentam em sombra, sem luar."⁰

Compare esses últimos versos com a passagem ao final do conto de
Beren e Lúthien em *O Silmarillion* (p. 254):

Mas Lúthien chegou aos salões de Mandos, onde estão os lugares designados para os Eldalië, além das mansões do Oeste, nos
confins do mundo. Ali aqueles que esperam se assentam na sombra de seu pensamento.

A BALADA DE LEITHIAN

Não há nada além disso, e não acho que jamais houve algo além disso. Todo o trabalho posterior que meu pai empreendeu no poema foi dedicado à revisão do que já existia, e a *Balada de Leithian* se encerra aqui.

೧

Das cinco sinopses que foram incluídas nas páginas anteriores, somente a quinta diz respeito à fuga de Beren e Lúthien de Angband. Esse esboço foi citado pela última vez na p. 357 ("a faca anânica de Curufin se parte"), e continua:

> Beren e Lúthien fogem atemorizados. Despertar de Carcharos. A mão de Beren que segura a Silmaril é decepada. Loucura de Carcharos. Angband desperta. Fuga de Beren e Lúthien rumo às águas do Sirion. O Canto termina [isto é, Canto 11, ver p. 357] com eles ouvindo a perseguição dos lobos. Envolto na capa de Lúthien, eles esvoaçam sob as estrelas.

O resgate de Beren e Lúthien por Thorondor e seus vassalos ainda não estava presente e a história ainda estava, nesse aspecto, igual ao *Conto de Tinúviel* (II. 47–8). Veja especialmente:

> Tinúviel enrolou parte de sua capa escura em torno de Beren e assim, por algum tempo, esvoaçando no crepúsculo e na escuridão entre as colinas, não foram vistos por ninguém.

O primeiro registro da história modificada da fuga de Angband se encontra em um retalho de papel isolado, escrito rapidamente a lápis e muito difícil de decifrar:

> Carcharoth enlouquece e impele todos os [?orques] à sua frente como um vento. O som de seu terrível uivo faz as rochas se fenderem e caírem. Há um tremor subterrâneo. A ira de Morgoth ao despertar. O portal [?colapsa] e o inferno é bloqueado, e grandes fogos e fumaças irrompem de Thangorodrim. Trovão e relâmpago. Beren jaz moribundo diante do portão. A canção de Tinúviel conforme beija sua mão e se prepara para morrer. Thorondor desce e os leva em meio aos raios que os [?golpeavam] como lanças e a uma saraivada de flechas das ameias.

Passam sobre Gondolin e Lúthien vê a cidade branca à distância lá embaixo, [?cintilando] como um lírio no vale. Thorondor a depõe em Brethil.

Isso é bem próximo, em termos de estrutura narrativa, à história de *O Silmarillion* (pp. 248–49), com o tremor, fogo e fumaça de Thangorodrim, Beren jazendo próximo ao Portão, Lúthien beijando-lhe a mão (estancando a ferida), a descida de Thorondor e o sobrevoo da(s) águia(s) por Gondolin. Esse último detalhe mostra que o breve esboço é relativamente tardio, visto que Gondolin já existia antes da Batalha das Lágrimas Inumeráveis (II. 250). Contudo, nesse texto eles são levados até Brethil (um nome que não aparece nos trabalhos até muitos anos depois); em *O Silmarillion*, eles são depostos "nas fronteiras de Doriath", no "mesmo vale de onde Beren fugira em desespero, deixando Lúthien adormecida". — Sobre a referência a Gondolin como "lírio no vale", ver I. 210.

A Sinopse V tem mais a dizer depois acerca das errâncias de Beren e Lúthien antes de retornarem a Doriath, mas vou agora expor integralmente o material restante antes de comentá-lo. Primeiro, é conveniente citar o final da Sinopse II já fornecido anteriormente (p. 318):

> Embaixada de Celegorm a Thingol, de modo que Thingol sabe, ou acha que sabe, que Beren está morto e que Lúthien está em Nargothrond.
> Por que Celegorm e Curufin são odiados por Thingol . . . . .
> A perda de Dairon.

A Sinopse IV foi incluída (p. 321) apenas até "Preparam-se para partir a Angband", visto que, após isso, o esboço se desvia da história dos próprios Beren e Lúthien, de acordo com a projeção de meu pai naquela época para o desenrolar da Balada, e continua assim:

11

> Doriath. A caçada a Lúthien e a perda de Dairon. Guerra nas fronteiras. Boldog morto. Assim, Thingol fica sabendo que Lúthien não está morta ainda e foi capturada, mas teme que o assalto de Boldog signifique que Morgoth está ciente que ela

anda vagando. Na verdade, não quer dizer nada mais do que a lenda de sua beleza.

Uma embaixada de Celegorm chega. Thingol descobre que Beren está morto e Lúthien, em Nargothrond. Ele se enfurece com as indicações na carta de que Celegorm deixará Felagund morrer e usurpará o trono de Nargothrond. Assim, é melhor Thingol deixar Lúthien onde ela está.

Thingol prepara um exército para investir contra Nargothrond, mas descobre que Lúthien partiu, e Celegorm e Curufin fugiram para o Aglon. Ele manda uma embaixada até o Aglon. É debandada e posta para correr pelo súbito ataque de Carcharas. Mablung consegue fugir para contar a história. A devastação de Doriath por Carcharas.

12

O roubo da Silmaril e a volta para casa de Beren e Lúthien.

13

A caçada do lobo e a morte de Huan e Beren.

14

A reconvocação de Beren e Huan.

A Sinopse V continua como preparação mais substancial para o final do poema, que nunca chegaria a ser escrito e que meu pai, nesse estágio planejava ter mais três Cantos.

12

Pesar em Doriath à fuga de Lúthien. O coração de Thingol torna-se empedernido contra Beren, apesar das palavras de Melian. Uma magna caçada se dá por todo o reino, mas muitos se desgarraram no norte, oeste e sul de Doriath, para além da magia de Melian, e se perderam. Dairon se separou dos seus companheiros e vagou para o Leste do mundo, onde, segundo alguns, ainda flauteia buscando em vão por Lúthien.

A embaixada de Celegorm diz a Thingol que Beren e Felagund estão mortos, que Celegorm coroará a si mesmo rei de Narog e, enquanto lhe diz que Lúthien está segura em Nargothrond e faz as tratativas por sua mão, dá a entender que ela não voltará: também o alerta a não se imiscuir na questão das Silmarils. Thingol fica irado — e é levado a pensar mais positivamente sobre Beren, ao mesmo tempo em que [o] culpa pelas atribulações que se seguiram à sua chegada em Doriath, e principalmente pela perda de Dairon.

Thingol se arma para guerra contra Celegorm. Melian diz que, de sua parte, proibiria essa guerra maligna de Elfo contra Elfo, mas que jamais Thingol haveria de chocar lâminas com Celegorm. O exército de Thingol se depara com a hoste de Boldog nas fronteiras de Doriath. Morgoth ouviu falar da beleza de Lúthien e rumores de suas perambulações. Ordenou a Thû e aos Orques que a capturassem. Uma batalha se dá e Thingol sai vitorioso. Os Orques são empurrados para Taur-na-Fuin ou mortos. O próprio Thingol mata Boldog. Mablung Mão-Pesada era o principal guerreiro de Thingol, e lutou ao seu lado; Beleg era chefe dos batedores. Embora vitorioso, Thingol está ainda mais cheio de inquietações com a caçada que Morgoth empreende para capturar Lúthien. Beleg parte do acampamento nas fronteiras de Doriath e viaja sem ser notado pelos arqueiros até o Narog. Leva notícias da fuga de Lúthien, do resgate de Beren e do exílio de Celegorm e Curufin. Ele [*isto é*, Thingol] volta para casa e manda uma embaixada ao Aglon exigindo recompensa e auxílio no resgate de Lúthien. Renova seu juramento de aprisionar Beren para sempre caso ele não volte com uma Silmaril, embora Melian o alerte de que ele não sabe o que diz.

A embaixada se depara com a investida de Carcharos que, pelo fado ou pelo poder da Silmaril, irrompe em Doriath. Todos perecem, exceto Mablung, que traz as notícias. Devastação das matas. Os Elfos da floresta fogem para as cavernas.

13

Beren e Lúthien fogem para as Montanhas Sombrias, mas se perdem e ficam desnorteados nos horrores de Nan Dungorthin, e são perseguidos por espectros e, por fim, pegos pelas grandes aranhas. Huan os resgata e os guia pelo Sirion abaixo, e assim chegam a Doriath pelo sul e encontram as matas silenciosas e vazias até chegarem à ponte protegida.

Huan, Beren e Lúthien apresentam-se diante de Thingol. Contam toda a sua história; no entanto, Thingol não cede.

A BALADA DE LEITHIAN

As palavras valentes de Beren, revelando o mistério de Carcharos. Thingol cede. A caçada do lobo é aprontada. Huan, Thingol, Beren e Mablung partem. Lúthien permanece com Melian, tendo pressentimentos. Carcharos é morto, mas matou Huan, que defendeu Beren. Ainda assim, Beren recebeu ferida de morte, mas viveu para depor na mão de Thingol a Silmaril, a qual Mablung retirou da barriga do lobo.

O encontro e despedida de Beren e Tinúviel sob Hirilorn. Enterro de Huan e Beren.

14

Desvanecer de Lúthien. Sua jornada até Mandos. A canção de Lúthien nos salões de Mandos e a libertação de Beren. Vivem longamente em Broseliand, mas nunca mais falaram com Homens mortais, e Lúthien se tornou mortal.

Isso conclui todo o material nos esboços. Para as referências na própria Balada ao ataque de Boldog e ao interesse de Morgoth em Lúthien, veja os versos 2127–136, 2686–694, 3198–201 e 3665–675.

Na Sinopse IV (pp. 363–64), o ataque de Boldog se dá em um momento anterior da história, antes da chegada da embaixada de Celegorm a Thingol, mas o seu valor narrativo é obscuro. Não fica claro como o ataque serviria para informar a Thingol que "Lúthien não está morta ainda e foi capturada", e nem por que ele haveria de concluir que "Morgoth está ciente que ela anda vagando". Além disso, a afirmação de que "na verdade, não quer dizer nada mais do que a lenda de sua beleza" só pode significar (caso Morgoth *não* tivesse ouvido falar da partida dela de Doriath) que ele mandou o bando de Boldog com a intenção explícita de capturá-la da fortaleza das Mil Cavernas.

Na Sinopse V, o ataque foi deslocado para um ponto posterior, e a hoste que saía de Doriath e que destruiu Boldog estava, na verdade, investindo contra Nargothrond. Em *O Silmarillion*, as mensagens de Celegorm sobreviveram, mas não há indício do ataque de Boldog e Thingol não faz nada além de pensar "em fazer guerra" a Nargothrond:

Mas Thingol descobriu que Lúthien tinha viajado para longe de Doriath, pois certas mensagens chegaram de Celegorm em segredo [...] dizendo que Felagund estava morto, e que Beren estava morto, mas que Lúthien estava em Nargothrond, e que Celegorm queria desposá-la. Então Thingol se enfureceu e enviou espiões, pensando em fazer guerra a Nargothrond; e assim descobriu que Lúthien fugira de novo, e que Celegorm e Curufin tinham sido expulsos de Nargothrond. Então não soube ao certo o que fazer, pois não tinha forças suficientes para atacar os sete filhos de Fëanor; mas enviou mensageiros a Himring, convocando o auxílio deles na busca a Lúthien, já que Celegorm não a enviara à casa de seu pai nem a mantivera em segurança. (pp. 250–51).

Os "espiões" dessa passagem derivam da missão secreta de Beleg a Nargothrond na Sinopse V (p. 365). Parece provável que meu pai de fato descartou o ataque de Boldog e, junto com ele, acabaram-se as sugestões de que as perambulações de Lúthien foram relatadas a Morgoth (verso 3665 e seguintes) e que Thû recebeu ordens de capturá-la (Sinopse V). A passagem no Canto IX da Balada (2686–694) em que Thû reconheceu a voz de Lúthien — ou, no mínimo, sabia que era ela cantando — na verdade não sugere em absoluto que ele a estava buscando ativamente. Esses versos são a origem do trecho em *O Silmarillion* (p. 239) em que Sauron estava na torre de Tol-in-Gaurhoth e

sorriu ao ouvir a voz dela, pois sabia que era a filha de Melian. A fama da beleza de Lúthien e do assombro de sua canção há muito se divulgara de Doriath; e ele pensou em fazê-la cativa e entregá-la ao poder de Morgoth, pois sua recompensa seria grande.

Mas a ideia de que a fama da beleza e da canção de Lúthien chegara aos ouvidos de Sauron perdurou de um estágio da narrativa em que o interesse de Morgoth nela era um elemento importante.

Como observado anteriormente (p. 248), a perambulação e perda de Dairon remonta ao *Conto de Tinúviel* (II. 33) e sobreviveu em *O Silmarillion* (p. 250), onde se diz que Daeron atravessou as Montanhas Azuis e "chegou ao Leste da Terra-média, onde, por muitas eras, fez lamento à beira de águas escuras por Lúthien". Na história posterior, menos caso se faz da grande caçada a Lúthien, e nada se diz das mudanças de humor e intenções de Thingol em

A BALADA DE LEITHIAN

relação a Beren, mencionadas na Sinopse V. O elemento "político" das ambições de Celegorm e Curufin e a tentativa de intimidação e chantagem a Thingol é, evidentemente, um elemento novo que surge nas Sinopses (excetuando-se a referência anterior na Balada, 2501–503, às intenções dos irmãos quanto a isso), visto que o "Elemento Nargothrond" está completamente ausente do *Conto de Tinúviel*. Coisa parecida acontece com a interceptação da embaixada de Thingol ao Aglon por Carcharoth, da qual somente Mablung sobreviveu. Isso também permaneceu em *O Silmarillion*.

Na Sinopse V, onde ainda não está presente o episódio em que Thorondor leva Beren e Lúthien de Angband, eles fogem de Angband "rumo às águas do Sirion" (p. 362), e (p. 365) "fogem para as Montanhas Sombrias, mas se perdem e ficam desnorteados nos horrores de Nan Dungorthin, e são perseguidos por espectros e, por fim, pegos pelas grandes aranhas. Huan os resgata e os guia pelo Sirion abaixo [...]". Também no *Conto* (II. 48), Huan os resgata de "Nan Dumgorthin". Esse ponto da geografia e da alteração na nomenclatura causa grande perplexidade. Demonstrei (pp. 206, 277) que o significado de "Montanhas Sombrias" se altera no curso da *Balada de Leithian*: no início (versos 386, 1318), a referência é às Montanhas de Terror (Ered Gorgoroth). Depois, (versos 1939–940) é às Ered Wethrin, a cordilheira que cerca Hithlum. As Montanhas de Terror, com suas grandes aranhas, são descritas no verso 563 e seguintes.

Na presente passagem da Sinopse V, as afirmações de que Beren e Lúthien foram em direção ao Sirion ao escaparem de Angband e que Huan, ao resgatá-los de Nan Dungorthin, guiou-os Sirion abaixo, sugerem fortemente que as Montanhas Sombrias aqui são novamente, como esperado, as Ered Wethrin. Nan Dungorthin deve, portanto, ficar no mesmo lugar de *Os Filhos de Húrin*, a oeste do Sirion, em um vale nas encostas meridionais das Montanhas Sombrias. Mas isso significa que as grandes aranhas poderiam ser encontradas em ambos os lugares.

É difícil sugerir uma explicação satisfatória para isso. Uma possibilidade é que, quando Beren cruzou as Montanhas de Terror e encontrou as aranhas (versos 597–74), "Nan Dungorthin" foi colocado naquela região, embora não tenha sido nomeado; na Sinopse V, contudo, ele novamente é alocado, com as aranhas, a oeste do Sirion.

Na história posterior, as águias depuseram Beren e Lúthien nas fronteiras de Doriath, e foi lá que Huan os encontrou.

Na conclusão da Sinopse V, até onde se pode depreender desse esboço muito condensado, há pouquíssima variação em relação à história da caçada do lobo e da morte de Beren conforme contadas em *O Silmarillion*; mas, na Sinopse, Beleg não estava presente na caçada, assim como também não estava no *Conto* (II. 52).

A frase que conclui a Sinopse V é curiosa: "A reconvocação de Beren e Huan" (p. 364). "Reconvocação" obviamente se refere ao retorno de Mandos (o último título na Sinopse I é "Tinúviel vai até Mandos e reconvoca Beren"); e, nesse caso, a intenção de meu pai deve ser que Huan retornaria dos mortos junto com Beren e Lúthien. No *Conto de Tinúviel*, Huan não foi morto (II. 53), e não havia profecia de que seu destino era cair diante do lobo mais poderoso a jamais caminhar pelo mundo. Ali, tornou-se companheiro de Mablung (II. 55) e, no *Conto do Nauglafring*, retornou a Beren e Lúthien na terra de i·Guilwarthon após a morte de Thingol e o saque das Mil Cavernas.

APÊNDICE

O Comentário de C.S. Lewis à Balada de Leithian

Incluo aqui a maior parte do comentário, sobre o qual consulte pp. 183–84.[*] As referências numéricas de Lewis aos versos foram evidentemente alteradas ao longo do comentário para se adequarem a este livro. As letras H, J, K, L, P e R se referem aos manuscritos imaginários do antigo poema.

Para o texto examinado na primeira entrada do comentário, ver pp. 191–92, ou seja, o texto B(1).

4. *Repastos bastos*. Essa é a lição[†] nos manuscritos PRK. Quem quiser que acredite que o autor criou tal cacofonia. J tem *Doces*

---

[*] Uma descrição deste comentário, com algumas citações, foi incluída por Humphrey Carpenter em *The Inklings* [Os Inklings], pp. 29–31, onde ele corrigiu a afirmação de sua *Biografia*, p. 200, de que "Tolkien não aceitou nenhuma das emendas sugeridas por Lewis".

[†] O termo *lição* é usado por críticos textuais com referência às palavras variantes empregadas em cada testemunho manuscrito. Pode ser entendido como sinônimo técnico de *leitura* ou *versão*. [N.T.]

bebidas, pratos caros. L *O sorvo doce e o prato caro.* (Muitos acadêmicos rejeitaram completamente os versos 1–8, considerando-os indignos do poeta. "São acréscimos de um escriba tardio para fechar uma lacuna no arquétipo",* diz Peabody, que acrescenta: "O movimento mais melodioso e o andar narrativo mais firme no trecho que começa no verso 9 [*Mas que as filhas de Homens mais bela*] bastam para convencer até os mais estúpidos de que aqui, e somente aqui, começa a obra autêntica do poeta." Não estou convencido de que a verdadeira abertura da *Gesta* não seja a do manuscrito H, e ela merece ser citada aqui na íntegra.

> *Em tempo antigo e eras distantes,*
> *No céu, novos astros brilhantes,*
> *Pra lá de Broseliand havia,*
> *Em uma terra ainda vazia,*
> *Um rei formoso e coroado,*
> *Nas vestes, ouro entrelaçado,*
> *Ouro nos pés também fulgura,*
> *E ouro cingia-lhe a cintura.*
> *Na casa de grãs colunatas*
> *Abelhas áureas, marfíneas ratas,*
> *De quietos licornes tirados*
> *Cornos para beber à beça,*
> *E de xadrez as cúpreas peças*
> *Pilhavam-se em dourada grota*
> *Tinha tudo* etc.)

[É praticamente certo que foi a crítica de Lewis que levou meu pai a reescrever a abertura (o texto B(2), p. 189). Ainda que as cúpreas peças de xadrez e os ratinhos de marfim não tivessem lugar na nova versão, é notável que nos versos de Lewis se encontrem as palavras "Na casa de grãs colunatas". Elas não derivam do texto B(1) que Lewis havia lido, mas em B(2) surge o verso *em salões de pedra com colunata*. Parece, portanto, que os salões *com colunata* na canção de Gimli em Moria foram assim descritos originalmente por C.S. Lewis, imaginando os salões de Thingol em Doriath.]

---

* No âmbito da crítica textual, o "arquétipo" é o texto a partir do qual foram copiados os manuscritos que sobreviveram. O texto arquetípico, contudo, não é o texto chamado de "original": ele se situa entre o original e as cópias restantes. [N.T.].

40 A descrição de Lúthien já foi enaltecida com frequência e justiça demasiadas para que este simples comentarista se intrometa.

68 *fama.* Conforme PRKJH. A lição em L é *de altura*. A descrição elogiosa de Schick, chamando tais cacofonias de "rima interna", não é de grande ajuda. "O poeta da *Gesta* não sabia nada de rimas internas, e sua ocorrência (assim chamadas) é uma marca inequívoca de corrupção" (Pumpernickel). Mas ver 210, 413.

71–2 Seria bom para o leitor que deseja ter um parâmetro do verdadeiro estilo da *Gesta* aprender de cor esse dístico impecável e característico.

77 HL *Que nos festins ouvem mortais*
[O verso em B(1) era *que ouviram festivos mortais*. O verso de Lewis foi adotado, trocando-se *nos* por *em seus*.]

99–150 Esta é considerada por todos os críticos uma das mais nobres passagens da *Gesta*.

112 Note o duplo sentido de "interior" (macrocósmico e microcósmico). O fato de que o poeta original talvez não tivesse consciência disso não diminui necessariamente o nosso deleite.
[Lewis estava claramente correto ao suspeitar que o poeta original não tinha em mente tal duplo sentido.]

117 H *As tropas de ambulante ira*
[Lewis estava criticando o verso original em B, *más tropas de orde-nada ira*. O verso proposto por Lewis foi adotado, mas mantendo-se *ordenada* em vez de *ambulante*.]

[No comentário a seguir, a lição criticada era:
Deitava em todos gume e fogo
negassem seu mando e seu rogo,
e as terras para lá dos montes
sofriam pesares aos montes.]

A BALADA DE LEITHIAN

124   O pronome relativo ficou implícito. Suspeito
tanto da sintaxe quanto da palavra *negassem*,
nenhuma das quais soa autêntica. A lição de H é:

> *Deitava em todos que senhor*
> *Não o aclamassem fogo e horror;*
> *E ao Norte, por todos os cantos,*
> *Espalhava males e prantos.*
> *Mas vivendo num bosque frio* etc.

130   "Um verso fraco" (Peabody).
[O verso original em B que Lewis criticou era *que outrora a este Rei fez frente*, alterado para *de Homens foi príncipe e regente*.]

137   Há alguma emenda. O ritmo, contudo, é
satisfatório, e provavelmente ocorreria com mais
frequência se a afetação silábica dos escribas não
o tivesse "emendado" em outros lugares.

172 LH   *Em que perdi*
[Nenhuma alteração foi feita ao texto.]

173–74 L *Pensou, fitando a escuridão,*
         Com admirado coração
[Nenhuma alteração foi feita ao texto.]

[No comentário seguinte, a lição criticada era:
    E sem seu nome lhe chamar,
    Nem como escapou perguntar.]

175–76   *como escapou.* Uma frase latinizante,[*]
denunciando imediatamente uma corrupção
muito tardia. A feia aliteração *sem seu* confirma
minhas suspeitas acerca do dístico. Nenhuma
emenda satisfatória foi proposta.
[*nem como escapou perguntar* foi alterado para *como escapou lhe perguntar*.]

---

[*]C.S. Lewis evidentemente está criticando o caráter latinizante da expressão em inglês, *she escaping*. Em português, a frase é latinizante por natureza. [N.T.]

196–97 H *Lamentando, o espírito seu / quer paz* etc.
Peabody observa, acerca da passagem completa: "A combinação entre a extrema simplicidade, com uma verdade psicológica convincente, e a compaixão que, sem um único comentário, nos dá ciência de que Gorlim é a um só tempo perdoável e imperdoável, torna essa parte da história extremamente comovente."
[Nenhuma alteração foi feita aos versos 196–97.]

208   *se este puder.* LH *caso possa*
[Nenhuma alteração foi feita ao texto.]

210–11   Uma das poucas passagens em que a teoria proposta por Schick de que há rimas internas deliberadas encontra alguma sustentação.
[Ver o comentário ao verso 68.]

215   *ao.* H *e ao.*
[Nenhuma alteração foi feita ao texto.]

[Os versos 313–16 aludidos no comentário a seguir foram colocados entre parênteses, indicando exclusão, e a palavra *que* no verso 317 foi alterada para *E*, antes de o texto ser entregue a Lewis.]

313 O manuscrito H diz
*Vê Morgoth que seu contendor
prestou serviço, executor.
E Beren...*

"Nosso escriba está certo ao excluir o segundo dístico, mas errado ao excluir o primeiro" (Peabody). O primeiro par de versos excluído certamente merece permanecer no texto; de fato, sua eliminação prejudica seriamente a realidade de Morgoth. Eu publicaria como está em H, colocando *Vê... executor* entre parênteses ou travessões.

[Meu pai ticou os dois primeiros versos (313–14), o que talvez demonstre que ele aceitou a sugestão. Eu mantive os quatro versos no texto.]

400 S   obre o Canto 2 como um todo, Peabody afirma: "Se isto não for uma boa narrativa romântica, confesso que não sei o que é."

401   et seq. Um relato mais filosófico do período se encontra no chamado *Poema Historiale*, provavelmente contemporâneo do mais antigo manuscrito da *Gesta*. A passagem em questão diz o seguinte:

> *Há muito tempo, antes de o sol se alçar*
> *De as rodas do céu saberem galgar*
> *Firmes qual sonhos; pois sonhos, decerto,*
> *Fizeram um mundo d'Elfos repleto.*
> *E os grãos desejos que hoje andam somente*
> *Pela escuridão das cavas da mente,*
> *E o tremor, o desalento e o pecado*
> *Andavam à solta, sem cadeado.*
> *O pensar faz sombra: falam os brutos:*
> *E numa estrela os homens dão seus frutos.*
> *O espírito molda um mundo inconstante.*
> *Nada é falso ou verdade nesse instante.*

[Humphrey Carpenter, que cita esses versos em *The Inklings* [Os Inklings], afirma (p. 30): "Às vezes, Lewis de fato sugeria passagens inteiramente novas para substituir versos que ele achava pobres, e também nesses momentos atribuía a suas próprias versões fontes supostamente históricas. Por exemplo, ele sugeriu que os versos sobre os 'dias antigos' [401 e seguintes] poderiam ser substituídos por esta estrofe de sua própria lavra, que ele descreveu como sendo do "chamado *Poema Historiale* [...]'." Mas Lewis não poderia ter concebido esses versos como substitutos: eles não apenas, como diz Humphrey Carpenter, mostram "quão grande era a diferença entre a imaginação poética de Lewis e a de Tolkien", como também estão em um metro distinto; ver os comentários de Lewis aos versos 438–42.]

413   Outro exemplo em que a teoria da "rima interna" se justifica.

438–42 Quase certamente espúrios. Essa afirmação filosófica abstrata — que não seria surpreendente na poesia escolástica do período, como o *Poema Historiale* — é muito alheia à maneira da *Gesta*. A lição em L é a seguinte:

> ... *doces melodias*
> *Ficou imóvel, e por dias*
> *Os seus por ele procuraram*
> *Com cães, e seu nome gritaram,*
> *Até que em naus foram-se embora.*
> *Pra ele foi como uma hora*
> *Mas longa era já passava*
> *Quando a encontrou onde sonhava.*

[Meu pai assinalou os versos 438 e os seguintes no texto datilografado, mas não fez alterações ao texto.]

516   *Flóreo hastil.* O leitor deve notar como o estilo geralmente simples da *Gesta* ainda assim tem o poder de se elevar a expressões como essa sem perder sua unidade.

[No comentário a seguir, a lição criticada era:
the silent elms stood dark and tall,
and round their boles did shadows fall 518
where glimmered faint...]*

518   *did* nos manuscritos PRK, *let* nos manuscritos JL. Embora nem *did* e nem *let* sejam bons, a lição de PRK parece melhor, e um leitor atento à história pode fazer vista grossa ao seu modo levemente

---

altos e atros olmos silentes
sombras aos troncos passam rentes
e umbelas grossas de cicuta...
A discussão se dá em torno do auxiliar *did* em inglês e, por isso, o ideal é que seja acompanhada a partir dos versos no idioma original. [N.T.]

A BALADA DE LEITHIAN

canhestro. O "ajeitado" e evasivo uso de *let*, com sua atribuição puramente formal de dar papel ativo às árvores, é muito pior, assim como um cenário barato é pior do que um pano de fundo simples. A lição em H é:

The silent elms stood tall and grey
And at the roots long shadows lay[*]

519–42   "Esta passagem", observa Peabody, "repara grandemente o lapso do poeta (*dormitat Homerus*) no verso 518. *Ipsa mollities*."

[Não entendo por que Lewis cismou particularmente com *did* no verso 518: seu emprego como artifício métrico era muito comum no texto B conforme chegou às mãos dele — ocorre duas vezes, por exemplo, na passagem aqui enaltecida: *did flutter* (523) e *did waver* (533), ambos subsequentemente alterados.]

555–56   "*O si sic omnia!* Ora se nosso poeta não revela vislumbres do verdadeiro empíreo da poesia e, no entanto, em sua primorosa humildade, escolhe com maior frequência habitar o céu intermediário, mais ameno e aéreo (não etéreo)." (Pumpernickel). Alguns julgam que tal concepção da morte que se torna vida é um acréscimo tardio. Mas cf. este antiquíssimo poema lírico preservado no manuscrito N3057, hoje guardado na biblioteca pública de Narrowthrode (a antiga *Nargothrode*), que é provavelmente tão antigo quanto a *Gesta*, ainda que, como toda a poesia escolástica, tenha uma nota mais moderna:

Por orgulho exagerado
Renasço de erros repleto,
E olho, a cada hora, de lado,
O meu espelho secreto,

---

[*] *Os olmos cinzentos torreiam*
  E, às raízes, sombras passeiam [N.T.]

AS BALADAS DE BELERIAND

Faço ali cada postura
Pra ajeitar minha figura.

Uvas me deste, mas eu
As olho, mesmo faminto,
Escuros globos qual breu
Na minha'alva mão os sinto,
E fico ali, observando,
Os cachos vivos murchando.

Mas se rápido eu morrer
Qual Narciso, de desejo
Logo vem a acontecer
Que formas de assombro vejo
Tornando humilde o orgulho
pelo bem do próprio orgulho.

Só nesse momento giro
O pescoço, e então ardente
Homem derretido eu viro
E olho para trás, consciente
De onde o mal vem, da luz que faz o escuro,
Beleza que faz meu reflexo impuro,
O amor-próprio que dá à luz, morituro.

[O que o criador de Nargothrond pensava da biblioteca pública de Narrowthrode é assunto para especulação. — Este poema, com algumas alterações, foi incluído em *O Regresso do Peregrino* (1933).]

563–92   *Sic* em todos os manuscritos. Decerto, a passagem é genuína e verdadeiramente digna da *Gesta*.
Mas ela certamente deveria estar, originalmente, posicionada no verso 391 ou 393, não? A inserção artificial da jornada de Beren no presente ponto — onde aparece como retrospectiva, e não como narrativa direta — ainda que defensável, pertence a um tipo de arte mais sofisticada que a *Gesta*: é justamente o tipo de transposição que um redator literário broseliândico faria sob a influência da épica clássica.

[Depois de um quarto de século ou mais, meu pai reescreveu essa parte do poema e acatou o conselho de Lewis. Ver p. 410.]

[A lição original em B criticada no comentário seguinte (começando no verso 629) era:

> *Fitou selvagem, boquiaberto*
> *quietas árvores, chão deserto;*
> *a lua zonza e gris fremia*
> *com choro, porque ela partia.*]

629–30   Conforme PRKJ. O latinizante uso adverbial do adjetivo *selvagem* e os artigos omitidos no verso seguinte são suspeitos.

> L *Selvagemente, Beren viu*
> *(As)* árvores, o chão vazio.*
> *A lua zonza* etc.

* Peabody acrescenta *As*. Mas o pé monossilábico é bastante possível. Cf. o verso 687.

> H *Beren vê com selvageria,*
> *Mata nua e terra vazia.*
> *E a lua, sozinha e cinzenta,*
> *cobrindo da floresta a senda.*

Prefiro H   porque remove a afetação (é pouco mais do que isso) sobre a lua. (Deve-se, é claro, fazer uma distinção entre esse tipo de personificação tépida e mitologia genuína.)

[Ao lado disso, meu pai escrevinhou no texto de Lewis: "Não é o caso!! A lua estava zonza e tremeluzindo por causa das lágrimas nos olhos dele." Contudo, ele riscou os dois versos com força no texto datilografado, e eu os excluí do texto.]

635–36   Um excelente símile.

641   Peabody, embora grande amigo de soluções métricas no geral, é da opinião que essa solução em particular (*atordoado e encantado*) soa "singularmente áspera". Talvez a lição no texto original fosse *atroado*.

AS BALADAS DE BELERIAND

[A lição em B era *sozinho, atordoado e encantado*. Meu pai, então, alterou *atordoado* para *atroado* e o colocou depois de *encantado*.]

651–52   JHL transpõem.
[Isso foi feito. Ver 1222–223, nos quais esses versos se repetem, mas são deixados na sequência original.]

[Depois do verso 652, o texto B tinha:

> Assim pensou seu cor. Contudo,
> palavra alguma disse, mudo,
> por feitiço qual sonho atado,
> em anseio, do rio ao lado.

Após ver o comentário de Lewis, meu pai assinalou "revisar" neste trecho e colocou uma marca de exclusão, e por isso eu eliminei os quatro versos do texto.]

Apenas em PR. Quase indubitavelmente espúrios. "Os redatores tardios," afirma Pumpernickel, "sempre ampliavam desnecessariamente, como se a imaginação dos seus leitores não conseguisse fazer nada por conta própria, embotando assim a verdadeira força e energia da *Gesta* [...]". Leia-se:

> *Grande sofrer e solidão,*
> *— Mágico rio sem compaixão."*
> *O estio se vai* etc.

[*sofrer* era a lição original de B no verso 651, depois alterado para *desejo*, mas mantido no verso 1223.]

653–72   Sobre essa passagem admirável, Peabody observa: "É como se a própria mata estivesse falando."

677–79   LH *Da atra cava a lua descobre*
A bruma da terra que encobre
O lento sol no amanhecer
[Nenhuma alteração foi feita ao texto.]

683   *Batida*, uma palavra completamente inadequada para o som descrito, deve ser uma corrupção. Nenhuma emenda plausível foi sugerida.

[Meu pai escrevinhou um substituto hesitante para *batida*, e uma versão diferente do verso 684 (*dos seus pés em folhosa....*), mas eu não consigo ler as palavras da rima.]

685–708   Para enaltecer esta passagem, não preciso acrescentar nada aos inúmeros elogios de meus antecessores.

710   Bentley propõe *viu de longe*, evitando a fealdade que sempre resulta do [w] final seguido de uma vogal no início da palavra seguinte.

[A lição criticada era *viu ao longe*, e o verso foi alterado conforme a sugestão.]

715   *chega ele* PRK. *Ele chega* JHL. PRK parece ser um "aperfeiçoamento" métrico de algum escriba, obtido à custa de uma inversão sem sentido.

[A lição criticada era *Furtivo chega ele*, alterada para *Furtivo ele chega*.]

727–45   Esta passagem, da maneira que se apresenta, está seriamente corrompida, embora ainda seja possível discernir a beleza do original.

[Ver as notas a seguir.]

[A lição original dos versos 729–30 de B era:

> *no morro verde ele saltou —*
> *a graça élfica escapou;]*

729   Pieguice e prosa intoleráveis em uma passagem de tamanha tensão.

[A lição original do verso 739 em B era:

> *e encanto impediente teceu:*]

739   Por que *impediente*? "Que o amanuense recolha sua sujeira" (Bentley).

AS BALADAS DE BELERIAND

[Ao lado disso, meu pai escreveu "Um encanto que faz todos pararem", mas, na margem de B, escreveu *hesitante/de amarras*, e adotei *de amarras* no texto.]

[A lição original de B nos versos 741–5 era:

Tanto amor tem a voz querente	741
que, tocada, ela de repente	
parou um instante, e ele chegou	
e flamas o cor abrasou.	744

741–42   Há que se suspeitar sempre do presente histórico. O segundo verso está incuravelmente corrompido. *Tocada*, com esse sentido, é impossível na linguagem da *Gesta* e, caso a palavra fosse possível, o conceito é mais adequado a uma sala de visitas do século dezenove em Narrowthrode do que aos amores heroicos. A lição em HL é:

> *Clara qual sino a voz ergueu*
> *Cambiante feitiço teceu*
> *Tinúviel. Tinúviel.*
> *Na voz tinha ele anseio, amor*
> *E só um instante, sem temor,*
> *Sem escolha e também sem pejo*
> *Parou Tinúviel; qual lampejo*
> *Ele salta pra perto dela*
> *E beija a élfica donzela.*

[Meu pai assinalou essa passagem com "revisar", e muito descuidadamente a corrigiu (adotando os versos finais da versão de Lewis) para a forma que incluí no texto, apesar do dístico defeituoso.]

[A lição original de B era:

> *cheio de pesar e desejo,*
> *encantado de élfico beijo.*]

760–61   L *De pesar cheio e de desejo,*
> *Do encanto de um élfico beijo.*
[*do encanto* no lugar de *encantado* foi adotado.]

381

[A versão original — o texto B(1) lido por C.S. Lewis, ver p. 232 — dos versos 762–73 era:

> *nos olhos cegos luz se via*
> *como um inseto que fremia,*
> *um rosto estelar que enternece*
> *repleto de astros de Elfinesse.*
> *Cobria-lhe uma névoa o viso,*
> *havia no ar sussurro e riso —*
> *"Beren, vem comigo dançar!" —*
> *gargalhada e travesso olhar:*
> *"Neste labirinto, Beren,*
> *onde dançam muitos também;*
> *ele às terras mortais avança!*
> *Diz a Lúthien como se dança!"*
> *A sombra a oculta. A luz do dia*
> *o encontra só, qual rocha fria.*

Sobre o verso 8 dessa passagem, Lewis comentou:]

L   *gargalhada e jocoso olhar*
"Não consigo decidir qual dos dois, se *travesso* ou *jocoso*, é o mais intoleravelmente amelaçado" (Peabody).

[O verso foi abandonado na versão B(2). Sobre os versos 9–12, Lewis comentou:]

JHL   omitem. A passagem inteira [do começo do Canto até o fim da versão em B(1) acima] é indigna do poeta, não?

[Fica claro que essa crítica severa levou à reformulação da abertura do Canto.]

774–75   O quiasmo tem suspeitos ares clássicos. A lição em H é *Onde estás? O dia acabado, / O sol escuro e o ar gelado*.

[Ao lado disso, meu pai rabiscou: "Mas os clássicos não inventaram o quiasmo! — Está perfeitamente natural." (*Quiasmo*: uma figura gramatical em que há duas frases paralelas e a ordem das palavras na primeira é invertida na segunda.)]

AS BALADAS DE BELERIAND

[A passagem criticada por Lewis no comentário seguinte era:
Terra das Árvores, nefasta!
> *Da flauta minha mão se afasta;*
> *pereça música e voz* etc.]

849   Claramente corrompido. HJL *Terra de bosque,
emudecei! Oh, dedos, a flauta esquecei!*
[Ao lado disso, meu pai escreveu: "Terrivelmente setecentista!!!"
Mas ele reordenou o segundo verso para *Minha mão da flauta se
afasta*, e depois reescreveu a passagem, deixando-a conforme o
texto publicado, versos 849–52.]

849–83   "Esses versos são muito nobres" (Pumpernickel).

909   *diz.* HJL *disse.* HJL certamente tem o ritmo mais
enfático.
[Nenhuma alteração foi feita ao texto.]

[A lição original de B no verso 911 era:
> ... *those shores,*
> *those white rocks where the last tide roars*]*

911   "Em que *oito* palavras insossas amiúde rastejam
num verso chão." Frequentemente se encontra
versos inteiros de monossílabos na *Gesta*, mas
raramente tão atulhados de consoantes como
esse. Nenhuma emenda satisfatória foi sugerida.
Suspeito que seja uma versão deturpada de
1142–3: os escribas nem sempre aceitam ou
compreendem a repetição épica.

[A correção feita a B e incluída no texto publicado deriva dos versos 1142–143, como Lewis sugeriu. A referência que ele faz é a *An
Essay on Criticism* {Um Ensaio sobre Crítica}, de Alexander Pope,

---

* ... *baixia,*
  da rocha em que a maré rugia.
  Em português, os monossílabos são muito menos numerosos e, por isso, o
argumento de Lewis pode ser entendido melhor se acompanhado dos versos no
idioma original. [N.T.]

383

A BALADA DE LEITHIAN

verso 347: *And ten low words oft creep in one dull line* {E dez palavras chás amiúde rastejam num verso insosso}.]

978–79   Em *Gestestudien* Vol. XIII, pp. 9–930, o leitor encontrará um apanhado da guerra crítica que se alevantou em torno da possibilidade da assonância (ou rima) em *adentra-lenta*. Talvez uma quantidade substancial de tinta teria sido economizada se os acadêmicos do século passado estivessem familiarizados com a lição em L, *Onde dos arcos se derrama / Luz branca qual plácida chama*. "Minha conclusão é que, *caso* a assonância no *textus receptus* esteja correta, o mesmo fenômeno deve ter acontecido originalmente com frequência, mas foi suprimido em outros lugares pelos escribas. Talvez se possa dedicar algum esforço editorial para restaurá-lo" (Schuffer). Mas cf. 1136–137; 1140–141.

[A lição original de B nos versos 980–81 era:
Por corredor lá o conduziu pra baixo etc.]

980   J *Desceram, e ela o conduziu*, o que explica a corrupção. O verso originalmente era *Desceram, e ela conduziu*. O escriba de J, acreditando erroneamente que um objeto era necessário, inseriu *o*. *Vulg.* então "emenda" o metro retirando *Desceram* e colocando *lá*, resultando assim em um verso canhestro.

[Nesta nota, *Vulg.* = *Vulgata*, ou seja, a forma comum ou usual de um texto literário. Meu pai inseriu o verso de Lewis no texto B com suas iniciais, e fez a consequente alteração de *pra baixo* para *por* no verso 981.]

[A lição original de B era: *e ampla, conforme o conduzia*]

991   HJL *e ampla, enquanto ela o conduzia*

996   L *sustêm pilares pedernais*
[Nenhuma alteração foi feita ao texto.]
[A lição original de B era: *a água corre insistentemente*]

1007   H *a água corre incessantemente*
[A lição original de B era: *em atros, infindos labirintos*]

1075   *Labirintos*. HJL *Labirinto*.
[Lewis alterou a grafia para *Laborinto(s)*, ao lado do quê meu pai inquiriu: "Por que essa grafia?"]

980–1131   Toda essa passagem sempre foi merecidamente vista como uma das preciosidades da *Gesta*.

1132–161   Suspeito que essa passagem tenha sido muito expandida pelos redatores tardios que, às vezes, achavam seu público muitíssimo ignorante acerca dos mitos. Da maneira que se apresenta, está muito longe de ser satisfatória. Por um lado, interrompe demasiadamente a ação; por outro, é sucinta demais para o leitor que nada sabe da mitologia. E é também obscura: assim, no verso 1145, poucos leitores conseguem discernir que *seus* significa "das Silmarils". A versão mais curta nos manuscritos H e L, embora não seja boa, em alguns aspectos talvez seja mais próxima do original:

> *E a guarda de Thingol, ruidosa,*
> *Riu-se: pois eram mui famosas*
> *As gemas que Fëanor fez,*
> *As Silmarils, brilhosas três,*
> *E nelas brilhava o fulgor*
> *De luz que era ao sol anterior*
> *E à lua. Mas então os vestígios*
> *Das luzes de antigos prodígios*
> *Não mais brilhavam sobre a terra:*
> *O Abisso de Morgoth as encerra*
> *Em férrea coroa ornamentos* etc.

[Meu pai colocou um ponto de exclamação ao lado de *brilhosas três*; e escreveu um X ao lado dos versos 1144–145 (ver nota a esses versos).]

✦

Aqui o comentário de C.S. Lewis à *Gesta de Beren e Lúthien* termina e não há mais registro das opiniões de Peabody, Pumpernickel, Schuffer e Schik nos volumes do *Gestestudien* e, de fato, nem das de seu generoso inventor acerca deste assunto.

A Balada de Leithian Recomeçada

Quando meu pai recomeçou a *Balada de Leithian* do início, talvez não pretendesse, a princípio, muito mais do que uma revisão, um aperfeiçoamento de versos individuais e de passagens curtas, tudo baseado na estrutura e no plano original. Pelo menos foi isso que aconteceu no Canto I, e ele fez essas revisões no antigo texto datilografado B. Mas já no Canto II ele rapidamente passou a fazer uma reconstrução muito mais radical e estava praticamente escrevendo um novo poema com o mesmo assunto e no mesmo metro do poema antigo. Verdade que isso se deu, em parte, porque a história de Gorlim havia mudado, mas também fica claro que um novo impulso havia surgido e ele buscava uma expressão que fosse nova, mais do que simplesmente alterada. O antigo texto datilografado continuou a ser usado para a reescrita, pelo menos como suporte físico, mas em uma longa porção, os versos datilografados eram simplesmente riscados e os novos versos, escritos em páginas inseridas e retalhos de papel.

O antigo Canto II, com pouco mais de 300 versos, foi expandido para 500, e dividido nos novos Cantos 2 e 3 (pode-se fazer a conveniente distinção entre os antigos e os novos pelo uso de algarismos romanos e arábicos).

A reescrita no antigo texto datilografado continua até o começo do Canto III (novo Canto 4) e então é interrompida. Com base nesse texto, agora extremamente caótico, meu pai preparou um belo manuscrito decorado, "C", no qual inevitavelmente introduziu mais alterações; e ele é interrompido poucos versos antes do ponto em que a reescrita no texto B termina. Após isso, um texto datilografado ("D") foi feito por um amanuense, em duas cópias, aparentemente sob supervisão do meu pai, mas, por ora, nada sobre isso precisa ser dito, exceto notar que ele fez certas alterações a esses textos em um momento posterior.

A reescrita do texto B foi, sem dúvida, um estágio secundário do qual os trabalhos preliminares não mais existem; no caso do novo Canto 4, tais rascunhos preliminares sobreviveram. Em uma dessas páginas, evidentemente feita ao mesmo tempo em que os rascunhos do poema, meu pai desenhou a planta baixa de parte da casa n. 99 na Holywell Street, em Oxford, para onde se mudou em 1950. Ele sem dúvida desenhou essa planta logo antes de se mudar para a casa, refletindo sobre a melhor maneira de arrumá-la. Fica claro, portanto, que um novo começo à *Balada de Leithian* foi uma das primeiras coisas a que se dedicou quando *O Senhor dos Anéis* estava completo.

Incluo abaixo o texto do manuscrito C na forma final (isto é, depois de algumas alterações terem sido feitas a ele), até o ponto que alcança (verso 624), incorporando uma ou duas alterações muito pequenas feitas mais tarde ao(s) texto(s) datilografado(s) D, seguido por uma pequena seção adicional (versos 625–60) que se encontra apenas rascunhada antes de ser acrescentada a D. Notas e Comentários breves encontram-se da p. 405 em diante.

A BALADA DE LEITHIAN

i. De Thingol em Doriath

Houve um rei num antigo dia:
Homem nenhum inda existia;
detém poder numa caverna,
clareira e vale ele governa.
5 Virentes são manto e coroa
e a lança de prata aguilhoa;
há luz d'estrelas no broquel,
nem sol nem lua tinha o céu.
    Depois, quando de Valinor
10 à Terra-média, com furor,
as hostes élficas voltaram
com pendões, faróis inflamaram;
quando os monarcas de Eldamar
marcharam, ainda a soar

A BALADA DE LEITHIAN RECOMEÇADA

15   estava ele a trompa sua,
       e eram jovens o sol e a lua.
       Em Beleriand longe se encerra
       de Doriath a cercada terra,
       lá o Rei Thingol do trono trata,
20   em salões de pedra com colunata,
       berilo, pérola, opala em chama,
       metal trabalhado como escama,
       broquel e couraça, machado e espada
       e lança no arsenal guardada:
25   disso tudo faz pouco caso,
       mais cara que os bens no seu paço,
       que as filhas dos Homens mais bela,
       era Lúthien, a donzela.

DE LÚTHIEN, A AMADA

       Tais ágeis pés não correm mais
30   ao sol, por terras verdeais;
       beleza assim não tem mais par
       da aurora à tarde, do sol ao mar.
       Vestido azul qual céu de estio,
       e os olhos de um cinza sombrio;
35   no manto, lírio a entretecê-lo,
       mas muito escuro é seu cabelo.
       Como aves vão seus pés ligeiros,
       vernal é o seu riso fagueiro;
       era mais bela e venturosa,
40   mais delicada e gloriosa
       que os campos que florem com viço,
       que esguio chorão, gentil caniço,
       que a luz na floresta folhuda,
       e a voz que nas águas se escuta.

45   Na terra encantada morava
       quando o élfico poder grassava
       em Doriath, crespo arvoredo:
       pra lá a vereda era segredo;
       ninguém se atrevia a passar

50   das marcas e as folhas zangar.
Terra de horror ao Norte havia,
Dungorthin, a de mortas vias,
em monte triste e frio ruim;
e adiante, Taur-nu-Fuin
55   a Sombra Noturna Mortal
lá sol e lua se veem mal.
Ao Sul ficava virgem terra;
o Oeste o velho Oceano encerra,
sem vela ou praia, amplo e fero;
60   picos no Leste, azuis, austeros,
e a névoa cobre o horizonte:
são do mundo de fora os montes.

Thingol, assim, lá fez moradas,
nas Mil Cavernas, elevadas,
65   em Menegroth foi soberano,
distante de caminho humano.
Rainha imortal lá se via:
Melian, a bela, que tecia
junto ao trono encanto enrediço,
70   punha em tronco e rocha feitiço:
aguda a espada, o elmo altaneiro,
rei de faia, carvalho e olmeiro.
Folha longa, verde gazão,
cantam o tordo e o tentilhão,
75   lá, sob o sol e sob a rama,
à sombra e à luz que se derrama,
corre a Elfa Lúthien, presta,
dançando em vale e na floresta.

De Dairon, menestrel de Thingol

Quando o céu está limpo e estrelado,
80   Dairon com seus dedos delgados,
tão logo chega o anoitecer
bela canção põe-se a fazer
em sua flauta argêntea e clara
pra Lúthien, donzela cara.

A BALADA DE LEITHIAN RECOMEÇADA

85   Brilhante voz júbilo traz;
manhãs de luz, noites de paz;
joia nas mãos brilho refrata,
cintilando em rubro ouro e prata,
e de elanor e niphredil
90 a imortal relva se cobriu,
e em terra de Elfos tempo infindo
em Beleriand ia fluindo,
té que a sina veio no fim,
inda cantam à lira assim.

ᜩ

2. De Morgoth e da armadilha a Gorlim

95 Em pétreos morros bem ao Norte
há um trono em furna escura e forte
envolto em flama; e lá, a fumaça
subindo em colunas embaça
sopro de vida, e na masmorra
100 funda, rasteja até que morra
qualquer perdido carregado
té aquela sombra pelo fado.
    Lá mora um rei sombrio, cruel,
mais do que todos sob o céu.
105 Que terra ou mar, estrela ou lua
era mais velho, e a mente sua
era horror maior que o pensar
tanto de Homens quanto de Eldar,
de força primeva foi feita;
110 antes de erguido o mundo, espreita
a sós na horrenda e fera escura
e queima-o o fogo que segura.
    Foi ele a deixar arruinado
e escuro o Reino Abençoado;
115 volta à Terra-média e, com sanha,
refaz mansões sob a montanha,
servos de ódio enchem seu forte
e em seu portão medita a morte.
As legiões têm lanças de aço,

AS BALADAS DE BELERIAND

120 ferrete em chama, e em seu encalço
arrastam-se o lobo e a serpente
sem pálpebras, vêm de repente
fazendo guerra as hostes vis
em campo, e água, e mata gris.
125 Onde a elanor áurea crescia,
hastearam bandeira sombria,
e lá onde o tentilhão cantava,
onde a harpa de prata soava,
agora escuro voa o corvo
130 grasnando em meio ao fedor, torvo;
de Morgoth gotejam espadas
sangue em carcaças mutiladas.
Qual nuvem a sombra se estende
pelo Norte, e quem não se rende,
135 altivo, recebe vindita;
à escravidão ou morte aflita
tudo condena: e nessa terra
do Norte, medonho ele impera.

Mas no frio está a residir
140 filho de Bëor, Barahir,
sem terras, mas inda valente,
de Homens foi príncipe e regente,
mas agora, como proscrito,
pisava a urze e a mata, aflito.

Do salvamento do Rei Inglor
Felagund pelos xii Bëorings

145 Doze homens além dele havia,
fiéis quando a esperança morria.
Seus nomes inda são cantados,
mesmo longos anos passados
desde que Dagnir e Ragnor,
150 Radhruin, Dairuin, Gildor,
Hathaldir, Urthel e Gorlim,
e Arthad encontraram seu fim;
dês que a vil flecha Belegund
levou, junto com Baragund,

A BALADA DE LEITHIAN RECOMEÇADA

155   filhos de Bregolas, primores;
       desde que o de feitos maiores
       dentre os Homens se viu partir,
       Beren, filho de Barahir.
       Esses parentes de Bëor
160   certa vez, junto ao Rei Inglor,
       em Serech, juncoso banhado,
       achavam-se todos cercados,
       mas co'espadas o resgataram,
       e do rei élfico ganharam
165   grão favor naquele paul.
       E ele voltou, indo pro Sul,
       a Nargothrond, reino pujante,
       onde elmo detinha, reinante;
       mas eles voltaram pro Norte,
170   seu lar, bando pequeno e forte,
       invictos peitam fado e injúria
       e de Morgoth a insone fúria.

Do Lago Aeluin, o Bem-Fadado

       São tantos feitos de valores
       que os próprios seus perseguidores
175   fogem sabendo que lá vêm.
       Sobre as cabeças prêmios têm
       como de um rei caro resgate;
       não há a Morgoth quem relate
       notícias sobre seu covil;
180   lá no planalto pardo, frio,
       sobre os atros pinheirais
       de alto Dorthonion, glaciais
       ventos que vêm da serra fria,
       está um lago, azul de dia,
185   à noite espelho de cristal
       pros astros de Elbereth que tal
       trajeto fazem no Oeste.
       É bem-fadado, inconteste:
       de Morgoth a caterva toda
190   evita-o; murmurante roda
       de bétulas de cinza-prata

AS BALADAS DE BELERIAND

envolve a margem, que arremata
um vago brejo e secos ossos
da antiga Terra sobem, grossos,
195   atravessando a urze assim;
é o ermo lago Aeluin —
o senhor e gente fiel
moram em covas sob o céu.

DE GORLIM, O INFELIZ

Infeliz Gorlim, de Angrim filho,
200   com eles lá seguia o trilho,
desesperado. Desposou
enquanto a vida o abençoou
a Eilinel, alva donzela:
antes do mal, feliz com ela.
205   Um dia volta da contenda:
queimados campos e fazenda,
a casa nua, sem telhado,
em meio ao bosque desfolhado;
e Eilinel, alva Eilinel,
210   levada longe foi, ao léu,
à morte ou servidão vazia.
É negra a sombra desse dia
no coração; a duvidar
sempre está, a caminhar
215   no ermo, ou na noite fria
insone crê que ela haveria
ante ameaça ter fugido
à mata: não ter perecido,
e viva tornará ao horto
220   para o buscar, crerá que é morto.
Às vezes deixa o escaninho,
enfrenta a provação sozinho,
e chega à noite à velha casa
que é rota, fria, sem luz nem brasa,
225   desgosto se renova então
vigiando, esperando em vão.

Em vão — pior — pois espiões
Morgoth os tem em legiões

393

A BALADA DE LEITHIAN RECOMEÇADA

que enxergam na profunda treva;
230 notícia dele alguém leva,
relata. Chega enfim um dia
e Gorlim para lá se avia,
vai pela trilha de capim
no outono, chuva triste assim,
235 vento que uiva. Eis janela
que à noite um clarão revela;
pasmado, a casa ele alcança
entre temor e esperança,
olha lá dentro. Eilinel!
240 Sua mudança foi cruel.
Por dor e fome atormentada,
em trapos vai, trança enleada,
olhos em lágrimas; assim
lamenta-se: "Gorlim, Gorlim!
245 Não podes ter-me abandonado.
Ai! certo foste trucidado!
Devo viver aqui tão só,
largada como o seco pó!"

Ele exclama — e num momento
250 a luz se vai, noturno vento —
ululam lobos; sente no ombro
a infernal mão do assombro.
Servos de Morgoth o apanham
e atam, depois arrebanham
255 pra Sauron, capitão improbo,
senhor de espectro e homem-lobo,
o mais imundo que adora
Morgoth no trono. Ele mora
na Ilha Gaurhoth, mas já anda
260 com hoste, pois Morgoth comanda
que encontre Beren revoltoso.
Ao seu bivaque pavoroso
a turba a vítima arrasta.
Gorlim lá jaz, pena nefasta:
265 atados nuca, pé e mão,
sofre tortura atroz então;

AS BALADAS DE BELERIAND

prometem acabar co'a dor
se ele se torna traidor.
De Barahir nada revela,
270 a lealdade os lábios sela
e nada fala em confissão;
vem da tortura interrupção,
alguém se chega ao pelourinho,
se curva, então põe-se baixinho
275 de Eilinel a lhe falar.
"Queres a vida abandonar,
se uma palavra soltos faz
a ela, a ti, e ireis em paz,
longe da guerra, aonde quiseres,
280 do Rei amigos? Que mais queres?"
E Gorlim, exausto de dor,
que quer rever o seu amor
(que cria estar em grão tormento,
de Sauron presa) o pensamento
285 acolhe, o afinco tem tropeço.
Meio querendo, meio avesso
o levam ao assento até
de Sauron. Fica ali em pé
diante da atra face fera.
290 Diz Sauron: "Ó mortal, espera!
Que ouço? Audácia tens tamanha
pra me envolver numa barganha?
Qual é teu preço?" Então Gorlim,
cabeça baixa, agror ruim,
295 faz lentamente seu clamor
ao implacável grão senhor
para partir, ver sob o céu
de novo a branca Eilinel,
com ela estar, cessar a guerra
300 contra o Rei, em qualquer terra.

Ri Sauron, diz: "Servo, de fato!
Esse teu rogo é barato
pra tal deboche e traição!
Concedo-o já! Espero então:

A BALADA DE LEITHIAN RECOMEÇADA

305 Fala depressa a verdade!"
Gorlim hesita e metade
recua; adversar não ousa
o olho de Sauron e a cousa
que começou deve acabar
310 do passo em falso até fechar:
ante as perguntas não ser mudo,
trair senhor, irmão e tudo,
cair por fim de rosto ao chão.

Sauron gargalha. "És poltrão,
315 verme servil! De pé, desgraça,
escuta! Bebe agora a taça
que para ti eu fiz mesclar!
És tolo: foi visão no ar
que fiz eu, Sauron, para ti,
320 cego de amor. Foi nada ali.
O espectro meu com quem casou?
Há tempos Eilinel finou,
dos vermes pasto, ao pó foi logo.
Porém concedo o teu rogo:
325 tu já vais ter com Eilinel,
ao leito dela, ao seu dossel,
sem sofrer guerra. Eis tua paga!

Arrastam Gorlim dessa plaga
à cruel morte, para pô-lo
330 por fim lançado em frio solo
onde Eilinel faz muito jaz
ceifada por algoz mordaz.
Já Gorlim vai-se em morte atroz
e se maldiz c'o fim da voz,
335 e Barahir é apanhado
por Morgoth em um laço armado;
desfeita foi por esse ardil
a sorte do ermo covil,
Lago Aeluin: a horda pilha
340 o abrigo e a secreta trilha.

AS BALADAS DE BELERIAND

☙

3. De Beren, filho de Barahir, e sua fuga

A nuvem negra vem do Norte;
vento de outono frio e forte
silva na urze; é triste assim
funérea água de Aeluin.

345 "Beren," diz Barahir, "meu filho,
ouviste a voz que o empecilho
de Gaurhoth vem nos combater,
quase não temos de comer.
A ti indica o sorteio:

350 ires sozinho, achares meio
que nos ajudem os que inda
nos alimentam; boa-vinda
dês às notícias. Por bondade,
retorna logo; da irmandade

355 poucos podemos nós poupar;
e Gorlim morto há de estar
ou se perdeu. Adeus, menino!"
Beren se vai, mas como um sino
na mente soa fala infeliz,

360 a última que o pai lhe diz.

Por lodo e brejo, rio, ladeira
vaga: da gente vê fogueira
que Sauron segue; ouve grito
de Orque em caça, lobo aflito,

365 volta temendo seu açoite,
passa na mata toda a noite.
Pensa, do sono sob o jugo,
entrar em toca de texugo,
mas ouve (ou tem essa impressão):

370 passa por perto legião,
tinir de malha, escudo aos trancos,
subindo morros e barrancos.
Na treva afunda, mergulhado,
até que, tal qual afogado

375 que sobe arfando, vê maneira

A BALADA DE LEITHIAN RECOMEÇADA

de alar no limo junto à beira
de lago em desbotada mata.
Os ramos seus o vento cata,
as folhas negras se agitam:
380 são aves negras que crocitam,
dos bicos deitam sangue a rodo.
Arrasta-se a sair do lodo
e verde trama; longe então
enxerga tênue avejão
385 a deslizar no triste lago.
De perto faz discurso aziago:
"Gorlim eu fui, sou só visão,
vontade rota, sem razão,
traidor traído. Anda a fugir!
390 Desperta, que és de Barahir,
corre! Pois Morgoth já aperta
teu pai pela garganta; é certa
reunião, trilha e covil."
       Revela a armadilha vil
395 em que caiu e se consome,
pede perdão chorando, some
na treva. Beren já desperta
e salta então com ira certa,
toma espada e arco, aflito,
400 sai em carreira qual cabrito
pela charneca e rocha fria
antes que venha a luz do dia.
Chega no ocaso em Aeluin
ao sol poente, chama ruim;
405 o lago rubro está, sangrento,
a pedra e o lodo agourento.
Lá pelas bétulas se espalha
em fila corvo junto à gralha;
negro o bico e a carniça
410 sangrando a seus pés mortiça.
Um grasna: "Ah, chegaste tarde!"
"Ah, ah!", respondem, "muito tarde!"
       Sepulta ali do pai os ossos,
na pressa, sob rochedos grossos;

415 não grava runa no remate
pra Barahir; três vezes bate
no topo, e três vezes clama
seu nome. "Tua morte", exclama,
"hei de vingar nem que a ventura
420 me leve a Angband, porta obscura."
Sem lágrimas se volta então,
ferido fundo o coração.
Sai para a noite, frio rochedo,
desamparado, só, sem medo.

425   Arte sutil do caçador
não usa, encontra o contendor:
o inimigo, em seu orgulho,
ao Norte marcha com barulho
de trompas ao senhor da guerra;
430 é o pé que espezinha a terra.
No seu encalço com preparo
vai Beren feito cão no faro,
e junto a poço bem sombrio
de onde Rivil sai, o rio,
435 a Serech, os atoladores,
lá ele encontra os matadores.
Oculto ali numa colina,
sabe que não os extermina
só com seu arco, flecha, espada,
440 e vai por trilha rastejada
feito serpente na charneca.
Muitos lá jazem em soneca;
na relva cada capitão
bebe a passar de mão em mão
445 o que saqueou, ato infiel.
Um deles mostra um anel
e ri, exclama: "Aqui, meninos,
o meu está entre os mais finos
que conquistamos pelo medo.
450 Fui eu que o arranquei do dedo
de Barahir, a quem matei,
esse velhaco. Ao que sei

A BALADA DE LEITHIAN RECOMEÇADA

ganhou dum élfico senhor,
pois fez serviço em seu favor.
455 Pouco serviu — 'tá morto e duro.
Anel de Elfo traz apuro,
mas guardo pelo ouro a praga
pra compensar a minha paga.
O velho Sauron quer o aro,
460 mas tem igual ou bem mais caro
guardado lá no seu tesouro:
quanto maior, mais pede ouro!
Vamos, rapazes, garantir:
vazia a mão de Barahir!"
465 Seta fatal remata o feito;
abate-o, golpe direito,
a flecha fura-lhe a garganta,
por terra cai, não se levanta.
        Qual cão lobeiro então salta
470 sobre eles Beren. Dois assalta
com a espada; o anel lá pega;
mata mais um; sai da refrega
com salto à sombra e se retira
ante o clamor de medo e ira
475 por traição e emboscada.
Partem qual lobos em manada,
uivam, praguejam, rangem dentes,
vão pela mata inclementes,
atiram setas, maços, molhos
480 em sombra ou folha ante seus olhos.
        Beren nasceu em hora azada:
da trompa ri, seta atirada;
é o mais veloz correndo a pé,
no morro e no charco até,
485 qual Elfo, a mata passa
trajando sua gris couraça
feita em Nogrod que é remota
pelos Anãos em sua grota.

        Foi Beren sempre destemido:
490 por resistente foi havido

e fala a gente do seu nome
prevendo que depois renome
mais do que áureo Hador faz,
ou Barahir e Bregolas;
495   mas sofre agora o pesar
e desespero de lutar
por vida, graça, elogio,
usando cada dia frio
pra dar a Morgoth, passo a passo,
500   vingança com ferrão de aço
até a morte e fim da dor:
só das correntes tem pavor.
Procura risco, segue a morte,
assim escapa à própria sorte
505   fazendo feitos de bravura
dos quais a fama já traz cura
e nova fé a muita gente.
Sussurram "Beren", vão em frente,
afiam lâminas e logo
510   em seus encontros junto ao fogo
cantam de Dagmor, sua espada,
do arco, da sua emboscada
no acampamento, morte ao chefe,
como cercado usa blefe
515   e escapa, que na noite fria,
luar e névoa, ou de dia
à luz do sol vem renovado.
Cantam do matador matado —
é o Açougueiro Gorgol um —
520   em Ladros luta, fogo em Drûn,
de trinta mortos num combate,
lobo que qual filhote late,
do próprio Sauron mão ferida.
Cantam de um que assim revida
525   a Morgoth e à sua laia;
com ele só carvalho e faia,
sempre fiéis, bestas pequenas
de pelo, couro, asas, penas,
que sós habitam lá no ermo,

A BALADA DE LEITHIAN RECOMEÇADA

530   no monte, no deserto enfermo,
   amigos do humano aflito.

     Não tem bom fim quem é proscrito;
   e Morgoth é um rei mais forte
   do que em canção alguém reporte:
535   no mundo em toda nação
   alcança a sombra de sua mão;
   compensa seu revés depois:
   pra cada morto envia dois.
   Ceifa esperança e rebelião,
540   apaga o fogo e a canção,
   destrói a mata, queima o lar
   hoste de Orques longe a marchar.
     Quase se fecha o anel de aço
   em Beren; seguem cada passo
545   os espiões; assim sitiado
   e sem auxílio tem ao lado
   a morte; está espavorido,
   sabe que o fim é decidido
   se lá do lar de Barahir,
550   terra querida, não fugir.
   Sob pilha de rochedos grossos
   desfazem-se os nobres ossos
   abandonados de sua gente,
   de Aeluin no juncal plangente.

555   Noite de inverno: deixa o Norte
   e parte, desafia a morte
   no cerco atroz; com passo leve
   avança — sombra sobre a neve,
   sopro de vento, foi-se então;
560   os restos de Dorthonion,
   Aeluin, água a faiscar,
   nunca mais há de contemplar.
   Do arco a corda já não canta,
   seta talhada não levanta,
565   e já não deita o crânio seu
   sobre a charneca sob o céu.

Astros do Norte, o fogo prata
que Urze Ardente se relata
deixa pra trás, o que alumia
570   terra ignorada; faz sua via.

Volta-se ao Sul e faz jornada
que é solitária e dilatada;
tem sempre à frente a se opor
Gorgorath, montes do terror.
575   Jamais pisou humana gente
a cordilheira inclemente,
nem escalou a sua borda
onde a visão se desacorda;
a face sul a pino, então,
580   é pico, rocha e paredão
e sombra ali na pedra nua
antes que houvesse sol e lua.
Na grota engano há nas raízes
e amargas águas infelizes,
585   em cova e vale atra magia;
mas muito longe todavia
a águia possa da altura
do píncaro que o céu fura
em brilho cinza embaixo vê-la
590   qual lustre d'água sob estrela,
Beleriand, Beleriand,
terra dos Elfos bela e grande.

⁗

4. Da chegada de Beren a Doriath;
mas primeiro se fala do encontro
de Melian e Thingol

Há tempos, em Antigos Dias
voz não havia em virgens vias,
595   silente era o bosque ensombrado,
Nan Elmoth, de ocaso estrelado.
N'Antigos Dias, tempo findo,
nas sombras se viu luz fulgindo,
no silêncio uma voz surgiu:

A BALADA DE LEITHIAN RECOMEÇADA

600 de um pássaro um súbito pio.
Melian chegou, Dama cinzenta,
sob o cinto argênteo se assenta
a sua longa e escura trança
que junto a argênteos pés descansa.

605 Os rouxinóis trouxe consigo,
ensinou-lhes seu canto antigo,
trinavam nas mãos fulgurais,
antes, em terras imortais.

Lá, um dia se pôs a vagar
610 de Lórien, e ousou escalar
dos montes altos os sopés
em Valinor, a cujos pés
caem as vagas do Mar Sombrio.
Em liberdade, então, saiu,

615 e aos jardins dos Deuses não mais
voltou, mas em praias mortais
vagou, qual brilho antes d'aurora,
cantando encantos mata afora.

Na atra Nan Elmoth pipilou
620 uma ave e, atônito, Thingol
ouviu; e ao longe, voz mais bela
que qualquer ave se revela,
voz de cristal e clara nota
linha vítrea, argêntea, remota.

Aqui termina o manuscrito C. Há nada menos do que cinco rascunhos mal-acabados da breve seção seguinte, com um sem-fim de pequenas variações no palavreado (e os primeiros dez versos foram escritos no texto B). Depois, a versão final foi escrita à máquina e acrescida ao texto datilografado D:

625 Deixa de em sua gente pensar,
na marcha que trouxe os Eldar
de Cuiviénen, tão distante;
as terras dos Mares adiante
esquece, nada mais importa,

630 só a distante voz o transporta
té que em Nan Elmoth, turva mata,

perde-se e ninguém o resgata.
E a vê parada, fata etérea:
Ar-Melian, a Dama cinérea,
635 qual bosque sem brisa nenhuma
silenciosa, envolvida em bruma,
e a luz de Lórien em seu rosto
cintila remota ao sol-posto.
Nada ela diz; ele, hesitante
640 sombra, vai rumo ao seu semblante,
o alto rei com sua capa argêntea,
Elu Thingol, andando rente à
roda de árvores, dá-lhe a mão.
Face a face um instante, então,
645 sozinhos sob o céu, parados,
na terra, os anos estrelados
vão-se, e Nan Elmoth, a floresta,
cresce escura, e não o molesta
mais, na costa, o múrmuro mar
650 nem a trompa de Ulmo a soar.

Por tempos procura-o seu povo,
té que Ulmo os convoca de novo,
e vão-se embora, em desalento,
das matas ao porto cinzento
655 naquela praia ocidental —
a última em terra mortal —
pelo Mar o povo é levado
até Aman, Reino Abençoado,
junto ao virente Ezellohar
660 em Valinor, em Eldamar.[A]

❧

52 Em uma das cópias de D, *Dungorthin* foi alterado para *Dungortheb*, mas essa
alteração pertence a uma camada posterior da nomenclatura e eu não a introduzi no texto.

54 *Taur-nu-Fuin* C: o verso, conforme escrito no texto B, ainda tinha *Taur-na-Fuin*.

140 *ilho de Bëor*: alterado em uma das cópias de D para *o Bëoring*, isto é, um
homem da casa de Bëor. Essa alteração se deu quando a genealogia tinha sido
muito expandida e Barahir deixou de ser filho de Bëor, passando a ser um
descendente remoto (ver pp. 236–37).

405

A BALADA DE LEITHIAN RECOMEÇADA

249–330 Nesta seção do Canto, a reescrita feita no texto B (ou inserida nele) existe em duas versões, uma imediatamente predecessora da outra. A diferença entre elas é que, na primeira, assim como na versão antiga da Balada, Gorlim é levado para Angband diante do próprio Morgoth. Assim, o trecho que, na primeira reescrita, corresponde aos versos 255–66, diz:

> pra Angband, paços ferais
> onde Morgoth tem serviçais;
> em mãos e pés põem atadura,
> castigam-no com grã tortura

Depois disso, as duas versões são iguais, exceto que, na primeira, é Morgoth, e não Sauron: exatamente os mesmos versos são empregados para ambos. Mas, em 306–11, a primeira versão diz:

> Gorlim hesita e metade
> recua; de Morgoth o olhar
> o retém. É inútil tentar
> lograr o Senhor do Mentir:
> se começou, deve cumprir,
> ante as perguntas não ser mudo

e, nos versos 318–21, Morgoth diz:

> És tolo: foi visão no ar,
> meu servo Sauron fez pra ti,
> cego de amor. Foi nada ali.
> O espectro seu com quem casou?

547 A palavra *espavorido* está marcada com um X em C (porque Beren não estava espavorido).

567–68 No início, o trecho em B (p. 203, versos 369–82), começando com *Do arco a corda já não canta*, mal foi alterado na revisão, mas C, da maneira que foi inicialmente escrito (antigos versos 376–79), dizia:

> ninguém o encontra. Um vulto arde
> no ar gelado, prata quente
> feita por Varda, a Urze Ardente,
> que a gente humana assim dizia

Os antigos versos 373–75 foram então removidos e 376–79, reescritos:

> As estrelas de prata quente
> vão pelo Norte, a Urze Ardente
> que a mão de Varda inflama e cria

Isso foi então alterado para os versos 567–68.

581 Em uma das cópias de D, um X foi colocado ao lado desse verso. Acredito que isso aconteceu muito depois, e assinala a mudança de ideia de meu pai a respeito da formação do Sol e da Lua.

596 *Nan Elmoth*: no rascunho preliminar, o nome da mata era, inicialmente, *Glad-uial*, emendado para *Glath-uial*; depois, *Gilammoth*, emendado para *Nan Elmoth*. Foi aqui que surgiu o nome *Nan Elmoth*.

AS BALADAS DE BELERIAND

627 Em um dos rascunhos dessa passagem, o verso diz *d'Água do Despertar distante*.

634 Em um dos rascunhos dessa passagem, o nome *Tar-Melian* está na margem como alternativa.

Comentário aos versos 1–660

Um relato rigorosamente cronológico da evolução das lendas dos Dias Antigos teria de considerar vários outros trabalhos feitos antes que se chegasse às revisões à *Balada de Leithian*. Ao tratar a Balada, revisada e não revisada, como uma entidade única e não como fragmentos, eu pulo esses estágios, e os nomes que na verdade haviam surgido bem antes aparecem pela primeira vez aqui nesta "História". Faço pouca coisa além de listá-los:

65 *Menegroth*

89 *elanor* e *niphredil*. No verso 125, há uma referência à *elanor áurea*.

115 *Terra-média*

149 e seguintes. Os nomes dos homens do bando de Barahir, além de Beren e Gorlim: *Dagnir, Ragnor, Radhruin, Dairuin, Gildor, Urthel, Arthad, Hathaldir; Belegund* e *Baragund.*

Belegund e Baragund são os filhos de *Bregolas* (irmão de Barahir); e *Gorlim* é filho de Angrim (verso 199).

Todos esses nomes aparecem em *O Silmarillion* (pp. 216, 223).

160 Felagund é chamado de *Inglor* (*Inglor Felagund* no subtítulo, p. 391)

161 "em *Serech*, juncoso banhado". Beren encontrou os Orques no poço de *Rivil*, ver 434–5, "de onde Rivil sai, o rio, / a Serech, os atoladores".

182, 560 *Dorthonion*

186 *Elbereth*

196 etc. (*Lago*) *Aeluin*

255 etc. *Sauron*

259, 347 *Gaurhoth*. Ver *Tol-in-Gaurhoth*, "Ilha dos Lobisomens", em *O Silmarillion.*

434 *Rivil*

493 *Hador*

511 *Dagmor.* A espada de Beren não é nomeada em nenhum outro lugar.

519 *o Açougueiro Gorgol.* Ele não é nomeado em nenhum outro lugar.

520 *Ladros* (as terras a nordeste de Dorthonion que foram outorgadas pelos reis noldorin aos Homens da Casa de Bëor).

520 *Drûn.* No mais recente dos mapas do "Silmarillion" (o que serviu de base para o mapa publicado), esse nome está assinalado ao norte de Aeluin e oeste de Ladros, mas não é nomeado em nenhum outro lugar.

574 *Gorgorath.* Esse nome ocorreu no esboço em prosa para o Canto X da Balada, mas na forma *Gorgoroth* (p. 321).

596 etc. *Nan Elmoth.* Ver nota ao verso 596.

634 *Ar-Melian* (*Tar-Melian*). O nome não é encontrado em nenhum outro lugar com nenhum desses prefixos.

407

A BALADA DE LEITHIAN RECOMEÇADA

659 *Ezellohar* (o Teso Verdejante das Duas Árvores em Valinor).

Além disso, pode-se notar aqui *Dungorthin* (52), no lugar em que a nova versão altera os antigos versos 49–50

> Terra do Horror ao Norte estava
> só mau caminho ali levava,

para

> Terra de horror ao Norte havia,
> Dungorthin, a de mortas vias,

Na antiga versão, está claro que a "Terra do Horror" significava simplesmente "a terra de Morgoth". Aqui, Dungorthin está localizada no mesmo lugar de *O Silmarillion* (p. 173), entre as Montanhas de Terror e a marca norte do Cinturão de Melian; ver p. 368.

Na versão revisada da Balada, a história de Gorlim foi bastante desenvolvida. Na antiga (ver pp. 197–200, 205–06), Gorlim deixa seus companheiros e "percorre à noite, acaso e medo / campos escuros em segredo";[*] ele se depara com "uma casa antiga" e, lá dentro, vê o fantasma de Eilinel. Sai da casa, com medo dos caçadores e dos lobos de Morgoth, e volta para seus companheiros, mas, depois de alguns dias, procura os serviçais de Morgoth deliberadamente, oferecendo-se para trair seus companheiros. Ele então foi levado para os salões de Morgoth, o qual não diz que o espectro foi colocado ali como chamariz para Gorlim:

> espectro do que havia de ser,
> assim parece, tens de ver!

(Mas nos versos 241–42, conta-se que "Morgoth fez, assim se cria / o espectro atroz que Gorlim via").

---

[*] Nos versos em inglês, "o'er the dark fields by stealth to meet / with hidden friend within a dale", literalmente "por campos escuros para se encontrar furtivamente / com oculto amigo em um vale". [N.T.].

AS BALADAS DE BELERIAND

Há também um notável desenvolvimento na Balada revisada, pois os "XII Bëorings" (esperar-se-ia XIII, incluindo o próprio Barahir) de Dorthonion foram exatamente os homens que salvaram o Rei Felagund na Batalha da Chama Repentina:

> Esses parentes de Bëor
> certa vez, junto ao Rei Inglor,
> em Serech, juncoso banhado,
> achavam-se todos cercados,
> mas co'espadas o resgataram, (159–63)

Em *O Silmarillion* (p. 223), a história diz que "Morgoth o perseguiu [isto é, Barahir] sem trégua, até que, por fim, lhe restaram apenas doze companheiros": não há indício de que esses sobreviventes eram um bando seleto e que já tinham se juntado como companheiros em uma façanha heroica anterior.

Diz-se agora que Felagund (Inglor) *voltou* a Nargothrond (versos 166–67) depois de ser resgatado por Barahir e seus homens (ver pp. 105–06).

eა

Desse ponto em diante, apenas algumas seções foram substancialmente reescritas.

Continuação do Canto III

A partir do final da abertura reescrita do poema (verso 660 acima), o texto datilografado D prossegue como cópia de B até o final do poema. Contudo, embora ele certamente tenha sido datilografado sob a supervisão de meu pai, tem pouco valor textual por si só.

A passagem no texto original (p. 209) que vai do verso 453 (*Assim, Thingol jamais zarpou*) até o 470 foi mantida sem alterações; mas os versos entre 471 (*Quando Morgoth o cativeiro*) até por volta de 613 foram substituídos por 142 novos versos (omitindo a longa passagem retrospectiva que começa em 563, acerca da jornada de Beren pelas Montanhas de Terror). Esses versos contêm muito pouco da antiga Balada, e a quantidade diminui conforme eles se desenrolam. Não há dúvidas de que são (relativamente) bem tardios: uma porção reescrita no Canto X, aparentemente

A BALADA DE LEITHIAN RECOMEÇADA

contemporânea, é certamente pós-1955 (ver p. 419), e esses versos podem muito bem ter sido escritos bastante tempo depois. Há uma certa quantidade de material rascunhado escrito à mão, mas também um texto datilografado dos primeiros 103 versos feito por meu pai e inserido no texto D.

<blockquote>

Quando Morgoth, depois, fugiu
da ira, a cabeça cingiu
com Férrea Coroa e o assento
pôs sob monte fumacento,
5   novamente o fortificando,
lento cresceu o escuro infando:
do Norte a Sombra então aferra
e escraviza o Povo da Terra.
    Senhores de Homens são prostrados,
10   e os reinos dos Reis Exilados
aflige com guerras fatais:
moram nos derradeiros cais,
ou guardam, com paúra extrema,
seus fortes nas cruéis estremas.
15   Mas caem todos, menos um:
em Doriath há força incomum,
Rei Gris e Rainha imortal.
Seu reino não conhece o mal;
poder nenhum avança a borda:
20   e o riso a grama verde acorda,
lá a folhagem ao sol rebrilha
e têm início maravilhas.

    No Reino Guardado e sem medo,
debaixo de faial e olmedo,
25   no relvado corre sozinha
a filha do rei e da rainha:
nascida dos primeiros de Arda
em élfica-aurora, galharda;
só essa filha, por nascimento,
30   fizeram da Terra o indumento
usar Aqueles que desceram
e o mundo a Elfo e Humano ergueram.

</blockquote>

De Arda pra lá do linde vasto
fulgem Legióes, astro sobre astro,
35 memoriais da labutação,
frutos de Música e Visão;
quando sob essa luz fulgia
a Terra, e noite limpa havia,
música em Doriath despertava,
40 sob o carvalho se assentava,
ou nas folhas marrons da faia,
Daeron, coroado em samambaia,
flauteia com élfico dom,
pra cor mortal acerbo som.

45 Bardo assim não houve jamais,
co' hábeis dedos e lábios tais,
dizem os Elfos; só Maelor,*
de Fëanor filho, o cantor
e harpista, era jovem assim —
50 inda floria Laurelin —
quando a lamentações passou,
e o mar, sem tumba, o sepultou.†

  Mas Daeron inda, com prazer,
tocava à luz do anoitecer,
55 até uma noite de verão,
como conta élfica canção.
O seu flautar soava contento;
macia a relva e calmo o vento,
lançava o ocaso, fresco e vago,
60 formas sombrias sobre o lago‡
sob os ramos de árvores mudas,
dormindo. E névoa de cicutas
rodeiam-nos, alvas; também

---

* Tanto *Maglor* quanto *Maelor* aparecem nos rascunhos manuscritos dessa passagem. O texto datilografado final traz *Maelor*, alterado para *Maglor*, mas acho que não foi meu pai quem alterou.

† Em *O Silmarillion* (p. 337), não está dito que a vida de Maglor acabou no mar: ele lançou a Silmaril no mar "e depois disso vagou sempre pelas costas, cantando em dor e arrependimento à beira das ondas".

‡ Não há nenhuma outra referência a um "lago" ou "lagoa" no ponto das matas onde Beren se deparou com Lúthien.

A BALADA DE LEITHIAN RECOMEÇADA

há mariposas num vaivém.
65   Claramente, junto à lagoa,
o flautar rápido ressoa.
E ela aparece ao som que chama,
de súbito, como uma flama
fende as sombras, alvor sem par,
70   deixa a alcova com branco andar;
e como do estio os fogaréus —
estrelas que se erguem nos céus —
sua viva luz em todos jaz
quando avança, prata fugaz.
75   Com élficos pés ela passa,
num fremir repleto de graça,
meio hesitante, e então começa
a dançar: em meandros se apressa,
estonteante, e branco nevoeiro
80   envolve seu passo ligeiro.
Faísca a água ao vento, ondulante,
salpica o rocio de diamante
as folhas e flores após
ela passar com pé veloz.

85   Esvoaça sua longa melena
nos braços erguidos; amena
alça-se a Lua e sobre a rama
glória plenilunar derrama;
com luz clara, serena e branda
90   por aquela clareira anda.
Seus pés então param, do nada,
surge um som na mata trançada:
vocalises e élfico idioma,
sua voz em bel canção assoma
95   que dos rouxinóis aprendeu:
tornou-se, por júbilo seu,
graça que o coração apresa:
imortal, sem mancha ou tristeza.

Ir Ithil ammen Eruchín
100   *menel-vîr síla díriel*

si loth a galadh lasto dîn!
  A Hîr Annûn gilthoniel,
le linnon im Tinúviel!

O texto datilografado termina aqui, mas o rascunho final escrito à mão continua:

Elfa mais bela, Lúthien,
105 que assombros a tua dança tem?
    Qual é o encanto de Elvenesse,
    qual fado na voz transparece?
    Àquela noite, igual prodígio
    em Terra ou Mar não há vestígio,
110 em noite ou dia, alba ou poente,
    nem sob a lua perfulgente!
    Em Neldoreth caiu um feitiço;
    ao som da flauta deu sumiço
    Daeron, pois a atirou no chão,
115 e lá ela ficou, no gazão,
    e ele, parado, o assombro o ata,
    arrasado na atenta mata.
    Mas o canto inda ela conduz,
    qual luz que retorna pra luz,
120 ascendendo do ínfero mundo,
    quando se ouve um passo profundo
    de pés pesados na folhagem,
    e, súbito, na escura margem
    da clareira alguém vem avante,
125 tateia, como se hesitante
    ou cego e, enquanto cambaleia,
    lança uma sombra à lua cheia,
    curva. Qual cotovia, então,
    que mergulha de supetão,
130 de Lúthien freme e cessa o som;
    do encanto liberto, Daeron
    desperta e grita com temor:
    "Foge, Lúthien! Um horror
    anda na mata! Vai-te embora!"
135 Com medo, avança sem demora

A BALADA DE LEITHIAN RECOMEÇADA

pedindo que ela o siga, aflito,
té que indistinto chega o grito:
"Precisas fugir, Lúthien!"
Mas calada ela se detém
140   no val — medo nunca sentiu —,
sozinha, flor de caule esguio,
alva ao luar, com rosto erguido,
esperando[B]

Aqui o manuscrito termina.

Canto IV

Uma breve seção desse Canto foi reescrita tardiamente. O verso 884 e seguintes foram alterados para:

E Thingol disse: "Dairon, sábio,
teu olho é atento, o ouvido é hábil,
tudo o que passa nessas matas
com discernimento constatas,
que este silêncio está a agourar?[C]

Isso foi escrito rapidamente no texto B, e acredito que o motivo principal foi o desejo de se livrar da palavra "mago" [isto é, *mágico*] no verso 886, o qual está sublinhado e assinalado com um X no texto datilografado D. Ao mesmo tempo, "wild stallion" [corcel selvagem] foi alterado para "great stallion" [grande corcel] no verso 893 [em inglês], e *Tavros* foi alterado para *Tauros* no verso 891. Também nesse momento, um pouco adiante, os versos 902–19 foram alterados para:

dar-se-á em Ennorath,[*] na brenha.
Parece-me bom que ele venha!
Nahar não trota aqui faz anos —
dias antigos de paz, lhanos —,

---

[*] *Ennorath*: "Terra-média". Ver *O Senhor dos Anéis*, *O Retorno do Rei*, Apêndice E (p. 1588, nota 3).

414

dês que os rebeldes de Eldamar
vieram a Morgoth encalçar,
trazendo mal e guerra ao Norte.
Vem Tauros a ajudá-los, forte?
Se não ele, o que vem, ou quem?"
Mas Dairon disse: "Ele não vem!
Cá não virão mais pés eternos
de onde rugem Mares Externos,
té que muita cousa aconteça,
muitos males, muita tristeza.
Já está aqui o conviva. Calaram-se
as matas porque arrebataram-se
quando viram estranho feito,
o rei não sabe, mas suspeito,
que sabe a rainha e a donzela
quem ora anda ao lado dela."[D]

Os versos 926–29 foram reescritos:

Mas Daeron olhou pro seu rosto,
e vacilou, vendo desgosto,
no claro olhar. Não mais falou,
silente ira tinha Thingol.[E]

Mas essas revisões foram muito apressadas, apenas no nível de
um rascunho mal-acabado, e não são comparáveis ao que veio
antes, em absoluto.

Cantos V–IX

Não houve reformulações posteriores nesses Cantos exceto por
quatro versos no Canto IX: as palavras de Felagund a Beren ao
morrer (2633 e seguintes):

Agora vou à longa espera
em Aman, pra lá de Eldamar
e sua costa, e sempre morar
na memória". O rei expira,
inda o diz élfica lira.[F]

A BALADA DE LEITHIAN RECOMEÇADA

Nesse ponto, meu pai escreveu em uma das cópias do texto D: "Ele deveria devolver o anel a Beren" (para a história posterior do anel, ver *Contos Inacabados*, p. 237, nota 2 e *O Senhor dos Anéis*, *O Retorno do Rei*, Apêndice A, p. 1480 nota 22 e p. 1503). Contudo, não se afirma em lugar nenhum, de fato, que Beren devolvera o anel a Felagund.

Canto X

O começo desse Canto coincide com o início de uma substancial passagem reescrita, a princípio executada no texto B e, depois, com alterações adicionais, em um texto datilografado feito por meu pai, ao que tudo em indica ao mesmo tempo em que a passagem nas pp. 410–14 (mas, neste caso, os novos versos foram redatilografados como parte do texto D).

<blockquote>

Harpistas cantam o ocorrido,
em élfico, de um tempo ido,
que vagam Beren, Lúthien
do Sirion no vale. Então vêm
5   alegres às clareiras, leves
os pés, e doces dias breves.
Mesmo no inverno, na procela,
as flores duram no pé dela.
Tinúviel! Tinúviel!
10   cantam as aves no dossel,
nos ramos nevados também,
e junto a Beren, Lúthien.

    Ilha do Sirion deixam já,
mas só, na colina, lá está
15   túmulo verde, laje alçada,
ainda jaz lá branca ossada
de Finrod, de Finarfin raça,
até que o mar a terra abraça
e engole em profundo abisso.
20   Mas Finrod ri, enquanto isso,
em Eldamar* e não mais erra
no mundo gris de choro e guerra.

</blockquote>

---

* *Eldamar*: anteriormente escrito "*no Reino Abençoado*". Compare esses versos com a versão revisada das palavras de Felagund ao morrer, no Canto IX (p. 415).

A Nargothrond não tornou mais
mas correm lá relatos tais
25   dos feitos do rei que partiu,
de Lúthien que a Ilha remiu:
Senhor Lobisomem vencido,
e o grande castro demolido.
Pois muitos tornam para o lar
30   que em sombra iam se tornar;
e como sombra volta reto
Huan, o cão; tem pouco afeto
de Celegorm, ou gratidão.
Ergueu-se grande agitação,
35   um clamor de vozes sem fim,
e os que Curufin intimidou,
e que negaram auxílio ao próprio rei,
vexados, irados, gritaram:
"Pérfidos vamos abater!
40   Que querem? Queda hão de trazer
para Finarfin e seu clã!
Cucos malquistos, prole malsã!
Fora!" Mas sábio e demorado
fala Orodreth: "Tende cuidado,
45   mais males não permitirei!
Finrod caiu, ora sou rei.
E o que ele diria, eu vos digo:
não tolerarei que o antigo
esconjuro em Nargothrond grasse,
50   e que o mal a um mal pior passe.
Por Finrod, sede vós contritos!
Guardai pra Morgoth os conflitos!
Não derramareis sangue irmão.
Mas não terão pouso e nem pão
55   os dois que ao clã de Finarfin
tal afronta fazem. A mim
trazei-os a salvo! Ide, pois!
Demonstrai cortesia aos dois.

Celegorm lança olhar acerbo,
60   não se curva, irado e soberbo,

A BALADA DE LEITHIAN RECOMEÇADA

ameaçador; mas ao seu lado,
de olhar cauto, sorri calado
Curufin, que repousa a mão
no cabo do punhal. "E então?"
65   ri-se. "Por que, Senhor Regente,
nos chamaste? Em meio a tua gente
não queremos nos demorar.
Se algo queres, deves falar!"

    Fria é a resposta que lhes vem:
70   "Ante o rei ora estais. Porém,
nada quer de vós. Mas ordena
que ouçais e cumprais a sua pena.
Ide pra sempre — enquanto é dia
e brilha o sol. A vossa via
75   não vos trará ao meu redor,
nem filho algum de Fëanor;
nem há de haver acordo bom
do vosso clã com Nargothrond.

    "Recordaremos", dizem logo,
80   e dão as costas, com afogo,
selam corcéis, juntam petrecho,
com cão, lança e arco, esse é o desfecho,
partem sós, visto que ninguém
quis seguir. De falar se abstêm,
85   soam trompas; sobem na sela,
e vão qual vento na procela.

O texto datilografado feito por meu pai termina aqui, mas a revisão escrita no texto B continua (e foi incorporada ao texto datilografado D).

    De Doriath os caminhantes
se aproximam. São cortantes
os ventos que a grama cinzenta
90   passa, e o dia logo se ausenta;
mas cantam sob o céu gelado
que por cima deles é alçado.

418

AS BALADAS DE BELERIAND

Chegam ao Mindeb, rio veloz,
que a Neldoreth desce, após
95   saltar nas montesas alturas,
ruidoso nas rochas escuras,
mas que súbito silencia
cruzando o feitiço-vigia
que Melian colocou na marca
100   da terra de Thingol, monarca.
Lá apeiam. Beren, triste e mudo,
ora, por fim, entende tudo
o que o seu coração dizia:
bifurca-se aqui nossa via.
105   "Ai, Tinúviel", pôs-se a falar,
"juntos não podemos trilhar
essa via, e nem de mãos dadas
seguir por élficas estradas."
        "Que dizes? O que te desvia,
110   se agora raia um novo dia?"[G]

Nenhuma alteração foi feita dos versos 2936 a 2965 (exceto a
troca de *Elfinesse* por *Elvenesse* no verso 2962 [em inglês]). Na
passagem anterior, Inglor Felagund, filho de Finrod, tornou-
-se Finrod Felagund, filho de Finarfin, e dessa forma é possível datar a revisão, no mínimo, a 1955, pois tal alteração não
tinha sido feita quando a primeira edição de *O Senhor dos Anéis*
foi publicada.

Um outro breve trecho revisado começa em 2966, e retorna ao
texto original dois versos depois:

Ai! Hei de cumprir a promessa,
não estou só a chorar por essa
jura feita em cólera vã.
Breve o encontro, breve a manhã,
5   e em breve a noite nos separa!
Toda jura o coração vara:
cumprida, dói; negada, vexa.
Ah! Sob a pedra que ora fecha
Barahir eu queria estar;
10   que estivesses só, a dançar;

A BALADA DE LEITHIAN RECOMEÇADA

sem tristeza a que não perece,
cantando alegre em Elvenesse."

"Não. Porque há mais robusto laço
que rochas e que barras de aço,
15   que juras menos movediço.
Não te afirmei meu compromisso?
Honra ou orgulho o amor não tem?
Ou talvez julgas Lúthien
insensata e frágil de intento.
20   Por Elbereth e o firmamento!
Se soltares a minha mão
para que eu siga em solidão,
Lúthien não torna à velha plaga…[H]

Ao mesmo tempo, o verso 2974 foi alterado para:

Contra toda a esperança, amantes,

e os versos a partir de 2988 foram alterados para:

            a terra treme. Assim irados,
para o leste vão desvairados,
pra achar os caminhos antigos
entre Gorgorath e seus perigos,
e a terra de Thingol. Tal trilha
é a mais direta à sua família
em Himring, monte que vigia
ao longe o Aglon, brecha fria.

Veem os errantes; co'os cavalos
dão a volta pra interceptá-los…[I]

Cantos XI–XIII

Os Cantos XI e XII não foram reescritos e, no Canto XIII, apenas
uma porção mais para o final. Os versos 4092–095 foram substituídos por:

as Silmarils, com luz vivente
acenderam-se e, assim, fulgentes,
brilham como astros sobre o Norte,
sobre a terra e seu fedor forte.^J

Os versos 4150–159 foram substituídos por:

A pedra em garras está presa,
e a faca as corta com destreza
qual fosse unha num dedo morto.
Eis de Casadelfos conforto,
5 de Fëanor fogo, Luz do Dia,
quando nem sol nem lua havia,
cativeiro acaba, afinal,
passa do ferro à mão mortal.
Lá está Beren, joia na mão
10 o brilho puro passa, então,
por carne e osso e vira fogo,
sanguínea cor. Desejo logo
sente de pôr a sina à prova:
tirar de Morgoth e sua cova
15 as três gemas de lume eterno,
salvando-as do profundo Inferno.
Inclina-se e o punhal estende,
tiras e garras férreas fende.
Mas as Silmarils tinham Fado
20 sombrio com ódio entrelaçado:
inda havia tempo a correr
té que do caído poder
de Morgoth fossem conquistadas
e outra vez perdidas; lançadas
25 num golfo fogoso e no mar,
até o fim dos Tempos chegar.^K

Canto XIV

Os versos 4184–190 foram reescritos assim:

No fim, um brilho veem adiante,
cinzento, indistinto e distante,

A BALADA DE LEITHIAN RECOMEÇADA

caindo — uma luz fantasmal —
no Inferno e seu largo portal.
Chega a esperança e os deserta:
a porta estava inteira aberta
mas o horror andava no umbral.
{ Desperto está o lobo do mal, }
{ Pois vigia o lobo bestial, }
nos olhos rubra chama ardia;
e Carcharoth, minaz, se erguia,
morte à espreita, sina constante:

Os versos 4208–211 foram reescritos assim:

e Beren com larga passada
transpõe Lúthien e barra a estrada
pra sem defesa defender
a elfa-donzela do que vier.[L]

❧

Da Balada original, pouco mais de um sexto foi reescrito, e a pro-
porção entre versos novos e antigos não chega a um para quatro.
Por isso, a afirmação de Humphrey Carpenter em *The Inklings* [Os
Inklings], p. 31, de que "Por fim, ele de fato acabou reescrevendo o
poema inteiro", deve, infelizmente, ser corrigida.

Nota sobre o envio original da *Balada de Leithian* e de *O Silmarillion* em 1937

Na esteira do sucesso imediato de *O Hobbit*, publicado em 21 de setembro de 1937, Stanley Unwin, presidente da George Allen & Unwin, estava naturalmente ansioso para que meu pai escrevesse uma continuação, ou um sucessor — sobre Hobbits. O resultado da primeira reunião deles, não muito depois da publicação do livro, foi que meu pai lhe enviou vários manuscritos, entre eles a *Balada de Leithian* (na correspondência da época, era chamada de *Gesta de Beren e Lúthien*) e *O Silmarillion*.

Humphrey Carpenter diz na *Biografia* (pp. 251–52), que "o manuscrito [de *O Silmarillion*] — ou melhor, o monte de manuscritos — chegara à editora em um estado um tanto quanto desordenado e a única seção obviamente contínua parecia ser o longo poema 'A Gesta de Beren e Lúthien'." Rayner Unwin me disse que, nos registros guardados pela Allen & Unwin acerca dos manuscritos que chegaram, os trabalhos entregues em 15 de novembro de 1937 foram listados como:

1. Mestre Giles d'Aldeia
2. Longo Poema
3. Sr. Boaventura
4. O Material dos Gnomos
5. A Estrada Perdida

Notas escritas por meu pai mostram que, junto com *O Silmarillion* "propriamente dito", ele enviou naquela época o *Ainulindalë* (A Música dos Ainur), *Ambarkanta* (A Forma do Mundo), e *A Queda dos Númenóreanos*. Acredito ser por isso que o quarto item no livro de registros foi listado como "O Material dos Gnomos".

BALADA DE LEITHIAN E DE O SILMARILLION EM 1937

Pode ser que os diferentes manuscritos não estivessem diferenciados de maneira muito clara, ao mesmo tempo em que os títulos dos vários trabalhos certamente pareceriam obscuros; e "O Material dos Gnomos" foi uma oportuna expressão abrangente.* Mas talvez se possa detectar nessa frase uma nota de confusão, aparente também na descrição do item 2 como um "Longo Poema". Por outro lado, há que se notar que o texto de *O Silmarillion* era, naquela época, um manuscrito bem-acabado, simples e muito legível.

Não há evidências para se afirmar que *O Silmarillion* e outros trabalhos em prosa da Terra-média tenham sido enviados ao leitor da editora. No relatório sobre o poema, ele fez menção apenas a "umas páginas" e "algumas páginas" em prosa, e Stanley Unwin, quando devolveu os manuscritos em 15 de dezembro de 1937, mencionou "as páginas de uma versão em prosa" que acompanhavam o poema. Humphrey Carpenter parece estar certo ao sugerir (*Biografia* p. 252) que essas páginas foram anexadas "com o propósito de completar a história, pois o poema propriamente dito estava inacabado"; eram as páginas da história de Beren e Lúthien conforme contada em *O Silmarillion*. Mas fica também óbvio pelo relatório do leitor que ele não viu nada mais de *O Silmarillion*. Ele encabeçou o relatório com: "*A Gesta de Beren e Lúthien* (Recontada em Verso por ?)", e começou:

Estou bastante perdido, sem saber o que devo fazer com isso — não parece nem sequer ter um autor! — ou qualquer indicação de fontes etc. Supõe-se, com razão, que os leitores das editoras sejam moderadamente inteligentes e lidos, mas confesso que minhas leituras não chegaram às antigas Gestas Celtas, e não sei se esta é uma Gesta famosa ou não, e, para falar a verdade, nem mesmo sei se é autêntica. Presumo que seja, pois o poeta não especificado incluiu algumas páginas de uma versão em prosa (que é muito superior).

---

* Não há dúvidas de que *O Silmarillion* em si foi remetido à editora Allen & Unwin nesse momento. Meu pai fez uma nota enquanto não estava de posse do manuscrito sobre as alterações que deveriam ser feitas quando ele lhe fosse devolvido, e registrou especificamente sua devolução (*Cartas*, n. 20): "Recebi a salvo [...]a *Gesta* (em verso), o *Silmarillion* e fragmentos relacionados."

Com essa última frase, ele quis dizer, imagino, que a *história*, conforme representada naquilo que ele pensava ser uma tradução literal em prosa, era uma autêntica "Gesta Celta", e que o "poeta não especificado" fizera dela um poema.

Contudo, ele era um crítico de gosto positivo, e contrastou o poema — para desvantagem do próprio poema — com "as poucas páginas de (presume-se) transcrição em prosa do original". No poema, afirmou, "a força primitiva se esvai, as cores claras se esvaem" — uma conclusão notável, mesmo que a evolução real da Matéria de Beren e Lúthien estivesse invertida dessa maneira.

Pode parecer estranho que o leitor que recebeu o poema tivesse tão pouco para examinar; e mais estranho ainda que ele tenha escrito com algum entusiasmo sobre o fragmento de prosa narrativa que o acompanhava, mas que nunca tenha visto o trabalho do qual esse fragmento saiu, muito embora fosse o manuscrito mais importante enviado pelo autor: de fato, ele nem sequer tinha razão para suspeitar da existência desse manuscrito. Mas suspeito que meu pai não tenha deixado suficientemente claro desde o início o que eram os trabalhos em prosa sobre a Terra-média e como eles se interrelacionavam e, como consequência, acredito que "o Material dos Gnomos" tenha sido deixado completamente de lado por ser peculiar e difícil demais.

No pé do relatório do leitor, Charles Furth, da Allen & Unwin, escreveu: "O que faremos?"; e ficou para o tino de Stanley Unwin encontrar uma solução. Quando devolveu os manuscritos a meu pai, afirmou:

> Como você mesmo presumiu, será uma tarefa difícil fazer qualquer coisa com a *Gesta de Beren e Lúthien* em verso, mas nosso leitor ficou muito impressionado com as páginas de uma versão em prosa que a acompanhava

— e citou do relatório *apenas* as observações aprobatórias (ainda que mal dirigidas) que o leitor fizera sobre o fragmento do *Silmarillion*, as quais Humphrey Carpenter cita: "possui algo daquela beleza louca de olhos brilhantes que deixa perplexos todos os anglo-saxões diante da arte celta" etc. Mas Stanley Unwin então prosseguiu:

BALADA DE LEITHIAN E DE O SILMARILLION EM 1937

O Silmarillion contém muito material maravilhoso; de fato, é uma mina a ser explorada na escrita de outros livros como *O Hobbit*, mais do que um livro por si só.

Essas palavras em si efetivamente demonstram que *O Silmarillion* não tinha sido entregue para um leitor resenhar. Naquela época, era um trabalho extremamente coerente, ainda que inacabado naquela versão.[*] Não há dúvidas de que o objetivo de Stanley Unwin era não ferir os sentimentos de meu pai, ao mesmo tempo em que (confiando no relatório do leitor, que dizia respeito ao poema) recusava o material enviado e persuadia-o a escrever um livro que desse continuidade ao sucesso de *O Hobbit*. Mas o resultado foi que meu pai se iludiu completamente, pois em sua resposta (incluída na íntegra nas *Cartas*, n. 19), datada de 16 de dezembro de 1937, — três dias antes de escrever dizendo que completara o primeiro capítulo, "Uma Festa Muito Esperada", de "uma nova história sobre Hobbits" — ele disse:

> Minha principal alegria é por saber que o Silmarillion não foi rejeitado com desdém [...] Não me importo com a forma em versos [isto é, a versão poética do conto de Beren e Lúthien, a *Balada de Leithian*] que, apesar de certas passagens virtuosas, possui defeitos graves, pois ela é para mim apenas o material bruto.[†] Mas agora certamente terei esperanças de um dia ser capaz, ou de ter os meios, de publicar o Silmarillion!

Ele obviamente tinha a impressão de que *O Silmarillion* tinha sido entregue a um leitor e que fora resenhado (certamente não deu importância para a expressão usada por Stanley Unwin, "*as páginas de* uma versão em prosa"); ao passo que, até onde as evidências remanescentes apontam (e parecem ser completas o bastante), esse não era o caso, em absoluto. Meu pai achou que tinha sido lido e

---

[*] Não havia, de fato, muito mais para se retrabalhar no texto de 1930: a nova versão (com umas 40 mil palavras) estendia-se até parte do Capítulo XXI, *De Túrin Turambar*.

[†] Isso pode parecer algo muito surpreendente de se dizer; mas deve-se lembrar que ele abandonara o poema seis anos antes e, naquela época, estava absorto no aperfeiçoamento do *Silmarillion* em prosa.

recusado, quando na verdade tinha simplesmente sido recusado. O leitor certamente recusou a *Balada de Leithian*; mas não recusou *O Silmarillion*, do qual tinha visto apenas algumas páginas (sem saber do que se tratava) e, de toda forma, havia gostado delas — apesar das dificuldades de um anglo-saxão ao apreciar a arte celta.

É estranho refletir sobre o que poderia ter concebivelmente acontecido se *O Silmarillion* tivesse de fato sido lido na época, e se o leitor tivesse mantido a boa opinião que formou examinando aquelas poucas páginas. Pois embora não haja razão necessária para supor que, mesmo assim, ele teria sido aceito para publicação, não parece ser algo absolutamente fora de questão. E se tivesse sido aceito? Meu pai escreveu, muito tempo depois (em 1964, *Cartas*, n. 257):

Depois [da publicação de *O Hobbit*] lhes ofereci as lendas dos Dias Antigos, mas os leitores deles as recusaram. Queriam uma continuação. Mas eu queria lendas heroicas e alto romance. O resultado foi *O Senhor dos Anéis*.

Glossário de Palavras e Significados Obsoletos, Arcaicos e Raros

Nesta lista, as palavras que ocorrem na *Balada dos Filhos de Húrin* (H e H ii (segunda versão)) e na *Balada de Leithian* (L e L ii (a parte contínua da revisão posterior)) aparecem com a referência do verso em que constam. Palavras de outros poemas ou trechos aparecem com a referência às páginas em que ocorrem.

Ambas as Baladas, mas especialmente *Os Filhos de Húrin*, se valem de algumas palavras totalmente perdidas (e significados perdidos), mas a lista inclui também muitas que seguem sendo arcaísmos literários conhecidos e algumas palavras que não são nem perdidas e nem arcaicas, mas cujo uso é muito limitado.

an se, H 63, 485

as como se, H 310, ii. 659

astonied espantado, atônito, H 578

bade H ii. 646. Se a frase *This Thingol she bade* significar "Isto ela *ofereceu* a Thingol", a palavra está sendo usada com dois sentidos no verso: ela *ofereceu* a ele o elmo, e *pediu* a ele que recebesse seus agradecimentos; mas mais provavelmente o verso quer dizer que "ela pediu a ele para receber o elmo e seus agradecimentos" (ver H 301).

bale mal, desgraça, tormento, H 56, ii. 81

balusters os pilares de uma balaustrada, p. 161

bated restrito, paralisado, H 1121

bent lugar aberto coberto de grama, H 1032, 1517, 1539, ii. 500; L 1369, 2281

betid vir a acontecer, L 2408

blent mesclado, misturado, H 453, 583; L ii. 317

boots na expressão **it boots not**, não tem serventia, H 1871

bosmed (em **bare-bosmed**) depositado no seio, H 1198

brand lâmina, espada, H 1340, ii. 149

carping conversa, bate-papo, H 477; **carped** H 506

casque capacete, elmo, H ii. 655

chaplet grinalda, L 753

chase lugar de caça, L 3297

clomb antigo pretérito de *climb* [subir, escalar], H 1494; L 1382, 3872

corse cadáver, H 1295, 1404; L 3620

cozening engano, engodo, trapaça, p. 357

croft porção cercada de terra arável, L 1968

dear precioso, valioso, H 480

dolour sofrimento, L 2814

dolven (também em **dark(ly)-**, **deep-dolven**) escavado, cavado, H 2052; L 213, 1677, ii. 63

OBSOLETOS, ARCAICOS E RAROS

dreed aguentou, suportou, H 531

drouth (com a mesma origem da palavra *drought*) seca, secura, H 946, 972; (**plains of**, **fields of**) **drouth**, (planícies de, campos de) sede, H 826; L 2047

eld velhice, H ii. 595; **of eld** outrora, de outrora, H 118, ii. 262

enfurled (em **mist-enfurled**) envolto, envelopado, embrulhado (em algo torcido ou dobrado), L 59, ii. 61. A palavra não é atestada com o prefixo *en-*. Ver **furled**, embrulhado, L 1551, **unfurled**, desfraldado, aberto, L 404, 1591, 3986

enow suficiente, L 1304

error (provavelmente) andança, perambulação, H ii. 495

fain com prazer, H 130; L 823; contente, L ii. 368; **fain of** ávido por, ou contente com, H 410, 458, ii. 786; **warfain** ávido por guerra, belicoso, H 386, 1664, ii. 137, **bloodfain**, ávido por sangue ii. 750; **I had fainer** eu preferiria, H ii. 146

falchion espada (larga), H 1217, ii. 63, 146

fallow castanho dourado, fulvo, H 2106; p. 155; **fallow-gold** p. 155; **fallow deer** cervo, L 86. (Uma palavra diferente de *fallow* quando usada para a terra).

fare jornada, viagem, H 2184

fast fixamente, sem se mover, H 1614 (ou talvez como adjetivo, "profundo, ininterrupto", qualificando a palavra *pondering*. Compare com *fast asleep*); seguro contra ataques, L 360

fell pele, couro, L 2344, 3398, 3458, 3484, 3941, 4124, ii. 528

fey destinado a morrer, L 3305; ver **unfey**.

flittermouse morcego, L 4074

fold terra, H 765; **folds** H 533, 1632, provavelmente o mesmo, mas talvez "meandros, curvas".

force queda d'água, H 1595

forhungered faminto, L 3076

forwandered exausto de tanto vagar, H 190, 897, ii. 498; L 550, 2354

freshets regatos de água doce, H 1597; L 1934

frith mata H 1795; p. 160; L 896, 2264, ii. 124

frore coberto de geada ou de cabelos brancos H ii. 594; gelado, L 578, 1718

garth terreno cercado ao lado de uma casa, jardim, quintal, H 149, ii. 313

ghyll profunda ravina rochosa, H 1498

glaive lança ou espada, H 322, 1210, ii. 680

glamoury magia, encantamento, pp. 148–49, L 2073

gloam crepúsculo, p. 177

grasses plantas, ervas, L 3122

guerdon galardão, recompensa, H 658; L 222, 1064, 4139

haggard (de roupas) rotas, desalinhadas, H 466; (de colinas) selvagens, H 2120, L 3167; sentido moderno ["com aspecto cansado"] H 1890, L 3729 (com sentido estendido, **haggard hunger**, **haggard care** H 1437, L 564)

haled puxou, H ii. 551

hap acaso, fortuna, sorte, condição, H 340

hest comando, H 86, 689

hie apressar-se, H 838

hight chamado, nomeado, H 366, 863

hold fortaleza, praça-forte, L 52, 1702, 2457; p. 161 (aqui, talvez "aperto, ato de agarrar"); refúgio, L 210

holt mata, souto, L 2342

inane vazio L 3533

keep parte central da fortaleza, L 1677

lambent (de fogo) que toca levemente uma superfície sem queimar, H 1217

AS BALADAS DE BELERIAND

lapped cercado, H 690; envolto, H 709

lea gramado, pasto, H 35, 1797, ii. 66

leasows prados, H 1797

leeches médicos, L 3055, 3144

let impedir, deter, L 2019

levin relâmpago, H 1681

lief disposto a, L 3417; **liever** melhor, mais prazenteiro, H 78

like agradar H 90, 286, 598, 1376, ii. 226, 626

lind tília, p. 145

loath desprezível, L 3419; indisposto, L 3417

lode caminho, H 798

louted curvado, H 1520

march marca, região fronteiriça, H ii. 493; L 3672

marge margem, H 1555

mavis tordo, L ii. 74

meed recompensa, H 81, 268, 701, 793, ii. 195, 231, 604

meet adequado, H 487

mete distribuir (usado na construção *I shall mete thee a meed, his meed was meted*) H 81, 532, 701, 1092, ii. 195

mews gaivotas, p. 157; **seamew** H 1551

neb bico, L 255, 570, ii. 381, 409

nesh macio, tenro, L 4220

opes abre, L 3740; **oped** H 550

or ever antes de, L 1821

or... or ou... ou/quer... quer, H 439–40; L 54, 2886; p. 417

outer extremo (?), L 2979

palfrey palafrém, um cavalo pequeno para montaria, L 3379

parlous perigoso, L ii. 456

pled antigo pretérito de *plead* [rogar, suplicar], L 2983

plenilune lua cheia, plenilúnio, pp. 412–13

prate falar, tagarelar sem propósito, H 501

quick vivo, H ii. 78

quod disse, H 88

quook antigo pretérito de *quake* [tremer, estremecer], L 3582

recked cuidar, importar-se com, H 619; L ii. 629; **unrecked** desconsiderado, H 1799

redeless sem recurso, sem conselho, L 3427

rive rasgar, fender, H 1211; pretérito **rove** L 4149

roamed vagou, prosseguiu (em um caminho ou jornada), H 1432; (de regiões) estendia-se (?), H 1577. (Esses usos não parecem ser atestados).

rout companhia, tropa, bando, L 2997

rove ver **rive**.

ruel-bone algum tipo de marfim, L 2261 (ver J.R.R. Tolkien, *Sir Gawain, Pearl, and Sir Orfeo*, tradução de *Pearl*, estrofe 18: *And her hue as rewel ivory wan* [e seu tom, pálido como marfim]).

ruth pena, compaixão H 306, 1941, 1969, 2134, ii. 654; L 116; remorso, H 509; pesar H 1661

shaws matas, matagais, H 647 (ver *Trollshaws* [Matas dos Trols], a oeste de Valfenda).

sheer (de luz) brilhante, L 689; (de água) clara e pura, L 1439

shoon antigo plural de *shoe* [sapato], L 490

shores escoras, L 3880

sigaldry feitiçaria, L 2072 (ver a terceira estrofe do poema *Errantry*, em J.R.R. Tolkien, *The Adventures of Tom Bombadil* [As Aventuras de Tom Bombadil], 1962).

slade vale, H 235, 1150, 2171, ii. 561; **slades of death** H 685, 886 [traduzido como "sombras da morte" na primeira ocorrência].

slot rastro (de uma criatura caçada), H 745, 1314

slough lama, atoleiro, H 881

sped serviu (atingiu o propósito), H 41; prosperou (transitivo), H 247,

OBSOLETOS, ARCAICOS E RAROS

(intransitivo) ii. 574; urgiu, H 284; enviou com pressa, H 654

stared (provavelmente) brilhou, L 3132, significado encontrado nos poemas aliterantes medievais: ver J.R.R. Tolkien, *Sir Gawain, Pearl, and Sir Orfeo*, tradução de *Pearl*, estrofe 10: *stars stare in the welkin in winter night* [estrelas brilhavam no céu na noite invernal]. O original em inglês médio, *staren*, tem esse sentido.

strikes corre, flui, H 240, 520, ii. 567

suage aliviar, H 612

sued implorou, suplicou, H 857

swath "o espaço abarcado por um golpe de foice do segador" (Oxford English Dictionary), H 33, ii. 64; L 2106

swinking labuta, H 784

sylphine da natureza de uma sílfide (um espírito do ar, ver pp. 357–58), L 4077. Esse adjetivo, derivado do substantivo *sylph*, não é atestado.

tale conta, total, soma, H 159, 471, ii. 326. Ver **untold** incontável, H ii. 678, L 12, 2251

targe escudo, H 131, 409, 2153, ii. 284, 785

thewed em **mighty-thewed**, de grande força, com nervos fortes, H ii. 714

thirled perfurado, H 697

tilth terra cultivada, H 1798

tors tesos rochosos, H 2119

travail labuta, sofrimento (em uma jornada, ou seja, tanto *travail* quanto *travel* [viagem, jornada]), H 143, ii. 300

unfey que não está predestinado a morrer, H ii. 752 (ou talvez o significado seja "que não é débil, que não é tímido", invertendo outro significado de *fey*). Essa palavra aparentemente não é atestada em inglês, mas *ú-feigr*, "unfey" é encontrada em nórdico antigo.

unkempt desgrenhado, H 490

unrecked ver **recked**,

wading indo, passando, H 1605

waiving recusando, rejeitando, H ii. 154

wallet saco para mantimentos, H 228, ii. 551

wan escuro, L 261, ii. 561

wanhope desespero, H 188

web tecido, L 1471; usado para cota de malha, L 324, e para as "urdiduras" do destino, H ii. 13

weeds roupas, H 445

weft tecido, L 3061

weird sina, fado, destino, H 160, ii. 119, 246, 327; L 2290, 3173

weregild veregildo, o preço a ser pago em compensação por matar um homem, preço esse que varia de acordo com sua posição social, L ii. 177

whin urze, tojo, L ii. 195

wieldy (capaz de manejar facilmente corpo ou arma), vigoroso, ágil, H 1765

wildered perdido H 188, 204, 1316, ii. 516; p. 177; desnorteado, confuso H 774; L 641 (ver p. 378)

winding (1) acerca do movimento de vento ou água (sem sugerir, necessariamente, um movimento giratório), H 769, 1857. (2) (de trombeta) sopro, H 1832

wist ver **wot**.

wold planaltos ou colinas florestadas (ver p. 109), H 1816, 1992, 1994; L 1742

wolfham(e) pele de lobo, L 3398; pp. 321–22, 333 (ver p. 321).

woof tecido, L 4149

wot (tempo presente do verbo *wit*), saber, H 204, ii. 516; pretérito **wist**, H 160, 200, 399, ii. 327; passado particípio **unwist** desconhecido, H 257

wrack (1) ruína, desastre, destruição, H 27, 629, 2036, ii. 120; p. 172. (2) alga marinha, H 1569.

wrights artífices, H 300, 1147, ii. 641, 671

Índice

Este índice foi feito com as mesmas bases do índice do *Livro dos Contos Perdidos 1* e *2*. Assim como aqueles, a intenção é fornecer (com apenas algumas exceções) referências completas a todos os verbetes, e são incluídas referências eventuais a passagens em que a pessoa ou lugar não é explicitamente nomeado. A nota sobre o envio da *Balada de Leithian* e de *O Silmarillion* em 1937 não foi indexada.

Ælfwine 40, 108, 169, 188, 219

Aeluin Ver *Lago Aeluin.*

Agarwaen "Manchado-de-sangue", nome assumido por Túrin em Nargothrond. 114

Aglon, Fenda do Entre Taur-na-Fuin e Himling (Himring). 269, 278, 310, 321, 323, 364, 365, 368, 420

Água(s) do Despertar Ver *Cuiviénen.*

Aiglir Angrin As Montanhas de Ferro. 63–4. (Substituiu *Angorodin,* substituído por *Eiglir Engrin*).

Alagados do Crepúsculo 254 (chamado *Lago-Ocaso*), 264. Ver *Lagoas do Crepúsculo, Umboth-Muilin.*

Alqualondë 164. Ver *Cópas Alqalunten, Fratricídio, Porto-cisne.*

Altos Faroth Ver *Morros dos Caçadores.*

Aman 348, 357. Ver *Reino Abençoado.*

Amigos-dos-Elfos 237

Amória Desconhecido. 149

Anãos 45, 58, 67, 68, 72, 136, 154, 195, 358, 400 (ver especialmente 67, 358); *terra dos anãos* 140, 153. Ver *Anãos Barbas-longas.*

Anãos Barbas-longas 244

Anfauglith Outro nome para Dor-na-Fauglith. 321, 334

Angainor A grande corrente com a qual Morgoth foi preso. 245, 248–49. Anteriormente *Angaino, Angainu* 249, *Engainor* 248

Angamandi Nome de Angband nos *Contos Perdidos.* 332

Angband 17, 26–7, 45, 48, 63, 65–6, 69, 72, 87, 88, 93, 102–05, 126, 132, 141–42, 153, 207, 245, 249, 252–53, 260–63, 268, 273, 276, 288, 292, 298, 303, 317, 319–21, 333, 336, 345, 349, 354, 356–59, 362, 363, 368, 399, 406; descrita 345–48. *Sítio de, Cerco de Angband* 72, 102, 103–05, 207, 252, 262–63, 293. Ver *Infernos de Ferro.*

Angorodin Nome anterior das Montanhas de Ferro. 63

Angrim Pai de Gorlim, o Infeliz. 393, 407

Angrod Filho de Finrod/Finarfin, morto na Batalha da Chama Repentina. 99, 105, 167, 253, 263

ÍNDICE

Aperto dos Estreitos Das Terras do Oeste às Grandes Terras. 44.

Ar-Melian Melian. 405, 407. Ver *Tar-Melian*.

Aragorn 150, 152, 317

Arda 167, 410, 411 *Ard-galen* A grande planície relvada setentrional que, após ser devastada, foi chamada de *Anfauglith* e *Dor-na-Fauglith*. 335

Arminas Elfo noldorin que, junto de Gelmir, levou o alerta de Ulmo até Nargothrond. 114

Arsiriand Nome rejeitado para Beleriand. 195

Artanor Nome antigo de Doriath. 39, 107, 152, 180, 317

Arthad Um dos doze companheiros de Barahir em Dorthonion. 391, 407

Aryador Nome de Hithlum entre os Homens. 41

athelas Erva de cura. 317

Aulë 166, 169

Balar, Ilha e Baía de 220

Balrog(s) 17, 49, 50, 88, 121–24, 126, 172, 331, 339, 347, 353, 355

Balthronding O arco de Beleg. 142, 154; forma posterior *Belthronding* 37, 154

Ban Pai de Blodrin, o traidor. 63–4, 67. Ver *Bor*.

Bansil A Árvore Branca de Valinor (Silpion, Telperion) 14, 91, 99, 100, 233, 259. (Substituído por *Belthil*).

Baragund Sobrinho e companheiro de Barahir e pai de Morwen. 391, 407

Barahir Pai de Beren (filho de Bëor, 237, 392–93, 405). 36, 188, 196, 198–202, 205, 207, 225, 227, 229, 231, 236–37, 253–54, 256–57, 260–61, 286, 289, 292, 391, 392, 397–402, 405, 407, 409, 419

Barcaça de Prata A Lua. 92, 116, 155

Batalha da Chama Repentina 102, 179, 207, 292, 334, 409; outras referências 70–1, 104, 262–63; descrita 252–53, 275

Batalha das Lágrimas Inumeráveis 34–5, 37, 102–05, 158, 166, 178–79, 323, 363; *batalha das lágrimas* 98, 105, (136). Ver *Nínin Udathriol/ Unothradin, Nirnaith Arnoediad/ Ornoth/ Únoth*.

Batalha-sob-as-Estrelas 107

Bauglir (1) Nome antigo de Blodrin, o traidor. 63, 67. (2) Nome de Morgoth (substituiu *Belcha, Belegor, Melegor*). 16–7, 20, 26, 32–3, 40, 55, 63–4, 67, 73, 76–8, 81–4, 104, 122–24, 141, 142–43, 163, 204, 205, 218, 234, 251, 272, 331, 337

Baynes, Pauline (Mapa da Terra-média) 38

Belaurien Nome rejeitado para Beleriand. 195

Belaurin Forma gnômica de Palúrien. 195

Belcha Nome de Morgoth (substituído por *Belegor, Melegor, Bauglir*). 32–4, 67

Beleg 20–2, 26, 26–7, 37, 39, 42–66, 67–75, 77, 80–2, 94–5, 106–07, 110–11, 116, 135–37, 141–43, 153–54, 305, 365, 367, 369; ver especialmente 37, 154. Em *Os Filhos de Húrin* chamado de *o Caçador, o Arqueiro*. A elegia de Túrin, *A Amizade do Arqueiro* 81, 110, *Laer Cú Beleg*, a Canção do Grande Arco, 110

Belegor Nome de Morgoth (substituiu *Belcha*, substituído por *Melegor, Bauglir*). 32

Belegost Uma cidade dos Anãos. 358 (*breu de Belegost*), 58

Belegund Sobrinho e companheiro de Barahir. 391, 407

Beleriand 102, 186, 190–93, 195, 201, 203–05, 221, 223, 233, 263, 268–69, 279, 287, 348, 356, 388, 390, 403. (Substituiu *Broseliand*;

para outros nomes rejeitados, ver 195)

Belthil A Árvore Branca de Valinor (Silpion. Telperion). 14, 99–100, 230, 233, 250. (Substituiu *Bansil*).

Belthronding Ver *Balthronding*.

Bëor Pai de Barahir. 237, 391, 405; *casa de Bëor, parentes de Bëor, último rebento de Bëor* 225, 392, 405, 407, 409.

Bëoring(s) Homens da casa de Bëor. 391, 405, 409

Beowulf 155

Beren 19, 22, 32, 36–7, 68, 78, 107, 109–10, 129, 131–35, 137, 139, 147–52, 164, 167; várias referências na *Balada de Leithian* e comentários. Beren como Homem ou Elfo 36, 150–51, 127; sua segunda vida 150–51. Ver *Ermabwed, Erchamion, Maglor* (1).

Bilbo Bolseiro 63, 194

Bladorinand Nome rejeitado para Beleriand. 195

Bladorwen "A vasta terra, Mãe Terra", nome de Palúrien. 195

Blodrin O Elfo que traiu o bando de Túrin (nome anterior Bauglir). 44–6, 53, 63–4, 67

Boldog Capitão-órquico, líder do assalto a Doriath. 271–72, 278, 323, 338, 344, 363, 365–67

Bor Pai de Boldrin, o traidor (substituiu brevemente *Ban*). 44–6, 53, 63–4, 67

Bredhil, a Benta Ver *Bridhil*.

Bregolas Irmão de Barahir e pai de Baragund e Belegund. 392, 401, 407

Bregor (nas lendas posteriores) pai de Barahir e Bregolas. 36

Bregu (inglês antigo) = "Vala". 154

Bretanha 194

Brethil, Floresta de 65, 363

Bridhil Nome gnômico de Varda; chamada *Bridhil, a Sacra, Bridhil, Rainha das Estrelas* 164, 168, 204, 206, 259, 275; alterado para *Bredhil* 161, 163–64, 168. Ver *Timbridhil*; *Elbereth*.

Brocéliande, Floresta de 194. Ver *Broseliand*.

Bronweg Forma gnômica de Voronwë, companheiro de Tuor. 180

Broseliand Nome antigo de Beleriand 186, 192–95, 204, 205, 233, 275, 287, 356, 366, 370; inicialmente grafado *Broceliand* 192–94, 204–05

Bruithwir Pai de Fëanor nos *Contos Perdidos*. 166

Carcharoth O Lobo de Angband. 132, 145, 151, 185, 248, 339, 340, 342–45, 356, 359–60, 362, 368, 422. Formas anteriores *Karkaras* 151, 248; *Carcaras* 151, 248; *Carcharas* 248–49, 304, 318, 343–44, 364; *Carcharos* 343, 345, 357, 362, 365–66; *Carcharolch* 145, 151, 248; *Gargaroth* 343. *Presa-de-Punhal* 343, 345; *a Rubra Goela* [*Goela Vermelha*] 339, 343, 345

Carpenter, Humphrey 11, 369, 374, 422–25

Casadelfos 247, 273, 275, 276, 421; *terra de (dos) Elfos* 390, 403

Celebrimbor Filho de Curufin. 322

Celeg Aithorn Espada mitológica (relâmpago?) mencionada no "feitiço de amolar" de Beleg. 59, 71

Celegorm (1) Usado transitoriamente = Thingol. 193, 207. (2) Filho de Fëanor, cognominado "o belo", "o alvo". 82, 99, 103–06, 113, 163, 165, 184, 193–94, 204, 207, 218, 219, 233, 236, 251, 253, 256–57, 258–62, 264, 271, 279–84, 288–94, 302, 307, 309–13, 317–23, 333, 363–68, 417–18 (ver especialmente 103–06, 207, 261, 292).

Chambers, R. W. 174

Chaucer, Geoffrey 174–75

ÍNDICE

Cidade de Pedra (Gondobar), Gondolin. 176. *Cidade dos Habitantes da Pedra* (Gondothlimbar), Gondolin. 176

Cidade dos Deuses, A (poema) 117

Cópas Alqalunten "Porto das Naus-Cisne". 112. Ver *Alqualondë, Porto-cisne*.

Côr 42, 91, 115, 122, 128, 143, 149, 160, 162, 181, 259; *Kôr* 34, 98, 103, 116, 168, 169, 182

Coração Escarlate, O Emblema de Turgon. 178

Coroa de Ferro A coroa de Morgoth (também *férrea coroa*) 68, 231, 261, 320, 347, 385; *coroado de ferro* 344

Corthûn 16, 32, 42, 127. Ver *Tûn*.

Cranthir Filho de Fëanor, cognominado "o moreno". 83, 99, 106, 159, 163, 251; forma anterior *Cranthor* 99, 106, 159

Cristhorn "Fenda das Águias" nas Montanhas Circundantes de Gondolin. 171–73; *valão das Águias*, 172

Cuinlimfin Forma transitória substituída por Cuiviénen. 33, 42

Cuiviénen 28, 33, 404; *Águas do Despertar* 42, *Água do Despertar*, 407. Forma original *Koivië-Néni* 33

Curufin Filho de Fëanor, cognominado "o matreiro". 82, 99, 103–06, 113, 163, 184, 207, 251, 253, 256, 258, 259, 262, 265, 280, 283–86, 289–92, 307, 309313, 317–23, 325, 333, 354, 357–58, 363–65; seu cavalo 310–11, 316, 321, 324–25, 333–34; seu punhal/faca (sem nome, posteriormente *Angrist*) 311, 355, 358, 362

Daeron Ver *Dairon*.

Dagmor Espada de Beren. 401, 407

Dagnir Um dos doze companheiros de Barahir em Dorthonion. 391, 407

Dagor Bragollach 102. Ver *Batalha da Chama Repentina*.

Daideloth Nome anterior de Dor-na-Fauglith. 64

Dailir Seta de Beleg que sempre podia ser encontrada ilesa. 56, 59, 69, 71

Dairon Menestrel de Thingol. 129, 133–34, 144, 150, 191, 210, 213, 216, 218, 219, 222–24, 226, 228, 233, 235–40, 242, 244, 246, 248–49, 318, 363–67, 389, 414–15; forma posterior *Daeron* 234, 236, 367, 411, 413, 415

Dairuin Um dos doze companheiros de Barahir em Dorthonion. 391, 407

Damrod Filho de Fëanor. 83, 163, 251

Danigwethil Nome gnômico de Taniquetil. 33. Ver *Tain-Gwethil, Tengwethil*.

Delu-Morgoth Forma do nome de Morgoth de significado desconhecido. 15, 17, 31, 63, 126; anteriormente *Delimorgoth* 31–2, 63

Deus(es) Referências selecionadas. Passagens a respeito da relação dos Deuses com Elfos e Homens 21–2, 37, 57, 70, 136–37; um sonho dos Deuses 242, 250; os Deuses "ponderam o mundo" 28; "ira dos Deuses" 91; *Ruína do Reino dos Deuses* 44; *Deus do Inferno* 15, *das Trevas*, 125, *do Sono* 217. Ver *Valar*.

Dias Antigos 112, 249, 374, 407, 414, 427

Dinithel (?Durithel) Nome antigo de Díriel. 106

Dior, o Belo Filho de Beren e Lúthien. 152, 165, 219

Díriel Filho de Fëanor. 83, 106, 163, 251, 412

Dois Capitães Beleg e Túrin na Terra de Dor-Cúarthol. 66

Dor-Cúarthol "Terra do Arco e do Elmo", a região defendida por Beleg e Túrin na lenda posterior. 65–6

Dor-na-Dhaideloth 64

Dor-na-Fauglith Nome dado à grande planície setentrional (*Ard-galen*) depois de sua devastação na Batalha da Chama Repentina. 52, 55, 62, 64, 72, 75, 107, 319, 324; ver 334, e ver *Anfauglith, Planície Calcinada, Daideloth, Dor-na-Maiglos, Torrão Sedento, Estepes Ressequidas, Planície Sedenta.*

Dor-na-Maiglos Nome antigo de Dor-na-Fauglith. 64

Dor-tathrin Outro nome de Nan-Tathrin, a Terra dos Salgueiros. 110

Dor-Winion, Dorwinion Uma terra no Sul cujo vinho era importado pelo Norte. 21, 28, 37, 137, 143, 154

Doriath 18, 20, 22, 26, 28, 31–2, 35–40, 42, 46–7, 64–6, 68, 78, 94, 108–10, 116, 129, 131–35, 137–39, 141, 144, 153–54, 177, 180, 190, 193, 206, 209–10, 220, 222, 226, 233, 235, 237, 240, 249, 255–57, 269, 272, 278, 281–83, 288, 292, 308–10, 314–16, 318–23, 329, 331, 333, 338, 363; *Doriath além do Sirion* 110; *a Dançarina de Doriath* 78, 109; *Rei de Doriath*, ver *Thingol.* Ver *Artanor, Reino Guardado, Reino Oculto, Povo Oculto.*

Dorlómin 18, 26, 35, 41, 129, 140, 141

Dorthonion As grandes terras altas florestadas, posteriormente chamadas *Taur-na(nu)-Fuin.* 206, 392, 402, 407, 409

Draugluin O grande lobisomem da Ilha do Mago, morto por Huan. 245, 249, 297, 301, 304, 328, 332, 334, 339–43; *Draugluin Espectro-de-Medo* 343

Drûn Região ao norte do Lago Aeluin. 401, 407

Duas Árvores 115, 408; *Árvores de Luz* 160; *as Árvores* 168, 250

Duilin Pai de Flinding no *Conto de Turambar;* com o prefixo patronímico *go-* > *bo-Dhuilin* "filho de Duilin". 68. (Substituído por *Fuilin*).

Dungalef O inverso de *Felagund* empregado como enigma (substituído por *Ódio*, 233). 271, 275–76

Dungorthin, Dungortheb. Ver *Nan Dungorthin.*

Éadgifu Mãe de Ælfwine. 169

Eärendel 171–72, 175, 177, 182; filho de Fengel 172, 177, 180. Forma posterior *Eärendil* 102

Eglamar = *Eldamar.* 192, 217, 219

Egnor (1) Pai de Beren (substituído por *Barahir*). 36, 144, 194, 204–05, 207, 237, 253, 261, 263. (2) Filho de Finrod (posteriormente Aegnor, filho de Finarfin), morto na Batalha da Chama Repentina. 99, 105, 167, 253, 263

Eiglir Engrin As montanhas de Ferro. 46, 55, 63. (Substituiu *Aiglir Angrin*).

Eilinel Esposa de Gorlim, o Infeliz; cognominada "a branca" / "a alva". 197–99, 205, 393–96, 408

elanor Planta de flores douradas que crescia em Beleriand. 390–91, 407

Elbereth Nome em sindarin de Varda. 392, 407, 420

Eldalië 361

Eldamar "Lardelfos". 219, 387, 405, 415–16. Ver *Eglamar.*

Eldar 167, 390, 404

Eldarissa A língua dos Eldar (no período dos *Contos Perdidos*). 110

Eledhwen Nome de Morwen. 114

Élfico Como nome da língua dos Eldar (em oposição a gnômico). 168.

Elfinesse 189, 210, 212, 217, 219, 231, 271, 273, 382, 419; forma posterior *Elvenesse* 413, 419–20

Elfos da floresta Os Elfos de Doriath. 35, 193, 365; *povo dos bosques* 19, 29, *Elfos das cavernas* 31. Ver *Povo Oculto.*

Elfos Referências selecionadas. Distinção em relação aos Gnomos,

21, 33; visão acerca dos Homens 16, 34; estatura e diminuição em relação aos Homens 58, 70; ruína dos Elfos há de ser ocasionada pelos Homens 122, 128; destino após a morte 30–1, 40, 61, 73, 75, 82–3, 117, 295, 304–07, 323, 360–61, 416–17; travessia do Oceano até Valinor em navios 208–09, 219–20. Ver *Elfos Escuros, Elfos da Floresta.*

Elfos Sombrios 178; *Elfo Escuro* (Eöl) 179; *escuras gentes* 92

Elmo de Húrin 139–40. Ver *Elmo-de-dragão.*

Elmo-de-dragão 38, 39, 66, 152–53; *Elmo de Hador* 38, *de Húrin* 139–40

Elu (Thingol) Forma sindarin do nome *Elwë (Singollo).* 405

Elvenesse Ver *Elfinesse.*

Engainor Ver *Angainor.*

Ennorath Terra-média 414

Eöl Pai de Meglin (Maeglin). 67, 177–80

Erchamion "Uma-Mão", nome de Beren. 148; *Er(h)amion* 145. (Substituiu *Ermabwed*).

Ered Gorgoroth As Montanhas de Terror. 206, 220, 247, 277, 368; *Gorgoroth* 321–22, 407; *Gorgorath* 403 (descritas), 407, 420. Ver *Montanhas Sombrias.*

Ered Luin As Montanhas Azuis. 195

Ered Wethrin As Montanhas Sombrias. 368; *Montes das Sombra* 42

Eriol 219

Erithámrod Nome de Húrin (traduzido como "O Que Não se Abala", 50, verso 864), quase sempre na combinação *Thalion Erithámrod.* 16, 19, 21, 24, 119, 125, 136, 140

Ermabwed "Uma-Mão", nome de Beren. 19, 22, 23, 32, 36, 37, 72, 129, 131, 137, 144–48; *Ermabweth* 144, 149. (Substituído por *Er(h) amion, Erchamion*).

Eruchín Filhos de Eru. 412

Eruman 245

Esboço da Mitologia O "Silmarillion" original (1926). 9, 11, 40, 67, 103, 116, 166, 187, 188, 260, 261, 262, 344

Esgalduin O rio encantado de Doriath. 94, 99, 101, 116, 190, 193, 214, 223, 237, 241–43, 253, 264, 308; *o élfico rio* 94; forma anterior *Esgaduin* 99, 116, 193.

Espectros-do-Anel 150

Estepes Ressequidas Dor-na-Fauglith. 49, 72.

Ezellohar O Teso Verdejante das Duas Árvores em Valinor. 405, 408

Fadas 70, 110, 145. Ver *Feéria.*

Failivrin Nome dado a Finduilas, filha de Orodreth de Nargothrond. 95, 97, 99–101, 113–14, 264; forma posterior *Faelivrin* 113

Fangros Local não identificado. 44, 63, 72; forma anterior *Fangair* 63, 72.

Fëanor 107, 120, 126, 159, 162–68, 177, 179, 194, 207, 218, 219, 230, 233, 236, 250–51, 256–57, 262–63, 269, 278–79, 285, 289, 292, 307, 312, 315, 320, 338, 354–55, 367, 385, 411, 418, 421; filho de Finn 162, 167; *fogo de Fëanor* (a Silmaril) 315, 421. Ver *Filhos de Fëanor, Juramento dos Fëanorianos.*

Fëanorianos 278, 292, 320

Feéria 26, 31, 41–5, 65, 75, 91, 115, 119, 141, 144, 181, 191, 219; *Golfo de Feéria, das Fadas* 28, 144; *Baía de Feéria* 119; *Terra das Fadas* 203; *Terrafada* 275. *As Costas de Feéria* (poema) 219.

Felagoth Forma anterior de *Felagund.* 204

Felagund 98, 99, 105, 113, 115, 201, 204, 207, 229, 233, 236, 253–60, 262–63, 265, 267–68, 271, 273, 276, 284–85, 290–92, 294–95,

301–03, 305–07, 317–20, 323, 329, 364, 367, 391, 407, 409, 415, 416; *Inglor Felagund* 391–92, 407, 409; (nome posterior) *Finrod Felagund* 115. Ver *Finrod* (2), *Inglor*.

Fenda das Águias Ver *Cristhorn*.

Fenda das Águias. Ver *Cristhorn*.

Fengel (1) Pai de Tuor (substituindo Peleg dos *Contos Perdidos*). 172, 177. (2) Tuor. 102, 111, 116, 174. (3) Décimo quinto Rei de Rohan. 176

Filey, Yorkshire 183, 218

Filho(s) de Fëanor 644, 65, 103–04, 106, 107, 163, 165, 194, 207, 230, 253, 262, 367

Filhos de Húrin (poema em dísticos rimados) 158

Finarfin 236, 416–19. (Substituiu *Finrod* (1)).

Findóriel Nome anterior de Finduilas. 99

Finduilas Filha de Orodreth de Nargothrond. 83, 88, 93, 95, 97, 99, 101, 113–14, 116. Ver *Failivrin*.

Fingolfin 32, 35, 106, 120, 122, 126, 164, 166–67, 169, 177–79, 186, 263, 324, 335–37, 340, 344–45; o teso de pedras onde Fingolfin foi sepultado 337. Ver *Golfin*.

Fingolma Nome de Finwë Nólemë. 178–79

Fingon Filho de Fingolfin, irmão de Turgon; morto na Batalha das Lágrimas Inumeráveis. 14, 99, 105–06, 126–27, 166–67, 178–79, 186, 252, 259, 263, 338, 343. (Substituiu *Finweg* (2)).

Finn Forma gnômica de Finwë. 162, 165, 167, 252, 263

Finrod (1) Nome anterior de Finarfin. 99, 105, 115, 167, 229, 236, 253, 256, 258, 262–63, 292, 306, 307, 416–17, 419. (2) Nome posterior de Inglor (Felagund). 115

Finwë Primeiro senhor dos Noldoli (Noldor), pai de Fëanor, Fingolfin e Finrod (1) Finarfin. 32, 35, 166–67, 178–79, 262–63; *Finwë Nólemë* 32, 169, 178–79. Ver *Fingolma, Finn, Finweg* (1), *Gelmir*.

Finweg (1) = Finwë (Nólemë). 16, 32, 35, 105, 166–67, 178. (2) Nome anterior de Fingon. 14, 89, 99, 105, 114, 119, 126–27, 136, 149, 164–67, 178, 186, 259, 263, 343

Flinding Gnomo de Nargothrond, companheiro de Túrin. 49–62, 68–71, 73–7, 79–82, 84, 85, 87–90, 92, 93, 95–9, 100, 106–16, 181, 358; frequentemente chamado de *Flinding go-Fuilin*, isto é, Flinding, filho de Fuilin. (Substituído por *Gwindor*).

Floresta da Noite Taur-na-Fuin. 51, 72, 275, 277

Foalókë O Dragão no *Conto de Turambar*. 41

Foice dos Deuses A constelação da Ursa Maior. 206, 313; *Foice dos Valar* 306; *foice do prado celestial* 206

Fratricídio de Alqualondë 128, 164

Fuilin Pai de Flinding. 90–2, 115; *gente de, filhos de, povo de, Flinding* 90–2, 99, 100. Todas as outras referências são a Fuilin como pai de Flinding: 36, 58, 68, 87, 88. (Substituiu *Duilin*).

Fuithlug Forma gnômica de *Foalókë*. 41

Galdor, o Alto pai de Húrin na lenda posterior (substituindo *Gumlin* (2)). 153

Galweg Pai de Failivrin no *Conto de Turambar*. 113

Gandalf 154

Gargaroth Ver *Carcharoth*.

Gaurhoth Os Lobisomens de Thû. 397, 407; *Ilha Gaurhoth* 394, ver *Tol-in-Gaurhoth*.

Gaurin Desconhecido; mencionado no "feitiço de amolar" de Beleg. 59, 71

ÍNDICE

Gaurwaith Os Homens-lobos, o bando de proscritos ao qual Túrin se juntou na lenda posterior. 64–5

Geleriand Nome rejeitado para Beleriand. 195

Gelmir Pai de Fingolfin na *Balada da Queda de Gondolin*. 177–79

Gilammoth Nome rejeitado para Nan Elmoth. 406

Gildor Um dos doze companheiros de Barahir em Dorthonion. 391, 407

Gilim "o gigante de Eruman", mencionado no "encanto de alongamento" de Lúthien. 245

Gim Githil Nome gnômico original de Inwë (substituído por *Inwithiel*). 40

Gimli Anão da casa de Durin, membro da Sociedade do Anel. 192, 370

Ginetes de lobos 53, (328)

Ginetes-de-Espuma O Terceiro Clã dos Elfos (Solosimpi dos *Contos Perdidos*, posteriormente os Teleri). 161, 169; *Ginetes D'Ondas* 169, 278

Ginglith Rio que desaguava no Narog acima de Nargothrond. 83, 108–09, 255, 264

Glad-uial, Glath-uial Nome rejeitado para Nan Elmoth (substituído por *Gilammoth*). 406

Glamhoth Nome gnômico dos Orques. 26, 33, 43, 47, 54, 55, 61–2, 74, 89, 114, 119, 141, 177, 179

Glend A espada do gigante Nan. 245

Glingal A Árvore Dourada de Valinor (Laurelin). 14, 99–100, 230, 233, 250; forma anterior *Glingol* 14, 91, 99–100, 233, 259

Glómund Nome posterior de Glórund, substituído por *Glaurung*. 245, 248–49

Glorfindel Senhor da casa da Flor Dourada em Gondolin. *O louro Glorfindel* 172

Glórund O Dragão. 14–5 (no título da primeira versão de *Os Filhos de Húrin*), 127, 248; *a Serpe Avara* 17, 124. (Substituído por *Glómund*).

Gnômico (língua) 40–2, 107–08, 132, 195, 219; antigo dicionário gnômico 40, 110, 116, 150, 195, 206, 237

Gnomos, gnômico 16, 21, 26, 28, 32, 33, 40, 41, 44, 48, 49, 51, 53, 76, 78, 81–4, 88, 92 (*o rio dos Gnomos*), 102–03, 105, 112, 114, 116, 123, 128, 136, 141, 159, 161, 162, 165, 166, 168, 176, 178, 180, 186–87, 224, 229–30, 233, 250, 252, 254, 258–59, 262–63, 273, 275, 278, 280, 288, 292, 317, 335, 423–25; *Destino dos Gnomos* 26, 141; *lâmpadas dos* 48. Ver *Noldoli, Noldor*.

Gobelin(s) 47, 61, 62, 180, 332

Goela Vermelha, Rubra Goela Ver *Carcharoth*.

Golda Originalmente, era o equivalente gnômico de *Noldo*. 195. Ver *Golodh*.

Golfin Filho de Gelmir (= Fingolfin). 179

Gollum 63

Golodh Equivalente sindarin do quenya *Noldo*. *Golodhinand*, nome rejeitado para Beleriand. 195

Gondobar "Cidade de Pedra", um dos Sete Nomes de Gondolin. 176–77

Gondolin 33–4, 66, 99, 101–02, 110–11, 126–27, 171–73, 176–82, 194, 261, 337, 343, 363

Gondothlim O povo de Gondolin. 127

Gondothlimbar "Cidade dos Habitantes da Pedra", um dos Sete Nomes de Gondolin. 176

Gorgol Um Orque, chamado de *o Açougueiro*, morto por Beren. 401, 407

Gorgorath, Gorgoroth Ver *Ered Gorgoroth*.

Gorlim O companheiro de Barahir que traiu seu esconderijo em Dorthonion; chamado de "o Infeliz". 197, 199–200, 205, 373, 386, 390–98, 406–08

440

AS BALADAS DE BELERIAND

Gorthol "Elmo Temível", o nome que Túrin assumiu em Dor-Cúarthol. 66

Gorthû Nome posterior de Thû. 187, 275

Gothmog Senhor de Balrogs. 126

Grande Jornada 219

Grandes Terras 37, 181, 252, 265. Ver *Terras de Fora*.

Grond A grande clava de Morgoth, "Martelo do Mundo Ínfero". 336, 344

Guingelot Barco de Wade. 175

Gulma Nome gnômico original de Ulmo. 116. Ver *Ylmir*.

Gumlin (1) O mais velho dos guardiões de Túrin na jornada até Doriath. 19, 22, 24, 32, 37, 152, 153. (Substituído por *Mailgond, Mailrond*.) (2) Pai de Húrin. 140, 152. (Substituído por *Galdor, o Alto*).

Gurtholfin A espada de Túrin. 41

Gurthrond "O vale dos Defuntos que Esperam" (?) 31, 41; forma anterior *Guthrond* 34, 41

Gwaeron (sindarin) o mês de março. 108

Gwareth, monte de O monte de Gondolin (*Amon Gwareth*). 172

Gwendeling Nome da Rainha de Artanor no *Conto de Tinúviel*. 151

Gwenethlin Nome da Rainha de Artanor na segunda versão do *Conto de Tinúviel*. 12

Gwindor Elfo de Nargothrond, companheiro de Túrin (anteriormente Flinding). 101, 110–11, 113–14

Habitante das Profundezas Ver *Ulmo*.

Hador 115, 153, 401, 407; *Elmo de Hador* 38 (ver *Elmo-de-dragão*).

Haleth, Povo de 113

Halmir (1) Filho de Orodreth, morto por Orques; cognominado "o caçador". 94, 101, 113. (2) Um governante do Povo de Haleth. 113

Halog O mais jovem dos guardiões de Túrin na jornada até Doriath. 19, 21–3, 32, 37, 130–32, 135–36, 138–39, 147–51

Hathaldir Um dos doze companheiros de Barahir em Dorthonion. 391, 407

Helcaraxë 164

Helsings Tribo germânica liderada por Wada (Wade). 172–73; inglês antigo *Hælsingas* 173–75

Himling Grande elevação a leste da Fenda do Aglon. 310, 323; forma posterior *Himring* 323, 367, 420

Hiradorn = *Hirilorn*. 247–48

Hirilorn "Rainha das Faias" em Doriath. 223, 241, 242, 245–48, 366

Hisilómë 41–2, 110. Ver *Hithlum*.

Hithlum 16, 18, 20, 21, 24, 26, 29–30, 35, 36, 39–42, 47, 50, 58, 70, 76–7, 79, 91, 108, 120–21, 125, 129, 131, 132, 136–42, 144, 151–53, 181, 206, 324, 335, 338, 368. Ver *Aryador, Dorlómin, Hisilómë, Terra das Sombras, Terras de Névoa*.

Hlýda, Hlýdingaburg (inglês antigo) Narog, Nargothrond. 108

Homens-da-floresta de Brethil, Homens de Brethil 65

Huan 107, 132, 279, 281–82, 284, 286–92, 296–304, 307, 310–14, 316–22, 327–29, 332–34, 338, 341, 344–45, 364–66, 368–69; *o cão de Hithlum, Huan, o lobeiro* 132

Húrin 12–5, 17, 18, 21–7, 31–6, 38, 43, 44, 46, 50, 58, 60, 61, 72–4, 84, 88, 89, 91, 114–15, 119–30, 136–40, 142, 144–45, 151–53, 155 (referências a Túrin como *filho de Húrin* etc. estão incluídas em *Túrin*). Cognominado *o Resoluto* 31; *Príncipe de Mithrim* 120, 127; *Senhor das Terras de Névoa* 120; e ver *Erithámrod, Thalion*. Forma anterior *Urin* 32, 33 (*Urinthalion* 32).

441

ÍNDICE

I·Guilwarthon Os mortos que vivem de novo. 369

Idril Celebrindal Filha de Turgon, mulher de Tuor. 102

Ilha do Mago A Ilha dos Lobisomens (Tol-in-Gaurhoth). 293, 296, 304, 319, 321, 333, 343, 358. Outras referências à Ilha 269, 277, 284, 318, 325, 328, 334, 338; a ilha descrita 269, 277

Ilha dos Lobisomens Tol-in-Gaurhoth. 108, 407. Ver *Ilha do Mago.*

Ilha Solitária 181

Ilhotas Sumidas 173

Ilkorins Elfos "que não são de Kôr". 103

Ilwë O ar intermediário que flui em meio às estrelas. 169

Indor Pai de Peleg, pai de Tuor (no conto da *Queda de Gondolin*). 177

Infernos de Ferro Angband. 16, 63

Ing (1) forma gnômica de *Ingwë.* 40, 154, 161, 167, 168; *filhos de Ing* 28, 40, 154; *torre de Ing* 91, 101, 115. (2) Rei de Luthany. 40

Inglaterra 169, 175, 188, 192, 219. Ver *Leithien, Luthany.*

Inglês (língua) 149, 154, 169, 194. Ver *Inglês Antigo.*

Inglês antigo 33, 108, 118, 154–55, 170 (metro), 177, 184.

Inglor Filho mais velho de Finrod (1) (Posteriormente Finarfin), chamado *Felagund.* 391–92, 407, 409, 419. (Substituído por *Finrod* (2)).

Ingwë Senhor da Primeira Gente dos Elfos (gnômico *Ing*). 40, 115, 167–68

Ingwil Torrente que descia dos Morros dos Caçadores até o Narog, em Nargothrond. 85, 90, 99, 109, 254, 264. (Substituído por *Ringwil*).

Inwë Forma anterior de *Ingwë.* 40

Inwithiel Antigo nome gnômico de Inwë. 40. (Substituiu *Gim Githil*).

Isfin Irmã de Turgon, mãe de Meglin. 177–79, 263. (Posteriormente chamada *Aredhel*).

Ithil (sindarin) a Lua. 412.

Ivärë Menestrel dos Elfos "que toca junto ao mar". 218–19.

Ivrin O lago e as quedas sob as Montanhas Sombrias, onde o rio Narog emergia. 78–80, 95, 108, 110–11, 113, 116, 206, 266, 277, 288

Juramento dos Fëanorianos 44, 65, 163–64 (em verso aliterante), 231, 250, 251–52 (em dísticos rimados), 256, 257 (conforme dito por Celegorm), 259, 262–63, 289

Karkaras Ver *Carcharoth.*

Koivië-Néni Ver *Cuiviénen.*

Kôr Ver *Côr.*

Ladros Terras a nordeste de Dorthonion. 401, 407

Laer Cú Beleg A Canção do Grande Arco. 110. Ver *Beleg.*

Lago Aeluin, Aeluin Lago em Dorthonion onde Barahir e seus companheiros fizeram seu esconderijo. 207, 392–93, 396–98, 402, 407

Lagoas do Crepúsculo 72. Ver *Alagados do Crepúsculo, Umboth-Muilin.*

Lágrimas Inumeráveis Ver *Batalha das Lágrimas Inumeráveis.*

Lamparinas, As 181

Lassiriand Nome rejeitado para Beleriand. 195

Laurelin 411

Leeds, Universidade de 7, 12, 13, 100, 117, 146–48, 159, 172, 176

Leithian, Balada de Datação 12, 183–84, 194; mencionada em *Os Filhos de Húrin* 132–47, e nos versos introdutórios de *Leve como Folha de Tília* 145; significado do nome 188

Leithien, Leithian Inglaterra. 188. Ver *Lúthien* (2).

Lendas arthurianas 194

442

AS BALADAS DE BELERIAND

Leve como Folha de Tília (poema) 144–50, 152, 194, 218

Lewis, C.S. 184–85, 187, 192, 204, 217–18, 232–34, 247, 369–74, 377–79, 381–85

Lionesse Terra lendária, agora submersa, entre a Cornualha e as Ilhas Scilly. 169

Lórien 166, 404–05; *Deus do Sono* 217, *Senhor do Sono*, 208

Loruin Nome alternativo de *Nargil*. 64

Loth "A Flor", um dos Sete Nomes de Gondolin. 181

Loth Barodrin Nome rejeitado em favor de *Loth-a-ladwen*. 181

Loth-a-ladwen "Lírio da Planície", um dos Sete Nomes de Gondolin. 181 [lá traduzido "lírio que na planície floresceu"] (ver 362–63). (Substituiu *Lothengriol*).

Lothengriol Nome de Gondolin como "Lírio do Vale", substituído por *Loth-a-ladwen*. 181

Lua, A Referências Selecionadas. *Salões da Lua* 61, 72, 82, 305; a Lua como navio (ver *Barcaça de Prata*) 92, 116, 156; a presciência de Fëanor quanto ao Sol e à Lua 167

Lungorthin "Lorde dos Balrogs". 121, 126

Luthany Inglaterra. 188

Lúthien (1) Ælfwine. 188. (2) Inglaterra. 188. Ver *Leithien*.

Lúthien (3) Filha de Thingol e Melian. 71, 129, 131, 145, 150–51; várias referências na *Balada de Leithian* e nos comentários. Ver *Melilota*, *Tinúviel*.

Lydbrook Nome de riacho na Inglaterra. 108

Lyme Regis, Dorset 264, 277

Mablui Nome de Melian. 47, 72, 132

Mablung "Mão-Pesada", principal guerreiro de Thingol (311). 37, 72, 364–66, 368–69

Maeglin Ver *Meglin*.

Maelor Variante de *Maglor*. 411

Maglor (1) Usado transitoriamente = Beren. 194, 204–07, 218. (2) Filho de Fëanor. 83, 103, 106, 163, 165, 194, 204–05, 411; cognominado "o pulcro" [no original, *swift* = "célere"] 83, "o magno" 165, "o forte" 251.

Maidros Filho mais velho de Fëanor. 83, 103, 106, 163, 165, 251–52, 263, 323; *União de Maidros* 323 (ver *Marcha Afora*).

Mailrond O mais velho dos guardiões de Túrin na jornada até Doriath. 130, 138, 144–45, 149, 152; forma anterior *Mailgond* 144–45, 152. (Substituiu *Gumlin* (1)).

Mailwin Ver *Morwen*.

Malory, Sir Thomas 174

Mandos 41, 128, 152, 166–67, 235, 323, 361, 366, 369

Mánir Espíritos do ar, subordinados a Manwë e Varda. 166, 359

Manwë 161, 166, 168, 169, 251, 272, 337, 359

Map, Walter 175

Mar do Oeste 266; *Praia Ocidental* 316

Marcha Afora A União de Maidros. 312 (no verso em inglês), 323 (no comentário)

Mares de Fora (*Mares Externos*) 415; *mares mais externos* 208

Mares Divisores 152

Mares Sombrios 91, 115, 224, 230; *Mar Sombrio* 404

Mavwin Ver *Morwen*.

Meássë Deusa guerreira. 154

Meglin Filho de Eöl e Isfin, traidor de Gondolin. 177–79; forma posterior *Maeglin* 67, 102

Melegor Nome de Morgoth, substituindo *Belegor*, substituído por *Bauglir*. 32–3

Melian Rainha de Doriath. 12, 22–4, 26–7, 33, 40, 46–7, 68, 72, 132, 137–39, 141–42, 151, 154, 180, 208–10, 225–32, 235–36, 238,

243, 246, 250, 256, 284, 286, 290, 308, 320, 338, 349, 364–67, 389, 403–05, 407–08, 419; *a Rainha imortal* 410. Ver *Ar-, Tar-Melian; Gwendeling, Gwenethlin; Mablui.*

Melilota Brandebuque 194

Melilota Usado transitoriamente = Lúthien. 192–94, 218

Melko 32, 39, 166, 168, 172, 176, 180, 249, 260–61, 293, 357

Menegroth As Mil Cavernas em Doriath. 40, 64, 66, 140, 389, 407

Mil Cavernas 19, 31, 40, 47, 64–5, 68, 94, 122, 129, 154, 195, 223, 232–34, 366, 369, 389. Ver *Menegroth.*

Mîm, o Anão 67

Mindeb Afluente do Sirion. 308, 323, 419

Mindon Eldaliéva A torre de Ingwë em Tirion. 115. Ver *Ing.*

Mithrim (Lago e talvez também a região, ver 127). 127, 129, 140, 144, 153; *Príncipe de Mithrim* (Húrin) 120, 127; *Homens de Mithrim* 120, 127.

Moça das Lágrimas Ver *Nienor.*

Montanhas Azuis Ered Luin. 67; não nomeadas, 102, 191, 389

Montanhas Circundantes As montanhas em volta da planície de Gondolin. 173, 180

Montanhas de Ferro 42, 63, 65, 120; Ver *Angorodin, Aiglir Angrin, Eiglir Engrin, Morros Amargos, Colinas de Ferro, Montanhas do Norte.*

Montanhas de Terror Ered Gorgoroth. 206, 277, 368, 409

Montanhas Sombrias (1) = Ered Wethrin. 108, 181, 206, 220, 240, 247, 275, 277, 365, 368. (2) = Ered Gorgoroth. 206, 220, 247, 277, 368; descritas 212, 402–03

Monte da Morte O teso erguido pelos Filhos de Fëanor depois da Batalha das Lágrimas Inumeráveis. 107. Ver *Teso dos Mortos.*

Montes de Ferro As Montanhas de Ferro. 52

Montes do Norte As Montanhas de Ferro. 76, (125)

Montes do Oeste As Montanhas de Valinor. 92

Morgoth Várias referências. Outros nomes: ver *Bauglir, Belcha, Belegor, Melegor, Melko, Delu-Morgoth, Senhor do Inferno* e no verbete *Deuses.*

Moria 192, 370

Morros Amargos Nome das Montanhas de Ferro nos *Contos Perdidos.* 42

Morros/Colinas dos Caçadores As terras altas a oeste do rio Narog 78, 83, 108–10, 264; *Descampado dos Caçadores* 85, 109; nomes posteriores *Altos Faroth* 109, *Taur-en-Faroth* 109. A Terra dos Mortos que Vivem nos Morros dos Caçadores, 110

Morwen Esposa de Húrin 14, 33, 35–8, 114–17, 128–31, 136–41, 153–54; *Morwen Eledhwen* 114. Formas anteriores *Mavwin* 14, 32–3, 36, *Mailwin* 32, *Morwin* 14, 18–24, 26, 28–9, 32–3, 38

Mundo de Fora As terras a leste das Montanhas Azuis. 190, 195

Nahar O cavalo de Oromë. (224, 237), 414

Nan Dungorthin 76, 107–08, 110, 181, 365, 368; *Dungorthin* 180, 389, 405, 408; forma anterior *Nan Dumgorthin* 107, 368; forma posterior *Dungortheb* 405. Ver *Nan Orwen.*

Nan Elmoth 403–07. Ver *Glad-uial, Gilammoth.*

Nan Orwen Substituição transitória de *Dungorthin.* 181

Nan Um Gigante. 245, 248; *Nann* 248

Nan-Tathrin A Terra dos Salgueiros. 78, 110; *Nantathrin* 110. Ver *Dor-tathrin, Tasarinan.*

Nargil Desconhecido; mencionado no "feitiço de amolar" de Beleg. 59, 64, 71. Ver *Loruin*.

Nargothrond 49, 51, 66, 68–9, 72, 75, 78, 79, 81–4, 87, 93, 99, 102–09, 111–14, 116, 156–57, 184, 207, 253–55, 257–58, 260–62, 264–66, 271, 273, 276, 280, 283–92, 303–04, 306–07, 318–22, 363–68, 376–77, 392, 409, 417–18. *O inverno chega a Nargothrond* (poema) 156–57. Ver *Hlýdingaburg*.

Narn i Hîn Húrin 15, 35

Narog 78–9, 83–7, 92–3, 97, 103–04, 108–10, 156, 184, 253–55, 266, 270, 277, 280, 307, 364, 365; *o rio dos Gnomos* 92; = "torrente" 78. Usado como referência ao reino dos Gnomos de Nargothrond (*Senhor de Narog, povo de Narog* etc.) 85, 87, 93, 253, 255, 266, 270, 280, 307, 364; *Guardas do Narog* 83, 109. *Tempestade sobre o Narog* (poema) 156. Ver *Hlýda*.

Neldoreth A floresta que correspondia à parte norte de Doriath. 413, 419

Nellas Elfa de Doriath que testemunhou contra Saeros no julgamento de Túrin diante de Thingol. 64

Nemória Desconhecido. 148

Nereb O inverso de *Beren* empregado como enigma (substituído por *Ira*, 275). 271–72, 275

Nessa 154

Nienor Irmã de Túrin. 18, 23–4, 32, 36, 116, 129, 138, 140; *Moça das Lágrimas* 30; *Nienóri* 32

Nínin Udathriol "Lágrimas Inumeráveis". 32–3, 98. (Substituído por *Nínin Unothradin*.)

Nínin Unothradin "Lágrimas Inumeráveis" [traduzido nos versos como "Sem-Número de Lágrimas"]. 14, 16, 21, 98;

Nirnaithos Unothradin 32, 98. (Substituído por *Nirnaith Únoth*).

niphredil Uma flor branca que florescia em Doriath. 390, 407

Nirnaith Arnediad "Lágrimas Inumeráveis". 126–27; forma posterior *as Nirnaeth*. 113. (Substituiu *Nirnaith Ornoth*)

Nirnaith Ornoth "Lágrimas Inumeráveis" [traduzido nos versos como "Sem-Número de Lágrimas"]. 14, 76, 78, 98, 103, 119, 126, 136. (Substituído por *Nirnaith Arnediad*).

Nirnaith Únoth "Lágrimas Inumeráveis". 14, 98, 103–04, 126, 149. (Substituído por *Nirnaith Ornoth*).

Nogrod Cidade dos Anãos. 45, 59, 67–8, 72, 136, 154, 311, 323, 355, 358, 400

Noldoli 32, 35, 72, 101, 103, 112, 128, 159, 164, 166–70, 172, 178–79, 182, 206, 263, 278, 332; singular *Noldo* 65, 195. Ver *Noldor, Gnomos*.

Noldor 128, 168, 335; *Condenação dos Noldor* 293; adjetivo *noldorin* 102, 166, 179, 407. Ver *Noldoli, Gnomos*.

Noldórinan Nome rejeitado para Beleriand. 195

Númenóreanos 317

O inverno chega a Nargothrond (poema, também chamado de *Tempestade sobre o Narog*) 156–57

Oarni Espíritos do mar. 181

Ogbar Desconhecido; mencionado no "feitiço de amolar" de Beleg. 59, 71.

Oikeroi Um gato, capitão de Tevildo, morto por Huan. 304, 317, 319, 332

Orfalch Echor A ravina que atravessava as Montanhas Circundantes ao redor de Gondolin. 102

Orgof Elfo de Doriath, morto por Túrin. 28–31, 33, 35–6, 40, 43, 66, 154

Ormaid Nome rejeitado para Tavros (Oromë), alterado a partir de *Ormain*. 233

Orodreth Rei de Nargothrond 83, 87–9, 99, 102–06, 111–13, 167, 253, 259–60, 262–63, 271, 280, 285, 291–92, 307, 320, 322, 417; ver especialmente 113, 291

Oromë 154, 166, 237, 278–79, 293. Ver *Ormaid, Tauros, Tavros*.

Orques Várias referências. Ver *Glamhoth, Gobelins, Ginetes-de-lobos. Estrada dos Orques*, ver *Taur-na-Fuin*.

Ossë 166, 181

Ossiriand(e) Nome rejeitado para Beleriand. 193, 195

Oxford 12, 100, 117, 146, 156, 293, 387

Palúrien Yavanna. 195; esposa de Aulë 169

Peleg Pai de Tuor nos *Contos Perdidos*. 177. Ver *Fengel* (1).

Planície Calcinada Dor-na-Fauglith. 63, 72

Planície Protegida de Nargothrond 109

Planície Sedenta Dor-na-Fauglith. 52, 72 [lá traduzido como "Estepe Ressequida"], 263

Porta da Noite 182. Ver *Portão Temível*.

Portão Temível (provavelmente) a Porta da Noite. 182

Porto-cisne 104; *Porto dos Cisnes* 128, 144; *Porto das Naus-Cisne* 28. Ver *Alqualondë, Côpas Alqalunten*.

Povo Oculto Os Elfos de Doriath. 26, 141, 253. Ver *Elfos da Floresta*.

Presa-de-Punhal Ver *Carcharoth*.

Primeira Era 102

Primeira Gente 40, 168

Profecia do Norte 128, 164

Qenta Quenta Noldorinwa, a versão de 1930 do "Silmarillion". 259

Quenya 108, 195

Radhruin Um dos doze companheiros de Barahir em Dorthonion. 391, 407

Ragnor Um dos doze companheiros de Barahir em Dorthonion. 391, 407

Reino Abençoado Aman. 161, 390, 405, 416; *Reinos Abençoados* 91, 115

Reino Guardado Doriath. 410

Reino Oculto Doriath. 20, 131

Reynolds, R. W. 11–2

Rhûn, Mar de 38

Ringil A espada de Fingolfin. 336, 344

Ringwil Nome posterior do curso d'água Ingwil. 109

Rivil, Poço do Rivil Riacho que emergia em Dorthonion e desaguava no Sirion no Pântano de Serech. 207, 399, 407

Rodothlim Precursores dos Gnomos de Nargothrond. 68, 102, 105, 111–12, 292

Rodrim Desconhecido; mencionado no "feitiço de amolar" de Beleg. 59, 71.

Saeros Elfo de Doriath, inimigo de Túrin. 66.

Saithnar Desconhecido; mencionado no "feitiço de amolar" de Beleg. 59, 71.

Sauron 187, 205, 275, 334, 356, 358, 367, 394–97, 400–01, 406–07

Senhor do Inferno Morgoth. 121–22. Também chamado de *Senhor do Mentir* 406; *Senhor do Mundo* 123; *Senhor dos Horrores* 18, 125; *Príncipe do Povo do Inferno* 26

Senhor do Oceano Ver *Ulmo*.

Senhor do Sono Ver *Lórien*.

Senhor dos Lobos Thû (Sauron). 238, 250, 260–61, 276, 284, 302; *Mestre dos Lobos* 270; *Senhor Lobisomem* 417

Serech, Pântano de A norte do Passo do Sirion, onde o Rivil desaguava vindo de Dorthonion. 207, 392, 399, 407, 409

AS BALADAS DE BELERIAND

Serpe Avara Ver *Glórund.*

Sete Estrelas, Astros A constelação da Ursa Maior. 206, 306

Silmaril(s) 68, 151, 164, 185–86, 206, 230, 234–35, 257, 260–62, 281, 304, 309, 312, 317, 320, 355–57, 360, 362, 364–66, 411, 425; *o gnômico cristal* 132; *Fogo de Fëanor* 315, 421, *Luz do Dia* 421; *as Três* 162–63

Silmarillion, O 31–2, 34, 36–7, 40, 41, 64–9, 71, 99, 100, 102, 105, 107–11, 113–16, 126–28, 151, 152, 154, 165–67, 169, 181, 187, 188, 194, 205–07, 220, 234, 236, 248–49, 259, 263, 265–66, 278, 287, 291–93, 304–06, 319, 322–23, 333–35, 344, 358, 367, 407–09, 423–24, 426–27. A versão de 1930 (*Quenta Noldorinwa*) 36, 40–1, 68, 99, 115, 128, 166, 169, 187, 206, 259, 344; referências à obra em sentido genérico 102, 105, 127, 220, 249; o mapa mais antigo do "Silmarillion" 108–10, 127, 194, 287; mapa mais tardio 407

Sindarin 108

Sir Orfeu Lai em inglês médio. 293

Sirion 34, 76–8, 107–10, 157, 172–73, 181, 194, 254, 263, 264, 268–69, 275, 277, 280, 300, 301, 303, 306, 325, 328, 334, 362, 365, 368, 416; vale do Sirion 325, 334, 416; *Passo do Sirion* 334; a ilha no Sirion 277; *Nascente do Sirion* 107

Solosimpi O Terceiro Clã dos Elfos, posteriormente chamados de Teleri. 169

Sombra Mortal da Noite Taur-na-Fuin. Incluindo variantes *Floresta Mortal, Mortal Floresta, Mortal Sombra Noturna, Noturna Sombra Mortal, Noite-Morte, Noite-Enleio, Floresta da Noite* 48, 49, 51, 62, 72, 80, 190, 268, 269, 275, 277, 300, 324, 328, 347

Speght, Thomas Editor de Chaucer. 175

Súlimë Nome em quenya do terceiro mês. 108

Súruli Espíritos dos Ventos. 166, 359

Tain-Gwethil, Taingwethil Nome gnômico de Taniquetil. 28, 44, 65, 98, 144, 149, 154, 164, 165. Ver *Tengwethil, Danigwethil.*

Taniquetil 65, 154, 168, 169, 264

Tar-Melian Melian. 407. Ver *Ar-Melian.*

Tasarinan A Terra dos Salgueiros. 110. Ver *Nan-Tathrin.*

Taur-en-Faroth Ver *Morros dos Caçadores.*

Taur-na-Fuin 48–9, 54, 68–9, 72, 80, 110, 178–79, 190, 195, 206, 268–69, 275, 277–78, 300, 310, 318–22, 324, 325, 332–33, 348, 365, 405; forma anterior *Taur Fuin* 72, 178, 295; forma posterior *Taur-nu-Fuin* 180, 206, 332, 334, 389, 405. Antiga estrada-órquica que cruzava a floresta 52, 69. Ver *Sombra Mortal da Noite, Dorthonion.*

Tauros Nome de Oromë. 233, 332, 414–15. (Substituiu *Tavros*).

Tavros Nome de Oromë. 224, 233, 237, 278–79, 290, 325, 332, 414. (Substituído por *Tauros*). Ver *Ormaid.*

Tecelã-de-Treva A grande Aranha. 160. Ver *Ungoliant.*

Telchar Artífice anão de Belegost ou Nogrod. 140, 153

Teleri (1) A Primeira Gente dos Elfos (posteriormente chamados de Vanyar). 40, 168–69. (2) No sentido posterior, = Solosimpi dos *Contos Perdidos.* 169

Tengwethil Nome gnômico de Taniquetil. 33, 74, 98, 149, 164, 168, 305; *Tengwethiel* 63. Ver *Tain-Gwethil.*

Terceira Era 177

Terceira Gente 169

447

Terra da Espera. Ver *Vale dos Defuntos que Esperam.*

Terra das Sombras Hithlum. 18, 144

Terra do Horror, de Horror A terra de Morgoth. 190, 193, 203, 408

Terra dos Mortos que Vivem 110. Ver *I·Guilwarthon.*

Terra dos Perdidos. Ver *Vale dos Defuntos que Esperam.*

Terra dos Salgueiros Nan-Tathrin. 171, 173

Terra-média 112, 266, 317, 367, 387, 390, 407, 414, 424, 425. Ver *Ennorath, Grandes Terras.*

Terras de Folgar O Reino Abençoado. 208, 224, 361; *terra de ócio* 181

Terras de Fora As Grandes Terras (Terra-média). 251, 265–66

Terras de Névoa Hithlum. 120

Teso dos Mortos (75), 107. *Ver Monte da Morte*

Tevildo, Príncipe dos Gatos. 260–61, 303–05, 317, 320

Thaliodrin Nome de Túrin, "filho de Thalion". 18, 33, 63–4, 98

Thalion "Resoluto". (1) Nome de Húrin; também *o Thalion* 13, 15–9, 21, 22, 24, 31–3, 45, 50, 62–5, 78, 84, 89–91, 98, 114, 119–21, 123, 125–26, 129, 136, 140. (2) Nome de Túrin. 45–6, 63–4, 65, 84, 90

Thangorodrim 18, 34, 46, 50, 52, 54, 63, 72, 73, 76, 107, 125, 252, 263, 269, 325, 331–33, 362, 363; os picos triplos 72

Théoden Rei de Rohan. 177

Thingol 18–9, 21–4, 27–8, 30–1, 35–8, 40, 42, 43, 45–7, 56, 64–7, 78, 122, 129, 132, 136–43, 150, 159, 167; várias referências na *Balada de Leithian* e nos comentários. *Elu Thingol* 405; *Thingol Ladrão* 271, ver 27, 142; o *Rei Gris* 410; *Rei de Doriath* 137, 138; sua riqueza 38, 195–96. Ver *Tinwelint.*

Thorndor Nome gnômico de Sorontur, Rei das Águias. 336–37, 343; forma posterior *Thorondor* 343, 362–63, 368

Thornsir Riacho que caía abaixo de Cristhorn nas Montanhas Circundantes ao redor de Gondolin. 172; *regato das Águias* 173

Thû 27, 40, 142, 177, 180, 187, 205, 260–61, 270, 272–78, 280–81, 284–85, 288, 290, 294, 297–300, 302–07, 325, 328, 334, 338, 341, 345, 348, 358, 365, 367; chamado *necromante* 270, 277. (Substituído por *Gorthû*).

Thuringwethil (1) Nome dado por Lúthien a si mesma diante de Morgoth. 334, 348, 356, 358. (2) A mensageira-morcego de Sauron 334.

Timbrenting Nome de Taniquetil em inglês antigo. 161, 163–65, 168, 251, 264, 295, 305; forma alternativa *Tindbrenting* 149, 154, 168. Acerca do nome, ver 154, 168.

Timbridhil (1) Nome de Varda. 168, 206. (2) Nome da Ursa Maior. 204

Tindbrenting Ver *Timbrenting.*

Tinfang Nome gnômico de Timpinen, o flautista. *Tinfang Trinado* 217, 219; posteriormente *Tinfang Gelion* 210, 219

Tinúviel 11–2, 31–2, 36, 107, 110, 129, 131, 133–34, 146, 150–52, 180, 183–84, 187, 194, 205, 216, 218–19, 21, 222, 231, 234–36, 238, 243, 248, 256, 260–61, 287, 288, 289, 303, 304, 306, 308, 317, 320, 326, 332–33, 342, 345, 348, 356–57, 360, 362, 366–69, 381, 413, 416, 419; *Tinwiel* 32. Sobre o significado do nome, ver 150, 219.

Tinwelint Rei de Artanor (posteriormente Thingol de Doriath). 38, 150, 180, 195, 235, 357; *Tinwë Linto* 150

Tinwetári "Rainha das Estrelas", Varda. 206

Tinwiel Forma transitória de *Tinúviel.* 32

Tirion 115, 181

Tol Eressëa 181, 220

Tol-in-Gaurhoth A Ilha dos Lobisomens no Sirion. 358, 367, 407; *Ilha Gaurhoth* 394. Ver *Ilha do Mago.*

Tolkien, J.R.R. Obras: *O Hobbit* 37, 186; *O Senhor dos Anéis* 100, 185–86, 387, 414, 416; *A Sociedade do Anel* 150, 154, 192, 317; *Contos Inacabados* 15, 38, 68, 101–02, 111, 113, 116, 177, 416 (ver também *Narn i Hîn Húrin*); *Pictures by J.R.R. Tolkien* 68, 109, 277; Traduções em *Sir Gawain and the Green Knight, Pearl, and Sir Orfeo* 293; *The Monsters and the Critics and Other Essays* 33, 170. *O Silmarillion* está indexado separadamente.

Topo-do-Vento 150, 152

Torrão Sedento Dor-na-Fauglith. 324

Torre do Mago A torre de Thû na Ilha dos Lobisomens. (258), 318–19, 344

Tramória Desconhecido. 148

Três Gentes 161, 168

Tulkas 154, 166

Tumladin A planície de Gondolin. 172; forma posterior *Tumladen* 102

Tûn 28, 32, 42, 49, 63, 69, 91, 99, 101, 115–16, 149, 160–61, 230, 250, 257, 259. Ver *Côr, Corthûn.*

Túna 181

Tuor 102, 111, 116, 174–77, 180–81; forma variante *Tûr* 172–73

Turambar 41

Turgon 16–7, 32, 34, 35, 120, 122, 123–24, 127, 166, 167, 178, 179, 181, 263

Túrin (incluindo referências a ele como *filho de Húrin* etc.) 15, 18–22, 24, 27–43, 45, 46, 50–1, 54,

56–71, 73–6, 78–81, 84, 89, 90–8, 100–02, 104, 106–16, 118, 120, 129–31, 137, 138, 140–43, 149, 152, 154, 181, 187, 253, 258, 305, 426. Sua idade 24, 36, 140, 154; seu caráter 24, 39, 141; sua estatura 58. Ver *Thaliodrin, Thalion.*

Turumart Forma gnômica de *Turambar.* 41

Ufedhin Gnomo aliado dos Anãos que enganou Tinwelint. 67

Uinen Senhora do Mar. 245

Ulmo 14, 98, 107, 110, 116, 166, 220, 405; *Habitante das Profundezas* 79, 116; *Senhor do Oceano* 157

Úmarth "Mau-fado", nome fictício que Túrin criou para Húrin em Nargothrond. 114

Umboth-Muilin 254, 264. Ver *Lagoas do Crepúsculo, Alagados do Crepúsculo.*

Umuiyan O porteiro de Tevildo. 304

Ungoliant 160. Ver *Tecelã-de-Treva.*

União de Maidros 323. Ver *Marcha Afora.*

Úrin Ver *Húrin.*

Ursa Maior 206, 306. Ver *Urze Ardente, Sete Estrelas, Foice dos Deuses, Timbridhil.*

Urthel Um dos doze companheiros de Barahir em Dorthonion. 391, 407

Urze Ardente Nome da constelação da Ursa Maior. 203, 206, 296, 403, 406

Valacirca A Foice dos Valar. 206. Ver *Ursa Maior, Foice dos Deuses.*

Valar 37, 41, 70, 154, 162, 165, 166, 169, 181, 209, 230, 237, 287, 306, 359; *os Nove Valar* 162, 165–66; *Vali* 166, 359

Vale dos Defuntos que Esperam 31, 40. *Terra da Espera* 361; *Terra dos Perdidos* 361. Ver *Gurthrond.*

Valinor 40–1, 51, 115, 116, 128, 132, 154, 159, 165–66, 168–69,

173, 179, 182, 219, 237, 249–51, 273, 278, 279, 299, 305, 306, 323, 325, 334–35, 339, 342, 359, 387, 404, 405, 408; *Montanhas de Valinor* 208, 404; *Montes do Oeste* 92; vinho de Valinor 136, 154. Ver *Aman, Reino Abençoado, Terras de Folgar.*

Valmar 237, 279, 328

Vanyar 168. Ver *Teleri* (1).

Varda 168, 169, 206, 251, 259, 272, 275, 296, 306, 353, 359, 406; cognominada *a Sagrada* 251, 259. Ver *Bridhil, Timbridhil, Tinwetári.*

Vê O salão de Véfantur Mandos. 41

Voronwë 111. Ver *Bronweg.*

Wade dos Helsings 172–73, 175; *Wada* 173–75; *Gado* 175

Widsith Poema anglo-saxão. 173–74

Wingelot O navio de Eärendel. 175

Yavanna 293. Ver *Palúrien.*

Ylmir Forma gnômica de *Ulmo.* 14, 76, 78–9, 98, 107, 116. Ver *Gulma.*

Poemas Originais

1. A Balada dos Filhos de Húrin

[A] pp. 15–8:

TÚRIN SON OF HÚRIN
&
GLÓRUND THE DRAGON

Lo! the golden dragon   of the God of Hell,
the gloom of the woods   of the world now gone,
the woes of Men,   and weeping of Elves
fading faintly   down forest pathways,
is now to tell,   and the name most tearful   5
of Níniel the sorrowful,   and the name most sad
of Thalion's son Túrin   o'erthrown by fate.

Lo! Húrin Thalion   in the hosts of war
was whelmed, what time   the white-clad armies
of Elfinesse   were all to ruin   10
by the dread hate driven   of Delu-Morgoth.
That field is yet   by the folk naméd
Nínin Unothradin,   Unnumbered Tears.
There the children of Men,   chieftain and warrior,
fled and fought not,   but the folk of the Elves   15
they betrayed with treason,   save that true man only,
Thalion Erithámrod   and his thanes like gods.
There in host on host   the hill-fiend Orcs
overbore him at last   in that battle terrible,
by the bidding of Bauglir   bound him living,   20
and pulled down the proudest   of the princes of Men.
To Bauglir's halls   in the hills builded,
to the Hells of Iron   and the hidden caverns
they haled the hero   of Hithlum's land,
Thalion Erithámrod,   to their thronéd lord,   25
whose breast was burnt   with a bitter hatred,
and wroth he was   that the wrack of war
had not taken Turgon   ten times a king,
even Finweg's heir;   nor Fëanor's children,
makers of the magic   and immortal gems.   30
For Turgon towering   in terrible anger
a pathway clove him   with his pale sword-blade
out of that slaughter—   yea, his swath was plain
through the hosts of Hell   like hay that lieth

POEMAS ORIGINAIS

all low on the lea   where the long scythe goes.   35
A countless company   that king did lead
through the darkened dales   and drear mountains

out of ken of his foes,   and he comes not more
in the tale; but the triumph   he turned to doubt
of Morgoth the evil,   whom mad wrath took.   40
Nor spies sped him,   nor spirits of evil,
nor his wealth of wisdom   to win him tidings,
whither the nation   of the Gnomes was gone.
Now a thought of malice,   when Thalion stood,
bound, unbending,   in his black dungeon,   45
then moved in his mind   that remembered well
how Men were accounted   all mightless and frail
by the Elves and their kindred;   how only treason
could master the magic   whose mazes wrapped
the children of Corthûn,   and cheated his purpose.   50

'Is it dauntless Húrin,'   quoth Delu-Morgoth,
'stout steel-handed,   who stands before me,
a captive living   as a coward might be?
Knowest thou my name,   or need'st be told
what hope he has   who is haled to Angband—   55
the bale most bitter,   the Balrogs' torment?'

'I know and I hate.   For that knowledge I fought thee
by fear unfettered,   nor fear I now,'
said Thalion there,   and a thane of Morgoth
on the mouth smote him;   but Morgoth smiled: 60
'Fear when thou feelest,   and the flames lick thee,
and the whips of the Balrogs   thy white flesh brand.
Yet a way canst win,   an thou wishest, still
to lessen thy lot   of lingering woe.
Go question the captives   of the accursed people   65
I have taken, and tell me   where Turgon is hid;
how with fire and death   I may find him soon,
where he lurketh lost   in lands forgot.
Thou must feign thee a friend   faithful in anguish,
and their inmost hearts   thus open and search.   70
Then, if truth thou tellest,   thy triple bonds
I will bid men unbind,   that abroad thou fare
in my service to search   the secret places
following the footsteps   of these foes of the Gods.'

'Build not thy hopes   so high, O Bauglir—   75
I am no tool   for thy evil treasons;
torment were sweeter   than a traitor's stain.'

'If torment be sweet,   treasure is liever.
The hoards of a hundred   hundred ages,
the gems and jewels   of the jealous Gods,   80
are mine, and a meed   shall I mete thee thence,
yea, wealth to glut   the Worm of Greed.'

452

AS BALADAS DE BELERIAND

'Canst not learn of thy lore   when thou look'st on a foe,
O Bauglir unblest?   Bray no longer
of the things thou hast thieved   from the Three Kindreds.   85
In hate I hold thee,   and thy hests in scorn.'

'Boldly thou bravest me.   Be thy boast rewarded,'
in mirth quod Morgoth,   'to me now the deeds,
and thy aid I ask not;   but anger thee nought
if little they like thee.   Yea, look thereon   90
helpless to hinder,   or thy hand to raise.'

Then Thalion was thrust   to Thangorodrim,
that mountain that meets   the misty skies
on high o'er the hills   that Hithlum sees
blackly brooding   on the borders of the north.   95
To a stool of stone   on its steepest peak
they bound him in bonds,   an unbreakable chain,
and the Lord of Woe   there laughing stood,
then cursed him for ever   and his kin and seed
with a doom of dread,   of death and horror.   100
There the mighty man   unmovéd sat;
but unveiled was his vision,   that he viewed afar
all earthly things   with eyes enchanted
that fell on his folk—   a fiend's torment.

[B] pp. 18–31:

I
TURIN'S FOSTERING

Lo! the lady Morwin   in the Land of Shadows   105
waited in the woodland   for her well-beloved;
but he came never   from the combat home.
No tidings told her   whether taken or dead,
or lost in flight   he lingered yet.
Laid waste his lands,   and his lieges slain,   110
and men unmindful   of his mighty lordship
dwelt in Dorlómin   and dealt unkindly
with his widowed wife;   and she went with child,
who a son must succour   now sadly orphaned,
Túrin Thaliodrin   of tender years.   115
Then in days of blackness   was her daughter born,
and was naméd Nienor,   a name of tears
that in language of eld   is Lamentation.
Then her thoughts turned   to Thingol the Elf-king,
and the dancer of Doriath,   his daughter Tinúviel,   120
whom the boldest of the brave,   Beren Ermabwed,
had won to wife.   He once had known
firmest friendship   to his fellow in arms,
Thalion Erithámrod—   so thought she now,
and said to her son,   'My sweetest child,   125
our friends are few,   and thy father comes not.
Thou must fare afar   to the folk of the wood,
where Thingol is throned   in the Thousand Caves.
If he remember Morwin   and thy mighty sire
he will fain foster thee,   and feats of arms   130

453

POEMAS ORIGINAIS

he will teach thee, the trade   of targe and sword,
and Thalion's son   no thrall shall be-
but remember thy mother   when thy manhood nears.'

Heavy boded the heart   of Húrin's son,
yet he weened her words   were wild with grief,   135
and he denied her not,   for no need him seemed.
Lo! henchmen had Morwin,   Halog and Gumlin,
who were young of yore   ere the youth of Thalion,
who alone of the lieges   of that lord of Men
steadfast in service   staid beside her: 140
now she bade them brave   the black mountains,
and the woods whose ways   wander to evil;
though Túrin be tender   and to travail unused,
they must gird them and go;   but glad they were not,
and Morwin mourned   when men saw not.   145

Came a summer day   when sun filtered
warm through the woodland's   waving branches.
Then Morwin stood   her mourning hiding
by the gate of her garth   in a glade of the woods.
At the breast she mothered   her babe unweaned,   150
and the doorpost held   lest she droop for anguish.
There Gumlin guided   her gallant boy,
and a heavy burden   was borne by Halog;
but the heart of Túrin   was heavy as stone
uncomprehending   its coming anguish.   155
He sought for comfort,   with courage saying:
'Quickly will I come   from the courts of Thingol;
long ere manhood   I will lead to Morwin
great tale of treasure,   and true comrades'—
for he wist not the weird   woven by Bauglir,   160
nor the sundering sorrow   that swept between.
The farewells are taken: their footsteps are turned
to the dark forest: the dwelling fadeth
in the tangled trees.   Then in Túrin leapt
his awakened heart,   and he wept blindly,   165
calling 'I cannot,   I cannot leave thee.
O Morwin, my mother,   why makest me go?
Hateful are the hills   where hope is lost.
O Morwin, my mother,   I am meshed in tears.
Grim are the hills,   and my home is gone.'   170
And there came his cries   calling faintly
down the dark alleys   of the dreary trees,
and one who wept   weary on the threshold
heard how the hills said   'my home is gone.'

The ways were weary   and woven with deceit   175
o'er the hills of Hithlum   to the hidden kingdom
deep in the darkness   of Doriath's forest;
and never ere now   for need or wonder
had children of Men   chosen that pathway,
and few of the folk   have followed it since.   180
There Túrin and the twain   knew torment of thirst,

454

AS BALADAS DE BELERIAND

and hunger and fear   and hideous nights,
for wolfriders   and wandering Orcs
and the Things of Morgoth   thronged the woodland.
Magics were about them,   that they missed their ways   185
and strayed steerless,   and the stars were hid.
Thus they passed the mountains,   but the mazes of Doriath
wildered and wayworn   in wanhope bound them.
They had nor bread nor water,   and bled of strength
their death they deemed it   to die forewandered,   190
when they heard a horn   that hooted afar,
and baying dogs.   It was Beleg the hunter,
who farthest fared   of his folk abroad
ahunting by hill   and hollow valley,
who cared not for concourse   and commerce of men.   195
He was great of growth   and goodly-limbed,
but lithe of girth,   and lightly on the ground
his footsteps fell   as he fared towards them,
all garbed in grey   and green and brown—
son of the wilderness   who wist no sire.   200

'Who are ye?' he asked.   'Outlaws, or maybe
hard hunted men   whom hate pursueth?'

'Nay, for famine and thirst   we faint,' saith Halog,
'wayworn and wildered,   and wot not the road.
Or hast not heard   of the hills of slain,   205
or the tear-drenchéd field   where the terror and fire
of Morgoth devoured   both Men and Elves?
There Thalion Erithámrod   and his thanes like gods
vanished from the earth,   and his valiant lady
weeps yet widowed   as she waits in Hithlum.   210
Thou lookest on the last   of the lieges of Morwin
and Thalion's son Túrin,   who to Thingol's court
are wending by the word   of the wife of Húrin.'

Then Beleg bade them   be blithe, and said:
'The Gods have guided you   to good keeping.   215
I have heard of the house   of Húrin the Steadfast
who hath not heard   of the hills of slain,
of Nínin Unothradin,   the Unnumbered Tears?
To that war I went not,   but wage a feud
with the Orcs unending,   whom mine arrows bitter   220
oft stab unseen   and strike to death.
I am the huntsman Beleg   of the Hidden People.'
Then he bade them drink,   and drew from his belt
a flask of leather   full filled with wine
that is bruised from the berries   of the burning South—   225
and the Gnome-folk know it,   and the nation of the Elves,
and by long ways lead it   to the lands of the North.
There bakéd flesh   and bread from his wallet
they had to their hearts' joy;   but their heads were mazed
by the wine of Dor-Winion   that went in their veins,   230
and they soundly slept   on the soft needles
of the tall pine-trees   that towered above.

455

Later they wakened   and were led by ways
devious winding   through the dark wood-realm
by slade and slope   and swampy thicket   235
through lonely days   and long night-times,
and but for Beleg   had been baffled utterly
by the magic mazes   of Melian the Queen.
To the shadowy shores   he showed the way
where stilly that stream   strikes 'fore the gates   240
of the cavernous court   of the King of Doriath.
O'er the guarded bridge   he gained a passage,
and thrice they thanked him,   and thought in their hearts
'the Gods are good'—   had they guessed maybe
what the future enfolded   they had feared to live.   245

To the throne of Thingol   the three were come,
and their speech sped them;   for he spake them fair,
and held in honour   Húrin the steadfast,
Beren Ermabwed's   brother-in-arms.
Remembering Morwin,   of mortals fairest,   250
he turned not Túrin   in contempt away;
said: 'O son of Húrin,   here shalt sojourn
in my cavernous court   for thy kindred's sake.
Nor as slave or servant,   but a second king's son
thou shalt dwell in dear love,   till thou deem'st it time   255
to remember thy mother   Morwin's loneliness.
Thou wisdom shalt win   unwist of Men
and weapons shalt wield   as the warrior Elves,
and Thalion's son   no thrall shall be.'

There tarried the twain   that had tended the child,   260
till their limbs were lightened   and they longed to fare
through dread and danger   to their dear lady.
But Gumlin was gone   in greater years
than Halog, and hoped not   to home again.
Then sickness took him,   and he stayed by Túrin,   265
while Halog hardened   his heart to go.
An Elfin escort   to his aid was given
and magics of Melian,   and a meed of gold.
In his mouth a message   to Morwin was set,
words of the king's will,   how her wish was granted;   270
how Thingol called her   to the Thousand Caves
to fare unfearing   with his folk again,
there to sojourn in solace,   till her son be grown;
for Húrin the hero   was held in mind,
and no might had Morgoth   where Melian dwelt.   275

Of the errand of the Elves   and that other Halog
the tale tells not,   save in time they came
to the threshold of Morwin,   and Thingol's message
was said where she sate   in her solitary hall.
But she dared not do   as was dearly bidden,   280
for Nienor her nestling   was not yet weaned.
More, the pride of her people,   princes of Men,
had suffered her send   her son to Thingol

456

AS BALADAS DE BELERIAND

when despair sped her,   but to spend her days
as alms-guest of others,   even Elfin kings,   285
it liked her little;   and there lived e'en now
a hope in her heart   that Húrin would come,
and the dwelling was dear   where he dwelt of old.
At night she would listen   for a knock at the doors,
or a footstep falling   that she fondly knew;   290
so she fared not forth,   and her fate was woven.
Yet the thanes of Thingol   she thanked nobly,
and her shame she showed not,   how shorn of glory
to reward their wending   she had wealth too scant;
but gave them in gift   her golden things   295
that last lingered,   and they led away
a helm of Húrin   that was hewn in war
when he battled with Beren   his brother-in-arms
against ogres and Orcs   and evil foemen;
'twas o'erwritten with runes   by wrights of old.   300
She bade Thingol receive it   and think of her.

Thus Halog her henchman   came home, but the Elves,
the thanes of Thingol,   thrust through the woods,
and the message of Morwin   in a month's journey,
so quick their coming,   to the king was said.   305
Then was Melian   moved to ruth,
and courteously received   the king her gift,
who deeply delved   had dungeons filled
with Elfin armouries   of ancient gear,
but he handled the helm   as his hoard were scant;   310
said: 'High were the head   that upheld this thing
with that token crowned   of the towering dragon
that Thalion Erithámrod   thrice-renownéd
oft bore into battle   with baleful foes.'
Then a thought was thrust   into Thingol's heart,   315
and Túrin he called   and told when come
that Morwin his mother   a mighty thing
had sent to her son,   his sire's heirloom,
a helm that hammers   had hardened of old,
whose makers had mingled   a magic therein   320
that its worth was a wonder   and its wearer safe,
guarded from glaive   or gleaming axe—
'Lo! Húrin's helm   hoard thou till manhood
bids thee battle;   then bravely don it';
and Túrin touched it,   but took it not,   325
too weak to wield   that weight as yet,
and his mind mournéd   for Morwin's answer,
and the first of his sorrows   o'erfilled his soul.

Thus came it to pass   in the court of Thingol
that Túrin tarried   for twelve long years   330
with Gumlin his guardian,   who guided him thither
when but seven summers   their sorrows had laid
on the son of Thalion.   For the seven first
his lot was lightened,   since he learnt at whiles
from faring folk   what befell in Hithlum,   335

457

POEMAS ORIGINAIS

and tidings were told   by trusty Elves,
how Morwin his mother   was more at ease;
and they named Nienor   that now was growing
to the sweet beauty   of a slender maiden.
Thus his heart knew hope,   and his hap was fairer.   340
There he waxed wonderly   and won him praise
in all lands where Thingol   as lord was held
for the strength of his body   and stoutness of heart.
Much lore he learned,   and loved wisdom,
but fortune followed him   in few desires;   345
oft wrong and awry   what he wrought turned;
what he loved he lost,   what he longed for he won not;
and full friendship   he found not easily,
nor was lightly loved   for his looks were sad.
He was gloomy-hearted,   and glad seldom,   350
for the sundering sorrow   that seared his youth.

On manhood's threshold   he was mighty holden
in the wielding of weapons;   and in weaving song
he had a minstrel's mastery,   but mirth was not in it,
for he mourned the misery   of the Men of Hithlum.   355
Yet greater his grief   grew thereafter,
when from Hithlum's hills   he heard no more,
and no traveller told him   tidings of Morwin.
For those days were drawing   to the Doom of the Gnomes,
and the power of the Prince   of the People of Hell,   360
of the grim Glamhoth,   was grown apace,
till the lands of the North   were loud with their noise,
and they fell on the folk   with flame and ruin
who bent not to Bauglir,   or the borders passed
of dark Dorlómin   with its dreary pines   365
that Hithlum unhappy   is hight by Men.
There Morgoth shut them,   and the Shadowy Mountains
fenced them from Faërie   and the folk of the wood.
Even Beleg fared not   so far abroad
as once was his wont,   and the woods were filled   370
with the armies of Angband   and evil deeds,
while murder walked   on the marches of Doriath;
only mighty magic   of Melian the Queen
yet held their havoc   from the Hidden People.

To assuage his sorrow   and to sate the rage   375
and hate of his heart   for the hurts of his folk
then Húrin's son   took the helm of his sire
and weapons weighty   for the wielding of men,
and went to the woods   with warlike Elves;
and far in the fight   his feet led him,   380
into black battle   yet a boy in years.
Ere manhood's measure   he met and slew
the Orcs of Angband   and evil things
that roamed and ravened   on the realm's borders.
There hard his life,   and hurts he got him,   385
the wounds of shaft   and warfain sword,
and his prowess was proven   and his praise renowned,

AS BALADAS DE BELERIAND

and beyond his years he was yielded honour;
for by him was holden the hand of ruin
from Thingol's folk, and Thû feared him—   390
Thû who was thronéd as thane most mighty
neath Morgoth Bauglir; whom that mighty one bade
'Go ravage the realm of the robber Thingol,
and mar the magic of Melian the Queen.'

Only one was there in war greater,   395
higher in honour in the hearts of the Elves,
than Túrin son of Húrin untamed in war—
even the huntsman Beleg of the Hidden People,
the son of the wilderness who wist no sire
(to bend whose bow of the black yew-tree   400
had none the might), unmatched in knowledge
of the wood's secrets and the weary hills.
He was leader beloved of the light-armed bands,
the scouts that scoured, scorning danger,
afar o'er the fells their foemen's lairs;   405
and tales and tidings timely won them
of camps and councils, of comings and goings—
the movements of the might of Morgoth the Terrible.
Thus Túrin, who trusted to targe and sword,
who was fain of fighting with foes well seen,   410
and the banded troops of his brave comrades
were snared seldom and smote unlooked-for.

Then the fame of the fights on the far marches
were carried to the court of the King of Doriath,
and tales of Túrin were told in his halls,   415
and how Beleg the ageless was brother-in-arms
to the black-haired boy from the beaten people.
Then the king called them to come before him
ever and anon when the Orc-raids waned;
to rest them and revel, and to raise awhile   420
the secret songs of the sons of Ing.
On a time was Túrin at the table of Thingol—
there was laughter long and the loud clamour
of a countless company that quaffed the mead,
amid the wine of Dor-Winion that went ungrudged   425
in their golden goblets; and goodly meats
there burdened the boards, neath the blazing torches
set high in those halls that were hewn of stone.
There mirth fell on many; there minstrels clear
did sing to them songs of the city of Tùn   430
neath Tain-Gwethil, towering mountain,
where the great gods sit and gaze on the world
from the guarded shores of the gulf of Faërie.
Then one sang of the slaying at the Swanships' Haven
and the curse that had come on the kindreds since: 435
all silent sat and soundless harkened,
and waited the words save one alone—
the Man among Elves that Morwin bore.
Unheeding he heard or high feasting

459

POEMAS ORIGINAIS

or lay or laughter,   and looked, it seemed,   440
to a deep distance   in the dark without,
and strained for sounds   in the still spaces,
for voices that vanished   in the veils of night.
He was lithe and lean,   and his locks were wild,
and woodland weeds   he wore of brown   445
and grey and green,   and gay jewel
or golden trinket   his garb knew not.

An Elf there was—Orgof—   of the ancient race
that was lost in the lands   where the long marches
from the quiet waters   of Cuiviénen   450
were made in the mirk   of the midworld's gloom,
ere light was lifted   aloft o'er earth;
but blood of the Gnomes   was blent in his veins.
He was close akin   to the King of Doriath—
a hardy hunter   and his heart was brave,   455
but loose his laughter   and light his tongue,
and his pride outran   his prowess in arms.
He was fain before all   of fine raiment
and of gems and jewels,   and jealous of such
as found favour   before himself.   460
Now costly clad   in colours gleaming
he sat on a seat   that was set on high
near the king and queen   and close to Túrin.
When those twain were at table   he had taunted him oft,
lightly with laughter,   for his loveless ways,   465
his haggard raiment   and hair unshorn;
but Túrin untroubled   neither turned his head
nor wasted words   on the wit of Orgof.
But this day of the feast   more deep his gloom
than of wont, and his words   men won harder;   470
for of twelve long years   the tale was full
since on Morwin his mother   through a maze of tears
he looked the last,   and the long shadows
of the forest had fallen   on his fading home;
and he answered few,   and Orgof nought.   475
Then the fool's mirth   was filled the more,
to a keener edge   was his carping whetted
at the clothes uncouth   and the uncombéd hair
of Túrin newcome   from the tangled forest.
He drew forth daintily   a dear treasure,   480
a comb of gold   that he kept about him,
and tendered it to Túrin;   but he turned not his eyes,
nor deigned to heed   or harken to Orgof,
who too deep drunken   that disdain should quell him:
'Nay, an thou knowest not   thy need of comb,   485
nor its use,' quoth he,   'too young thou leftest
thy mother's ministry,   and 'twere meet to go
that she teach thee tame   thy tangled locks—
if the women of Hithlum   he not wild and loveless,
uncouth and unkempt   as their cast-off sons.'   490

Then a fierce fury,   like a fire blazing,
was born of bitterness   in his bruised heart;

460

his white wrath woke   at the words of scorn
for the women of Hithlum   washed in tears;
and a heavy horn   to his hand lying,   495
with gold adorned   for good drinking,
of his might unmindful   thus moved in ire
he seized and, swinging,   swiftly flung it
in the face of Orgof.   'Thou fool', he said,
'fill thy mouth therewith,   and to me no further sao   500
thus witless prate   by wine bemused'—
but his face was broken,   and he fell backward,
and heavy his head   there hit upon the stone
of the floor rock-paved   mid flagons and vessels
of the o'erturned table   that tumbled on him   505
as clutching he fell;   and carped no more,
in death silent.   There dumb were all
at bench and board;   in blank amaze
they rose around him,   as with ruth of heart
he gazed aghast   on his grievous deed,   510
on his wine-stained hand,   with wondering eyes
half-comprehending.   On his heel then he turned
into the night striding,   and none stayed him;
but some their swords   half slipped from sheaths
— they were Orgof's kin—   yet for awe of Thingol   515
they dared not draw   while the dazéd king
stonefacéd stared   on his stricken thane
and no sign showed them.   But the slayer weary
his hands laved   in the hidden stream
that strikes 'fore the gates,   nor stayed his tears: 520
'Who has cast,' he cried,   'a curse upon me;
for all I do is ill,   and an outlaw now,
in bitter banishment   and blood-guilty,
of my fosterfather   I must flee the halls,
nor look on the lady   beloved again'—   525
yea, his heart to Hithlum   had hastened him now,
but that road he dared not,   lest the wrath he draw
of the Elves after him,   and their anger alight
should speed the spears   in despite of Morgoth
o'er the hills of Hithlum   to hunt him down;   530
lest a doom more dire   than they dreed of old
be meted his mother   and the Maid of Tears.

In the furthest folds   of the Forest of Doriath,
in the darkest dales   on its drear borders,
in haste he hid him,   lest the hunt take him;   535
and they found not his footsteps   who fared after,
the thanes of Thingol;   who thirty days
sought him sorrowing,   and searched in vain
with no purpose of ill,   but the pardon bearing
of Thingol throned   in the Thousand Caves.   540
He in council constrained   the kin of Orgof
to forget their grief   and forgiveness show,
in that wilful bitterness   had barbed the words
of Orgof the Elf;   said 'his hour had come
that his soul should seek   the sad pathway   545

POEMAS ORIGINAIS

to the deep valley   of the Dead Awaiting,
there a thousand years   thrice to ponder
in the gloom of Gurthrond   his grim jesting,
ere he fare to Faërie   to feast again.'
Yet of his own treasure   he oped the gates,   550
and gifts ungrudging   of gold and gems
to the sons he gave   of the slain; and his folk
well deemed the deed.   But that doom of the King
Túrin knew not,   and turned against him
the hands of the Elves   he unhappy believed,   555
wandering the woodland   woeful-hearted;
for his fate would not   that the folk of the caves
should harbour longer   Húrin's offspring.

[C] pp. 42–63:

II

BELEG

Long time alone   he lived in the hills
a hunter of beast   and hater of Men,   560
or Orcs, or Elves,   till outcast folk
there one by one,   wild and reckless
around him rallied;   and roaming far
they were feared by both foe   and friend of old.
For hot with hate   was the heart of Túrin,   565
nor a friend found him   such folk of Thingol
as he wandering met   in the wood's fastness.

There Beleg the brave   on the borders of Doriath
they found and fought   —and few were with him—
and o'erborne by numbers   they bound him at last,   570
till their captain came   to their camp at eve.
Afar from that fight   his fate that day
had taken Túrin   on the trail of the Orcs,
as they hastened home   to the Hills of Iron
with the loot laden   of the lands of Men.   575
Then soon was him said   that a servant of Thingol
they had tied to a tree—   and Túrin coming
stared astonied   on the stern visage
of Beleg the brave   his brother in arms,
of whom he learned the lore   of leaping biades,   580
and of bended bow   and barbéd shaft,
and the wild woodland's   wisdom secret,
when they blent in battle   the blood of their wounds.

Then Túrin's heart   was turned from hate,
and he bade unbind   Beleg the huntsman.   585
'Now fare thou free!   But, of friendship aught
if thy heart yet holds   for Húrin's son,
never tell thou tale   that Túrin thou sawst
an outlaw unloved   from Elves and Men,
whom Thingol's thanes   yet thirst to slay.   590
Betray not my trust   or thy troth of yore!'
Then Beleg of the bow   embraced him there—
he had not fared to the feast   or the fali of Orgof—

462

AS BALADAS DE BELERIAND

there kissed him kindly   comfort speaking:
'Lo! nought know I   of the news thou tellest;   595
but outlawed or honoured   thou ever shalt be
the brother of Beleg,   come bliss come woe!
Yet little me likes   that thy leaping sword
the life should drink   of the leaguered Elves.
Are the grim Glamhoth   then grown so few,   600
or the foes of Faërie   feeble-hearted,
that warlike Men   have no work to do?
Shall the foes of Faërie   be friends of Men?
Betrayest thou thy troth   whom we trusted of yore?'

'Nor of arméd Orc,   nor [of] Elf of the wood,   605
nor of any on earth   have I honour or love,
O Beleg the bowman.   This band alone
I count as comrades,   my kindred in woe
and friendless fate—   our foes the world.'

'Let the bow of Beleg   to your band be joined;   610
and swearing death   to the sons of darkness
let us suage our sorrow   and the smart of fate
Our valour is not vanquished,   nor vain the glory
that once we did win   in the woods of old.'

Thus hope in the heart   of Húrin's Offspring   615
awoke at those words;   and them well likéd
of that band the boldest,   save Blodrin only—
Blodrin Bor's son,   who for blood and for gold
atone lusted,   and little he recked
whom he robbed of riches   or reft of life,   620
were it Elf or Orc;   but he opened not
the thoughts of his heart.   There throbbed the harp,
where the fires flickered,   and the flaming brands
of pine were piled   in the place of their camp;
where glad men gathered   in good friendship   625
as dusk fell down   on the drear woodland.
Then a song on a sudden   soaring loudly—
and the trees up-looming   towering harkened—
was raised of the Wrack   of the Realm of the Gods;
of the need of the Gnomes   on the Narrow Crossing;   630
of the fight at Fangros,   and Feanor's sons'
oath unbreakable.   Then up sprang Beleg:
'That our vaunt and our vows   be not vain for ever,
even such as they swore,   those seven chieftains,
an oath let us swear   that is unchanging   635
as Tain-Gwethil's   towering mountain!'
Their blades were bared,   as blood shining
in the flame of the fires   while they flashed and touched.
As with one man's voice   the words were spoken,
and the oath uttered   that must unrecalled   640
abide for ever,   a bond of truth
and friendship in arms,   and faith in peril.
Thus war was waked   in the woods once more
for the foes of Faërie,   and its fame widely,

463

POEMAS ORIGINAIS

and the fear of that fellowship,   now fared abroad;   645
when the horn was heard   of the hunting Elves
that shook the shaws   and the sheer valleys.
Blades were naked   and bows twanging,
and shafts from the shadows   shooting wingéd,
and the sons of darkness   slain and conquered;   650
even in Angband   the Orcs trembled.
Then the word wandered   down the ways of the forest
that Túrin Thalion   was returned to war;
and Thingol heard it,   and his thanes were sped
to lead the lost one   in love to his halls—   655
but his fate was fashioned   that they found him not.
Little gold they got   in that grim warfare,
but weary watches   and wounds for guerdon;
nor on robber-raids   now rode they ever,
who fended from Faërie   the fiends of Hell.   660
But Blodrin Bor's son   for booty lusted,
for the loud laughter   of the lawless days,
and meats unmeasured,   and mead-goblets
refilled and filled,   and the flagons of wine
that went as water   in their wild revels.   665
Now tales have told   that trapped as a child
he was dragged by the Dwarves   to their deep mansions,
and in Nogrod nurtured,   and in nought was like,
spite blood and birth,   to the blissful Elves.
His heart hated   Húrin's offspring   670
and the bowman Beleg;   so biding his while
he fled their fellowship   and forest hidings
to the merciless Orcs,   whose moon-pallid
cruel-curvéd blades   to kill spare not;
than whose greed for gold   none greater burns   675
save in hungry hearts   of the hell-dragons.
He betrayed his troth;   traitor made him
and the forest fastness   of his fellows in arms
he opened to the Orcs,   nor his oath heeded.
There they fought and fel!   by foes outnumbered,   680
by treachery trapped   at a time of night
when their fires faded   and few were waking—
some wakened never,   not for wild noises,
nor cries nor curses,   nor clashing steel,
swept as they slumbered   to the slades of death.   685
But Túrin they took,   though towering mighty
at the Huntsman's hand   he hewed his foemen,
as a bear at bay   mid bellowing hounds,
unheeding his hurts;   at the hest of Morgoth
yet living they lapped him,   his limbs entwining,   690
with hairy hands   and hideous arms.
Then Beleg was buried   in the bodies of the fallen,
as sorely wounded   he swooned away;
and all was over,   and the Orcs triumphed.
The dawn over Doriath   dimly kindled   695
saw Blodrin Bor's son   by a beech standing
with throat thirléd   by a thrusting arrow,
whose shaven shaft,   shod with poison,

AS BALADAS DE BELERIAND

and feather-wingéd,   was fast in the tree.
He bargained the blood   of his brothers for gold: 700
thus his meed was meted—   in the mirk at Random
by an orc-arrow   his oath came home.

From the magic mazes   of Melian the Queen
they haled unhappy   Húrin's offspring,
lest he flee his fate;   but they fared slowly   705
and the leagues were long   of their laboured way
over hill and hollow   to the high places,
where the peaks and pinnacles   of pitiless stone
looming up lofty   are lapped in cloud,
and veiled in vapours   vast and sable;   710
where Eiglir Engrin,   the Iron Hills, lie
o'er the hopeless halls   of Hell upreared
wrought at the roots   of the roaring cliffs
of Thangorodrim's   thunderous mountain.
Thither led they laden   with loot and evil;   715
but Beleg yet breathed   in blood drenchéd
aswoon, till the sun   to the South hastened,
and the eye of day   was opened wide.
Then he woke and wondered,   and weeping took him,
and to Túrin Thalion   his thoughts were turned,   720
that o'erborne in battle   and bound he had seen.
Then he crawled from the corpses   that had covered him over,
weary, wounded,   too weak to stand.
So Thingol's thanes   athirst and bleeding
in the forest found him: his fate willed not   725
that he should drink the draught   of death from foes.
Thus they bore him back   in bitter torment
his tidings to tell   in the torchlit halls
of Thingol the king;   in the Thousand Caves
to be healéd whole   by the hands enchanted   730
of Melian Mablui,   the moonlit queen.

Ere a week was outworn   his wounds were cured,
but his heart's heaviness   those hands of snow
nor soothed nor softened,   and sorrow-laden
he fared to the forest.   No fellows sought he   735
in his hopeless hazard,   but in haste alone
he followed the feet   of the foes of Elfland,
the dread daring,   and the dire anguish,
that held the hearts   of Hithlum's men
and Doriath's doughtiest   in a dream of fear.   740
Unmatched among Men,   or magic-wielding
Elves, or hunters   of the Orc-kindred,
or beasts of prey   for blood pining,
was his craft and cunning,   that cold and dead
an unseen slot   could scent o'er stone,   745
foot-prints could find   on forest pathways
that lightly on the leaves   were laid in moans
long waned, and washed   by windy rains.
The grim Glamhoth's   goblin armies
go cunning-footed,   but his craft failed not   750

465

POEMAS ORIGINAIS

to tread their trail,   till the lands were darkened,
and the light was lost   in lands unknown.
Never-dawning night   was netted clinging
in the black branches   of the beetling trees;
oppressed by pungent   pinewood's odours,   755
and drowsed with dreams   as the darkness thickened,
he strayed steerless.   The stars were hid,
and the moon mantled.   There magic foundered
in the gathering glooms,   there goblins even
(whose deep eyes drill   the darkest shadows)   760
bewildered wandered,   who the way forsook
to grope in the glades,   there greyly loomed
of girth unguessed   in growth of ages
the topless trunks   of trees enchanted.
That fathomless fold   by folk of Elfland   765
is Taur-na-Fuin,   the Trackless Forest
of Deadly Nightshade.   dreadly naméd.
Abandoned, beaten,   there Beleg lying
to the wind harkened   winding, moaning
in bending boughs;   to branches creaking   770
up high over head,   where huge pinions
of the pluméd pine-trees   complained darkly
in black foreboding.   There bowed hopeless,
in wit wildered,   and wooing death,
he saw on a sudden   a slender sheen   775
shine a-shimmering   in the shades afar,
like a glow-worm's lamp   a-gleaming dim.
He marvelled what it might be   as he moved softly;
for he knew not the Gnomes   of need delving
in the deep dungeons   of dark Morgoth.   780
Unmatched their magic   in metal-working
who jewels and gems   that rejoiced the Gods
aforetime fashioned,   when they freedom held,
now swinking slaves   of ceaseless labour
in Angband's smithies,   nor ever were suffered   785
to wander away,   warded always.
But little lanterns   of lucent Crystal
and silver cold   with subtlest cunning
they strangely fashioned,   and steadfast a flame
burnt unblinking   there blue and pale,   790
unquenched for ever.   The craft that lit them
was the jewel-makers'   most jealous secret.
Not Morgoth's might,   nor meed nor torment
them vowed, availed   to reveal that lore;
yet lights and lamps   of living radiance,   795
many and magical,   they made for him.
No dark could dim them   the deeps wandering;
whose lode they lit   was lost seldom
in groundless grot,   or gulfs far under.

'Twas a Gnome he beheld   on the heaped needles   800
of a pine-tree pillowed,   when peering wary
he crept closer.   The covering pelt
was loosed from the lamp   of living radiance

466

by his side shining.   Slumber-shrouded
his fear-worn face   was fallen in shade.   805
Lest in webs woven   of unwaking sleep,
spun round by spells   in those spaces dark,
he lie forlorn   and lost for ever,
the Hunter hailed him   in the hushed forest—
to the drowsy deeps   of his dream profound   810
fear ever-following   came falling loud;
as the lancing lightning   he leapt to his feet
full deeming that dread   and death were upon him,
Flinding go-Fuilin   fleeing in anguish
from the mines of Morgoth.   Marvelling he heard   815
the ancient tongue   of the Elves of Tûn;
and Beleg the Bowman   embraced him there,
and learnt his lineage   and luckless fate,
how thrust to thraldom   in a throng of captives,
from the kindred carried   and the cavernous halls   820
of the Gnomes renowned   of Nargothrond,
long years he laboured   under lashes and flails
of the baleful Balrogs,   abiding his time.
A tale he unfolded   of terrible flight
o'er flaming fell   and fuming hollow,   825
o'er the parchéd dunes   of the Plains of Drouth,
till his heart took hope   and his heed was less.
'Then Taur-na-Fuin   entangled my feet
in its mazes enmeshed;   and madness took me
that I wandered witless,   unwary stumbling   830
and beating the boles   of the brooding pines
in idle anger—   and the Orcs heard me.
They were camped in a clearing,   that dose at hand
by mercy I missed.   Their marching road
is beaten broad   through the black shadows   835
by wizardry warded   from wandering Elves;
but dread they know   of the Deadly Nightshade,
and in haste only   do they hie that way.
Now cruel cries   and clamorous voices
awoke in the wood,   and winged arrows   840
from horny bows   hummed about me;
and following feet,   fleet and stealthy,
were padding and pattering   on the pine-needles;
and hairy hands   and hungry fingers
in the glooms groping,   as I grovelled fainting   845
till they cowering found me.   Fast they clutched me
beaten and bleeding,   and broken in spirit
they laughing led me,   my lagging footsteps
with their spears speeding.   Their spoils were piled,
and countless captives   in that camp were chained,   850
and Elfin maids   their anguish mourning.
But one they watched,   warded sleepless,
was stern-visaged, strong,   and in stature tall
as are Hithlum's men   of the misty hills.
Full length he lay   and lashed to pickets   855
in baleful bonds,   yet bold-hearted
his mouth no mercy   of Morgoth sued,

467

POEMAS ORIGINAIS

but defied his foes.   Foully they smote him.
Then he called, as clear   as cry of hunter
that hails his hounds   in hollow places,   860
on the name renowned   of that noblest king—
but men unmindful   remember him little—
Húrin Thalion,   who Erithámrod hight,
the Unbending,   for Orc and Balrog
and Morgoth's might   on the mountain yet   865
he defies fearless,   on a fangéd peak
of thunder-riven   Thangorodrim.'

In eager anger   then up sprang Beleg,
crying and calling,   careless of Flinding:
'O Túrin, Túrin,   my troth-brother,   870
to the brazcn bonds   shall I abandon thee,
and the darkling doors   of the Deeps of Hell?'

'Thou wilt join his journey   to the jaws of sorrow,
O bowman crazéd,   if thy bellowing cry
to the Orcs should come;   their ears than cats'   875
are keener whetted,   and though thc camp from here
be a day distant   where those deeds I saw,
who knows if the Gnome   they now pursue
that crept from their clutches,   as a crawling worm
on belly cowering,   whom they bleeding cast   880
in deathly swoon   on the dung and Slough
of their loathsome lair.   O Light of Valinor!
and ye glorious Gods!   How gleam their eyes,
and their tongues are red!'   'Yet I Túrin will wrest
from their hungry hands,   or to Hell be dragged,   885
or sleep with the slain   in the slades of Death.
Thy lamp shall lead us,   and my lore rekindle
and wise wood-craft!'   'O witless hunter,
thy words are wild—   wolves unsleeping
and wizardry ward   their woeful captives;   890
unerring their arrows;   the icy steel
of their curvéd blades   cleaves unblunted
the meshes of mail;   the mirk to pierce
those eyes are able;   their awful laughter
the flesh freezes!   I fare not thither,   895
for fear fetters me   in the Forest of Night:
better die in the dark   dazed, forwandered,
than wilfully woo   that woe and anguish!
I know not the way.'   'Are the knees then weak
of Flinding go-Fuilin?   Shall free-born Gnome   900
thus show himself   a shrinking slave,
who twice entrapped   has twice escaped?
Remember the might   and the mirth of yore,
the renown of the Gnomes   of Nargothrond!'

Thus Beleg the bowman   quoth bold-hearted,   905
but Flinding fought   the fear of his heart,
and loosed the light   of his lamp of blue,
now brighter burning.   In the black mazes

468

AS BALADAS DE BELERIAND

enwound they wandered,   weary searching;
by the tall tree-boles   towering silente
oft barred and baffled;   blindly stumbling
over rock-fast roots   writhing coiléd;
and drowsed with dreams   by the dark odours,
till hope was hidden.   'Hark thee, Flinding;
viewless voices   vague and distant,
a muffled murmur   of marching feet
that are shod with stealth   shakes the stillness.'

'No noise I hear',   the Gnome answered,
'thy hope cheats thee.'   'I hear the chains
clinking, creaking,   the cords straining,
and wolves padding   on worn pathways.
I smell the blood   that is smeared on blades
that are cruel and crooked;   the croaking laughter—
now, listen! louder   and louder comes,'
the hunter said.   'I hear no sound',
quoth Flinding fearful.   'Then follow after!'
with bended bow   then Beleg answered,
'my cunning rekindles,   my craft needs not
thy lamp's leading.'   Leaping swiftly
he shrank in the shadows;   with shrouded lantern
Flinding followed him,   and the forest-darkness
and drowsy dimness   drifted slowly
unfolding from them   in fleeing shadows,
and its magic was minished,   till they rnarvelling saw
they were brought to its borders.   There black-gaping
an archway opened.   By ancient trunks
it was frarned darkly,   that in far-off days
the lightning felled,   now leaning gaunt
their lichen-leprous   limbs uprooted.
There shadowy bats   that shrilled thinly
flew in and flew out   the air brushing
as they swerved soundless   . A swooning light
faint filtered in,   for facing North
they looked o'er the leagues   of the lands of mourning,
o'er the bleak boulders,   o'er the blistered dunes
and dusty drouth   of Dor-na-Fauglith;
o'er that Thirsty Plain,   to the threatening peaks,
now glimpséd grey   through the grirn archway,
of the marching might   of the Mountains of Iron,
and faint and far   in the flickering dusk
the thunderous towers   of Thangorodrim.
But backward broad   through the black shadows
from that darkling door   dimly wandered
the ancient Orc-road;   and even as they gazed
the silence suddenly   with sounds of dread
was shaken behind them,   and shivering echoes
from afar came fleeting.   Feet were trarnping;
trappings tinkling;   and the troublous rnurrnur
of viewless voices   in the vaulted gloorn
came near and nearer.   'Ah! now I hear',
said Flinding fearful;   'flee we swiftly

910

915

920

925

930

935

940

945

950

955

960

469

POEMAS ORIGINAIS

from hate and horror   and hideous faces,
from fiery eyes   and feet relentless!
Ah! woe that I wandered   thus witless hither!'

Then beat in his breast,   foreboding evil,   965
with dread unwonted   the dauntless heart
of Beleg the brave.   With blanchéd cheeks
in faded fern   and the feathery leaves
of brown bracken   they buried thern deep,
where dank and dark   a ditch was cloven   970
on the wood's borders   by waters oozing,
dripping down to die   in the drouth below.
Yet hardly were they hid   when a host to view
round a dark turning   in the dusky shadows
came swinging sudden   with a swift thudding   975
of feet after feet   on fallen leaves.
ln rank on rank   of ruthless spears
that war-host went;   weary stumbling
countless captives,   cruelly laden
with bloodstained booty,   in bonds of iron   980
they haled behind them,   and held in ward
by the wolf-riders   and the wolves of Hell.
Their road of ruin   was a-reek with tears:
many a hall and homestead,   many a hidden refuge
of Gnomish lords   by night beleaguered   985
their o'ermastering might   of mirth bereft,
and fair things fouled,   and fields curdled
with the bravest blood   of the beaten people.

To an army of war   was the Orc-band waxen
that Blodrin Bor's son   to his bane guided   990
to the wood-marches,   by the welded hosts
homeward hurrying   to the halls of mourning
swiftly swollen   to a sweeping plague.
Like a throbbing thunder   in the threatening deeps
of cavernous clouds   o'ercast with gloom   995
now swelled on a sudden   a song most dire,
and their hellward hymn   their home greeted;
flung from the foremost   of the fierce spearmen,
who viewed mid vapours   vast and sable
the threefold peaks   of Thangorodrim,   1005
it rolled rearward,   rumbling darkly,
like drums in distant   dungeons empty.
Then a werewolf howled;   a word was shouted
like steel on stone;   and stiffly raised
their spears and swords   sprang up thickly   1010
as the wild wheatfields   of the wargod's realm
with points that palely   pricked the twilight.
As by wind wafted   then waved theyall,
and bowed, as the bands   with beating measured
moved on mirthless   from the mirky woods,   1015
from the topless trunks   of Taur-na-Fuin,
neath the leprous limbs   of the leaning gate.

Then Beleg the bowman   in bracken cowering,
on the loathly legions   through the leaves peering,
saw Túrin the tall   as he tottered forward   1020
neath the whips of the Orcs   as they whistled o'er him;
and rage arose   in his wrathful heart,
and piercing pity   outpoured his tears.
The hymn was hushed;   the host vanished
down the hellward slopes   of the hill beyond;   1025
and silence sank   slow and gloomy
round the trunks of the trees   of Taur-na-Fuin,
and nethermost night   drew near outside.

'Follow me, Flinding,   from the forest curséd!
Let us haste to his help,   to Hell if need be   1030
or to death by the darts   of the dread Glamhoth!':
and Beleg bounded   from the bracken madly,
like a deer driven   by dogs baying
from his hiding in the hills   and hollow places;
and Flinding followed   fearful after him   1035
neath the yawning gate,   . through yew-thickets,
through bogs and bents   and bushes shrunken,
till they reached the rocks   and the riven moorlands
and friendless fells   falling darkly
to the dusty dunes   of Dor-na-Fauglith.   1040
In a cup outcarven   on the cold hillside,
whose broken brink   was bleakly fringed
with bended bushes   bowed in anguish
from the North-wind's knife,   beneath them far
the feasting camp   of their foes was laid;   1045
the fiery flare   of fuming torches,
and black bodies   in the blaze they saw
crossing countlessly,   and cries they heard
and the hollow howling   of hungry wolves.

Then a moon mounted   o'er the mists riding,   1050
and the keen radiance   of the cold moonshine
the shadows sharpened   in the sheer hollows,
and slashed the slopes   with slanting blackness;
in wreaths uprising   the reek of fires
was touched to tremulous   trails of silver.   1055
Then the fires faded,   and their foemen slumbered
in a sleep of surfeit.   No sentinel watched,
nor guards them girdled—   what good were it
to watch wakeful   in those withered regions
neath Eiglir Engrin,   whence the eyes of Bauglir   1060
gazed unclosing   from the gates of Hell?
Did not werewolves' eyes   unwinking gleam
in the wan moonlight—   the wolves that sleep not,
that sit in circles   with slavering tongues
round camp or clearing   of the cruel Glamhoth?   1065
Then was Beleg a-shudder,   and the unblinking eyes
nigh chilled his marrow and chained his flesh
in fear unfathomed,   as flat to earth
by a boulder he lay.   Lo! black cloud-drifts

POEMAS ORIGINAIS

surged up like smoke   from the sable North,   *1070*
and the sheen was shrouded   of the shivering moon;
the wind came wailing   from the woeful mountains,
and the heath unhappy   hissed and whispered;
and the moans came faint   of men in torment
in the camp accursed.   His quiver rattled   *1075*
as he found his feet   and felt his bow,
hard horn-pointed,   by hands of cunning
of black yew wrought;   with bears' sinews
it was stoutly strung;   strength to bend it
had nor Man nor Elf   save the magic helped him *1080*
that Beleg the bowman   now bore alone.
No arrows of the Orcs   so unerring wingéd
as his shaven shafts   that could shoot to a mark
that was seen but in glance   ere gloom seized it.
Then Dailir he drew,   his dart beloved;   *1085*
howso far fared it,   or fell unnoted,
unsought he found it   with sound feathers
and barbs unbroken   (till it broke at last);
and fleet bade he fly   that feather-pinioned
snaketonguéd shaft,   as he snicked the string *1090*
in the notch nimbly,   and with naked arm
to his ear drew it.   The air whistled,
and the tingling string   twanged behind it,
soundless a sentinel   sank before it—
there was one of the wolves   that awaked no more. *1095*
Now arrows after   he aimed swiftly
that missed not their mark   and meted silent
death in the darkness   dreadly stinging,
till three of the wolves   with throats piercéd,
and four had fallen   with fleet-wingéd   *1100*
arrows a-quivering   in their quenchéd eyes.
Then great was the gap   in the guard opened,
and Beleg his bow   unbent, and said:
'Wilt come to the camp,   comrade Flinding,
or await me watchful?   If woe betide   *1105*
thou might win with word   through the woods homeward
to Thingol the king   how throve my quest,
how Túrin the tall   was trapped by fate,
how Beleg the bowman   to his bane hasted.'
Then Flinding fiercely,   though fear shook him: *1110*
'I have followed thee far,   O forest-walker,
nor will leave thee now   our league denying!'
Then both bow and sword   Beleg left there
with his belt unbound   in the bushes tangled
of a dark thicket   in a deli nigh them,   *1115*
and Flinding there laid   his flickering lamp
and his nailéd shoes,   and his knife only
he kept, that uncumbered   he might creep silent.

Thus those brave in dread   down the bare hillside
towards the camp clambered   creeping wary, *1120*
and dared that deed   in days long past
whose glory has gone   through the gates of earth,

472

and songs have sung   unceasing ringing
wherever the Elves   in ancient places
had light or laughter   in the later world.   1125
With breath bated   on the brink of the dale
they stood and stared   through stealthy shadows,
till they saw where the circle   of sleepless eyes
was broken; with hearts   beating dully
they passed the places   where pierced and bleeding   1130
the wolves weltered   by wingéd death
unseen smitten;   as smoke noiseless
they slipped silent   through the slumbering throngs
as shadowy wraiths   shifting vaguely
from gloom to gloom,   till the Gods brought them   1135
and the craft and cunning   of the keen huntsman
to Túrin the tall   where he tumbled lay
with face downward   in the filthy mire,
and his feet were fettered,   and fast in bonds
anguish enchained   his arms behind him.   1140
There he slept or swooned,   as sunk in oblivion
by drugs of darkness   deadly blended;
he heard not their whispers;   no hope stirred him
nor the deep despair   of his dreams fathomed;
to awake his wit   no words availed.   1145
No blade would bite   on the bonds he wore,
though Flinding felt   for the forgéd knife
of dwarfen steel,   his dagger prizéd,
that at waist he wore   awake or sleeping,
whose edge would eat   through iron noiseless   1150
as a clod of clay   is cleft by the share.
It was wrought by wrights   in the realms of the East,
in black Belegost,   by the bearded Dwarves
of troth unmindful;   it betrayed him now
from its sheath slipping   as o'er shaggy slades   1155
and roughhewn rocks   their road they wended.

'We must bear him back   as best we may,'
said Beleg, bending   his broad shoulders.
Then the head he lifted   of Húrin's offspring,
and Flinding go-Fuilin   the feet claspéd;   1160
and doughty that deed,   for in days long gone
though Men were of mould   less mighty builded
ere the earth's goodness   from the Elves they drew,
though the Elfin kindreds   ere old was the sun
were of might unminished,   nor the moon haunted   1165
faintly fading   as formed of shadows
in places unpeopled,   yet peers they were not
in bone and flesh   and body's fashioning,
and Túrin was tallest   of the ten races
that in Hithlum's hills   their homes builded.   1170
Like a log they lifted   his limbs mighty,
and straining staggered   with stealth and fear,
with bodies bending   and banes aching,
from the cruel dreaming   of the camp of dread,
where spearmen drowsed   sprawling drunken   1175

POEMAS ORIGINAIS

by their moon-blades keen   with murder whetted
mid their shaven shafts   in sheaves piléd.

Now Beleg the brave   backward led them,
but his foot fumbled   and he fell thudding
with Túrin atop of him,   and trembling stumbled   1180
Flinding forward;   there frozen lying
long while they listened   for alarm stirring,
for hue and cry,   and their hearts cowered;
but unbroken the breathing   of the bands sleeping,
as darkness deepened   to dead midnight,   1185
and the lifeless hour   when the loosened soul
oft sheds the shackles   of the shivering flesh.
Then dared their dread   to draw its breath,
and they found their feet   in the fouléd earth,
and bent they both   their backs once more   1190
to their task of toil,   for Túrin woke not.
There the huntsman's hand   was hurt deeply,
as he groped on the ground,   by a gleaming point—
'twas Dailir his dart   dearly prizéd
he had found by his foot   in fragments twain,   1195
and with barbs bended: it broke at last
neath his body falling.   It boded ill.

As in dim dreaming,   and dazed with horror,
they won their way   with weary slowness,
foot by footstep,   till fate them granted   1200
the leaguer at last   of those lairs to pass,
and their burden laid they,   breathless gasping,
on bare-bosméd earth,   and abode a while,
ere by winding ways   they won their path
up the slanting slopes   with silent labour,   1205
with spended strength   sprawling to cast them
in the darkling deli   neath the deep thicket.
Then sought his sword,   and songs of magic
o'er its eager edge   with Elfin voice
there Beleg murmured,   while bluely glimmered   1210
the lamp of Flinding   neath the lacéd thorns.
There wondrous wove he   words of sharpness,
and the names of knives   and Gnomish biades
he uttered o'er it: even Ogbar's spear
and the glaive of Gaurin   whose gleamingstroke   1215
did rive the rocks   of Rodrim's hall;
the sword of Saithnar,   and the silver biades
of the enchanted children   of chains forged
in their deep dungeon;   the dirk of Nargil,
the knife of the North   in Nogrod smithied;   1220
the sweeping sickle   of the slashing tempest,
the lambent lightning's   leaping falchion
even Celeg Aithorn   that shall cleave the world.

Then whistling whirled he   the whetted sword-blade
and three times three   it threshed the gloom,   1225
till flame was kindled   flickering strangely

like licking firelight   in the lamp's glimmer
blue and baleful   at the blade's edges.
Lo! a leering laugh   lone and dreadful
by the wind wafted   wavered nigh them;   1230
their limbs were loosened   in listening horror;
they fancied the feet   of foes approaching,
for the horns hearkening   of the hunt afoot
in the rustling murmur   of roving breezes.
Then quickly curtained   with its covering pelt   1235
was the lantern's light,   and leaping Beleg
with his sword severed   the searing bonds
on wrist and arm   like ropes of hemp
so strong that whetting;   in stupor lying
entangled still   lay Túrin moveless.   1240
For the feet's fetters   then feeling in the dark
Beleg blundering   with his blade's keenness
unwary wounded   the weary flesh
of wayworn foot,   and welling blood
bedewed his hand—   too dark his magic: 1245
that sleep profound   was sudden fathomed;
in fear woke Túrin,   and a form he guessed
o'er his body bending   with blade naked.
His death or torment   he deemed was come,
for oft had the Orcs   for evil pastime   1250
him goaded gleeful   and gashed with knives
that they cast with cunning,   with cruel spears.
Lo! the bonds were burst   that had bound his hands:
his cry of battle   calling hoarsely
he flung him fiercely   on the foe he dreamed,   1255
and Beleg falling   breathless earthward
was crushed beneath him.   Crazed with anguish
then seized that sword   the son of Húrin,
to his hand lying   by the help of doom;
at the throat he thrust;   through he pierced it,   1260
that the blood was buried   in the blood-wet mould;
ere Flinding knew   what fared that night,
ali was over.   With oath and curse
he bade the goblins   now guard them well,
or sup on his sword: 'Lo! The son of Húrin   1265
is freed from his fetters.'   His fancy wandered
in the camps and clearings   of the cruel Glamhoth.
Flight he sought not   at Flinding leaping
with his last laughter,   his life to sell
amid foes imagined;   but Fuilin's son   1270
there stricken with amaze,   starting backward,
cried: 'Magic of Morgoth!   A! madness damned!
with friends thou fightest!'—   then falling suddenly
the lamp o'erturned   in the leaves shrouded
that its light released   illumined pale   1275
with its flickering flame   the face of Beleg.
Then the boles of the trees   more breathless rooted
stone-faced he stood   staring frozen
on that dreadful death,   and his deed knowing
wildeyed he gazed   with waking horror,   1280

475

POEMAS ORIGINAIS

as in endless anguish   an image carven.
So fearful his face   that Flinding crouched
and watched him, wondering   what webs of doom
dark, remorseless,   dreadly meshed him
by the might of Morgoth;   and he mourned for him,   1285
and for Beleg, who bow   should bend no more,
his black yew-wood   in battle twanging—
his life had winged   to its long waiting
in the halls of the Moon   o'er the hills of the sea.

Hark! he heard the horns   hooting loudly,   1290
no ghostly laughter   of grim phantom,
no wraithlike feet   rustling dimly—
the Orcs were up;   their ears had hearkened
the cries of Túrin;   their camp was tumult,
their lust was alight   ere the last shadows   1295
of night were lifted.   Then numb with fear
in hoarse whisper   to unhearing ears
he told his terror;   for Túrin now
with limbs loosened   leaden-eyed was bent
crouching crumpled   by the corse moveless;   1300
nor sight nor sound   his senses knew,
and wavering words   he witless murmured,
'A! Beleg,' he whispered,   'my brother-in-arms.'
Though Flinding shook him,   he felt it not:
had he comprehended   he had cared little.   1305
Then winds were wakened   in wild dungeons
where thrumming thunders   throbbed and rumbled;
storm came striding   with streaming banners
from the four corners   of the fainting world;
then the clouds were cloven   with a crash of lightning,   1310
and slung like stones   from slings uncounted
the hurtling hail   came hissing earthward,
with a deluge dark   of driving rain.
Now wafted high,   now wavering far,
the cries of the Glamhoth   called and hooted,   1315
and the howl of wolves   in the heavens' roaring
was mingled mournful: they missed their paths,
for swollen swept there   swirling torrents
down the blackening slopes,   and the slot was blind,
so that blundering back   up the beaten road   1320
to the gates of gloom   many goblins wildered
were drowned or drawn   in Deadly Nightshade
to die in the dark;   while dawn came not,
while the storm-riders   strove and thundered
all the sunless day,   and soaked and drenched   1325
Flinding go-Fuilin   with fear speechless
there crouched aquake;   cold and lifeless
lay Beleg the bowrnan;   brooding durnbly
Túrin Thalion   neath the tangled thorns
sat unseeing   without sound or movement.   1330

The dusty dunes   of Dor-na-Fauglith
hissed and spouted.   Huge rose the spires

476

AS BALADAS DE BELERIAND

of smoking vapour   swathed and reeking,
thick-billowing clouds   from thirst unquenched,
and dawn was kindled   dimly lurid   *1335*
when a day and night   had dragged away.
The Orcs had gone,   their anger baffled,
o'er the weltering ways   weary faring
to their hopeless halls   in Hell's kingdom;
no thrall took they   Túrin Thalion—   *1340*
a burden bore he   than their bonds heavier,
in despair fettered   with spirit empty
in mourning hopeless   he remained behind.

[D] pp. 73–97:   III
                      FAILIVRIN

Flinding go-Fuilin   faithful-hearted
the brand of Beleg   with blood stainéd   *1340*
lifted with loathing   from the leafy mould,
and hid it in the hollow   of a huge thorn-tree;
then he turned to Túrin   yet tranced brooding,
and softly said he: 'O son of Húrin,
unhappy-hearted,   what helpeth it   *1345*
to sit thus in sorrow's   silent torment
without hope or counsel?'   But Húrin's son,
by those words wakened,   wildly answered:
'I abide by Beleg;   nor bid me leave him,
thou voice unfaithful.   Vain are all things.   *1350*
O Death dark-handed,   draw thou near me;
if remorse may move thee,   from mourning loosed
crush me conquered   to his cold bosom!'
Flinding answered,   and fear left him
for wrath and pity: 'Arouse thy pride!   *1355*
Not thus unthinking   on Thangorodrim's
heights enchainéd   did Húrin speak.'
'Curse thy comfort!   Less cold were steel.
If Death comes not   to the death-craving,
I will seek him by the sword.   The sword–where lies it?   *1360*
O cold and cruel,   where cowerest now,
murderer of thy master?   Amends shalt work,
and slay me swift,   O sleep-giver.'
'Look not, luckless,   thy life to steal,
nor sully anew   his sword unhappy   *1365*
in the flesh of the friend   whose freedom seeking
he fell by fate,   by foes unwounded.
Yea, think that amends   are thine to make,
his wrongéd biade   with wrath appeasing,
its thirst cooling   in the thrice-abhorred   *1370*
blood of Bauglir's   baleful legions.
Is the feud achieved   thy father's chains on
thee laid, or lessened   by this last evil?
Dream not that Morgoth   will mourn thy death,
or thy dirges chant   the dread Glamhoth—   *1375*
less would like them   thy living hatred
and vows of vengeance;   nor vaim is courage,
though victory seldom   be valour's ending.'

477

POEMAS ORIGINAIS

Then fiercely Túrin   to his feet leaping
cried new-crazéd: 'Ye coward Orcs,   1380
why tum ye tail?   Why tarry ye now,
when the son of Húrin   and the sword of Beleg
in wrath await you?   For wrong and woe
here is vengeance ready.   If ye venture it not,
I will follow your feet   to the four corners   1385
of the angry earth.   Have after you!'
Fainting Flinding   there fought with him,
and words of wisdom   to his witless ears
he breathless spake: 'Abide, O Túrin,
for need hast thou now   to nurse thy hurt,   1390
and strength to gather   and strong counsel.
Who flees to fight   wears not fear's token,
and vengeance delayed   its vow achieves.'
The madness passed;   amazed pondering
neath the tangled trees   sat Túrin wordless   1395
brooding blackly   on bitter vengeance,
till the dusk deepened   on his day of waking,
and the early stars   were opened pale.

Then Beleg's burial   in those bleak regions
did Flinding fashion;   where he fell sadly   1400
he left him lying,   and lightly o'er him
with long labour   the leaves he poured.
But Túrin tearless   turning suddenly
on the corse cast him,   and kissed the mouth
cold and open,   and closed the eyes.   1405
His bow laid he   black beside him,
and words of parting   wove about him:
'Now fare well, Beleg,   to feasting long
neath Tengwethil   in the timeless halls
where drink the Gods,   neath domes golden   1410
o'er the sea shining.'   His song was shaken,
but the tears were dried   in his tortured eyes
by the flames of anguish   that filled his sou!
His mind once more   was meshed in darkness
as heaped they high   o'er the head beloved   1415
a mound of mould   and mingled leaves.
Light lay the earth   on the lonely dead;
heavy lay the woe   on the heart that lived.
That grief was graven   with grim token
on his face and form,   nor faded ever: 1420
and this was the third   of the throes of Túrin.

Thence he wandered witless   without wish or purpose;
but for Flinding the faithful   he had fared to death,
or been lost in the lands   of lurking evil.
Renewed in that Gnome   of Nargothrond   1425
was heart and valour   by hatred wakened,
that he guarded and guided   his grim comrade;
with the light of his lamp   he lit their ways,
and they hid by day   to hasten by night,
by darkness shrouded   or dim vapours.   1430

478

The tale tells not   of their travel weary,
how roamed their road   by the rim of the forest,
whose beetling branches,   black o'erhanging,
did greedy grope   with gloomy malice
to ensnare their souls   in silent darkness. 1435
Yet west they wandered   by ways of thirst
and haggard hunger,   hunted often,
and hiding in holes   and hollow caverns,
by their fate defended.   At the furthest end
of Dor-na-Fauglith's   dusty spaces 1440
to a mighty mound   in the moon looming
they came at midnight: it was crowned with mist,
bedewed as by drops   of drooping tears.
'A! green that hill   with grass fadeless,
where sleep the swords   of seven kindreds, 1445
where the folk of Faerie   once fell uncounted.
There was fought the field   by folk naméd
Nirnaith Ornoth,   Unnumbered Tears.
'Twas built with the blood   of the beaten people;
neath moon nor sun   is it mounted ever 1450
by Man nor Elf;   not Morgoth's host
ever dare for dread   to delve therein.'
Thus Flinding faltered,   faintly stirring
Túrin's heaviness,   that he turned his hand
toward Thangorodrim,   and thrice he cursed 1455
the maker of mourning,   Morgoth Bauglir.

Thence later led them   their lagging footsteps
o'er the slender stream   of Sirion's youth;
not long had he leapt   a lace of silver
from his shining well   in those shrouded hills 1460
the Shadowy Mountains   whose sheer summits
there bend humbled   towards the brooding heights
in mist mantled,   the mountains of the North.
Here the Orcs might pass him;   they else dared not
o'er Sirion swim,   whose swelling water 1465
through moor and marsh,   mead and woodland,
through caverns carven   in the cold bosom
of Earth far under,   through empty lands
and leagues untrodden,   beloved of Ylmir,
fleeting floweth,   with fame undying 1470
in the songs of the Gnomes,   to the sea at last.
Thus reached they the roots   and the ruinous feet
Of those hoary hills   that Hithlum girdle,
the shaggy pinewoods   of the Shadowy Mountains.
There the twain enfolded   phantom twilight 1475
and dim mazes   dark, unholy,
in Nan Dungorthin   where nameless gods
have shrouded shrines   in shadows secret,
more old than Morgoth   or the ancient lords
the golden Gods   of the guarded West. 1480
But the ghostly dwellers   of that grey valley
hindered nor hurt them,   and they held their course
with creeping flesh   and quaking limb.

479

POEMAS ORIGINAIS

Yet laughter at whiles   with lingering echo,
as distant mockery   of demon voices   1485
there harsh and hollow   in the hushed twilight
Flinding fancied,   fell, unwholesome
as that leering laughter   lost and dreadful
that rang in the rocks   in the ruthless hour
of Beleg's slaughter.   'Tis Bauglir's voice   1490
that dogs us darkly   with deadly scorn'
he shuddering thought;   but the shreds of fear
and black foreboding   were banished utterly
when they clomb the cliffs   and crumbling rocks
that walled that vale   of watchful evil,   1495
and southward saw   the slopes of Hithlum
more warm and friendly.   That way they fared
during the daylight   o'er dale and ghyll,
o'er mountain pasture,   moor and boulder,
over fell and fall   of flashing waters   1500
that slipped down to Sirion,   to swell his tide
in his eastward basin   onward sweeping
to the South, to the sea,   to his sandy delta.

After seven journeys   lo! sleep took them
on a night of stars   when they nigh had stridden   1505
to those lands beloved   that long had known
Flinding aforetime.   At first morning
the white arrows   of the wheeling sun
gazed down gladly   on green hollows
and smiling slopes   that swept before them.   1510
There builded boles   of beeches ancient
marched in majesty   in myriad leaves
of golden russet   greyly rooted,
in leaves translucent   lightly robéd;
their boughs up-bending   blown at morning   1515
by the wings of winds   that wandered down
o'er blossomy bent   breathing odours
to the wavering water's   winking margin.
There rush and reed   their rustling plumes
and leaves like lances   louted trembling   1520
green with sunlight.   Then glad the soul
of Flinding the fugitive;   in his face the morning
there glimmered golden,   his gleaming hair
was washed with sunlight.   'Awake from sadness,
Túrion Thalion,   and troublous thoughts!   1525
On Ivrin's lake   is endless laughter.
Lo! cool and clear   by crystal fountains
she is fed unfailing,   from defilement warded
by Ylmir the old,   who in ancient days,
wielder of waters,   here worked her beauty.   1530
From outmost Ocean   yet often comes
his message hither   his magic bearing,
the healing of hearts   and hope and valour
for foes of Bauglir.   Friend is Ylmir
who alone remembers   in the Lands of Mirth   1535
the need of the Gnomes.   Here Narog's waters

480

AS BALADAS DE BELERIAND

(that in tongue of the Gnomes   is 'torrent' naméd)
are born, and blithely   boulders leaping
o'er the bents bounding   with broken foam
swirl down southward   to the secret halls   1540
of Nargothrond   by the Gnomes builded
that death and thraldom in the dreadful throes
of Nirnaith Ornoth,   a number scanty,
escaped unscathed.   Thence skirting wild
the Hills of the Hunters,   the home of Beren   1545
and the Dancer of Doriath   daughter of Thingol,
it winds and wanders   ere the willowy meads,
Nan-Tathrin's land,   for nineteen leagues
it journeys joyful   to join its flood
with Sirion in the South.   To the salt marshes   1550
where snipe and seamew   and the sea-breezes
first pipe and play   they press together
sweeping soundless   to the seats of Ylmir,
where the waters of Sirion   and the waves of the sea
murmurous mingle.   A marge of sand   1555
there lies, all Iit   by the long sunshine;
there all day rustles   wrinkled Ocean,
and the sea-birds call   in solemn conclave,
whitewingéd hosts   whistling sadly,
uncounted voices   crying endlessly.   1560
There a shining shingle   on that shore lieth,
whose pebbles as pearl   or pale marble
by spray and spindrift   splashed at evening
in the moon do gleam,   or moan and grind
when the Dweller in the Deep   drives in fury   1565
the waters white   to the walls of the land;
when the long-haired riders   on their lathered horses
with bit and bridle   of blowing foam,
in wrack wreathéd   and ropes of seaweed,
to the thunder gallop   of the thudding of the surf.'   1570
Thus Flinding spake   the spell feeling
of Ylmir the old   and unforgetful,
which hale and holy   haunted Ivrin
and foaming Narog,   so that fared there never
Orc of Morgoth,   and that eager stream   1575
no plunderer passed.   If their purpose held
to reach the realms   that roamed beyond
(nought yet knew they   of Nargothrond)
they harried o'er Hithlum   the heights scaling
that lay behind   the lake's hollow,   1580
the Shadowy Mountains   in the sheen mirrored
of the pools of Ivrin.   Pale and eager
Túrin hearkened   to the tale of Flinding:
the washing of waters   in his words sounded,
an echo as of Ylmir's   awful conches   1585
in the abyss blowing.   There born anew
was hope in his heart   as they hastened down
to the lake of laughter.   A long and narrow
arm it reaches   that ancient rocks
o'ergrown with green   girdle strongly,   1590

481

POEMAS ORIGINAIS

at whose outer end there open sudden
a gap, a gateway in the grey boulders;
whence thrusteth thin in threadlike jets
newborn Narog, nineteen fathoms
o'er a flickering force falls in wonder,   *1595*
and a glimmering goblet with glass-lucent
fountains fills he by his freshets carven
in the cool bosom of the crystal stones.

There deeply drank ere day was fallen
Túrin the toilworn and his true comrade;   *1600*
hurt's ease found he, heart's refreshment,
from the meshes of misery his mind was loosed,
as they sat on the sward by the sound of water,
and watched in wonder the westering sun
o'er the wall wading of the wild mountains,   *1605*
whose peaks empurpled pricked the evening.
Then it dropped to the dark and deep shadows
up the cliffs creeping quenched in twilight
the last beacons leashed with crimson.
To the stars upstanding stony-mantled   *1610*
the mountains waited till the moon arose
o'er the endless East, and Ivrin's pools
dreaming deeply dim reflected
their pallid faces. In pondering fast
woven, wordless, they waked no sound,   *1615*
till cold breezes keenly breathing
clear and fragrant curled about them;
then sought they for sleep a sand-pavéd
cove outcarven; there kindled fire,
that brightly blossomed the beechen faggots   *1620*
in flowers of flame; floated upward
a slender smoke, when sudden Túrin
on the firelit face of Flinding gazed,
and wondering words he wavering spake:
'O Gnome, I know not thy name or purpose   *1625*
or father's blood— what fate binds thee
to a witless wayworn wanderer's footsteps,
the bane of Beleg, his brother-in-arms?'

Then Flinding fearful lest fresh madness
should seize for sorrow on the soul of Túrin,   *1630*
retold the tale of his toil and wandering;
how the trackless folds of Taur-na-Fuin,
Deadly Nightshade, dreadly meshed him;
of Beleg the bowman bold, undaunted,
and that deed they dared on the dim hillside,   *1635*
that song has since unceasing wakened;
of the fate that fell, he faltering spake,
in the tangled thicket neath the twining thorns
when Morgoth's might was moved abroad.
Then his voice vanished veiled in mourning,   *1640*
and lo! tears trickled on Túrin's face
till loosed at last were the leashed torrents

of his whelming woe.   Long while he wept
soundless, shaken,   the sand clutching
with griping fingers   in grief unfathomed.   1645
But Flinding the faithful   feared no longer;
no comfort cold   he kindly found,
for sleep swept him   into slumber dead.
There a singing voice   sweetly vexed him
and he woke and wondered: the watchfire faded;   1650
the night was aging,   nought was moving
but a song upsoaring   in the soundless dark
went strong and stern   to the starlit heaven.
'Twas Túrin that towering   on the tarn's margin,
up high o'er the head   of the hushed water   1655
now falling faintly,   let flare and echo
a song of sorrow   and sad splendour,
the dirge of Beleg's   deathless glory.
There wondrous wove he   words enchanted,
that woods and water   waked and answered,   1660
the rocks were wrung   with ruth for Beleg.
That song he sang   is since remembered,
by Gnomes renewed   in Nargothrond
it widely has wakened   warfain armies
to battle with Bauglir—   'The Bowman's Friendship'.   1665

'Tis told that Túrin   then turned him back
and fared to Flinding,   and flung him down
to sleep soundless   till the sun mounted
to the high heavens   and hasted westward.
A vision he viewed   in the vast spaces   1670
of slumber roving: it seemed he roamed
up the bleak boulders   of a bare hillside
to a cup outcarven   in a cruel hollow,
whose broken brink   bushes limb-wracked
by the North-wind's knife   in knotted anguish   1675
did fringe forbidding.   There black unfriendly
was a dark thicket,   a deli of thorn-trees
with yews mingled   that the years had fretted.
The leafless limbs   they lifted hopeless
were blotched and blackened,   barkless, naked,   1680
a lifeless remnant   of the levin's flame,
charred chill fingers   changeless pointing
to the cold twilight.   There called he longing:
'O Beleg, my brother,   O Beleg, tell me
where is buried thy body   in these bitter regions?'—   1685
and the echoes always   him answered 'Beleg';
yet a veiléd voice   vague and distant
he caught that called   like a cry at night
o'er the sea's silence: 'Seek no longer.
My bow is rotten   in the barrow ruinous;   1690
my grove is burned   by grim lightning;
here dread dwelleth,   none dare profane
this angry earth,   Orc nor goblin;
none gain the gate   of the gloomy forest
by this perilous path;   pass they may not,   1695

POEMAS ORIGINAIS

yet my life has winged   to the long waiting
in the halls of the Moon   o'er the hills of the sea.
Courage be thy comfort,   comrade lonely!'

Then he woke in wonder;   his wit was healed,
courage him comforted,   and he called aloud   1700
Flinding go-Fuilin,   to his feet striding.
There the sun slanted   its silver arrows
through the wild tresses   of the waters tumbling
roofed with a radiant   rainbow trembling.
'Whither, O Flinding,   our feet now turn we,   1705
or dwell we for ever   by the dancing water,
by the lake of laughter,   alone, untroubled?'
'To Nargothrond   of the Gnomes, methinks,'
said Flinding, 'my feet   would fain wander,
that Celegorm and Curufin,   the crafty sons   1710
of Fëanor founded   when they fled southward;
there built a bulwark   against Bauglir's hate,
who live now lurking   in league secret
with those five others   in the forests of the East,
fell unflinching   foes of Morgoth.   1715
Maidros whom Morgoth   maimed and tortured
is lord and leader,   his left wieldeth
his sweeping sword;   there is swift Maglor,
there Damrod and Díriel   and dark Cranthir,
the seven seekers   of their sire's treasure.   1720
Now Orodreth rules   the realms and caverns,
the numbered hosts   of Nargothrond.
There to woman's stature   will be waxen full
frail Finduilas   the fleet maiden
his daughter dear,   in his darkling halls   1725
a light, a laughter,   that I loved of yore,
and yet love in longing,   and love calls me.'

Where Narog's torrent   gnashed and spouted
down his stream bestrewn   with stone and boulder,
swiftly southward   they sought their paths,   1730
and summer smiling   smoothed their journey
through day on day,   down dale and wood
where birds blithely   with brimming music
thrilled and trembled   in thronging trees.

No eyes them watched   onward wending   1735
till they gained the gorge   where Ginglith turns
all glad and golden   to greet the Narog.
There her gentler torrent   joins his tumult,
and they glide together   on the guarded plain
to the Hunters' Hills   that high to southward   1740
uprear their rocks   robed in verdure.
There watchful waited   the Wards of Narog,
lest the need of the Gnomes   from the North should come,
for the sea in the South   them safe guarded,
and eager Narog   the East defended.   1745
Their treegirt towers   on the tall hilltops

484

AS BALADAS DE BELERIAND

no light betrayed   in the trees lurking,
no horns hooted   in the hills ringing
in loud alarm;   a leaguer silent
unseen, stealthy,   beset the stranger,   1750
as of wild things wary   that watch moveless,
then follow fleetly   with feet of velvet
their heedless prey   with padding hatred.
In this fashion fought they,   phantom hunters
that wandering Orc   and wild foeman   1755
unheard harried,   hemmed in ambush.
The slain are silent,   and silent were the shafts
of the nimble Gnomes   of Nargothrond,
who word or whisper   warded sleepless
from their homes deep-hidden,   that hearsay never   1760
was to Bauglir brought.   Bright hope knew they,
and east over Narog   to open battle
no cause or counsel   had called them yet,
though of shield and shaft   and sheathéd swords,
of warriors wieldy   now waxed their host   1765
to power and prowess,   and paths afar
their scouts and woodmen   scoured in hunting.

Thus the twain were tracked   till the trees thickened
and the river went rushing   neath a rising bank,
in foam hastened   o'er the feet of the hills.   1770
In a gloom of green   there they groped forward;
there his fate defended   from flying death
Túrin Thalion—   a twisted thong
of writhing roots   enwrapped his foot;
as he fell there flashed,   fleet, whitewingéd,   1775
a shrill-shafted arrow   that shore his hair,
and trembled sudden   in a tree behind.
Then Flinding o'er the fallen   fiercely shouted:
'Who shoots unsure   his shafts at friends?
Flinding go-Fuilin   of the folk of Narog   1780
and the son of Húrin   his sworn comrade
here flee to freedom   from the foes of the North.'

His words in the woods   awoke no echo;
no leaf there lisped,   nor loosened twig
there cracked, no creak   of crawling movement   1785
stirred the silence.   Still and soundless
in the glades about   were the green shadows.
Thus fared they on,   and felt that eyes
unseen saw them,   and swift footsteps
unheard hastened   behind them ever,   1790
till each shaken bush   or shadowy thicket
they fled furtive   in fear needless,
for thereafter was aimed   no arrow wingéd,
and they came to a country   kindly tended;
through flowery frith   and fair acres   1795
they fared, and found   of folk empty
the leas and leasows   and the lawns of Narog,
the teeming tilth   by trees enfolded

POEMAS ORIGINAIS

twixt hills and river.   The hoes unrecked
in the fields were flung,   and fallen ladders
in the long grass lay   of the lush orchards;   1800
every tree there turned   its tangled head
and eyed them secretly,   and the ears listened
of the nodding grasses;   though noontide glowed
on land and leaf,   their limbs were chilled.   1805
Never hall or homestead   its high gables
in the light uplifting   in that land saw they,
but a pathway plain   by passing feet
was broadly beaten.   Thither bent their steps
Flinding go-Fuilin,   whose feet remembered   1810
that white roadway.   In a while they reached
to the acres' end,   that ever narrowing
twixt wall and water   did wane at last
to blossomy banks   by the borders of the way.
A spuming torrent,   in spate tumbling   1815
from the highest hill   of the Hunters' Wold
clove and crossed it;   there of carven stone
with slim and shapely   slender archway
a bridge was builded,   a bow gleaming
in the froth and flashing   foam of Ingwil,   1820
that headlong hurried   and hissed beneath.
Where it found the flood,   far-journeyed Narog,
there steeply stood   the strong shoulders
of the hills, o'erhanging   the hurrying water;
there shrouded in trees   a sheer terrace,   1825
wide and winding,   worn to smoothness,
was fashioned in the face   of the falling slope.
Doors there darkly   dim gigantic
were hewn in the hillside;   huge their timbers,
and their posts and lintels   of ponderous stone.   1830

They were shut unshakeable.   Then shrilled a trumpet
as a phantom fanfare   faintly winding
in the hill from hollow   halls far under;
a creaking portal   with clangour backward
was flung, and forth   there flashed a throng,   1835
leaping lightly,   lances wielding,
and swift encircling   seized bewildered
the wanderers wayworn,   wordless haled them
through the gaping gateway   to the glooms beyond.
Ground and grumbled   on its great hinges   1840
the door gigantic;   with din ponderous
it clanged and closed   like clap of thunder,
and echoes awful   in empty corridors
there ran and rumbled   under roofs unseen;
the light was lost.   Then led them on   1845
down long and winding   lanes of darkness
their guards guiding   their groping feet,
till the faint flicker   of fiery torches
flared before them;   fitful murmur
as of many voices   in meeting thronged   1850
they heard as they hastened.   High sprang the roof.

486

AS BALADAS DE BELERIAND

Round a sudden turning   they swung amazed,
and saw a solemn   silent conclave,
where hundreds hushed   in huge twilight
neath distant domes   darkly vaulted   1855
them wordless waited.   There waters flowed
with washing echoes   winding swiftly
amid the multitude,   and mounting pale
for fifty fathoms   a fountain sprang,
and wavering wan,   with winking redness   1860
flushed and flickering in the fiery lights,
it fell at the feet   in the far shadows
of a king with crown   and carven throne.

A voice they heard   neath the vault rolling,
and the king them called: 'Who come ye here   1865
from the North unloved   to Nargothrond,
a Gnome of bondage   and a nameless Man?
No welcome finds here   wandering outlaw;
save his wish be death   he wins it not,
for those that have looked   on our last refuge   1870
it boots not to beg   other boon of me.'
Then Flinding go-Fuilin   freely answered:
'Has the watch then waned   in the woods of Narog,
since Orodreth ruled   this realm and folk?
Or how have the hunted   thus hither wandered,   1875
if the warders willed it not   thy word obeying;
or how hast not heard   that thy hidden archer,
who shot his shaft   in the shades of the forest,
there learned our lineage,   O Lord of Narog,
and knowing our names   his notched arrows   1880
loosed no longer?'   Then low and hushed
a murmur moved   in the multitude,
and some were who said: ''Tis thesarne in truth:
the long looked-for,   the lost is found,
the narrow path he knew   to Nargothrond   1885
who was born and bred here   from babe to youth';
and some were who said: 'The son of Fuilin
was lost and looked for   long years agone.
What sign or token   that the sarne returns
have we heard or seen?   Is this haggard fugitive   1890
with back bended   the bold leader,
the scout who scoured,   scorning danger,
most far afield   of the folk of Narog?'
'That tale was told us,'   returned answer
the Lord Orodreth,   'but belief were rash.   1895
That alone of the lost,   whom leagues afar
the Orcs of Angband   in evil bonds
have dragged to the deeps,   thou darest home,
by grace or valour,   from grim thraldom,
what proof dost thou proffer?   What plea dost show   1900
that a Man, a mortal,   on our mansions hidden
should look and live,   our league sharing?'

Thus the curse on the kindred   for the cruel slaughter at
the Swans' Haven   there swayed his heart,

POEMAS ORIGINAIS

but Flinding go-Fuilin   fiercely answered: 1905
'Is the son of Húrin,   who sits on high
in a deathless doom   dreadly chainéd,
unknown, nameless,   in need of plea
to fend from him the fate   of foe and spy?
Flinding the faithful,   the far wanderer,   1910
though form and face   fires of anguish
and bitter bondage,   Balrogs' torment,
have seared and twisted,   for a song of welcome
had hoped in his heart   at that home-coming
that he dreamed of long   in dark labour.   1915
Are these deep places   to dungeons turned,
a lesser Angband   in the land of the Gnomes?'

Thereat was wrath aroused   in Orodreth's heart,
and the muttering waxed   to many voices,
and this and that   the throng shouted;   1920
when sweet and sudden   a song awoke,
a voice of music   o'er that vast murmur
mounted in melody   to the misty domes;
with clear echoes   the caverned arches
it filled, and trembled   frail and slender,   1925
those words weaving   of welcome home
that the wayweary   had wooed from care
since the Gnomes first knew   need and wandering.
Then hushed was the host;   no head was turned,
for long known and loved   was that lifted voice,   1930
and Flinding knew it   at the feet of the king
like stone graven   standing silent
with heart laden;   but Húrin's son
was waked to wonder   and to wistful thought,
and searching the shadows   that the seat shrouded,   1935
the kingly throne,   there caught he thrice
a gleam, a glimmer,   as of garments white.
'Twas frail Finduilas,   fleet and slender,
to woman's stature,   wondrous beauty,
now grown in glory,   that glad welcome   1940
there raised in ruth,   and wrath was stilled.
Locked fast the love   had lain in her heart
that in laughter grew   long years agone
when in the meads merrily   a maiden played
with fleet-footed   Fuilin's youngling.   1945
No searing scars   of sundering years
could blind those eyes   bright with welcome,
and wet with tears   wistful trembling
at the grief there graven   in grim furrows
on the face of Flinding.   'Father,' said she,   1950
'what dream of doubt   dreadly binds thee?
'Tis Flinding go-Fuilin,   whose faith of yore
none dared to doubt.   This dark, lonely,
mournful-fated   Man beside him
if his oath avows   the very offspring   1955
of Húrin Thalion,   what heart in this throng
shall lack belief   or love refuse?

488

AS BALADAS DE BELERIAND

But are none yet nigh us   that knew of yore
that mighty of Men,   mark of kinship
to seek and see   in these sorrow-laden   1960
form and features?   The friends of Morgoth
not thus, methinks,   through thirst and hunger
come without comrades,   nor have countenance
thus grave and guileless,   glance unflinching.'

Then did Túrin's heart   tremble wondering   1965
at the sweet pity   soft and gentle
of that tender voice   touched with wisdom
that years of yearning   had yielded slow;
and Orodreth, whose heart   knew ruth seldom,
yet loved deeply   that lady dear,   1970
gave ear and answer   to her eager words,
and his doubt and dread   of dire treachery,
and his quick anger,   he quelled within him.
No few were there found   who had fought of old
where Finweg fell   inflame of swords,   1975
and Húrin Thalion   had hewn the throngs,
the dark Glamhoth's   demon legions,
and who called there looked   and cried aloud:
"Tis the face of the father   new found on earth,
and his strong stature   and stalwart arms;   1980
though such care and sorrow   never claimed his sire,
whose laughing eyes   were lighted clear
at board or battle,   in bliss or in woe.'
Nor could lack belief   for long the words
and faith of Flinding   when friend and kin   1985
and his father hastening   that face beheld.
Lo! sire and son   did sweet embrace
neath trees entwining   tangled branches
at the dark doorways   of those deep mansions
that Fuilin's folk   afar builded,   1990
and dwelt in the deep   of the dark woodland
to the West on the slopes   of the Wold of Hunters.
Of the four kindreds   that followed the king,
the watchtowers' lords,   the wold's keepers
and the guards of the bridge,   the gleaming bow   1995
that was flung o'er the foaming   froth of Ingwil,
from Fuilin's children   were first chosen,
most noble of name,   renowed in valour.

In those halls in the hills   at that homecoming
mirth was mingled   with melting tears   2000
for the unyielding years   whose yoke of pain
the form and face   of Fuilin's son
had changed and burdened,   chilled the laughter
that leapt once lightly   to his lips and eyes.
Now in kindly love   was care lessened,   2005
with song assuaged   sadness of hearts;
the lights were lit   and lamps kindled
o'er the burdened board;   there bade they feast
Túrin Thalion   with his true comrade

489

POEMAS ORIGINAIS

at the long tables' laden plenty,   *2010*
where dish and goblet on the dark-gleaming
wood well-waxéd, where the wine-flagons
engraven glistened gold and silver.
Then Fuilin filled with flowing mead,
dear-hoarded drink dark and potent   *2015*
a carven cup with curious brim,
by ancient art of olden smiths
fairly fashioned, filled with marvels;
there gleamed and lived in grey silver
the folk of Faërie in the first noontide   *2020*
of the Blissful Realms; with their brows wreathed
in garlands golden with their gleaming hair
in the wind flying and their wayward feet
fitful flickering, on unfading lawns
the ancient Elves there everlasting   *2025*
danced undying in the deep pasture
of the gardens of the Gods; there Glingol shone
and Bansil bloomed with beams shimmering,
mothwhite moonlight from its misty flowers;
the hilltops of Tûn there high and green   *2030*
were crowned by Côr, climbing, winding,
town white-walléd where the tower of Ing
with pale pinnacle pierced the twilight,
and its crystal lamp illumined clear
with slender shaft the Shadowy Seas.   *2035*
Through wrack and ruin, the wrath of the Gods,
through weary wandering, waste and exile,
had come that cup, carved in gladness,
in woe hoarded, in waning hope
when little was left of the lore of old.   *2040*
Now Fuilin at feast filled it seldom
save in pledge of love to proven friend;
blithely bade he of that beaker drink
for the sake of his son that sate nigh him
Túrin Thalion in token sure   *2045*
of a league of love long enduring.
'O Húrin's child chief of Hithlum,
with mourning marred, may the mead of the Elves
thy heart uplift with hope lightened;
nor fare thou from us the feast ended,   *2050*
here deign to dwell; if this deep mansion
thus dark-dolven dimly vaulted
displease thee not, a place awaits thee.'
There deeply drank a draught of sweetness
Túrin Thalion and returned his thanks   *2055*
in eager earnest, while all the folk
with loud laughter and long feasting,
with mournful lay or music wild
of magic minstrels that mighty songs
did weave with wonder, there wooed their hearts   *2060*
from black foreboding; there bed's repose
their guest was granted, when in gloom silent
the light and laughter and the living voices

were quenched in slumber. Now cold and slim
the sickle of the Moon was silver tilted   2065
o'er the wan waters that washed unsleeping,
nightshadowed Narog, the Gnome-river.
In tall treetops of the tangled wood
there hooted hollow the hunting owls.

Thus fate it fashioned that in Fuilin's house   2070
the dark destiny now dwelt awhile
of Túrin the tall. There he toiled and fought
with the folk of Fuilin for Flinding's love;
lore long forgotten learned among them,
for light yet lingered in those leaguered places,   2075
and wisdom yet lived in that wild people,
whose minds yet remembered the Mountains of the West
and the faces of the Gods, yet filled with glory
more clear and keen than kindreds of the dark
or Men unwitting of the mirth of old.   2080

Thus Fuilin and Flinding friendship showed him,
and their halls were his home, while high summer
waned to autumn and the western gales
the leaves loosened from the labouring boughs;
the feet of the forest in fading gold   2085
and burnished brown were buried deeply;
a restless rustle down the roofless aisles
sighed and whispered. Lo! the Silver Wherry,
the sailing Moon with slender mast,
was filled with fires as of furnace golden   2090
whose hold had hoarded the heats of summer,
whose shrouds were shaped of shining flame
uprising ruddy o'er the rim of Evening
by the misty wharves on the margin of the world.
Thus the months fleeted and mightily he fared   2095
in the forest with Flinding, and his fate waited
slumbering a season, while he sought for joy
the lore learning and the league sharing
of the Gnomes renowned of Nargothrond.

The ways of the woods he wandered far,   2100
and the land's secrets he learned swiftly
by winter unhindered to weathers hardened,
whether snow or sleet or slanting rain
from glowering heavens grey and sunless
cold and cruel was cast to earth,   2105
till the floods were loosed and the fallow waters
of sweeping Narog, swollen, angry,
were filled with flotsam and foaming turbid
passed in tumult; or twinkling pale
ice-hung evening was opened wide,   2110
a dome of crystal o'er the deep silence
of the windless wastes and the woods standing
like frozen phantoms under flickering stars.
By day or night danger needless

491

POEMAS ORIGINAIS

he dared and sought for,   his dread vengeance   2115
ever seeking unsated   on the sons of Angband;
yet as winter waxed   wild and pathless,
and biting blizzards   the bare faces
lashed and tortured   of the lonely tors
and haggard hilltops,   in the halls more often   2120
was he found in fellowship   with the folk of Narog,
and cunning there added   in the crafts of hand,
and in subtle mastery   of song and music
and peerless poesy,   to his proven !ore
and wise woodcraft;   there wondrous tales   2125
were told to Túrin   in tongues of gold
in those mansions deep,   there many a day to
the hearth and halls   of the haughty king
did those friends now fare   to feast and game,
for frail Finduilas   her father urged   2130
to his board and favour   to bid those twain,
and it grudging her granted   that grimhearted
king deep-counselled-   cold his anger,
his ruth unready,   his wrath enduring;
yet fierce and fell   by the fires of hate   2135
his breast was burned   for the broods of Hell
(his son had they slain,   the swift-footed
Halmir the hunter   of hart and boar),
and kinship therein   the king ere long
in his heart discovered   for Húrin's son,   2140
dark and silent,   as in dreams walking
of anguish and regret   and evergrowing
feud unsated.   Thus favour soon
by the king accorded   of the company of his board
he was member made,   and in many a deed   2145
and wild venture   to West and North
he achieved renown   among the chosen warriors
and fearless bowmen;   in far battles
in secret ambush   and sudden onslaught,
where fell-tonguéd flew   the flying serpents,   2150
their shafts envenomed,   in valleys shrouded
he played his part,   but it pleased him little,
who trusted to targe   and tempered sword,
whose hand was hungry   for the hilts it missed
but dared never a blade   since the doom of Beleg   2155
to draw or handle.   Dear-holden was he,
though he wished nor willed it,   and his works were praised.
When tales were told   of times gone by,
of valour they had known,   of vanished triumph,
glory half-forgot,   grief remembered,   2160
then they bade and begged him   be blithe and sing
of deeds in Doriath   in the dark forest
by the shadowy shores   that shunned the light
where Esgalduin   the Elf-river
by root-fencéd pools   roofed with silence,   2165
by deep eddies   darkly gurgling,
flowed fleetly on   past the frowning portais
of the Thousand Caves.   Thus his thought recalled

492

the woodland ways   where once of yore
Beleg the bowman   had a boy guided   2170
by slade and slope   and swampy thicket
neath trees enchanted;   then his tongue faltered
and his tale was stilled.

At Túrin's sorrow
one marvelled and was moved,   a maiden fair   2175
the frail Finduilas   that Failivrin,
the glimmering sheen   on the glassy pools
of Ivrin's lake   the Elves in love
had named anew.   By night she pondered
and by day wondered.   what depth of woe   2180
lay locked in his heart   his life marring;
for the doom of dread   and death that had fallen
on Beleg the bowman   in unbroken silence
Túrin warded,   nor might tale be won
of Flinding the faithful   of their fare and deeds   2185
in the waste together.   Now waned her love
for the form and face   furrowed with anguish,
for the bended back   and broken strength,
the wistful eyes   and the withered laughter
of Flinding the faithful,   though filled was her heart   2190
with deepwelling pity   and dear friendship.
Grown old betimes   and grey-frosted,
he was wise and kindly   with wit and counsel,
with sight and foresight,   but slow to wrath
nor fiercely valiant,   yet if fight he must   2195
his share he shirked not,   though the shreds of fear
in his heart yet hung;   he hated no man,
but he seldom smiled,   save suddenly a light
in his grave face glimmered   and his glance was fired:
Finduilas maybe   faring lightly   2200
on the sward he saw   or swinging pale,
a sheen of silver   down some shadowy hall.
Yet to Túrin was turned   her troublous heart
against will and wisdom   and waking thought:
in dreams she sought him, his dark sorrow   2205
with love lightening,   so that laughter shone
in eyes new-kindled,   and her Elfin name
he eager spake,   as in endless spring
they fared free-hearted   through flowers enchanted
with hand in hand   o'er the happy pastures   2210
of that land that is lit   by no light of Earth,
by no moon nor sun,   down mazy ways to
the black abysmal   brink of waking.

From woe unhealed   the wounded heart
of Túrin the tall   was turned to her.   2215
Amazed and moved,   his mind's secret
half-guessed, half-guarded,   in gloomy hour
of night's watches,   when down narrow winding
paths of pondering   he paced wearily,
he would lonely unlock,   then loyal-hearted   2220

POEMAS ORIGINAIS

shut fast and shun,   or shroud hisgrief
in dreamless sleep,   deep oblivion
where no echo entered   of the endless war
of waking worlds,   woe nor friendship,
flower nor firelight   nor the foam of seas,   2225
a land illumined   by no light at all.

'O! hands unholy,   O! heart of sorrow,
O! outlaw whose evil   is yet unatonéd,
wilt thou, troth-breaker,   a treason new
to thy burden bind;   thy brother-in-arms,   2230
Flinding go-Fuilin   thus foully betray,
who thy madness tended   in mortal perils,
to thy waters of healing   thy wandering feet
did lead at the last   to lands of peace,
where his lif e is rooted   and his love dwelleth?   2235
O! stainéd hands   his hope steal not!'

Thus love was fettered   in loyal fastness
and coldly clad   in courteous word;
yet he would look and long   for her loveliness,
in her gentle words   his joy finding,   2240
her face watching   when he feared no eye
might mark his mood.   One marked it all—
Failivrin's face,   the fleeting gleams,
like sun through clouds   sailing hurriedly
over faded fields,   that flickered and went out   2245
as Túrin passed;   the tremulous smiles,
his grave glances   out of guarded shade,
his sighs in secret-   one saw them all,
Flinding go-Fuilin,   who had found his home
and lost his love   to the lying years,   2250
he watched and wondered,   no word speaking,
and his heart grew dark   'twixt hate and pity,
bewildered, weary,   in the webs of fate.
Then Finduilas,   more frail and wan
twixt olden love   now overthrown   2255
and new refused,   did nightly weep;
and folk wondered   at the fair pallor
of the hands upon her harp,   her hair of gold
on slender shoulders   slipped in tumult,
the glory of her eyes   that gleamed with fires   2260
of secret thought   in silent deeps.

Many bosoms burdened   with foreboding vague
their glooms disowned   neath glad laughter.
In song and silence,   snow and tempest,
winter wore away;   to the world there came   2265
a year once more   in youth unstained,
nor were leaves less green,   light less golden,
the flowers less fair,   though in faded hearts
no spring was born,   though speeding nigh
danger and dread   and doom's footsteps   2270
to their halls hasted.   Of the host of iron

AS BALADAS DE BELERIAND

> came tale and tidings   ever treading nearer;
> Orcs unnumbered   to the East of Narog
> roamed and ravened   on the realm's borders,
> the might of Morgoth   was moved abroad.   2275
> No ambush stayed them;   the archers yielded
> each vale by vale,   though venomed arrows

[E] pp. 119–25:   THE CHILDREN OF HÚRIN

I

> Ye Gods who girt   your guarded realms
> with moveless pinnacles,   mountains pathless,
> o'er shrouded shores   sheer uprising
> of the Bay of Faëry   on the borders of the World!
> Ye Men unmindful   of the mirth of yore,   5
> wars and weeping   in the worlds of old,
> of Morgoth's might   remembering nought!
> Lo! hear what Elves   with ancient harps,
> lingering forlorn   in lands untrodden,
> fading faintly   down forest pathways,   10
> in shadowy isles   on the Shadowy Seas
> sing still in sorrow   of the son of Húrin,
> how his webs of doom   were woven dark
> with Níniel's sorrow: names most mournful.

> A! Húrin Thalion   in the hosts of battle   15
> was whelmed in war,   when the white banners
> of the ruined king   were rent with spears,
> in blood beaten;   when the blazing helm
> of Finweg fell   in flame of swords,
> and his gleaming armies'   gold and silver   20
> shields were shaken,   shining emblems
> in darkling tide   of dire hatred,
> the cruel Glamhoth's   countless legions,
> were lost and foundered—   their light was quenched!
> That field yet now   the folk name it   25
> Nirnaith Ornoth,   Unnumbered Tears:
> the seven chieftains   of the sons of Men
> fled there and fought not,   the folk of the Elves
> betrayed with treason.   Their troth alone
> unmoved remembered   in the mouths of Hell   30
> Thalion Erithámrod   and his thanes renowned.
> Torn and trampled   the triple standard
> of the house of Hithlum   was heaped with slain.
> In host upon host   from the hills swarming
> with hideous arms   the hungry Orcs   35
> enmeshed his might,   and marred with wounds
> pulled down the proud   Prince of Mithrim.
> At Bauglir's bidding   they bound him living;
> to the halls of Hell   neath the hills builded,
> to the Mountains of Iron,   mournful, gloomy,   40
> they led the lord   of the Lands of Mist,
> Húrin Thalion,   to the throne of hate

495

POEMAS ORIGINAIS

in halls upheld   with huge pillars
of black basalt.   There bats wandered,
worms and serpents   enwound the columns;   45
there Bauglir's breast   was burned within
with blazing rage,   baulked of purpose:
from his trap had broken   Turgon the mighty,
Fingolfin's son;   Feanor's children,
the makers of the magic and immortal gems.   50
For Húrin standing   storm unheeding,
unbent in battle,   with bitter laughter
his axe wielded—   as eagle's wings
the sound of its sweep,   swinging deadly;
as livid lightning   it leaped and fell,   55
as toppling trunks   of trees riven
his foes had fallen.   Thus fought he on,
where blades were blunted   and in blood foundered
the Men of Mithrim;   thus a moment stemmed
with sad remnant   the raging surge   65
of ruthless Orcs,   and the rear guarded,
that Turgon the terrible   towering in anger
a pathway clove   with pale falchion
from swirling slaughter.   Yea! his swath was plain
through the hosts of Hell,   as hay that is laid   70
on the lea in lines,   where long and keen
goes sweeping scythe.   Thus seven kindreds,
a countless company,   that king guided
through darkened dales   and drear mountains
out of ken of his foes—   he comes no more   75
in the tale of Túrin.   Triumph of Morgoth
thus to doubt was turned,   dreams of vengeance,
thus his mind was moved   with malice fathomless,
thoughts of darkness,   when the Thalion stood
bound, unbending,   in his black dungeon.   80

Said the dread Lord of Hell: 'Dauntless Húrin,
stout steel-handed,   stands beforé me
yet quick a captive,   as a coward might be!
Then knows he my name,   or needs be told
what hope he has   in the halls of iron?   85
The bale most bitter,   Balrogs' torment!'

Then Húrin answered,   Hithlum's chieftain—
his shining eyes   with sheen of fire
in wrath were reddened: 'O ruinous one,
by fear unfettered   I have fought thee long,   90
nor dread thee now,   nor thy demon slaves,
fiends and phantoms,   thou foe of Gods!'
His dark tresses,   drenched and tangled,
that fell o'er his face   he flung backward,
in the eye he looked   of the evil Lord—   95
since that day of dread   to dare his glance
has no mortal Man   had might of soul.
There the mind of Húrin   in a mist of dark
neath gaze unfathomed   groped and foundered,
yet his heart yielded not   nor his haughty pride.   100

AS BALADAS DE BELERIAND

But Lungorthin   Lord of Balrogs
on the mouth smote him,   and Morgoth smiled:
'Nay, fear when thou feelest,   when the flames lick thee
and the whistling whips   thy white body
and wilting flesh   weal and torture!'   105
Then hung they helpless   Húrin dauntless
in chains by fell   enchantments forged
that with fiery anguish   his flesh devoured,
yet loosed not lips   locked in silence
to pray for pity.   Thus prisoned saw he   110
on the sable walls   the sultry glare
of far-off fires   fiercely burning
down deep corridors   and dark archways
in the blind abysses   of those bottomless halls;
there with mourning mingled   mighty tumult   115
the throb and thunder   of the thudding forges'
brazen clangour;   belched and spouted
flaming furnaces;   there faces sad
through the glooms glided   as the gloating Orcs
their captives herded   under cruel lashes.   120
Many a hopeless glance   on Húrin fell,
for his tearless torment   many tears were spilled.

Lo! Morgoth remembered   the mighty doom,
the weird of old,   that the Elves in woe,
in ruin and wrack   by the reckless hearts   125
of mortal Men   should be meshed at last;
that treason alone   of trusted friend
should master the magic   whose mazes wrapped
the children of Côr,   cheating his purpose,
from defeat fending   Fingolfin's son,   130
Turgon the terrible,   and the troth-brethren
the sons of Fëanor,   and secret, far,
homes hid darkly   in the hoar forest
where Thingol was throned   in the Thousand Caves.

Then the Lord of Hell   lying-hearted   135
to where Húrin hung   hastened swiftly,
and the Balrogs about him   brazen-handed
with flails of flame   and forgéd iron
there laughed as they looked   on his lonely woe;
but Bauglir said: 'O bravest of Men,   140
'tis fate unfitting   for thus fellhanded
warrior warfain   that to worthless friends
his sword he should sell,   who seek no more
to free him from fetters   or his fall avenge.
While shrinking in the shadows   they shake fearful   145
in the hungry hills   hiding outcast
their league belying,   lurking faithless,
he by evil lot   in everlasting
dungeons droopeth   doomed to torment
and anguish endless.   That thy arms unchained   150
I had fainer far   should a falchion keen
or axe with edge   eager flaming
wield in warfare   where the wind bloweth

POEMAS ORIGINAIS

the banners of battle—   such a brand as might
in my sounding smithies   on the smitten anvil   155
of glowing steel   to glad thy soul
be forged and fashioned,   yea, and fair harness
and mail unmatched—   than that marred with flails
my mercy waiving   thou shouldst moan enchained
neath the brazen Balrogs'   burning scourges: 160
who art worthy to win   reward and honour
as a captain of arms   when cloven is mail
and shields are shorn,   when they shake the hosts
of their foes like fire   in fell onset.
Lo! Receive my service;   forswear hatred,   165
ancient enmity   thus ill-counselled—
I am a mild master   who remembers well
his servants' deeds.   A sword of terror
thy hand should hold,   and a high lordship
as Bauglir's champion,   chief of Balrogs,   170
to lead o'er the lands   my loud armies,
whose royal array   I already furnish;
on Turgon the troll   (who turned to flight
and left thee alone,   now leaguered fast
in waterless wastes   and weary mountains)   175
my wrath to wreak,   and on redhanded
robber-Gnomes, rebels,   and roaming Elves,
that forlorn witless   the Lord of the World
defy in their folly-   they shall feel my might.
I will bid men unbind thee,   and thy body comfort!   180
Go follow their footsteps   with fire and steel,
with thy sword go search   their secret dwellings;
when in triumph victorious   thou returnest hither,
I have hoards unthought-of'—   but Húrin Thalion
suffered no longer   silent wordless;   185
through clenchéd teeth   in clinging pain,
'O accursed king',   cried unwavering,
'thy hopes build not   so high, Bauglir;
no tool am I   for thy treasons vile,
who tryst nor troth   ever true holdest—   190
seek traitors elsewhere.'

Then returned answer
Morgoth amazed   his mood hiding:
'Nay, madness holds thee;   thy mind wanders;
my measureless hoards   are mountains high   195
in places secret   piled uncounted
agelong unopened;   Elfin silver
and gold in the gloom   there glister pale;
the gems and jewels   once jealous-warded
in the mansions of the Gods,   who mourn them yet,   200
are mine, anda meed   I will mete thee thence
of wealth to glut   the Worm of Greed.'

Then Húrin, hanging,   in hate answered:
'Canst not learn of thy lore   when thou look'st on a foe,
O Bauglir unblest?   Bray no longer   205
of the things thou hast thieved   from the Three Kindreds!

498

In hate I hold thee.   Thou art humbled indeed
and thy might is minished   if thy murderous hope
and cruel counsels   on a captive sad
must wait, on a weak   and weary man.'   210
To the hosts of Hell   his head then he turned:
'Let thy foul banners   go forth to battle,
ye Balrogs and Orcs;   let your black legions
go seek the sweeping.   sword of Turgon.
Through the dismal dales   you shall be driven wailing   215
like startled starlings   from the stooks of wheat.
Minions miserable   of master base,
your doom dread ye,   dire disaster!
The tide shall turn;   your triumph brief
and victory shall vanish.   I view afar   220
the wrath of the Gods   roused in anger.'

Then tumult awoke,   a tempest wild
in rage roaring   that rocked the walls;
consuming madness   seized on Morgoth,
yet with lowered voice   and leering mouth   225
thus Thalion Erithámrod   he threatened darkly:
'Thou hast said it ! See   how my swift purpose
shall march to its mark   unmarred of thee,
nor thy aid be asked,   overweening
mortal mightless.   I command thee gaze   230
on my deeds of power   dreadly proven.
Yet if little they like thee,   thou must look thereon
helpless to hinder   or thy hand to raise,
and thy lidless eyes   lit with anguish
shall not shut for ever,   shorn of slumber   235
like the Gods shall gaze   there grim, tearless,
on the might of Morgoth   and the meed he deals
to fools who refuse   fealty gracious.'

To Thangorodrim   was the Thalion borne,
that mountain that meets   the misty skies   240
on high over the hills   that Hithlum sees
blackly brooding   on the borders of the North.
There stretched on the stone   of steepest peak
in bonds unbreakable   they bound him living;
there the lord of woe   in laughter stood,   245
there cursed him for ever   and his kindred ali
that should walk and wander   in woe's shadow
to a doom of death   and dreadful end.
There the mighty man   unmovéd sat,
but unveiled was his vision   that he viewed afar   250
with eyes enchanted   all earthly things,
and the weird of woe   woven darkly
that fell on his folk—   a fiend's torment.

[F] pp. 128–44:   II
                           TURIN'S FOSTERING

Lo! The lady Morwen I   n the land of shadow
waited in the woodland   for her well-beloved,

POEMAS ORIGINAIS

but he came never   to clasp her nigh   250
from that black battle.   She abode in vain;
no tidings told her   whether taken or dead
or lost in flight   he lingered yet.
Laid waste his lands   and his lieges slain,
and men unmindful   of that mighty lord   255
in Dorlómin dwelling   dealt unkindly
with his wife in widowhood;   she went with child,
and a son must succour   sadly orphaned,
Túrin Thalion   of tender years.
In days of blackness   was her daughter born,   260
and named Nienor,   a name of tears
that in language of eld   is Lamentation.
Then her thoughts were turned   to Thingol the Elf,
and Lúthien the lissom   with limbs shining,
his daughter dear,   by Dairon loved,   265
who Tinúviel was named   both near and far,
the Star-mantled,   still remembered,
who light as leaf   on linden tree
had danced in Doriath   in days agone,
on the lawns had lilted   in the long moonshine,   270
while deftly was drawn   Dairon's music
with fingers fleet   from flutes of silver.
The boldest of the brave,   Beren Ermabwed,
to wife had won her,   who once of old
had vowed fellowship   and friendly love   275
with Húrin of Hithlum,   hero dauntless
by the marge of Mithrim's   misty waters.
Thus to her son she said: 'My sweetest child,
our friends are few;   thy father is gone.
Thou must fare afar   to the folk of the wood,   280
where Thingol is throned   in the Thousand Caves.
If he remember Morwen   and thy mighty sire
he will foster thee fairly,   and feats of arms,
the trade he will teach thee   of targe and sword,
that no slave in Hithlum   shall be son of Húrin.   285
A! return my Túrin   when time passeth;
remember thy mother   when thy manhood cometh
or when sorrows snare thee.'   Then silence took her,
for fears troubled   her trembling voice.
Heavy boded the heart   of Húrin's son,   290
who unwitting of her woe   wondered vaguely,
yet weened her words   were wild with grief
and denied her not;   no need him seemed.

Lo! Mailrond and Halog,   Morwen's henchmen,
were young of yore   ere the youth of Húrin,   295
and alone of the lieges   of that lord of Men
now steadfast in service   stayed beside her:
now she bade them brave   the black mountains
and the woods whose ways   wander to evil;
though Túrin be tender,   to travail unused,   300
they must gird them and go.   Glad they were not,
but to doubt the wisdom   dared not openly
of Morwen who mourned   when men saw not.

500

AS BALADAS DE BELERIAND

Came a day of summer   when the dark silence
of the towering trees   trembled dimly   305
to murmurs moving   in the milder airs
far and faintly;   flecked with dancing
sheen of silver   and shadow-filtered
sudden sunbeams   were the secret glades
where winds came wayward   wavering softly   310
warm through the woodland's   woven branches.

Then Morwen stood,   her mourning hidden,
by the gate of her garth   in a glade of Hithlum;
at her breast bore she   her babe unweaned,
crooning lowly   to its careless ears   315
a song of sweet   and sad cadence,
lest she droop for anguish.   Then the doors opened,
and Halog hastened   neath a heavy burden,
and Mailrond the old   to his mistress led
her gallant Túrin,   grave and tearless,   320
with heart heavy as stone   hard and lifeless,
*   uncomprehending his coming torment.*
There he cried with courage,   comfort seeking:
'Lo! quickly will I come   from the courts afar,
I will longere manhood   lead to Morwen
great tale of treasure   and true comrades.'   325
He wist not the weird   woven of Morgoth,
nor the sundering sorrow   that them swept between,
as farewells they took   with faltering lips.
The last kisses   and lingering words
are over and ended;   and empty is the glen   330
in the dark forest,   where the dwelling faded
in trees entangled.   Then in Túrin woke
to woe's knowledge   his bewildered heart,
that he wept blindly   awakening echoes
sad resounding   in sombre hollows,   335
as he called: 'I cannot,   I cannot leave thee.
O! Morwen my mother,   why makest me go?
The hills are hateful,   where hope is lost;
O! Morwen my mother,   I am meshed in tears,
for grim are the hills   and my home is gone.'   340
And there came his cries   calling faintly
down the dark alleys   of the dreary trees,
that one there weeping   weary on the threshold
heard how the hills said   'my home is gone.'

* * *

The ways were weary   and woven with deceit   345
o'er the hills of Hithlum   to the hidden kingdorn
deep in the darkness   of Doriath's forest,
and never ere now   for need or wonder
had children of Men   chosen that pathway,
save Beren the brave   who bounds knew not   350
to his wandering feet   nor feared the woods
or fells or forest   or frozen mountain,
and few had followed   his feet after.

POEMAS ORIGINAIS

There was told to Túrin that tale by Halog
that in the Lay of Leithian, Release from Bonds, 355
in linkéd words has long been woven,
of Beren Ermabwed, the boldhearted;
how Lúthien the lissom he loved of yore
in the enchanted forest chained with wonder—
Tinúviel he named her, than nightingale 360
more sweet her voice, as veiled in soft
and wavering wisps of woven dusk
shot with starlight, with shining eyes
she danced like dreams of drifting sheen,
pale-twinkling pearls in pools of darkness; 365
how for love of Lúthien he left the woods
on that quest perilous men quail to tell,
thrust by Thingol o'er the thirst and terror
of the Lands of Mourning; of Lúthien's tresses,
and Melian's magic, and the marvellous deeds 370
that after happened in Angband's halls,
and the flight o'er fell and forest pathless
when Carcharoth the cruel-fangéd,
the wolf-warden of the Woeful Gates,
whose vitais fire devoured in torment 375
them hunted howling (the hand of Beren
he had bitten from the wrist where that brave one held
the nameless wonder, the Gnome-crystal
where light living was locked enchanted,
all hue's essence. His heart was eaten, 380
and the woods were filled with wild madness
in his dreadful torment, and Doriath's trees
did shudder darkly in the shrieking glens);
how the hound of Hithlum, Huan wolf-banc,
to the hunt hasted to the help of Thingol, 385
and as dawn came dimly in Doriath's woods
was the slayer slain, but silent lay
there Beren bleeding nigh brought to death,
till the lips of Lúthien in love's despair
awoke him to words, ere he winged afar 390
to the long awaiting; thence Lúthien won him,
the Elf-maiden, and the arts of Melian,
her mother Mablui of the moonlit hand,
that they dwell for ever in days ageless
and the grass greys not in the green forest 395
where East or West they ever wander.
Then a song he made them for sorrow's lightening,
a sudden sweetness in the silent wood,
that is 'Light as Leaf on Linden' called,
whose music of mirth and mourning blended 400
yet in hearts does echo. This did Halog sing them:

The grass was very long and thin,
 The leaves of many years lay thick,
The old tree-roots wound out and in,
 And the early moon was glimmering. 405
There went her white feet lilting quick,

502

AS BALADAS DE BELERIAND

And Dairon's flute did bubble thin,
As neath the hemlock umbels thick
Tinúviel danced a-shimmering.

The pale moths lumbered noiselessly,   410
And daylight died among the leaves,
As Beren from the wild country
Came thither wayworn sorrowing.
He peered between the hemlock sheaves,
A nd watched in wonder noiselessly   415
Her dancing through the moonlit leaves
And the ghostly moths a-following.

There magic took his weary feet,
And he forgot his loneliness,
And out he danced, unheeding, fleet,   420
Where the moonbeams were a-glistening.
Through the tangled woods of Elfinesse
They fled on nimble fairy feet,
And left him to his loneliness
In the silent forest listening,   425

Still hearkening for the imagined sound
Of lissom feet upon the leaves,
For music welling underground
In the dim-lit caves of Doriath.
But withered are the hemlock sheaves,   430
And one by one with mournful sound
Whispering fall the beechen leaves
In the dying woods of Doriath.

He sought her wandering near and far
Where the leaves of one more year were strewn,   435
By winter moon and frosty star
With shaken light a-shivering.
He found her neath a misty moon,
A silver wraith that danced afar,
And the mists beneath her feet were strewn   440
In moonlight palely quivering.

She danced upon a hillock green
Whose grass unfading kissed her feet,
While Dairon's fingers played unseen
O'er his magic flute a-flickering;   445
And out he danced, unheeding, fleet,
In the moonlight to the hillock grecn:
No impress found he of her feet
That fled him swiftly flickering.

And longing filled his voice that called   450
'Tinúviel, Tinúviel,'
And longing sped his feet enthralled
Behind her wayward shimmering.
She heard as echo of a spell

503

POEMAS ORIGINAIS

His lonely voice that longing called   455
'Tinúviel, Tinúviel':
    One moment paused she glimmering.

And Beren caught that elfin maid
    And kissed her trembling starlit eyes,
Tinúviel whom love delayed   460
    In the woods of evening morrowless.
Till moonlight and till music dies
    Shall Beren by the elfin maid
Dance in the starlight of her eyes
    In the forest singing sorrowless.   465

Wherever grass is long and thin,
    And the leaves of countless years lie thick,
And ancient roots wind out and in,
    As once they did in Doriath,
Shall go their white feet lilting quick,   470
    But never Dairon's music thin
Be heard beneath the hemlocks thick
    Since Beren came to Doriath.

This for hearts' uplifting   did Halog sing them
as the frowning fortress   of the forest clasped them   475
and nethermost night   in its net caught them.
There Túrin and the twain   knew torture of thirst
and hunger and fear,   and hideous flight
from wolfriders   and wandering Orcs
and the things of Morgoth   that thronged the woods.   480
There numbed and wetted   they had nights of waking
cold and clinging,   when the creaking winds
summer had vanquished   and in silent valleys
a dismal dripping   in the distant shadows
ever splashed and spilt   over spaces endless   485
from rainy leaves,   till arose the light
greyly, grudgingly,   gleaming thinly
at drenching dawn.   They were drawn as flies
in the magic mazes;   they missed their ways
and strayed steerless,   and the stars were hid   490
and the sun sickened.   Sombre and weary
had the mountains been;   the marches of Doriath
bewildered and wayworn   wound them helpless
in despair and error,   and their spirits foundered.
Without bread or water   with bleeding feet   495
and fainting strength   in the forest straying
their death they deemed it   to die forwandered,
when they heard a horn   that hooted afar
and dogs baying.   Lo! the dreary bents
and hushed hollows   to the hunt wakened,   500
and echoes answered   to eager tangues,
for Beleg the bowman   was blowing gaily,
who furthest fared   of his folk abroad
by hill and by hollow   ahunting far,
careless of comrades   or crowded halls,   505

504

as light as a leaf,   as the lusty airs
as free and fearless   in friendless places.
He was great of growth   with goodly limbs
and lithe of girth,   and lightly on the ground
his footsteps fell   as he fared towards them   510
all garbed in grey   and green and brown.

'Who are ye?' he asked.   'Outlaws, maybe,
hiding, hunted,   by hatred dogged?'

'Nay, for famine and thirst   we faint,' said Halog,
'wayworn and wildered,   and wot not the road.   515
Or hast not heard   of the hills of slain,
field tear-drenchéd   where in flame and terror
Morgoth devoured   the might and valour
of the hosts of Finweg   and Hithlum's lord?
The Thalion Erithámrod   and his thanes dauntless   520
there vanished from the earth,   whose valiant lady
yet weeps in widowhood   as she waits in Hithlum.
Thou lookest on the last   of the lieges of Morwen,
and the Thalion's child   who to Thingol's court
now wend at the word   of the wife of Húrin.'   525

Then Beleg bade them   be blithe, saying:
'The Gods have guided you   to good keeping;
I have heard of the house   of Húrin undaunted,
and who hath not heard   of the hills of slain,
of Nirnaith Ornoth,   Unnumbered Tears!   530
To that war I went not,   yet wage a feud
with the Orcs unending,   whom mine arrows fleeting
smite oft unseen   swift and deadly.
I am the hunter Beleg   of the hidden people;
the forest is my father   and the fells my home.'   535
Then he bade them drink   from his belt drawing
a flask of leather   full-filled with wine
that is bruised from the berries   of the burning South—
the Gnome-folk know it,   from Nogrod the Dwarves
by long ways lead it   to the lands of the North   540
for the Elves in exile   who by evil fate
the vine-clad valleys   now view no more
in the land of Gods.   There was lit gladly
a fire, with flames   that flared and spluttered,
of wind-fallen wood   that his wizard's cunning   545
rotten, rain-sodden,   to roaring life
there coaxed and kindled   by craft or magic;
there baked they flesh   in the brands' embers;
white wheaten bread   to hearts' delight
he haled from his wallet   till hunger waned   550
and hope mounted,   but their heads were mazed
by that wine of Dor-Winion   that went in their veins,
and they soundly slept   on the soft needles
of the tall pinetrees   that towered above.   555
Then they waked and wondered,   for the woods were light,
and merry was the morn   and the mists rolling

POEMAS ORIGINAIS

from the radiant sun.   They soon were ready
long leagues to cover.   Now led by ways
devious winding   through the dark woodland,   560
by slade and slope   and swampy thicket,
through lonely days,   long-dragging nights,
they fared unfaltering,   and their friend they blessed,
who but for Beleg   had been baffled utterly
by the magic mazes   of Melian the Queen.   565
To those shadowy shores   he showed the way
where stilly the stream   strikes before the gates
of the cavernous court   of the King of Doriath.
Over the guarded bridge   he gained them passage,
and thrice they thanked him,   and thought in their hearts   570
'the Gods are good'—   had they guessed, maybe,
what the future enfolded,   they had feared to live.

To the throne of Thingol   were the three now come;
there their speech well sped,   and he spake them fair,
for Húrin of Hithlum   he held in honour,   575
whom Beren Ermabwed   as a brother had loved
and remembering Morwen,   of mortais fairest,
he turned not Túrin   in contempt away.
There clasped him kindly   the King of Doriath,
for Melian moved him   with murmured counsel,   580
and he said: 'Lo, O son   of the swifthanded,
the light in laughter,   the loyal in need,
Húrin of Hithlum,   thy home is with me,
and here shalt sojourn   and be held my son.
In these cavernous courts   for thy kindred's sake   585
thou shalt dwell in dear love,   till thou deemest it time
to remember thy mother   Morwen's loneliness;
thou shalt wisdom win   beyond wit of mortais,
and weapons shalt wield   as the warrior-Elves,
nor slave in Hithlum   shall be son of Húrin.'   590

There the twain tarried   that had tended the child,
till their limbs were lightened   and they longed to fare
through dread and danger   to their dear lady,
so firm their faith.   Yet frore and grey
eld sat more heavy   on the aged head   595
of Mailrond the old,   and his mistress' love
his might matched not,   more marred by years
than Halog he hoped not   to home again.
Then sickness assailed him   and his sight darkened:
'To Túrin I must turn   my troth and fealty,'   600
he said and he sighed,   'to my sweet youngling';
but Halog hardened   his heart to go.
An Elfin escort   to his aid was given,
and magics of Melian,   and a meed of gold,
and a message to Morwen   for his mouth to bear,   605
words of gladness   that her wish was granted,
and Túrin taken   to the tender care
of the King of Doriath;   of his kindly will
now Thingol called her   to the Thousand Caves

AS BALADAS DE BELERIAND

to fare unfearing   with his folk again,   610
there to sojourn in solace   till her son be grown;
for Húrin of Hithlum   was holden in mind
and no might had Morgoth   where Melian dwelt.

Of the errand of the Elves   and of eager Halog
the tale tells not,   save intime they came   615
to Morwen's threshold.   There Thingol's message
was said where she sat   in her solitary hall,
but she dared not do   as was dearly bidden,
who Nienor her nursling   yet newly weaned
would not leave nor be led   on the long marches   620
to adventure her frailty   in the vast forest;
the pride of her people,   princes ancient,
had suffered her send   a son to Thingol
when despair urged her,   but to spend her days
an almsguest of others,   even Elfin kings,   625
it little liked her;   and lived there yet
a hope in her heart   that Húrin would come,
and the dwelling was dear   where he dwelt of old;
at night she would listen   for a knock at the doors
or a footstep falling   that she fondly knew.   630
Thus she fared not forth;   thus her fate was woven.
Yet the thanes of Thingol   she thanked nobly,
nor her shame showed she,   how shorn of glory
to reward their wending   she had wealth too scant,
but gave them in gift   those golden things   635
that last lingered,   and led they thence
a helm of Húrin   once hewn in wars
when he battled with Beren   as brother and comrade
against ogres and Orcs   and evil foes.
Grey-gleaming steel,   with gold adorned   640
wrights had wrought it,   with runes graven
of might and victory,   that a magic sat there
and its wearer warded   from wound or death,
whoso bore to battle   brightly shining
dire dragon-headed   its dreadful crest.   645
This Thingol she bade   and her thanks receive.

Thus Halog her henchman   to Hithlum came,
but Thingol's thanes   thanked her lowly
and girt them to go,   though grey winter
enmeshed the mountains   and the moaning woods,   650
for the hills hindered not   the hidden people.
Lo! Morwen's message   in a month's journey,
so speedy fared they,   was spoken in Doriath.
For Morwen Melian   was moved to ruth,
but courteously the king   that casque received,   655
her golden gift,   with gracious words,
who deeply delved   had dungeons filled
with elvish armouries   of ancient gear,
yet he handled that helm   as his hoard were scant:
'That head were high   that upheld this thing   670
with the token crowned,   the towering crest

507

POEMAS ORIGINAIS

to Dorlómin dear, the dragon of the North,
that Thalion Erithámrod the thrice renowned
oft bore into battle   with baleful foes.
Would that he had worn it   to ward his head   675
on that direst day   from death's handstroke!'
Then a thought was thrust   into Thingol's heart,
and Túrin was called   and told kindly
that his mother Morwen   a mighty thing
had sent to her son,   his sire's heirloom,   680
o'er-written with runes   by wrights of yore
in dark dwarfland   in the deeps of time,
ere Men to Mithrim   and misty Hithlum
o'er the world wandered;   it was worn aforetime
by the father of the fathers   of the folk of Húrin,   685
whose sire Gumlin   to his son gave it
ere his soul severed   from his sundered heart –
"Tis Telchar's work   of worth untold,
its wearer warded   from wound or magic,
from glaive guarded   or gleaming axe.   690
Now Húrin's helm   hoard till manhood
to battle bids thee,   then bravely don it,
go wear it well!'   Woeful-hearted
did Túrin touch it   but take it not,
too weak to wield   that mighty gear,   695
and his mind in mourning   for Morwen's answer
was mazed and darkened.

      Thus many a day
it came to pass in the courts of Thingol
for twelve years long   that Túrin lived.   700
But seven winters   their sorrows had laid
on the son of Húrin   when that summer to the world
came glad and golden   with grievous parting;
nine years followed   of his forest-nurture,
and his lot was lightened,   for he learned at whiles   705
from faring folk   what befell in Hithlum,
and tidings were told   by trusty Elves
how Morwen his mother   knew milder days
and easement of evil,   and with eager voice
all Nienor named   the Northern flower,   710
the slender maiden   in sweet beauty
now graceful growing.   The gladder was he then
and hope yet haunted   his heart at whiles.
He waxed and grew   and won renown
in all lands where Thingol   as lord was held   715
for his stoutness of heart   and his strong body.
Much lore he learned   and loved wisdom,
but fortune followed him   in few desires;
oft wrong and awry   what he wrought turnéd,
what he loved he lost,   what he longed for failed,   720
and fuil friendship   he found not with ease,
nor was lightly loved,   for his looks were sad;
he was gloomy-hearted   and glad seldom
for the sundering sorrow   that seared his youth.

508

On manhood's threshold   he was mighty-thewed   725
in the wielding of weapons;   in weaving song
he had a minstrel's mastery,   but mirth was not in it,
for he mourned the misery   of the Men of Hithlum.
Yet greater his grief   grew thereafter
when from Hithlum's hills   he heard no more   730
and no traveller told him   tidings of Morwen.
For those days were drawing   to the doom of the Gnomes
and the power of the Prince   of the pitiless kingdom,
of the grim Glamhoth,   was grown apace,
till the lands of the North   were loud with their noise,   735
and they fell on the folk   with fire and slaughter
who bent not to Bauglir   or the borders passed
of dark Dorlómin   with its dreary pines
that Hithlum was called   by the unhappy people.
There Morgoth shut them   in the Shadowy Mountains,   740
fenced them from Faërie   and the folk of the wood.
Even Beleg fared not   so far abroad
as once was his wont,   for the woods were filled
with the armies of Angband   and with evil deeds,
and murder walked   on the marches of Doriath;   745
only the mighty magic   of Melian the Queen
yet held their havoc   from the hidden people.

To assuage his sorrow   and to sate his rage,
for his heart was hot   with the hurts of his folk,
then Húrin's son   took the helm of his sire
and weapons weighty   for the wielding of men,   740
and he went to the woods   with warrior-Elves,
and far in the forest   his feet led him
into black battle   yet a boy in years.
Ere manhood's measure   he met and he slew
Orcs of Angband   and evil things   745
that roamed and ravened   on the realm's borders.
There hard his life,   and hurts he lacked not,
the wounds of shaft   and the wavering sheen
of the sickle scimitars,   the swords of Hell,
the bloodfain blades   on black anvils   750
in Angband smithied,   yet ever he smote
unfey, fearless,   and his fate kept him.
Thus his prowess was proven   and his praise was noised
and beyond his years   he was yielded honour,
for by him was holden   the hand of ruin   755
from Thingol's folk,   and Thû feared him,
and wide wandered   the word of Túrin:
'Lo! we deemed as dead   the dragon of the North,
but high o'er the host   its head uprises,
its wings are spread!   Who has waked this spirit   760
and the flame kindled   of its fiery jaws?
Or is Húrin of Hithlum   from Hell broken?'
And Thû who was throned   as thane mightiest
neath Morgoth Bauglir,   whom that master bade
'go ravage the realm   of the robber Thingol   765

POEMAS ORIGINAIS

and mar the magic   of Melian the Queen',
even Thû feared him,   and his thanes trembled.

One only was there   in war greater,
more high in honour   in the hearts of the Elves
than Túrin son of Húrin,   tower of Hithlum,   770
even the hunter Beleg   of the hidden people,
whose father was the forest   and the fells his home;
to bend whose bow,   Balthronding named,
that the black yewtree   once bore of yore,
had none the might;   unmatched in knowledge   775
of the woods' secrets   and the weary hills.
He was leader beloved   of the light companies
all garbed in grey   and green and brown,
the archers arrowfleet   with eyes piercing,
the scouts that scoured   scorning danger   780
afar o'er the fells   their foemen's lair,
and tales and tidings   timely won them
of camps and councils,   of comings and goings,
all the movements of the might   of Morgoth Bauglir.
Thus Túrin, who trusted   to targe and sword,   785
who was fain of fighting   with foes well seen,
where shining swords   made sheen of fire,
and his corslet-clad   comrades-in-arms
were snared seldom   and smote unlooked-for.

Then the fame of the fights   on the far marches   790
was carried to the courts   of the king of Doriath,
and tales of Túrin   were told in his halls,
of the bond and brotherhood   of Beleg the ageless
with the blackhaired boy   from the beaten people.
Then the king called them   to come before him   795
did Orc-raids lessen   in the outer lands
ever and often   unasked to hasten,
to rest them and revel   and to raise awhile
in songs and lays   and sweet music
the memory of the mirth   ere the moon was old,   800
when the mountains were young   in the morning of the world.

On a time was Túrin   at his table seated,
and Thingol thanked him   for his thriving deeds;
there was laughter long   and the loud clamour
of a countless company   that quaffed the mead   805
and the wine of Dor-Winion   that went ungrudged
in their golden goblets;   and goodly meats
there burdened the boards   neath blazing torches
in those high halls set   that were hewn of stone.
There mirth fell on many;   there minstrels clear   810
did sing them songs   of the city of Côr
that Taingwethil   towering mountain
o'ershadowed sheerly,   of the shining halls
where the great gods sit   and gaze on the world
from the guarded shores   of the gulf of Faërie.   815
One sang of the slaying   at the Swans' Haven
and the curse that had come   on the kindreds since

510

AS BALADAS DE BELERIAND

[G] pp. 155–56:
                The high summer
waned to autumn,   and western gales
the leaves loosened   from labouring boughs.
The feet of the forest   in fading gold
and burnished brown   were buried deeply;
a restless rustle   down the roofless aisles   5
sighed and whispered.   The Silver Wherry,
the sailing moon   with slender mast
was filled with fires   as of furnace hot;
its hold hoarded   the heats of summer,
its shrouds were shaped   of shining flame   10
uprising ruddy   o'er the rim of Evening
by the misty wharves   on the margin of the world.
Then winter hastened   and weathers hardened,
and sleet and snow   and slanting rain
from glowering heaven,   grey and sunless,   15
whistling whiplash   whirled by tempest,
the lands forlorn   lashed and tortured:
floods were loosened,   the fallow waters
sweeping seaward,   swollen, angry,
filled with flotsam,   foaming, turbid   20
passed in tumult.   The tempest failed:
frost descended   from the far mountains,
steel-cold and still.   Stony-glinting
icehung evening   was opened wide,
a dome of crystal   over deep silence,   25
the windless wastes,   the woods standing
frozen phantoms   under flickering stars

[H] pp. 156–57:
                Winter comes to Nargothrond
The summer slowly   in the sad forest
waned and faded.   In the west arose
winds that wandered   over warnng seas.
Leaves were loosened   from labouring boughs:
fallow-gold they fell,   and the feet buried   5
of trees standing   tall and naked,
rustling restlessly   down roofless aisles,
shifting and drifting.
The shining vessel
of the sailing moon   with slender mast,
with shrouds shapen   of shimmering flame,   10
uprose ruddy   on the rim of Evening
by the misty wharves   on the margin of the world.
With winding horns   winter hunted
in the weeping woods,   wild and ruthless;
sleet came slashing,   and slanting hail   15
from glowering heaven   grey and sunless,
whistling whiplash   whirled by tempest.
The floods were freed   and fallow waters
sweeping seaward,   swollen, angry,
filled with flotsam,   foaming, turbid,   20
passed in tumult.   The tempest died.
Frost descended   from far mountains
steel-cold and still.   Stony-glinting
icchung evening   was opened wide,

511

POEMAS ORIGINAIS

> *a dome of crystal   over deep silence,*   25
> *over windless wastes   and woods standing*
> *as frozen phantoms   under flickering stars.*

[I] pp. 157–58:
> *With the seething sea   Sirion's waters,*
> *green streams gliding   into grey furrows,*
> *murmurous mingle.   There mews gather,*
> *seabirds assemble   in solemn council,*
> *whitewinged hosts   whining sadly*
> *with countless voices   in a country of sand:*
> *plains and mountains   of pale yellow*
> *sifting softly   in salt breezes,*
> *sere and sunbleached.   At the sea's margin*
> *a shingle lies,   long and shining*
> *with pebbles like pearl   or pale marble:*
> *when the foam of waves   down the wind flieth*
> *in spray they sparkle;   splashed at evening*
> *in the moon they glitter;   moaning, grinding,*
> *in the dark they tumble;   drawing and rolling,*
> *when strongbreasted storm   the streams driveth*
> *in a war of waters   to the walls of land.*
> *When the Lord of Ocean   his loud trumpets*
> *in the abyss bloweth   to battle sounding,*
> *longhaired legions   on lathered horses*
> *with backs like whales,   bridles spuming,*
> *charge there snorting,   champing seaweed;*
> *hurled with thunder   of a hundred drums*
> *they leap the bulwarks,   burst the leaguer,*
> *through the sandmountains   sweeping madly*
> *up the river roaring   roll in fury.*

2. Poemas Abandonados no Início

[A] pp. 160–64:   THE FLIGHT OF THE NOLDOLI FROM VALINOR

> *A! the Trees of Light,   tall and shapely,*
> *gold and silver,   more glorious than the sun,*
> *than the moon more magical,   o'er the meads of the Gods*
> *their fragrant frith   and flowerladen*
> *gardens gleaming,   once gladly shone.*   5
> *In death they are darkened,   they drop their leaves*
> *from blackened branches   bled by Morgoth*
> *and Ungoliant the grim   the Gloomweaver.*
> *In spider's form   despair and shadow*
> *a shuddering fear   and shapeless night*   10
> *she weaves in a web   of winding venom*
> *that is black and breathless.   Their branches fail,*
> *the light and laughter   of their leaves are quenched.*
> *Mirk goes marching,   mists of blackness,*
> *through the halls of the Mighty   hushed and empty,*   15
> *the gates of the Gods   are in gloom mantled.*
>
> *Lo! the Elves murmur   mourning in anguish,*
> *but no more shall be kindled   the mirth of Cor*

512

AS BALADAS DE BELERIAND

in the winding ways   of their walled city,
towercrowned Tun,   whose twinkling lamps   20
are drowned in darkness.   The dim fingers
of fog come floating   from the formless waste
and sunless seas.   The sound of horns,
of horses' hooves   hastening wildly
in hopeless hunt,   they hear afar,   25
where the Gods in wrath   those guilty ones
through mournful shadow,   now mounting as a tide
o'er the Blissful Realm,   in blind dismay
pursue unceasing.   The city of the Elves
is thickly thronged.   On threadlike stairs   30
carven of crystal   countless torches
stare and twinkle,   stain the twilight
and gleaming balusters   of green beryl.
A vague rumour   of rushing voices,
as myriads mount   the marble paths,   35
there fills and troubles   those fair places
wide ways of Tun   and walls of pearl.

Of the Three Kindreds   to that clamorous throng
are none but the Gnomes   in numbers drawn.
The Elves of Ing   to the ancient halls   40
and starry gardens   that stand and gleam
upon Timbrenting   towering mountain
that day had climbed   to the cloudy-domed
mansions of Manwë   for mirth and song.
There Bredhil the Blessed   the bluemantled,   45
the Lady of the heights   as lovely as the snow
in lights gleaming   of the legions of the stars,
the cold immortal   Queen of mountains,
too fair and terrible   too far and high
for mortal eyes,   in Manwë's court so   50
sat silently   as they sang to her.

The Foam-riders,   folk of waters,
Elves of the endless   echoing beaches,
of the bays and grottoes   and the blue lagoons,
of silver sands   sown with moonlit,   55
starlit, sunlit,   stones of crystal,
paleburning gems   pearls and opals,
on their shining shingle,   where now shadows groping
clutched their laughter,   quenched in mourning
their mirth and wonder,   in amaze wandered   60
under cliffs grown cold   calling dimly,
or in shrouded ships   shuddering waited
for the light no more   should be lit for ever.

But the Gnomes were numbered   by name and kin,
marshalled and ordered   in the mighty square   65
upon the crown of Cor.   There cried aloud
the fierce son of Finn.   Flaming torches
he held and whirled   in his hands aloft,
those hands whose craft   the hidden secret

513

POEMAS ORIGINAIS

knew, that none Gnome or mortal   70
hath matched or mastered in magic or in skill.
'Lo! slain is my sire by the sword of fiends,
his death he has drunk at the doors of his hall
and deep fastness, where darkly hidden
the Three were guarded, the things unmatched 75
that Gnome and Elf and the Nine Valar
can never remake or renew on earth,
recarve or rekindle by craft or magic,
not Fëanor Finn's son who fashioned them of yore —
the light is lost whence he lit them first, 80
the fate of Faerie hath found its hour

Thus the witless wisdom its reward hath earned
of the Gods' jealousy, who guard us here
to serve them, sing to them in our sweet cages,
to contrive them gems and jewelled trinkets, 85
their leisure to please with our loveliness,
while they waste and squander work of ages,
nor can Morgoth master in their mansions sitting
at countless councils. Now come ye all,
who have courage and hope! My call harken 90
to flight, to freedom in far places!
The woods of the world whose wide mansions
yet in darkness dream drowned in slumber,
the pathless plains and perilous shores
no moon yet shines on nor mounting dawn 95
in dew and daylight hath drenched for ever,
far better were these for bold footsteps
than gardens of the Gods gloom-encircled
with idleness filled and empty days.
Yea! though the light lit them and the loveliness 100
beyond heart's desire that hath held us slaves
here long and long. But that light is dead.
Our gems are gone, our jewels ravished;
and the Three, my Three, thrice-enchanted
globes of crystal by gleam undying 105
illumined, lit by living splendour
and all hues' essence, their eager flame —
Morgoth has them in his monstrous hold,
my Silmarils. I swear here oaths,
unbreakable bonds to bind me ever, 110
by Timbrenting and the timeless halls
of Bredhil the Blessed that abides thereon —
may she hear and heed — to hunt endlessly
unwearying unwavering through world and sea,
through leaguered lands, lonely mountains, 115
over fens and forest and the fearful snows,
till I find those fair ones, where the fate is hid
of the folk of Elfland and their fortune locked,
where alone now lies the light divine.'

Then his sons beside him, the seven kinsmen, 120
crafty Curufin, Celegorm the fair,

514

AS BALADAS DE BELERIAND

> Damrod and Díriel   and dark Cranthir,
> Maglor the mighty,   and Maidros tall
> (the eldest, whose ardour   yet more eager burnt
> than his father's flame,   than Fëanor's wrath;   125
> him fate awaited   with fell purpose),
> these leapt with laughter   their lord beside,
> with linked hands   there lightly took
> the oath unbreakable;   blood thereafter
> it spilled like a sea   and spent the swords   130
> of endless armies,   nor hath ended yet:

> 'Be he friend or foe   or foul offspring
> of Morgoth Bauglir,   be he mortal dark
> that in after days   on earth shall dwell,
> shall no law nor love   nor league of Gods,   135
> no might nor mercy,   not moveless fate,
> defend him for ever   from the fierce vengeance
> of the sons of Fëanor,   whoso seize or steal
> or finding keep   the fair enchanted
> globes of crystal   whose glory dies not,   140
> the Silmarils.   We have sworn for ever!'

> Then a mighty murmuring   was moved abroad
> and the harkening host   hailed them roaring :
> 'Let us go! yea go   from the Gods for ever
> on Morgoth's trail   o'er the mountains of the world   145
> to vengeance and victory!   Your vows are ours!

[B] pp. 172–73:   Fragment of an alliterative Lay of Eärendel

> Lo! the flame of fire   and fierce hatred
> engulfed Gondolin   and its glory fell,
> its tapering towers   and its tall rooftops
> were laid all low,   and its leaping fountains
> made no music more   on the mount of Gwareth,   5
> and its whitehewn walls   were whispering ash.
> { But Wade of the Helsings   wearyhearted }
> { Tûr the earthborn   was tried in a batle }
> from the wrack and ruin   a remnant led
> women and children   and wailing maidens   10
> and wounded men   of the withered folk
> down the path unproven   that pierced the hillside,
> neath Tumladin he led them   to the leaguer of hills
> that rose up rugged   as ranged pinnacles
> to the north of the vale.   There the narrow way   15
> of Cristhorn was cloven,   the Cleft of Eagles,
> through the midmost mountains.   And more is told
> in lays and in legend   and lore of others
> of that weary way   of the wandering folk;
> how the waifs of Gondolin   outwitted Melko,   20
> vanished o'er the vale   and vanquishcd the hills,
> how Glorfindel the goldcn   in the gap of the Eagles
> battled with the Balrog   and both were slain:
> one like flash of fire   from fangéd rock,

515

POEMAS ORIGINAIS

one like bolted thunder   black was smitten   25
to the dreadful deep   digged by Thornsir.
Of the thirst and hunger   of the thirty moons
when they sought for Sirion   and were sore bestead
by plague and peril;   of the Pools of Twilight
and Land of Willows;   when their lamentation   30
was heard in the halls   where the high Gods sate
veiled in Valinor   .. the Vanished Isles;
all this have others   in ancient stories
and songs unfolded,   but say I further
how their lot was lightened,   how they laid them down   35
in long grasses   of the Land of Willows.
There sun was softer,   ... the sweet breezes
and whispering winds,   there wells of slumber
and the dew enchanted

[C] pp. 177–78:   The Lay of the Fall of Gondolin

Lo, that prince of Gondobar [Meglin]
dark Eol's son whom Isfin, in a mountain dale afar
in the gloom of Doriath's forest, the white-limbed maiden bare,
the daughter of Fingolfin, Gelmir's mighty heir.
'Twas the bent blades of the Glamhoth that drank Fingolfin's life
as he stood alone by Feanor; but his maiden and his wife
were wildered as they sought him in the forests of the night,
in the pathless woods of Doriath, so dark that as a light
of palely mirrored moonsheen were their slender elfin limbs
straying among the black holes where only the dim bat skims
from Thu's dark-delved caverns. There Eol saw that sheen
and he caught the white-limbed Isfin, that she ever since hath been
his mate in Doriath's forest, where she weepeth in the gloam;
for the Dark Elves were his kindred that wander without home.
Meglin she sent to Gondolin, and his honour there was high
as the latest seed of Fingolfin, whose glory shall not die;
a lordship he won of the Gnome-folk who quarry deep in the earth,
seeking their ancient jewels; but little was his mirth,
and dark he was and secret and his hair as the strands of night
that are tangled in Taur Fuin the forest without light.

3. A Balada de Leithian

[A] pp. 189–91:   A GESTA DE BEREN E LÚTHIEN
I

A king there was in days of old:
ere Men yet walked upon the mould
his power was reared in cavern's shade,
his hand was over glen and glade.
His shields were shining as the moon,   5
his lances keen of steel were hewn,
of silver grey his crown was wrought,
the starlight in his banners caught;
and silver thrilled his trumpets long

AS BALADAS DE BELERIAND

beneath the stars in challenge strong;   10
enchantment did his realm enfold,
where might and glory, wealth untold,
he wielded from his ivory throne
in many-pillared halls of stone.
There beryl, pearl, and opal pale,   15
and metal wrought like fishes' mail,
buckler and corslet, axe and sword,
and gleaming spears were laid in hoard —
all these he had and loved them less
than a maiden once in Elfinesse;   20
for fairer than are born to Men
a daughter had he, Lúthien.

 Such lissom limbs no more shall run
on the green earth beneath the sun;
so fair a maid no more shall be   25
from dawn to dusk, from sun to sea.
Her robe was blue as summer skies,
but grey as evening were her eyes;
'twas sewn with golden lilies fair,
but dark as shadow was her hair.
Her feet were light as bird on wing,   30
her laughter lighter than the spring;
the slender willow, the bowing reed,
the fragrance of a flowering mead,
the light upon the leaves of trees,   35
the voice of water, more than these
her beauty was and blissfulness,
her glory and her loveliness;
and her the king more dear did prize
than hand or heart or light of eyes.   40

 They dwelt amid Beleriand,
while Elfin power yet held the land,
in the woven woods of Doriath:
few ever thither found the path;
few ever dared the forest-eaves   45
to pass, or stir the listening leaves
with tongue of hounds a-hunting fleet,
with horse, or horn, or mortal feet.
To North there lay the Land of Dread,
whence only evil pathways led   50
o'er hills of shadow bleak and cold
or Taur-na-Fuin's haunted hold,
where Deadly Nightshade lurked and lay
and never came or moon or day;
to South the wide earth unexplored;   55
to West the ancient Ocean roared,
unsailed and shoreless, wide and wild;
to East in peaks of blue were piled
in silence folded, mist-enfurled,
the mountains of the Outer World,   60
beyond the tangled woodland shade,

POEMAS ORIGINAIS

thorn and thicket, grove and glade,
whose brooding boughs with magic hung
were ancient when the world was young.

There Thingol in the Thousand Caves,   65
whose portals pale that river laves
Esgalduin that fairies call,
in many a tall and torchlit hall
a dark and hidden king did dwell,
lord of the forest and the fell;   70
and sharp his sword and high his helm,
the king of beech and oak and elm.

There Lúthien the lissom maid
would dance in dell and grassy glade,
and music merrily, thin and clear,   75
went down the ways, more fair than ear
of mortal Men at feast hath heard,
and fairer than the song of bird.
When leaves were long and grass was green
then Dairon with his fingers lean,   80
as daylight melted into shade,
a wandering music sweetly made,
enchanted fluting, warbling wild,
for love of Thingol's elfin child.

There bow was bent and shaft was sped,   85
the fallow deer as phantoms fled,
and horses proud with braided mane,
with shining bit and silver rein,
went fleeting by on moonlit night,
as swallows arrow-swift in flight;   90
a blowing and a sound of bells,
a hidden hunt in hollow dells.
There songs were made and things of gold,
and silver cups and jewels untold,
and the endless years of Faëry land   95
rolled over far Beleriand,
until a day beneath the sun,
when many marvels were begun.

[B] pp. 196–203:   II

Far in the North neath hills of stone
in caverns black there was a throne   100
by fires illumined underground,
that winds of ice with moaning sound
made flare and flicker in dark smoke;
the wavering bitter coils did choke
the sunless airs of dungeons deep   105
where evil things did crouch and creep.
There sat a king: no Elfin race
nor mortal blood, nor kindly grace
of earth or heaven might he own,

518

far older, stronger than the stone   110
the world is built of, than the fire
that burns within more fierce and dire;
and thoughts profound were in his heart:
a gloomy power that dwelt apart.

Unconquerable spears of steel   115
were at his nod. No ruth did feel
the legions of his marshalled hate,
on whom did wolf and raven wait;
and black the ravens sat and cried
upon their banners black, and wide   120
was heard their hideous chanting dread
above the reek and trampled dead.
With fire and sword his ruin red
on all that would not bow the head
like lightning fell. The Northern land   125
lay groaning neath his ghastly hand.

But still there lived in hiding cold
undaunted, Barahir the bold,
of land bereaved, of lordship shorn,
who once a prince of Men was born   130
and now an outlaw lurked and lay
in the hard heath and woodland grey,
and with him clung of faithful men
but Beren his son and other ten.
Yet small as was their hunted band   135
still fell and fearless was each hand,
and strong deeds they wrought yet oft,
and loved the woods, whose ways more soft
them seemed than thralls of that black throne
to live and languish in halls of stone.   140
King Morgoth still pursued them sore
with men and dogs, and wolf and boar
with spells of madness filled he sent
to slay them as in the woods they went;
yet nought hurt them for many years,   145
until, in brief to tell what tears
have oft bewailed in ages gone,
nor ever tears enough, was done
a deed unhappy; unaware
their feet were caught in Morgoth's snare.   150

Gorlim it was, who wearying
of toil and flight and harrying,
one night by chance did turn his feet
o'er the dark fields by stealth to meet
with hidden friend within a dale,   155
and found a homestead looming pale
against the misty stars, all dark
save one small window, whence a spark
of fitful candle strayed without.
Therein he peeped, and filled with doubt   160

POEMAS ORIGINAIS

he saw, as in a dreaming deep
when longing cheats the heart in sleep,
his wife beside a dying fire
lament him lost; her thin attire
and greying hair and paling cheek 165
of tears and loneliness did speak.
'A! fair and gentle Eilinel,
whom I had thought in darkling hell
long since emprisoned! Ere I fled
I deemed I saw thee slain and dead 170
upon that night of sudden fear
when all I lost that I held dear':
thus thought his heavy heart amazed
outside in darkness as he gazed.
But ere he dared to call her name, 175
or ask how she escaped and came
to this far vale beneath the hills,
he heard a cry beneath the hills!
There hooted near a hunting owl
with boding voice. He heard the howl 180
of the wild wolves that followed him
and dogged his feet through shadows dim.
Him unrelenting, well he knew,
the hunt of Morgoth did pursue.
Lest Eilinel with him they slay 185
without a word he turned away,
and like a wild thing winding led
his devious ways o'er stony bed
of stream, and over quaking fen,
until far from the homes of men 190
he lay beside his fellows few
in a secret place; and darkness grew,
and waned, and still he watched unsleeping,
and saw the dismal dawn come creeping
in dank heavens above gloomy trees. 195
A sickness held his soul for ease,
and hope, and even thraldom's chain
if he might find his wife again.
But all he thought twixt love of lord
and hatred of the king abhorred 200
and anguish for fair Eilinel
who drooped alone, what tale shall tell?

Yet at the last, when many days
of brooding did his mind amaze,
he found the servants of the king, 205
and bade them to their master bring
a rebel who forgiveness sought,
if haply forgiveness might be bought
with tidings of Barahir the bold,
and where his hidings and his hold 210
might best be found by night or day.
And thus sad Gorlim, led away
unto those dark deep-dolven halls,

before the knees of Morgoth falls,
and puts his trust in that cruel heart 215
wherein no truth had ever part.
Quoth Morgoth: 'Eilinel the fair
thou shalt most surely find, and there
where she doth dwell and wait for thee
together shall ye ever be, 220
and sundered shall ye sigh no more.
This guerdon shall he have that bore
these tidings sweet, O traitor dear!
For Eilinel she dwells not here,
but in the shades of death doth roam 225
widowed of husband and of home —
a wraith of that which might have been,
methinks, it is that thou hast seen!
Now shalt thou through the gates of pain
the land thou askest grimly gain; 230
thou shalt to the moonless mists of hell
descend and seek thy Eilinel.'

Thus Gorlim died a bitter death
and cursed himself with dying breath,
and Barahir was caught and slain, 235
and all good deeds were made in vain.
But Morgoth's guile for ever failed,
nor wholly o'er his foes prevailed,
and some were ever that still fought
unmaking that which malice wrought. 240
Thus men believed that Morgoth made
the fiendish phantom that betrayed
the soul of Gorlim, and so brought
the lingering hope forlorn to nought
that lived amid the lonely wood; 245
yet Beren had by fortune good
long hunted far afield that day,
and benighted in strange places lay
far from his fellows. In his sleep
he felt a dreadful darkness creep 250
upon his heart, and thought the trees
were bare and bent in mournful breeze;
no leaves they had, but ravens dark
sat thick as leaves on bough and bark,
and croaked, and as they croaked each neb 255
let fall a gout of blood; a web
unseen entwined him hand and limb,
until worn out, upon the rim
of stagnant pool he lay and shivered.
There saw he that a shadow quivered 260
far out upon the water wan,
and grew to a faint form thereon
that glided o'er the silent lake,
and coming slowly, softly spake
and sadly said: 'Lo! Gorlim here, 265
traitor betrayed, now stands! Nor fear,

POEMAS ORIGINAIS

but haste! For Morgoth's fingers close
upon thy father's throat. He knows
your secret tryst, your hidden lair',
and all the evil he laid bare   *270*
that he had done and Morgoth wrought.
Then Beren waking swiftly sought
his sword and bow, and sped like wind
that cuts with knives the branches thinned
of autumn trees. At last he came,   *275*
his heart afire with burning flame,
where Barahir his father lay;
he came too late. At dawn of day
he found the homes of hunted men,
a wooded island in the fen,   *280*
and birds rose up in sudden cloud —
no fen-fowl were they crying loud.
The raven and the carrion-crow
sat in the alders all a-row;
one croaked: 'Ha! Beren comes too late',   *285*
and answered all: 'Too late! Too late!'
There Beren buried his father's bones,
and piled a heap of boulder-stones,
and cursed the name of Morgoth thrice,
but wept not, for his heart was ice.   *290*

    Then over fen and field and mountain
he followed, till beside a fountain
upgushing hot from fires below
he found the slayers and his foe,
the murderous soldiers of the king.   *295*
And one there laughed, and showed a ring
he took from Barahir's dead hand.
'This ring in far Beleriand,
now mark ye, mates,' he said, 'was wrought.
Its like with gold could not be bought,   *300*
for this same Barahir I slew,
this robber fool, they say, did do
a deed of service long ago
for Felagund. It may be so;
for Morgoth bade me bring it back,   *305*
and yet, methinks, he has no lack
of weightier treasure in his hoard.
Such greed befits not such a lord,
and I am minded to declare
the hand of Barahir was bare!'   *310*
Yet as he spake an arrow sped;
with riven heart he crumpled dead.
Thus Morgoth loved that his own foe
should in his service deal the blow
that punished the breaking of his word.   *315*
But Morgoth laughed not when he heard
that Beren like a wolf alone
sprang madly from behind a stone
amid that camp beside the well,

AS BALADAS DE BELERIAND

and seized the ring, and ere the yell
of wrath and rage had left their throat
had fled his foes. His gleaming coat
was made of rings of steel no shaft
could pierce, a web of dwarvish craft;
and he was lost in rock and thorn,
for in charmèd hour was Beren born;
their hungry hunting never learned
the way his fearless feet had turned.

As fearless Beren was renowned,
as man most hardy upon ground,
while Barahir yet lived and fought;
but sorrow now his soul had wrought
to dark despair, and robbed his life
of sweetness, that he longed for knife,
or shaft, or sword, to end his pain,
and dreaded only thraldom's chain.
Danger he sought and death pursued,
and thus escaped the fate he wooed,
and deeds of breathless wonder dared
whose whispered glory widely fared,
and softly songs were sung at eve
of marvels he did once achieve
alone, beleaguered, lost at night
by mist or moon, or neath the light
of the broad eye of day. The woods
that northward looked with bitter feuds
he filled and death for Morgoth's folk;
his comrades were the beech and oak,
who failed him not, and many things
with fur and fell and feathered wings;
and many spirits, that in stone
in mountains old and wastes alone,
do dwell and wander, were his friends.
Yet seldom well an outlaw ends,
and Morgoth was a king more strong
than all the world has since in song
recorded, and his wisdom wide
slow and surely who him defied
did hem and hedge. Thus at the last
must Beren flee the forest fast
and lands he loved where lay his sire
by reeds bewailed beneath the mire.
Beneath a heap of mossy stones
now crumble those once mighty bones,
but Beren flees the friendless North
one autumn night, and creeps him forth;
the leaguer of his watchful foes
he passes — silently he goes.
No more his hidden bowstring sings,
no more his shaven arrow wings,
no more his hunted head doth lie
upon the heath beneath the sky.

320

325

330

335

340

345

350

355

360

365

370

523

POEMAS ORIGINAIS

The moon that looked amid the mist
upon the pines, the wind that hissed
among the heather and the fern   *375*
found him no more. The stars that burn
about the North with silver fire
in frosty airs, the Burning Briar
that Men did name in days long gone,
were set behind his back, and shone   *380*
o'er land and lake and darkened hill,
forsaken fen and mountain rill.

His face was South from the Land of Dread,
whence only evil pathways led,
and only the feet of men most bold   *385*
might cross the Shadowy Mountains cold.
Their northern slopes were filled with woe,
with evil and with mortal foe;
their southern faces mounted sheer
in rocky pinnacle and pier,   *390*
whose roots were woven with deceit
and washed with waters bitter-sweet.
There magic lurked in gulf and glen,
for far away beyond the ken
of searching eyes, unless it were   *395*
from dizzy tower that pricked the air
where only eagles lived and cried,
might grey and gleaming be descried
Beleriand, Beleriand,
the borders of the faëry land.   *400*

[C] pp. 207–17:   III

There once, and long and ·long ago,
before the sun and moon we know
were lit to sail above the world,
when first the shaggy woods unfurled,
and shadowy shapes did stare and roam   *405*
beneath the dark and starry dome
that hung above the dawn of Earth,
the silences with silver mirth
were shaken; the rocks were ringing,
the birds of Melian were singing,   *410*
the first to sing in mortal lands,
the nightingales with her own hands
she fed, that fay of garments grey;
and dark and long her tresses lay
beneath her silver girdle's seat   *415*
and down unto her silver feet.

She had wayward wandered on a time
from gardens of the Gods, to climb
the everlasting mountains free
that look upon the outmost sea,   *420*
and never wandered back, but stayed

524

and softly sang from glade to glade.
Her voice it was that Thingol heard,
and sudden singing of a bird,
in that old time when new-come Elves 425
had all the wide world to themselves.
Yet all his kin now marched away,
as old tales tell, to seek the bay
on the last shore of mortal lands,
where mighty ships with magic hands 430
they made, and sailed beyond the seas.
The Gods them bade to lands of ease
and gardens fair, where earth and sky
together flow, and none shall die.
But Thingol stayed, enchanted, still, 435
one moment to hearken to the thrill
of that sweet singing in the trees.
Enchanted moments such as these
from gardens of the Lord of Sleep,
where fountains play and shadows creep, 440
do come, and count as many years
in mortal lands. With many tears
his people seek him ere they sail,
while Thingol listens in the dale.
There after but an hour, him seems, 445
he finds her where she lies and dreams,
pale Melian with her dark hair
upon a bed of leaves. Beware!
There slumber and a sleep is twined!
He touched her tresses and his mind 450
was drowned in the forgetful deep,
and dark the years rolled o'er his sleep.

Thus Thingol sailed not on the seas
but dwelt amid the land of trees,
and Melian he loved, divine, 455
whose voice was potent as the wine
the Valar drink in golden halls
where flower blooms and fountain falls;
but when she sang it was a spell,
and no flower stirred nor fountain fell. 460
A king and queen thus lived they long,
and Doriath was filled with song,
and all the Elves that missed their way
and never found the western bay,
the gleaming walls of their long home 465
by the grey seas and the white foam,
who never trod the golden land
where the towers of the Valar stand,
all these were gathered in their realm
beneath the beech and oak and elm. 470

In later days when Morgoth first,
fleeing the Gods, their bondage burst,
and on the mortal lands set feet,

POEMAS ORIGINAIS

and in the North his mighty seat
founded and fortified, and all   475
the newborn race of Men were thrall
unto his power, and Elf and Gnome
his slaves, or wandered without home,
or scattered fastnesses walled with fear
upraised upon his borders drear,   480
and each one fell, yet reigned there still
in Doriath beyond his will
Thingol and deathless Melian,
whose magic yet no evil can
that cometh from without surpass.   485
Here still was laughter and green grass,
and leaves were lit with the white sun,
and many marvels were begun.

In sunshine and in sheen of moon,
with silken robe and silver shoon,   490
the daughter of the deathless queen
now danced on the undying green,
half elven-fair and half divine;
and when the stars began to shine
unseen but near a piping woke,   495
and in the branches of an oak,
or seated on the beech-leaves brown,
Dairon the dark with ferny crown
played with bewildering wizard's art
music for breaking of the heart.   500
Such players have there only been
thrice in all Elfinesse, I ween:
Tinfang Gelion who still the moon
enchants on summer nights of June
and kindles the pale firstling star;   505
and he who harps upon the far
forgotten beaches and dark shores
where western foam for ever roars,
Maglor whose voice is like the sea;
and Dairon, mightiest of the three.   510

Now it befell on summer night,
upon a lawn where lingering light
yet lay and faded faint and grey,
that Lúthien danced while he did play.
The chestnuts on the turf had shed   515
their flowering candles, white and red;
there darkling stood a silent elm
and pale beneath its shadow-helm
there glimmered faint the umbels thick
of hemlocks like a mist, and quick   520
the moths on pallid wings of white
with tiny eyes of fiery light
were fluttering softly, and the voles
crept out to listen from their holes;
the little owls were hushed and still;   525

the moon was yet behind the hill.
Her arms like ivory were gleaming,
her long hair like a cloud was streaming,
her feet atwinkle wandered roaming
in misty mazes in the gloaming; 530
and glowworms shimmered round her feet,
and moths in moving garland fleet
above her head went wavering wan —
and this the moon now looked upon,
uprisen slow, and round, and white, 535
above the branches of the night.
Then clearly thrilled her voice and rang;
with sudden ecstasy she sang
a song of nightingales she learned
and with her elvish magic turned 540
to such bewildering delight
the moon hung moveless in the night.
And this it was that Beren heard,
and this he saw, without a word,
enchanted dumb, yet filled with fire 545
of such a wonder and desire
that all his mortal mind was dim;
her magic bound and fettered him,
and faint he leaned against a tree.
Forwandered, wayworn, gaunt was he, 550
his body sick and heart gone cold,
grey in his hair, his youth turned old;
for those that tread that lonely way
a price of woe and anguish pay.
And now his heart was healed and slain 555
with a new life and with new pain.

He gazed, and as he gazed her hair
within its cloudy web did snare
the silver moonbeams sifting white
between the leaves, and glinting bright 560
the tremulous starlight of the skies
was caught and mirrored in her eyes.
Then all his journey's lonely fare,
the hunger and the haggard care,
the awful mountains' stones he stained 565
with blood of weary feet, and gained
only a land of ghosts, and fear
in dark ravines imprisoned sheer –
there mighty spiders wove their webs,
old creatures foul with birdlike nebs 570
that span their traps in dizzy air,
and filled it with clinging black despair,
and there they lived, and the sucked bones
lay white beneath on the dank stones -
now all these horrors like a cloud 575
faded from mind. The waters loud
falling from pineclad heights no more
he heard, those waters grey and frore

POEMAS ORIGINAIS

that bittersweet he drank and filled
his mind with madness — all was stilled.   580
He reeked not now the burning road,
the paths demented where he strode
endlessly ... and ever new
horizons stretched before his view,
as each blue ridge with bleeding feet   585
was climbed, and down he went to meet
battle with creatures old and strong
and monsters in the dark, and long,
long watches in the haunted night
while evil shapes with baleful light   590
in clustered eyes did crawl and snuff
beneath his tree - not half enough
the price he deemed to come at last
to that pale moon when day had passed,
to those clear stars of Elfinesse,   595
the hearts-ease and the loveliness.

Lo! all forgetting he was drawn
unheeding toward the glimmering lawn
by love and wonder that compelled
his feet from hiding; music welled   600
within his heart, and songs unmade
on themes unthought-of moved and swayed
his soul with sweetness; out he came,
a shadow in the moon's pale flame —
and Dairon's flute as sudden stops   605
as lark before it steeply drops,
as grasshopper within the grass
listening for heavy feet to pass.
'Flee, Lúthien!', and 'Lúthien!'
from hiding Dairon called again;   610
'A stranger walks the woods! Away!'
But Lúthien would wondering stay;
fear had she never felt or known,
till fear then seized her, all alone,
seeing that shape with shagged hair   615
and shadow long that halted there.
Then sudden she vanished like a dream
in dark oblivion, a gleam
in hurrying clouds, for she had leapt
among the hemlocks tall, and crept   620
under a mighty plant with leaves
all long and dark, whose stem in sheaves
upheld an hundred umbels fair;
and her white arms and shoulders bare
her raiment pale, and in her hair   625
the wild white roses glimmering there,
all lay like spattered moonlight hoar
in gleaming pools upon the floor.
Then stared he wild in dumbness bound
at silent trees, deserted ground;   630
he blindly groped across the glade

AS BALADAS DE BELERIAND

to the dark trees' encircling shade,
and, while she watched with veiléd eyes,
touched her soft arm in sweet surprise.
Like startled moth from deathlike sleep 635
in sunless nook or bushes deep
she darted swift, and to and fro
with cunning that elvish dancers know
about the trunks of trees she twined
a path fantastic. Far behind 640
enchanted, wildered and forlorn
Beren came blundering, bruised and torn:
Esgalduin the elven-stream,
in which amid tree-shadows gleam
the stars, flowed strong before his feet. 645
Some secret way she found, and fleet
passed over and was seen no more,
and left him forsaken on the shore.
'Darkly the sundering flood rolls past!
To this my long way comes at last — 650
a hunger and a loneliness,
enchanted waters pitiless.'

A summer waned, an autumn glowed,
and Beren in the woods abode,
as wild and wary as a faun 655
that sudden wakes at rustling dawn,
and flits from shade to shade, and flees
the brightness of the sun, yet sees
all stealthy movements in the wood.
The murmurous warmth in weathers good, 660
the hum of many wings, the call
of many a bird, the pattering fall
of sudden rain upon the trees,
the windy tide in leafy seas,
the creaking of the boughs, he heard; 665
but not the song of sweetest bird
brought joy or comfort to his heart,
a wanderer dumb who dwelt apart;
who sought unceasing and in vain
to hear and see those things again: 670
a song more fair than nightingale,
a wonder in the moonlight pale.

An autumn waned, a winter laid
the withered leaves in grove and glade;
the beeches bare were gaunt and grey, 675
and red their leaves beneath them lay.
From cavern pale the moist moon eyes
the white mists that from earth arise
to hide the morrow's sun and drip
all the grey day from each twig's tip. 680
By dawn and dusk he seeks her still;
by noon and night in valleys chill,
nor hears a sound but the slow beat
on sodden leaves of his own feet.

529

The wind of winter winds his horn;
the misty veil is rent and torn.
The wind dies; the starry choirs
leap in the silent sky to fires,
whose light comes bitter-cold and sheer
through domes of frozen crystal clear.

A sparkle through the darkling trees,
a piercing glint of light he sees,
and there she dances all alone
upon a treeless knoll of stone!
Her mantle blue with jewels white
caught all the rays of frosted light.
She shone with cold and wintry flame,
as dancing down the hill she came,
and passed his watchful silent gaze,
a glimmer as of stars ablaze.
And snowdrops sprang beneath her feet,
and one bird, sudden, late and sweet,
shrilled as she wayward passed along.
A frozen brook to bubbling song
awoke and laughed; but Beren stood
still bound enchanted in the wood.
Her starlight faded and the night
closed o'er the snowdrops glimmering white.

Thereafter on a hillock green
he saw far off the elven-sheen
of shining limb and jewel bright
often and oft on moonlit night;
and Dairon's pipe awoke once more,
and soft she sang as once before.
Then nigh he stole beneath the trees,
and heartache mingled with hearts-ease.

A night there was when winter died;
then all alone she sang and cried
and danced until the dawn of spring,
and chanted some wild magic thing
that stirred him, till it sudden broke
the bonds that held him, and he woke
to madness sweet and brave despair.
He flung his arms to the night air,
and out he danced unheeding, fleet,
enchanted, with enchanted feet.
He sped towards the hillock green,
the lissom limbs, the dancing sheen;
he leapt upon the grassy hill
his arms with loveliness to fill:
his arms were empty, and she fled;
away, away her white feet sped.
But as she went he swiftly came
and called her with the tender name
of nightingales in elvish tongue,

AS BALADAS DE BELERIAND

> that all the woods now sudden rung:
> 'Tinúviel! Tinúviel!'
> And clear his voice was as a bell;
> its echoes wove a binding spell:
> 'Tinúviel! Tinúviel!'   740
> His voice such love and longing filled
> one moment stood she, fear was stilled;
> one moment only; like a flame
> he leaped towards her as she stayed
> and caught and kissed that elfin maid.   745
>
>   As love there woke in sweet surprise
> the starlight trembled in her eyes.
> A! Lúthien! A! Lúthien!
> more fair than any child of Men;
> O! loveliest maid of Elfinesse,   750
> what madness does thee now possess!
> A! lissom limbs and shadowy hair
> and chaplet of white snowdrops there;
> O! starry diadem and white
> pale hands beneath the pale moonlight!   755
> She left his arms and slipped away
> just at the breaking of the day.

[D] pp. 220–32:   IV

> He lay upon the leafy mould,
> his face upon earth's bosom cold,
> aswoon in overwhelming bliss,   760
> enchanted of an elvish kiss,
> seeing within his darkened eyes
> the light that for no darkness dies,
> the loveliness that doth not fade,
> though all in ashes cold be laid.   765
> Then folded in the mists of sleep
> he sank into abysses deep,
> drowned in an overwhelming grief
> for parting after meeting brief;
> a shadow and a fragrance fair   770
> lingered, and waned, and was not there.
> Forsaken, barren, bare as stone,
> the daylight found him cold, alone.
>
>   'Where art thou gone? The day is bare,
> the sunlight dark, and cold the air!   775
> Tinúviel, where went thy feet?
> O wayward star! O maiden sweet!
> O flower of Elfland all too fair
> for mortal heart! The woods are bare!
> The woods are bare!' he rose and cried. 780
> 'Ere spring was born, the spring hath died!'
> And wandering in path and mind
> he groped as one gone sudden blind,
> who seeks to grasp the hidden light
> with faltering hands in more than night.   785

531

POEMAS ORIGINAIS

And thus in anguish Beren paid
for that great doom upon him laid,
the deathless love of Lúthien,
too fair for love of mortal Men;
and in his doom was Lúthien snared,   790
the deathless in his dying shared;
and Fate them forged a binding chain
of living love and mortal pain.

Beyond all hope her feet returned
at eve, when in the sky there burned   795
the flame of stars; and in her eyes
there trembled the starlight of the skies,
and from her hair the fragrance fell
of elvenflowers in elven-dell.

Thus Lúthien, whom no pursuit,   800
no snare, no dart that hunters shoot,
might hope to win or hold, she came
at the sweet calling of her name;
and thus in his her slender hand
was linked in far Beleriand;   805
in hour enchanted long ago
her arms about his neck did go,
and gently down she drew to rest
his weary head upon her breast.

A! Lúthien, Tinúviel,   810
why wentest thou to darkling dell
with shining eyes and dancing pace,
the twilight glimmering in thy face?
Each day before the end of eve
she sought her love, nor would him leave,   815
until the stars were dimmed, and day
came glimmering eastward silver-grey.
Then trembling-veiled she would appear
and dance before him, half in fear;
there flitting just before his feet   820
she gently chid with laughter sweet:
'Come! dance now, Beren, dance with me!
For fain thy dancing I would see.
Come! thou must woo with nimbler feet,
than those who walk where mountains meet   825
the bitter skies beyond this realm
of marvellous moonlit beech and elm.'

In Doriath Beren long ago
new art and lore he learned to know;
his limbs were freed; his eyes alight,   830
kindled with a new enchanted sight;
and to her dancing feet his feet
attuned went dancing free and fleet;
his laughter welled as from a spring
of music, and his voice would sing   835

as voices of those in Doriath
where paved with flowers are floor and path.
The year thus on to summer rolled,
from spring to a summertime of gold .

   Thus fleeting fast their short hour flies,   840
while Dairon watches with fiery eyes,
haunting the gloom of tangled trees
all day, until at night he sees
in the fickle moon their moving feet,
two lovers linked in dancing sweet,   845
two shadows shimmering on the green
where lonely-dancing maid had been.

   'Hateful art thou, O Land of Trees!
May fear and silence on thee seize!
My flute shall fall from idle hand   850
and mirth shall leave Beleriand;
music shall perish and voices fail
and trees stand dumb in dell and dale!'

   It seemed a hush had fallen there
upon the waiting woodland air;   855
and often murmured Thingol's folk
in wonder, and to their king they spoke:
'This spell of silence who hath wrought?
What web hath Dairon's music caught?
It seems the very birds sing low;   860
murmurless Esgalduin doth flow;
the leaves scarce whisper on the trees,
and soundless beat the wings of bees!'

   This Lúthien heard, and there the queen
her sudden glances saw unseen.   865
But Thingol marvelled, and he sent
for Dairon the piper, ere he went
and sat upon his mounded seat —
his grassy throne by the grey feet
of the Queen of Beeches, Hirilorn,   870
upon whose triple piers were borne
the mightiest vault of leaf and bough
from world's beginning until now.
She stood above Esgalduin's shore,
where long slopes fell beside the door,   875
the guarded gates, the portals stark
of the Thousand echoing Caverns dark.

   There Thingol sat and heard no sound
save far off footsteps on the ground;
no flute, no voice, no song of bird,   880
no choirs of windy leaves there stirred;
and Dairon coming no word spoke,
silent amid the woodland folk.
Then Thingol said: 'O Dairon fair,

533

POEMAS ORIGINAIS

thou master of all musics rare,   885
O magic heart and wisdom wild,
whose ear nor eye may be beguiled,
what omen doth this silence bear?
What horn afar upon the air,
what summons do the woods await?   890
Mayhap the Lord Tavros from his gate
and tree-propped halls, the forest-god,
rides his wild stallion golden-shod
amid the trumpets' tempest loud,
amid his green-clad hunters proud,   895
leaving his deer and friths divine
and emerald forests? Some faint sign
of his great onset may have come
upon the Western winds, and dumb
the woods now listen for a chase   900
that here once more shall thundering race
beneath the shade of mortal trees.
Would it were so! The Lands of Ease
hath Tavros left not many an age,
since Morgoth evil wars did wage,   905
since ruin fell upon the North
and the Gnomes unhappy wandered forth.
But if not he, who comes or what?'
And Dairon answered: 'He cometh not!
No feet divine shall leave that shore,   910
where the Shadowy Seas' last surges roar,
till many things be come to pass,
and many evils wrought. Alas!
the guest is here. The woods are still,
but wait not; for a marvel chill   915
them holds at the strange deeds they see,
but kings see not — though queens, maybe,
may guess, and maidens, maybe, know.
Where one went lonely two now go!'

 'Whither thy riddle points is plain'   920
the king in anger said, 'but deign
to make it plainer! Who is he
that earns my wrath? How walks he free
within my woods amid my folk,
a stranger to both beech and oak?'   925
But Dairon looked on Lúthien
and would he had not spoken then,
and no more would he speak that day,
though Thingol's face with wrath was grey.
Then Lúthien stepped lightly forth: 930
'Far in the mountain-leaguered North,
my father,' said she, 'lies the land
that groans beneath King Morgoth's hand.
Thence came one hither; bent and worn
in wars and travail, who had sworn   935
undying hatred of that king;
the last of Bëor's sons, they sing,

AS BALADAS DE BELERIAND

and even hither far and deep
within thy woods the echoes creep
through the wild mountain-passes cold,   940
the last of Bëor's house to hold
a sword unconquered, neck unbowed,
a heart by evil power uncowed.
No evil needst thou think or fear
of Beren son of Barahir!   945
If aught thou hast to say to him,
then swear to hurt not flesh nor limb,
and I will lead him to thy hall,
a son of kings, no mortal thrall.'

Then long King Thingol looked on her   950
while hand nor foot nor tongue did stir,
and Melian, silent, unamazed,
on Lúthien and Thingol gazed.
'No blade nor chain his limbs shall mar'
the king then swore. 'He wanders far,   955
and news, mayhap, he hath for me,
and words I have for him, maybe!'
Now Thingol bade them all depart
save Dairon, whom he called: 'What art,
what wizardry of Northern mist   960
hath this illcomer brought us? List!
Tonight go thou by secret path,
who knowest all wide Doriath,
and watch that Lúthien — daughter mine,
what madness doth thy heart entwine,   965
what web from Morgoth's dreadful halls
hath caught thy feet and thee enthralls! —
that she bid not this Beren flee
back whence he came. I would him see!
Take with thee woodland archers wise.   970
Let naught beguile your hearts or eyes!'

Thus Dairon heavyhearted did,
and the woods were filled with watchers hid;
yet needless, for Lúthien that night
led Beren by the golden light   975
of mounting moon unto the shore
and bridge before her father's door;
and the white light silent looked within
the waiting portals yawning dim.

Downward with gentle hand she led   980
through corridors of carven dread
whose turns were lit by lanterns hung
or flames from torches that were flung
on dragons hewn in the cold stone
with jewelled eyes and teeth of bone.   985
Then sudden, deep beneath the earth
the silences with silver mirth
were shaken and the rocks were ringing,

POEMAS ORIGINAIS

the birds of Melian were singing;
and wide the ways of shadow spread   990
as into archéd halls she led
Beren in wonder. There a light
like day immortal and like night
of stars unclouded, shone and gleamed.
A vault of topless trees it seemed,   995
whose trunks of carven stone there stood
like towers of an enchanted wood
in magic fast for ever bound,
bearing a roof whose branches wound
in endless tracery of green   1000
lit by some leaf-emprisoned sheen
of moon and sun, and wrought of gems,
and each leaf hung on golden stems.

Lo! there amid immortal flowers
the nightingales in shining bowers   1005
sang o'er the head of Melian,
while water for ever dripped and ran
from fountains in the rocky floor.
There Thingol sat. His crown he wore
of green and silver, and round his chair   1010
a host in gleaming armour fair.
Then Beren looked upon the king
and stood amazed; and swift a ring
of elvish weapons hemmed him round.
Then Beren looked upon the ground,   1015
for Melian's gaze had sought his face,
and dazed there drooped he in that place,
and when the king spake deep and slow:
'Who art thou stumblest hither? Know
that none unbidden seek this throne   1020
and ever leave these halls of stone!'
no word he answered, filled with dread.
But Lúthien answered in his stead:
'Behold, my father, one who came
pursued by hatred like a flame!   1025
Lo! Beren son of Barahir!
What need hath he thy wrath to fear,
foe of our foes, without a friend,
whose knees to Morgoth do not bend?'

'Let Beren answer!' Thingol said.   1030
'What wouldst thou here? What hither led
thy wandering feet, O mortal wild?
How hast thou Lúthien beguiled
or darest thus to walk this wood
unasked, in secret? Reason good   1035
'twere best declare now if thou may,
or never again see light of day!'
Then Beren looked in Lúthien's eyes
and saw a light of starry skies,
and thence was slowly drawn his gaze   1040

to Melian's face. As from a maze
of wonder dumb he woke; his heart
the bonds of awe there burst apart
and filled with the fearless pride of old;
in his glance now gleamed an anger cold.   1045
'My feet hath fate, O king,' he said,
'here over the mountains bleeding led,
and what I sought not I have found,
and love it is hath here me bound.
Thy dearest treasure I desire;   1050
nor rocks nor steel nor Morgoth's fire
nor all the power of Elfinesse
shall keep that gem I would possess.
For fairer than are born to Men
A daughter hast thou, Lúthien.'   1055

    Silence then fell upon the hall;
like graven stone there stood they all,
save one who cast her eyes aground,
and one who laughed with bitter sound.
Dairon the piper leant there pale   1060
against a pillar. His fingers frail
there touched a flute that whispered not;
his eyes were dark; his heart was hot.
'Death is the guerdon thou hast earned,
O baseborn mortal, who hast learned   1065
in Morgoth's realm to spy and lurk
like Orcs that do his evil work!'
'Death!' echoed Dairon fierce and low,
but Lúthien trembling gasped in woe.
'And death,' said Thingol, 'thou shouldst taste,   1070
had I not sworn an oath in haste
that blade nor chain thy flesh should mar.
Yet captive bound by never a bar,
unchained, unfettered, shalt thou be
in lightless labyrinth endlessly   1075
that coils about my halls profound
by magic bewildered and enwound;
there wandering in hopelessness
thou shalt learn the power of Elfinesse!'
'That may not be!' Lo! Beren spake,   1080
and through the king's words coldly brake.
'What are thy mazes but a chain
wherein the captive blind is slain?
Twist not thy oaths, O elvish king,
like faithless Morgoth! By this ring —   1085
the token of a lasting bond
that Felagund of Nargothrond
once swore in love to Barahir,
who sheltered him with shield and spear
and saved him from pursuing foe   1090
on Northern battlefields long ago
death thou canst give unearned to me,
but names I will not take from thee

POEMAS ORIGINAIS

of baseborn, spy, or Morgoth's thrall!
Are these the ways of Thingol's hall?'   1095
Proud are the words, and all there turned
to see the jewels green that burned
in Beren's ring. These Gnomes had set
as eyes of serpents twined that met
beneath a golden crown of flowers,   1100
that one upholds and one devours:
the badge that Finrod made of yore
and Felagund his son now bore.

His anger was chilled, but little less,
and dark thoughts Thingol did possess,   1105
though Melian the pale leant to his side
and whispered: 'O king, forgo thy pride!
Such is my counsel. Not by thee
shall Beren be slain, for far and free
from these deep halls his fate doth lead,   1110
yet wound with thine. O king, take heed!'
But Thingol looked on Lúthien.
'Fairest of Elves! Unhappy Men,
children of little lords and kings
mortal and frail, these fading things,   1115
shall they then look with love on thee?'
his heart within him thought. 'I see
thy ring,' he said, 'O mighty man!
But to win the child of Melian
a father's deeds shall not avail,   1120
nor thy proud words at which I quail.
A treasure dear I too desire,
but rocks and steel and Morgoth's fire
from all the powers of Elfinesse
do keep the jewel I would possess.   1125
Yet bonds like these I hear thee say
affright thee not. Now go thy way!
Bring me one shining Silmaril
from Morgoth's crown, then if she will,
may Lúthien set her hand in thine;   1130
then shalt thou have this jewel of mine.'

Then Thingol's warriors loud and long
they laughed; for wide renown in song
had Fëanor's gems o'er land and sea,
the peerless Silmarils; and three   1135
alone he made and kindled slow
in the land of the Valar long ago,
and there in Tûn of their own light
they shone like marvellous stars at night,
in the great. Gnomish hoards of Tûn,   1140
while Glingal flowered and Belthil's bloom
yet lit the land beyond the shore
where the Shadowy Seas' last surges roar,
ere Morgoth stole them and the Gnomes
seeking their glory left their homes,   1145

ere sorrows fell on Elves and Men,
ere Beren was or Lúthien,
ere Fëanor's sons in madness swore
their dreadful oath. But now no more
their beauty was seen, save shining clear   1150
in Morgoth's dungeons vast and drear.
His iron crown they must adorn,
and gleam above Orcs and slaves forlorn,
treasured in Hell above all wealth,
more than his eyes; and might nor stealth   1155
could touch them, or even gaze too long
upon their magic. Throng on throng
of Orcs with reddened scimitars
encircled him, and mighty bars
and everlasting gates and walls,   1160
who wore them now amidst his thralls.

Then Beren laughed more loud than they
in bitterness, and thus did say:
'For little price do elven-kings
their daughters sell — for gems and rings   1165
and things of gold! If such thy will,
thy bidding I will now fulfill.
On Beren son of Barahir
thou hast not looked the last, I fear.
Farewell, Tinúviel, starlit maiden!   1170
Ere the pale winter pass snowladen,
I will return, not thee to buy
with any jewel in Elfinesse,
but to find my love in loveliness,
a flower that grows beneath the sky.'   1175
Bowing before Melian and the king
he turned, and thrust aside the ring
of guards about him, and was gone,
and his footsteps faded one by one
in the dark corridors. 'A guileful oath   1180
thou sworest, father! Thou hast both
to blade and chain his flesh now doomed
in Morgoth's dungeons deep entombed,'
said Lúthien, and welling tears
sprang in her eyes, and hideous fears   1185
clutched at her heart. All looked away,
and later remembered the sad day
whereafter Lúthien no more sang.
Then clear in the silence the cold words rang
of Melian: 'Counsel cunning-wise,   1190
O king!' she said. 'Yet if mine eyes
lose not their power, 'twere well for thee
that Beren failed his errantry.
Well for thee, but for thy child
a dark doom and a wandering wild.'   1195

'I sell not to Men those whom I love'
said Thingol, 'whom all things above

POEMAS ORIGINAIS

I cherish; and if hope there were
that Beren should ever living fare
to the Thousand Caves once more, I swear   1200
he should not ever have seen the air
or light of heaven's stars again.'
But Melian smiled, and there was pain
as of far knowledge in her eyes;
for such is the sorrow of the wise.   1205

[E] pp. 237–47:

V

So days drew on from the mournful day;
the curse of silence no more lay
on Doriath, though Dairon's flute
and Luthien's singing both were mute.
The murmurs soft awake once more   1210
about the woods, the waters roar
past the great gates of Thingol's halls;
but no dancing step of Lúthien falls
on turf or leaf. For she forlorn,
where stumbled once, where bruised and torn,   1215
with longing on him like a dream,
had Beren sat by the shrouded stream
Esgalduin the dark and strong,
she sat and mourned in a low song:
'Endless roll the waters past!   1220
To this my love hath come at last,
enchanted waters pitiless,
a heartache and a loneliness.'

The summer turns. In branches tall
she hears the pattering raindrops fall,   1225
the windy tide in leafy seas,
the creaking of the countless trees;
and longs unceasing and in vain
to hear one calling once again
the tender name that nightingales   1230
were called of old. Echo fails.
'Tinúviel! Tinúviel!'
the memory is like a knell,
a faint and far-off tolling bell:
'Tinúviel! Tinúviel!'   1235

'O mother Melian, tell to me
some part of what thy dark eyes see!
Tell of thy magic where his feet
are wandering! What foes him meet?
O mother, tell me, lives he still   1240
treading the desert and the hill?
Do sun and moon above him shine,
do the rains fall on him, mother mine?'

'Nay, Lúthien my child, I fear
he lives indeed in bondage drear.   1245

AS BALADAS DE BELERIAND

The Lord of Wolves hath prisons dark,
chains and enchantments cruel and stark,
there trapped and bound and languishing
now Beren dreams that thou dost sing.'

'Then I alone must go to him   1250
and dare the dread in dungeons dim;
for none there be that will him aid
in all the world, save elven-maid
whose only skill were joy and song,
and both have failed and left her long.'   1255

Then nought said Melian thereto,
though wild the words. She wept anew,
and ran through the woods like hunted deer
with her hair streaming and eyes of fear.
Dairon she found with ferny crown   1260
silently sitting on beech-leaves brown.
On the earth she cast her at his side.
'O Dairon, Dairon, my tears,' she cried,
'now pity for our old days' sake!
Make me a music for heart's ache,   1265
for heart's despair, and for heart's dread,
for light gone dark and laughter dead!'

'But for music dead there is no note,'
Dairon answered, and at his throat
his fingers clutched. Yet his pipe he took,   1270
and sadly trembling the music shook;
and all things stayed while that piping went
wailing in the hollows, and there intent
they listened, their business and mirth,
their hearts' gladness and the light of earth 1275
forgotten; and bird-voices failed
while Dairon's flute in Doriath wailed.
Lúthien wept not for very pain,
and when he ceased she spoke again:
'My friend, I have a need of friends,   1280
as he who a long dark journey wends,
and fears the road, yet dare not turn
and look back where the candles burn
in windows he has left. The night
in front, he doubts to find the light   1285
that far beyond the hills he seeks.'
And thus of Melian's words she speaks,
and of her doom and her desire
to climb the mountains, and the fire
and ruin of the Northern realm   1290
to dare, a maiden without helm
or sword, or strength of hardy limb,
where magic founders and grows dim.
His aid she sought to guide her forth
and find the pathways to the North,   1295
if he would not for love of her

541

POEMAS ORIGINAIS

go by her side a wanderer.
'Wherefore,' said he, 'should Dairon go
into direst peril earth doth know
for the sake of mortal who did steal   1300
his laughter and joy? No love I feel
for Beren son of Barahir,
nor weep for him in dungeons drear,
who in this wood have chains enow,
heavy and dark. But thee, I vow,   1305
I will defend from perils fell
and deadly wandering into hell.'

No more they spake that day, and she
perceived not his meaning. Sorrowfully
she thanked him, and she left him there.   1310
A tree she climbed, till the bright air
above the woods her dark hair blew,
and straining afar her eyes could view
the outline grey and faint and low
of dizzy towers where the clouds go,   1315
the southern faces mounting sheer
in rocky pinnacle and pier
of Shadowy Mountains pale and cold;
and wide the lands before them rolled.
But straightway Dairon sought the king   1320
and told him his daughter's pondering,
and how her madness might her lead
to ruin, unless the king gave heed.
Thingol was wroth, and yet amazed;
in wonder and half fear he gazed   1325
on Dairon, and said: 'True hast thou been.
Now ever shall love be us between,
while Doriath lasts; within this realm
thou art a prince of beech and elm!'
He sent for Lúthien, and said: 1330
'O maiden fair, what hath thee led
to ponder madness and despair
to wander to ruin, and to fare
from Doriath against my will,
stealing like a wild thing men would kill   1335
into the emptiness outside?'
'The wisdom, father,' she replied;
nor would she promise to forget,
nor would she vow for love or threat
her folly to forsake and meek   1340
in Doriath her father's will to seek.
This only vowed she, if go she must,
that none but herself would she now trust,
no folk of her father's would persuade
to break his will or lend her aid;   1345
if go she must, she would go alone
and friendless dare the walls of stone.

In angry love and half in fear
Thingol took counsel his most dear

542

to guard and keep. He would not bind 1350
in caverns deep and intertwined
sweet Lúthien, his lovely maid,
who robbed of air must wane and fade,
who ever must look upon the sky
and see the sun and moon go by. 1355
But close unto his mounded seat
and grassy throne there ran the feet
of Hirilorn, the beechen queen.
Upon her triple boles were seen
no break or branch, until aloft 1360
in a green glimmer, distant, soft,
the mightiest vault of leaf and bough
from world's beginning until now
was flung above Esgalduin's shores
and the long slopes to Thingol's doors. 1365
Grey was the rind of pillars tall
and silken-smooth, and far and small
to squirrels' eyes were those who went
at her grey feet upon the bent.
Now Thingol made men in the beech, 1370
in that great tree, as far as reach
their longest ladders, there to build
an airy house; and as he willed
a little dwelling of fair wood
was made, and veiled in leaves it stood 1375
above the first branches. Corners three
it had and windows faint to see,
and by three shafts of Hirilorn
in the corners standing was upborne.
There Lúthien was bidden dwell, 1380
until she was wiser and the spell
of madness left her. Up she clomb
the long ladders to her new home
among the leaves, among the birds;
she sang no song, she spoke no words. 1385
White glimmering in the tree she rose,
and her little door they heard her close.
The ladders were taken and no more
her feet might tread Esgalduin's shore.

Thither at whiles they climbed and brought 1390
all things she needed or besought;
but death was his, whoso should dare
a ladder leave, or creeping there
should set one by the tree at night;
a guard was held from dusk to light 1395
about the grey feet of Hirilorn
and Lúthien in prison and forlorn.
There Dairon grieving often stood
in sorrow for the captive of the wood,
and melodies made upon his flute 1400
leaning against a grey tree-root.
Lúthien would from her windows stare

543

POEMAS ORIGINAIS

and see him far under piping there,
and she forgave his betraying word
for the music and the grief she heard,   *1405*
and only Dairon would she let
across her threshold foot to set.
Yet long the hours when she must sit
and see the sunbeams dance and flit
in beechen leaves, or watch the stars   *1410*
peep on clear nights between the bars
of beechen branches. And one night
just ere the changing of the light
a dream there came, from the Gods, maybe,
or Melian's magic. She dreamed that she   *1415*
heard Beren's voice o'er hill and fell
'Tinúviel' call, 'Tinúviel.'
And her heart answered: 'Let me be gone
to seek him no others think upon!'
She woke and saw the moonlight pale   *1420*
through the slim leaves. It trembled frail
upon her arms, as these she spread
and there in longing bowed her head,
and yearned for freedom and escape.

    Now Lúthien doth her counsel shape;   *1425*
and Melian's daughter of deep lore
knew many things, yea, magics more
than then or now know elven-maids
that glint and shimmer in the glades.
She pondered long, while the moon sank   *1430*
and faded, and the starlight shrank,
and the dawn opened. At last a smile
on her face flickered. She mused a while,
and watched the morning sunlight grow,
then called to those that walked below.   *1435*
And when one climbed to her she prayed
that he would in the dark pools wade
of cold Esgalduin, water clear,
the clearest water cold and sheer
to draw for her. 'At middle night,'   *1440*
she said, 'in bowl of silver white
it must be drawn and brought to me
with no word spoken, silently.'
Another she begged to bring her wine
in a jar of gold where flowers twine —   *1445*
'and singing let him come to me
at high noon, singing merrily.'
Again she spake: 'Now go, I pray,
to Melian the queen, and say:
"thy daughter many a weary hour   *1450*
slow passing watches in her bower;
a spinning-wheel she begs thee send."'
Then Dairon she called: 'I prithee, friend,
climb up and talk to Lúthien!'
And sitting at her window then,   *1455*

AS BALADAS DE BELERIAND

she said: 'My Dairon, thou hast craft,
beside thy music, many a shaft
and many a tool of carven wood
to fashion with cunning. It were good,
if thou wouldst make a little loom   1460
to stand in the corner of my room.
My idle fingers would spin and weave
a pattern of colours, of morn and eve,
of sun and moon and changing light
amid the beech-leaves waving bright.'   1465
This Dairon did and asked her then:
'O Lúthien, O Lúthien,
What wilt thou weave? What wilt thou spin?'
'A marvellous thread, and wind therein
a potent magic, and a spell   1470
I will weave within my web that hell
nor all the powers of Dread shall break.'
Then Dairon wondered, but he spake
no word to Thingol, though his heart
feared the dark purpose of her art.   1475

  And Lúthien now was left alone.
A magic song to Men unknown
she sang, and singing then the wine
with water mingled three times nine;
and as in golden jar they lay   1480
she sang a song of growth and day;
and as they lay in silver white
another song she sang, of night
and darkness without end, of height
uplifted to the stars, and flight   1485
and freedom. And all names of things
tallest and longest on earth she sings:
the locks of the Longbeard dwarves; the tail
of Draugluin the werewolf pale;
the body of Glómund the great snake;   1490
the vast upsoaring peaks that quake
above the fires in Angband's gloom;
the chain Angainor that ere Doom
for Morgoth shall by Gods be wrought
of steel and torment. Names she sought,   1495
and sang of Glend the sword of Nan;
of Gilim the giant of Eruman;
and last and longest named she then
the endless hair of Uinen,
the Lady of the Sea, that lies   1500
through all the waters under skies.

  Then did she lave her head and sing
a theme of sleep and slumbering,
profound and fathomless and dark
as Lúthien's shadowy hair was dark—   1505
each thread was more slender and more fine
than threads of twilight that entwine

POEMAS ORIGINAIS

in filmy web the fading grass
and closing flowers as day doth pass.
Now long and longer grew her hair,   1510
and fell to her feet, and wandered there
like pools of shadow on the ground.
Then Lúthien in a slumber drowned
was laid upon her bed and slept,
till morning through the windows crept   1515
thinly and faint. And then she woke,
and the room was filled as with a smoke
and with an evening mist, and deep
she lay thereunder drowsed in sleep.
Behold! her hair from windows blew   1520
in morning airs, and darkly grew
waving about the pillars grey
of Hirilorn at break of day.

   Then groping she found her little shears,
and cut the hair about her ears,   1525
and close she cropped it to her head,
enchanted tresses, thread by thread.
Thereafter grew they slow once more,
yet darker than their wont before.
And now was her labour but begun: 1530
long was she spinning, long she spun;
and though with elvish skill she wrought,
long was her weaving. If men sought
to call her, crying from below,
'Nothing I need,' she answered, 'go!   1535
I would keep my bed, and only sleep
I now desire, who waking weep.'

   Then Dairon feared, and in amaze
he called from under; but three days
she answered not. Of cloudy hair   1540
she wove a web like misty air
of moonless night, and thereof made
a robe as fluttering-dark as shade
beneath great trees, a magic dress
that all was drenched with drowsiness,   1545
enchanted with a mightier spell
than Melian's raiment in that dell
wherein of yore did Thingol roam
beneath the dark and starry dome
that hung above the dawning world.   1550
And now this robe she round her furled,
and veiled her garments shimmering white;
her mantle blue with jewels bright
like crystal stars, the lilies gold,
were wrapped and hid; and down there rolled   1555
dim dreams and faint oblivious sleep
falling about her, to softly creep
through all the air. Then swift she takes
the threads unused; of these she makes

546

AS BALADAS DE BELERIAND

a slender rope of twisted strands   1560
yet long and stout, and with her hands
she makes it fast unto the shaft
of Hirilorn. Now, all her craft
and labour ended, looks she forth
from her little window facing North.   1565

    Already the sunlight in the trees
is drooping red, and dusk she sees
come softly along the ground below,
and now she murmurs soft and slow.
Now chanting clearer down she cast   1570
her long hair, till it reached at last
from her window to the darkling ground.
Men far beneath her heard the sound;
but the slumbrous strand now swung and swayed
above her guards. Their talking stayed,   1575
they listened to her voice and fell
suddenly beneath a binding spell.

    Now clad as in a cloud she hung;
now down her ropéd hair she swung
as light as squirrel, and away,   1580
away, she danced, and who could say
what paths she took, whose elvish feet
no impress made a-dancing fleet?

[F] pp. 250–59:   VI

When Morgoth in that day of doom
had slain the Trees and filled with gloom   1585
the shining land of Valinor,
there Fëanor and his sons then swore
the mighty oath upon the hill
of tower-crownéd Tûn, that still
wrought wars and sorrow in the world.   1590
From darkling seas the fogs unfurled
their blinding shadows grey and cold
where Glingal once had bloomed with gold
and Belthil bore its silver flowers.
The mists were mantled round the towers   1595
of the Elves' white city by the sea.
There countless torches fitfully
did start and twinkle, as the Gnomes
were gathered to their fading homes,
and thronged the long and winding stair   1600
that led to the wide echoing square.

    There Fëanor mourned his jewels divine,
the Silmarils he made. Like wine
his wild and potent words them fill;
a great host harkens deathly still.   1605
But all he said both wild and wise,
half truth and half the fruit of lies

547

POEMAS ORIGINAIS

that Morgoth sowed in Valinor,
in other songs and other lore
recorded is. He bade them flee 1610
from lands divine, to cross the sea,
the pathless plains, the perilous shores
where ice-infested water roars;
to follow Morgoth to the unlit earth
leaving their dwellings and olden mirth; 1615
to go back to the Outer Lands
to wars and weeping. There their hands
they joined in vows, those kinsmen seven,
swearing beneath the stars of Heaven,
by Varda the Holy that them wrought 1620
and bore them each with radiance fraught
and set them in the deeps to flame.
Timbrenting's holy height they name,
whereon are built the timeless halls
of Manwë Lord of Gods. Who calls 1625
these names in witness may not break
his oath, though earth and heaven shake.

Curufin, Celegorm the fair,
Damrod and Díriel were there,
and Cranthir dark, and Maidros tall 1630
(whom after torment should befall),
and Maglor the mighty who like the sea
with deep voice sings yet mournfully.
'Be he friend or foe, or seed defiled
of Morgoth Bauglir, or mortal child 1635
that in after days on earth shall dwell,
no law, nor love, nor league of hell,
not might of Gods, not moveless fate
shall him defend from wrath and hate
of Fëanor's sons, who takes or steals 1640
or finding keeps the Silmarils,
the thrice-enchanted globes of light
that shine until the final night.'

The wars and wandering of the Gnomes
this tale tells not. Far from their homes 1645
they fought and laboured in the North.
Fingon daring alone went forth
and sought for Maidros where he hung;
in torment terrible he swung,
his wrist in band of forged steel, 1650
from a sheer precipice where reel
the dizzy senses staring down
from Thangorodrim's stony crown.
The song of Fingon Elves yet sing,
captain of armies, Gnomish king; 1655
who fell at last in flame of swords
with his white banners and his lords.
They sing how Maidros free he set,
and stayed the feud that slumbered yet

between the children proud of Finn.   1660
Now joined once more they hemmed him in,
even great Morgoth, and their host
beleaguered Angband, till they boast
no Orc nor demon ever dare
their leaguer break or past them fare.   1665
Then days of solace woke on earth
beneath the new-lit Sun, and mirth
was heard in the Great Lands where Men,
a young race, spread and wandered then.
That was the time that songs do call   1670
the Siege of Angband, when like a wall
the Gnomish swords did fence the earth
from Morgoth's ruin, a time of birth,
of blossoming, of flowers, of growth;
but still there held the deathless oath,   1675
and still the Silmarils were deep
in Angband's darkly-dolven keep.

An end there came, when fortune turned,
and flames of Morgoth's vengeance burned,
and all the might which he prepared   1680
in secret in his fastness flared
and poured across the Thirsty Plain;
and armies black were in his train.
The leaguer of Angband Morgoth broke;
his enemies in fire and smoke   1685
were scattered, and the Orcs there slew
and slew, until the blood like dew
dripped from each cruel and crooked blade.
Then Barahir the bold did aid
with mighty spear, with shield and men,   1690
Felagund wounded. To the fen
escaping, there they bound their troth,
and Felagund deeply swore an oath
of friendship to his kin and seed,
of love and succour in time of need.   1695
But there of Finrod's children four
were Angrod slain and proud Egnor.
Felagund and Orodreth then
gathered the remnant of their men,
their maidens and their children fair;   1700
forsaking war they made their lair
and cavernous hold far in the south.
On Narog's towering bank its mouth
was opened; which they hid and veiled,
and mighty doors, that unassailed   1705
till Túrin's day stood vast and grim,
they built by trees o'ershadowed dim.
And with them dwelt a long time there
Curufin, and Celegorm the fair;
and a mighty folk grew neath their hands   1710
in Narog's secret halls and lands.

POEMAS ORIGINAIS

Thus Felagund in Nargothrond
still reigned, a hidden king whose bond
was sworn to Barahir the bold.
And now his son through forests cold 1715
wandered alone as in a dream.
Esgalduin's dark and shrouded stream
he followed, till its waters frore
were joined to Sirion, Sirion hoar,
pale silver water wide and free 1720
rolling in splendour to the sea.
Now Beren came unto the pools,
wide shallow meres where Sirion cools
his gathered tide beneath the stars,
ere chafed and sundered by the bars 1725
of reedy banks a mighty fen
he feeds and drenches, plunging then
into vast chasms underground,
where many miles his way is wound.
Umboth-Muilin, Twilight Meres, 1730
those great wide waters grey as tears
the Elves then named. Through driving rain
from thence across the Guarded Plain
the Hills of the Hunters Beren saw
with bare tops bitten bleak and raw 1735
by western winds; but in the mist
of streaming rains that flashed and hissed
into the meres he knew there lay
beneath those hills the cloven way
of Narog, and the watchful halls 1740
of Felagund beside the falls
of Ingwil tumbling from the wold.
An everlasting watch they hold,
the Gnomes of Nargothrond renowned,
and every hill is tower-crowned, 1745
where wardens sleepless peer and gaze
guarding the plain and all the ways
between Narog swift and Sirion pale;
and archers whose arrows never fail
there range the woods, and secret kill 1750
all who creep thither against their will.
Yet now he thrusts into that land
bearing the gleaming ring on hand
of Felagund, and oft doth cry:
'Here comes no wandering Orc or spy, 1755
but Beren son of Barahir
who once to Felagund was dear.'
So ere he reached the eastward shore
of Narog, that doth foam and roar
o'er boulders black, those archers green 1760
came round him. When the ring was seen
they bowed before him, though his plight
was poor and beggarly. Then by night
they led him northward, for no ford
nor bridge was built where Narog poured 1765

550

AS BALADAS DE BELERIAND

before the gates of Nargothrond,
and friend nor foe might pass beyond.
To northward, where that stream yet young
more slender flowed, below the tongue
of foam-splashed land that Ginglith pens   *1770*
when her brief golden torrent ends
and joins the Narog, there they wade.
Now swiftest journey thence they made
to Nargothrond's sheer terraces
and dim gigantic palaces.   *1775*
They came beneath a sickle moon
to doors there darkly hung and hewn
with posts and lintels of ponderous stone
and timbers huge. Now open thrown
were gaping gates, and in they strode   *1780*
where Felagund on throne abode.

Fair were the words of Narog's king
to Beren, and his wandering
and all his feuds and bitter wars
recounted soon. Behind closed doors   *1785*
they sat, while Beren told his tale
of Doriath; and words him fail
recalling Lúthien dancing fair
with wild white roses in her hair,
remembering her elven voice that rung   *1790*
while stars in twilight round her hung.
He spake of Thingol's marvellous halls
by enchantment lit, where fountain falls
and ever the nightingale doth sing
to Melian and to her king.   *1795*
The quest he told that Thingol laid
in scorn on him; how for love of maid
more fair than ever was born to Men,
of Tinúviel, of Lúthien,
he must essay the burning waste,   *1800*
and doubtless death and torment taste.

This Felagund in wonder heard,
and heavily spake at last this word:
'It seems that Thingol doth desire
thy death. The everlasting fire   *1805*
of those enchanted jewels all know
is cursed with an oath of endless woe,
and Fëanor's sons alone by right
are lords and masters of their light.
He cannot hope within his hoard   *1810*
to keep this gem, nor is he lord
of all the folk of Elfinesse.
And yet thou saist for nothing less
can thy return to Doriath
be purchased? Many a dreadful path   *1815*
in sooth there lies before thy feet —
and after Morgoth, still a fleet

551

POEMAS ORIGINAIS

untiring hate, as I know well,
would hunt thee from heaven unto hell.
Fëanor's sons would, if they could,   1820
slay thee or ever thou reached his wood
or laid in Thingol's lap that fire,
or gained at least thy sweet desire.
Lo! Celegorm and Curufin
here dwell this very realm within,   1825
and even though I, Finrod's son,
am king, a mighty power have won
and many of their own folk lead.
Friendship to me in every need
they yet have shown, but much I fear   1830
that to Beren son of Barahir
mercy or love they will not show
if once thy dreadful quest they know.'

    True words he spake. For when the king
to all his people told this thing,   1835
and spake of the oath to Barahir,
and how that mortal shield and spear
had saved them from Morgoth and from woe
on Northern battlefields long ago,
then many were kindled in their hearts   1840
once more to battle. But up there starts
amid the throng, and loudly cries
for hearing, one with flaming eyes,
proud Celegorm with gleaming hair
and shining sword. Then all men stare   1845
upon his stern unyielding face,
and a great hush falls upon that place.

    'Be he friend or foe, or demon wild
of Morgoth, Elf, or mortal child,
or any that here on earth may dwell,   1850
no law, nor love, nor league of hell,
no might of Gods, no binding spell,
shall him defend from hatred fell
of Fëanor's sons, whoso take or steal
or finding keep a Silmaril.   1855
These we alone do claim by right,
our thrice enchanted jewels bright.'

    Many wild and potent words he spoke,
and as before in Tûn awoke
his father's voice their hearts to fire,   1860
so now dark fear and brooding ire
he cast on them, foreboding war
of friend with friend; and pools of gore
their minds imagined lying red
in Nargothrond about the dead,   1865
did Narog's host with Beren go;
or haply battle, ruin, and woe
in Doriath where great Thingol reigned,

552

AS BALADAS DE BELERIAND

if Fëanor's fatal jewel he gained.
And even such as were most true   1870
to Felagund his oath did rue,
and thought with terror and despair
of seeking Morgoth in his lair
with force or guile. This Curufin
when his brother ceased did then begin   1875
more to impress upon their minds;
and such a spell he on them binds
that never again till Túrin's day
would Gnome of Narog in array
of open battle go to war.   1880
With secrecy, ambush, spies, and lore
of wizardry, with silent leaguer
of wild things wary, watchful, eager,
of phantom hunters, venomed darts,
and unseen stealthy creeping arts,   1885
with padding hatred that its prey
with feet of velvet all the day
followed remorseless out of sight
and slew it unawares at night —
thus they defended Nargothrond, 1890
and forgot their kin and solemn bond
for dread of Morgoth that the art
of Curufin set within their heart.

     So would they not that angry day
King Felagund their lord obey,   1895
but sullen murmured that Finrod
nor yet his son were as a god.
Then Felagund took off his crown
and at his feet he cast it down,
the silver helm of Nargothrond: 1900
'Yours ye may break, but I my bond
must keep, and kingdom here forsake.
If hearts here were that did not quake,
or that to Finrod's son were true,
then I at least should find a few   1905
to go with me, not like a poor
rejected beggar scorn endure,
turned from my gates to leave my town,
my people, and my realm and crown!'

     Hearing these words there swiftly stood   1910
beside him ten tried warriors good,
men of his house who had ever fought
wherever his banners had been brought.
One stooped and lifted up his crown,
and said: 'O king, to leave this town   1915
is now our fate, but not to lose
thy rightful lordship. Thou shalt choose
one to be steward in thy stead.'
Then Felagund upon the head
of Orodreth set it: 'Brother mine,   1920

POEMAS ORIGINAIS

till I return this crown is thine.'
Then Celegorm no more would stay,
and Curufin smiled and turned away.

[G] pp. 266–74:   VII

Thus twelve alone there ventured forth
from Nargothrond, and to the North   1925
they turned their silent secret way,
and vanished in the fading day.
No trumpet sounds, no voice there sings,
as robed in mail of cunning rings
now blackened dark with helmets grey   1930
and sombre cloaks they steal away.
Far-journeying Narog's leaping course
they followed till they found his source,
the flickering falls, whose freshets sheer
a glimmering goblet glassy-clear   1935
with crystal waters fill that shake
and quiver down from Ivrin's lake,
from Ivrin's mere that mirrors dim
the pallid faces bare and grim
of Shadowy Mountains neath the moon.   1940

Now far beyond the realm immune
from Orc and demon and the dread
of Morgoth's might their ways had led.
In woods o'ershadowed by the heights
they watched and waited many nights, 1945
till on a time when hurrying cloud
did moon and constellation shroud,
and winds of autumn's wild beginning
soughed in the boughs, and leaves went spinning
down the dark eddies rustling soft,   1950
they heard a murmur hoarsely waft
from far, a croaking laughter coming;
now louder; now they heard the drumming
of hideous stamping feet that tramp
the weary earth. Then many a lamp   1955
of sullen red they saw draw near,
swinging, and glistening on spear
and scimitar. There hidden nigh
they saw a band of Orcs go by
with goblin-faces swart and foul.   1960
Bats were about them, and the owl,
the ghostly forsaken night-bird cried
from trees above. The voices died,
the laughter like clash of stone and steel
passed and faded. At their heel   1965
the Elves and Beren crept more soft
than foxes stealing through a croft
in search of prey. Thus to the camp
lit by flickering fire and lamp
they stole, and counted sitting there   1970

554

AS BALADAS DE BELERIAND

full thirty Orcs in the red flare
of burning wood. Without a sound
they one by one stood silent round,
each in the shadow of a tree;
each slowly, grimly, secretly   1975
bent then his bow and drew the string.

    Hark! how they sudden twang and sing,
when Felagund lets forth a cry;
and twelve Orcs sudden fall and die.
Then forth they leap casting their bows.   1980
Out their bright swords, and swift their blows!
The stricken Orcs now shriek and yell
as lost things deep in lightless hell.
Battle there is beneath the trees
bitter and swift; but no Orc flees;   1985
there left their lives that wandering band
and stained no more the sorrowing land
with rape and murder. Yet no song
of joy, or triumph over wrong,
the Elves there sang. In peril sore   1990
they were, for never alone to war
so small an Orc-band went, they knew.
Swiftly the raiment off they drew
and cast the corpses in a pit.
This desperate counsel had the wit   1995
of Felagund for them devised:
as Orcs his comrades he disguised.

    The poisoned spears, the bows of horn,
the crooked swords their foes had borne
they took; and loathing each him clad   2000
in Angband's raiment foul and sad.
They smeared their hands and faces fair
with pigment dark; the matted hair
all lank and black from goblin head
they shore, and joined it thread by thread   2005
with Gnomish skill. As each one leers
at each dismayed, about his ears
he hangs it noisome, shuddering.
Then Felagund a spell did sing
of changing and of shifting shape;   2010
their ears grew hideous, and agape
their mouths did start, and like a fang
each tooth became, as slow he sang.
Their Gnomish raiment then they hid,
and one by one behind him slid,   2015
behind a foul and goblin thing
that once was elven-fair and king.

    Northward they went; and Orcs they met
who passed, nor did their going let,
but hailed them in greeting; and more bold   2020
they grew as past the long miles rolled.

POEMAS ORIGINAIS

At length they came with weary feet
beyond Beleriand. They found the fleet
young waters, rippling, silver-pale
of Sirion hurrying through that vale   2025
where Taur-na-Fuin, Deadly Night,
the trackless forest's pine-clad height,
falls dark forbidding slowly down
upon the east, while westward frown
the northward-bending Mountains grey   2030
and bar the westering light of day.

An isléd hill there stood alone
amid the valley, like a stone
rolled from the distant mountains vast
when giants in tumult hurtled past.   2035
Around its feet the river looped
a stream divided, that had scooped
the hanging edges into caves.
There briefly shuddered Sirion's waves
and ran to other shores more clean.   2040
An elven watchtower had it been,
and strong it was, and still was fair;
but now did grim with menace stare
one way to pale Beleriand,
the other to that mournful land   2045
beyond the valley's northern mouth.
Thence could be glimpsed the fields of drouth,
the dusty dunes, the desert wide;
and further far could be descried
the brooding cloud that hangs and lowers   2050
on Thangorodrim's thunderous towers.

Now in that hill was the abode
of one most evil ; and the road
that from Beleriand thither came
he watched with sleepless eyes of flame.   2055
(From the North there led no other way,
save east where the Gorge of Aglon lay,
and that dark path of hurrying dread
which only in need the Orcs would tread
through Deadly Nightshade's awful gloom   2060
where Taur-na-Fuin's branches loom;
and Aglon led to Doriath,
and Fëanor's sons watched o'er that path.)

Men called him Thû, and as a god
in after days beneath his rod   2065
bewildered bowed to him, and made
his ghastly temples in the shade.
Not yet by Men enthralled adored,
now was he Morgoth's mightiest lord,
Master of Wolves, whose shivering howl   2070
for ever echoed in the hills, and foul
enchantments and dark sigaldry

did weave and wield. In glamoury
that necromancer held his hosts
of phantoms and of wandering ghosts,   2075
of misbegotten or spell-wronged
monsters that about him thronged,
working his bidding dark and vile:
the werewolves of the Wizard's Isle.

From Thû their coming was not hid;   2080
and though beneath the eaves they slid
of the forest's gloomy-hanging boughs,
he saw them afar, and wolves did rouse:
'Go! fetch me those sneaking Orcs,' he said,
'that fare thus strangely, as if in dread,   2085
and do not come, as all Orcs use
and are commanded, to bring me news
of all their deeds, to me, to Thû.'

From his tower he gazed, and in him grew
suspicion and a brooding thought,   2090
waiting, leering, till they were brought.
Now ringed about with wolves they stand,
and fear their doom. Alas! the land,
the land of Narog left behind!
Foreboding evil weights their mind,   2095
as downcast, halting, they must go
and cross the stony bridge of woc
to Wizard's Isle, and to the throne
there fashioned of blood-darkened stone.

'Where have ye been? What have ye seen?'   2100

'In Elfinesse; and tears and distress,
the fire blowing and the blood flowing,
these have we seen, there have we been.
Thirty we slew and their bodies threw
in a dark pit. The ravens sit   2105
and the owl cries where our swath lies.'

'Come, tell me true, O Morgoth's thralls,
what then in Elfinesse befalls?
What of Nargothrond? Who reigneth there?
Into that realm did your feet dare?'   2110

'Only its borders did we dare.
There reigns King Felagund the fair.'

'Then heard ye not that he is gone,
that Celegorm sits his throne upon?'

'That is not true! If he is gone,   2115
then Orodreth sits his throne upon.'

'Sharp are your ears, swift have they got
tidings of realms ye entered not!

POEMAS ORIGINAIS

What are your names, O spearmen bold?
Who your captain, ye have not told.'　　　　　　2120

　　'Nereb and Dungalef and warriors ten,
so we are called, and dark our den
under the mountains. Over the waste
we march on an errand of need and haste.
Boldog the captain awaits us there　　　　　　2125
where fires from under smoke and flare.'

　　'Boldog, I heard, was lately slain
warring on the borders of that domain
where Robber Thingol and outlaw folk
cringe and crawl beneath elm and oak　　　　　　2130
in drear Doriath. Heard ye not then
of that pretty fay, of Lúthien?
Her body is fair, very white and fair.
Morgoth would possess her in his lair.
Boldog he sent, but Boldog was slain:　　　　　　2135
strange ye were not in Boldog's train.
Nereb looks fierce, his frown is grim.
Little Lúthien! What troubles him?
Why laughs he not to think of his lord
crushing a maiden in his hoard, 2140
that foul should be what once was clean,
that dark should be where light has been?
Whom do ye serve, Light or Mirk?
Who is the maker of mightiest work?
Who is the king of earthly kings,　　　　　　2145
the greatest giver of gold and rings?
Who is the master of the wide earth?
Who despoiled them of their mirth,
the greedy Gods? Repeat your vows,
Orcs of Bauglir! Do not bend your brows!　　　　　　2150
Death to light, to law, to love!
Cursed be moon and stars above!
May darkness everlasting old
that waits outside in surges cold
drown Manwë, Varda, and the sun!　　　　　　2155
May all in hatred be begun,
and all in evil ended be,
in the moaning of the endless Sea!'

　　But no true Man nor Elf yet free
would ever speak that blasphemy,　　　　　　2160
and Beren muttered: 'Who is Thû
to hinder work that is to do?
Him we serve not, nor to him owe
obeisance, and we now would go.'

　　Thû laughed: 'Patience! Not very long　　　　　　2165
shall ye abide. But first a song
I will sing to you, to ears intent.'
Then his flaming eyes he on them bent,

and darkness black fell round them all.
Only they saw as through a pall 2170
of eddying smoke those eyes profound
in which their senses choked and drowned.
He chanted a song of wizardry,
of piercing, opening, of treachery,
revealing, uncovering, betraying. 2175
Then sudden Felagund there swaying
sang in answer a song of staying,
resisting, battling against power,
of secrets kept, strength like a tower,
and trust unbroken, freedom, escape; 2180
of changing and of shifting shape,
of snares eluded, broken traps,
the prison opening, the chain that snaps.

Backwards and forwards swayed their song.
Reeling and foundering, as ever more strong 2185
Thû's chanting swelled, Felagund fought,
and all the magic and might he brought
of Elfinesse into his words.
Softly in the gloom they heard the birds
singing afar in Nargothrond, 2190
the sighing of the sea beyond,
beyond the western world, on sand,
on sand of pearls in Elvenland.

Then the gloom gathered: darkness growing
in Valinor, the red blood flowing 2195
beside the sea, where the Gnomes slew
the Foamriders, and stealing drew
their white ships with their white sails
from lamplit havens. The wind wails.
The wolf howls. The ravens flee. 2200
The ice mutters in the mouths of the sea.
The captives sad in Angband mourn.
Thunder rumbles, the fires burn,
a vast smoke gushes out, a roar —
and Felagund swoons upon the floor. 2205

Behold! they are in their own fair shape,
fairskinned, brighteyed. No longer gape
Orclike their mouths; and now they stand
betrayed into the wizard's hand.
Thus came they unhappy into woe, 2210
to dungeons no hope nor glimmer know,
where chained in chains that eat the flesh
and woven in webs of strangling mesh
they lay forgotten, in despair.

Yet not all unavailing were 2215
the spells of Felagund; for Thû
neither their names nor purpose knew.
These much he pondered and bethought,

POEMAS ORIGINAIS

and in their woeful chains them sought,
and threatened all with dreadful death,   2220
if one would not with traitor's breath
reveal this knowledge. Wolves should come
and slow devour them one by one
before the others' eyes, and last
should one alone be left aghast,   2225
then in a place of horror hung
with anguish should his limbs be wrung,
in the bowels of the earth be slow
endlessly, cruelly, put to woe
and torment, till he all declared.   2230

Even as he threatened, so it fared.
From time to time in the eyeless dark
two eyes would grow, and they would hark
to frightful cries, and then a sound
of rending, a slavering on the ground,   2235
and blood flowing they would smell.
But none would yield, and none would tell.

[H] pp. 278–87:   VIII

Hounds there were in Valinor
with silver collars. Hart and boar,
the fox and hare and nimble roe   2240
there in the forests green did go.
Oromë was the lord divine
of all those woods. The potent wine
went in his halls and hunting song.
The Gnomes anew have named him long   2245
Tavros, the God whose horns did blow
over the mountains long ago;
who alone of Gods had loved the world
before the banners were unfurled
of Moon and Sun; and shod with gold   2250
were his great horses. Hounds untold
baying in woods beyond the West
of race immortal he possessed:
grey and limber, black and strong,
white with silken coats and long,   2255
brown and brindled, swift and true
as arrow from a bow of yew;
their voices like the deeptoned bells
that ring in Valmar's citadels,
their eyes like living jewels, their teeth   2260
like ruel-bone. As sword from sheath
they flashed and fled from leash to scent
for Tavros' joy and merriment.

In Tavros' friths and pastures green
had Huan once a young whelp been.   2265
He grew the swiftest of the swift,
and Oromë gave him as a gift

560

to Celegorm, who loved to follow
the great God's horn o'er hill and hollow.
Alone of hounds of the Land of Light, 2270
when sons of Fëanor took to flight
and came into the North, he stayed
beside his master. Every raid
and every foray wild he shared,
and into mortal battle dared. 2275
Often he saved his Gnomish lord
from Orc and wolf and leaping sword.
A wolf-hound, tireless, grey and fierce
he grew; his gleaming eyes would pierce
all shadows and all mist, the scent 2280
moons old he found through fen and bent,
through rustling leaves and dusty sand;
all paths of wide Beleriand
he knew. But wolves, he loved them best;
he loved to find their throats and wrest 2285
their snarling lives and evil breath.
The packs of Thû him feared as Death.
No wizardry, nor spell, nor dart,
no fang, nor venom devil's art
could brew had harmed him; for his weird 2290
was woven. Yet he little feared
that fate decreed and known to all:
before the mightiest he should fall,
before the mightiest wolf alone
that ever was whelped in cave of stone. 2295

Hark! afar in Nargothrond,
far over Sirion and beyond,
there are dim cries and horns blowing,
and barking hounds through the trees going.
The hunt is up, the woods are stirred. 2300
Who rides to-day? Ye have not heard
that Celegorm and Curufin
have loosed their dogs? With merry din
they mounted ere the sun arose,
and took their spears and took their bows. 2305
The wolves of Thû of late have dared
both far and wide. Their eyes have glared
by night across the roaring stream
of Narog. Doth their master dream,
perchance, of plots and counsels deep, 2310
of secrets that the Elf-lords keep,
of movements in the Gnomish realm
and errands under beech and elm?

Curufin spake: 'Good brother mine,
I like it not. What dark design 2315
doth this portend? These evil things,
we swift must end their wanderings!
And more, 'twould please my heart full well
to hunt a while and wolves to fell.'

POEMAS ORIGINAIS

And then he leaned and whispered low   2320
that Orodreth was a dullard slow;
long time it was since the king had gone,
and rumour or tidings came there none.
'At least thy profit it would be
to know whether dead he is or free;   2325
to gather thy men and thy array.
"I go to hunt" then thou wilt say,
and men will think that Narog's good
ever thou heedest. But in the wood
things may be learned; and if by grace,   2330
by some blind fortune he retrace
his footsteps mad, and if he bear
a Silmaril — I need declare
no more in words; but one by right
is thine (and ours), the jewel of light;   2335
another may be won- a throne.
The eldest blood our house doth own.'

Celegorm listened. Nought he said,
but forth a mighty host he led;
and Huan leaped at the glad sounds,   2340
the chief and captain of his hounds.
Three days they ride by holt and hill
the wolves of Thû to hunt and kill,
and many a head and fell of grey
they take, and many drive away,   2345
till nigh to the borders in the West
of Doriath a while they rest.

There were dim cries and horns blowing,
and barking dogs through the woods going.
The hunt was up. The woods were stirred,   2350
and one there fled like startled bird,
and fear was in her dancing feet.
She knew not who the woods did beat.
Far from her home, forwandered, pale,
she flitted ghostlike through the vale;   2355
ever her heart bade her up and on,
but her limbs were worn, her eyes were wan.
The eyes of Huan saw a shade
wavering, darting down a glade
like a mist of evening snared by day   2360
and hasting fearfully away.
He bayed, and sprang with sinewy limb
to chase the shy thing strange and dim.
On terror's wings, like a butterfly
pursued by a sweeping bird on high,   2365
she fluttered hither, darted there,
now poised, now flying through the air —
in vain. At last against a tree
she leaned and panted. Up leaped he.
No word of magic gasped with woe,   2370
no elvish mystery she did know

or had entwined in raiment dark
availed against that hunter stark,
whose old immortal race and kind
no spells could ever turn or bind. 2375
Huan alone that she ever met
she never in enchantment set
nor bound with spells. But loveliness
and gentle voice and pale distress
and eyes like starlight dimmed with tears 2380
tamed him that death nor monster fears.

Lightly he lifted her, light he bore
his trembling burden. Never before
had Celegorm beheld such prey:
'What hast thou brought, good Huan say! 2385
Dark-elvish maid, or wraith, or fay?
Not such to hunt we came today.'

"Tis Lúthien of Doriath,'
the maiden spake. 'A wandering path
far from the Wood-Elves' sunny glades 2390
she sadly winds, where courage fades
and hope grows faint.' And as she spoke
down she let slip her shadowy cloak,
and there she stood in silver and white.
Her starry jewels twinkled bright 2395
in the risen sun like morning dew;
the lilies gold on mantle blue
gleamed and glistened. Who could gaze
on that fair face without amaze?
Long did Curufin look and stare. 2400
The perfume of her flower-twined hair,
her lissom limbs, her elvish face,
smote to his heart, and in that place
enchained he stood. 'O maiden royal,
O lady fair, wherefore in toil 2405
and lonely journey dost thou go?
What tidings dread of war and woe
In Doriath have betid? Come tell!
For fortune thee hath guided well;
friends thou hast found,' said Celegorm, 2410
and gazed upon her elvish form.

In his heart him thought her tale unsaid
he knew in part, but nought she read
of guile upon his smiling face.
'Who are ye then, the lordly chase 2415
that follow in this perilous wood?'
she asked; and answer seeming-good
they gave. 'Thy servants, lady sweet,
lords of Nargothrond thee greet,
and beg that thou wouldst with them go 2420
back to their hills, forgetting woe
a season, seeking hope and rest.
And now to hear thy tale were best.'

POEMAS ORIGINAIS

So Lúthien tells of Beren's deeds
in northern lands, how fate him leads　　　　2425
to Doriath, of Thingol's ire,
the dreadful errand that her sire
decreed for Beren.. Sign nor word
the brothers gave that aught they heard
that touched them near. Of her escape　　　　2430
and the marvellous mantle she did shape
she lightly tells, but words her fail
recalling sunlight in the vale,
moonlight, starlight in Doriath,
ere Beren took the perilous path.　　　　2435
'Need, too, my lords, there is of haste!
No time in ease and rest to waste.
For days are gone now since the queen,
Melian whose heart hath vision keen,
looking afar me said in fear　　　　2440
that Beren lived in bondage drear.
The Lord of Wolves hath prisons dark,
chains and enchantments cruel and stark,
and there entrapped and languishing
doth Beren lie — if direr thing　　　　2445
hath not brought death or wish for death':
then gasping woe bereft her breath.

To Celegorm said Curufin
apart and low: 'Now news we win
of Felagund, and now we know　　　　2450
wherefore Thû's creatures prowling go',
and other whispered counsels spake,
and showed him what answer he should make.
'Lady,' said Celegorm, 'thou seest
we go a-hunting roaming beast,　　　　2455
and though our host is great and bold,
'tis ill prepared the wizard's hold
and island fortress to assault .
Deem not our hearts or wills at fault.
Lo! here our chase we now forsake　　　　2460
and home our swiftest road we take,
counsel and aid there to devise
for Beren that in anguish lies.'

To Nargothrond they with them bore
Lúthien, whose heart misgave her sore.　　　　2465
Delay she feared; each moment pressed
upon her spirit, yet she guessed
they rode not as swiftly as they might.
Ahead leaped Huan day and night,
and ever looking back his thought　　　　2470
was troubled. What his master sought,
and why he rode not like the fire,
why Curufin looked with hot desire
on Lúthien, he pondered deep,
and felt some evil shadow creep　　　　2475

564

of ancient curse o'er Elfinesse.
His heart was torn for the distress
of Beren bold, and Lúthien dear,
and Felagund who knew no fear.

   In Nargothrond the torches flared   *2480*
and feast and music were prepared.
Lúthien feasted not but wept.
Her ways were trammelled; closely kept
she might not fly. Her magic cloak
was hidden, and no prayer she spoke   *2485*
was heeded, nor did answer find
her eager questions. Out of mind,
it seemed, were those afar that pined
in anguish and in dungeons blind
in prison and in misery.   *2490*
Too late she knew their treachery.
It was not hid in Nargothrond
that Fëanor's sons her held in bond,
who Beren heeded not, and who
had little cause to wrest from Thû   *2495*
the king they loved not and whose quest
old vows of hatred in their breast
had roused from sleep. Orodreth knew
the purpose dark they would pursue:
King Felagund to leave to die,   *2500*
and with King Thingol's blood ally
the house of Fëanor by force
or treaty. But to stay their course
he had no power, for all his folk
the brothers had yet beneath their yoke,   *2505*
and all yet listened to their word.
Orodreth's counsel no man heard;
their shame they crushed, and would not heed
the tale of Felagund's dire need.

   At Lúthien's feet there day by day   *2510*
and at night beside her couch would stay
Huan the hound of Nargothrond;
and words she spoke to him soft and fond:
'O Huan, Huan, swiftest hound
that ever ran on mortal ground,   *2515*
what evil doth thy lords possess
to heed no tears nor my distress?
Once Barahir all men above
good hounds did cherish and did love;
once Beren in the friendless North,   *2520*
when outlaw wild he wandered forth,
had friends unfailing among things
with fur and fell and feathered wings,
and among the spirits that in stone
in mountains old and wastes alone   *2525*
still dwell. But now nor Elf nor Man,
none save the child of Melian,

POEMAS ORIGINAIS

remembers him who Morgoth fought
and never to thraldom base was brought.'

Nought said Huan; but Curufin   2530
thereafter never near might win
to Lúthien, nor touch that maid,
but shrank from Huan's fangs afraid.
Then on a night when autumn damp
was swathed about the glimmering lamp   2535
of the wan moon, and fitful stars
were flying seen between the bars
of racing cloud, when winter's horn
already wound in trees forlorn,
lo! Huan was gone. Then Lúthien lay   2540
fearing new wrong, till just ere day,
when all is dead and breathless still
and shapeless fears the sleepless fill,
a shadow came along the wall.
Then something let there softly fall   2545
her magic cloak beside her couch.
Trembling she saw the great hound crouch
beside her, heard a deep voice swell
as from a tower a far slow bell.

Thus Huan spake, who never before   2550
had uttered words, and but twice more
did speak in elven tongue again:
'Lady beloved, whom all Men,
whom Elfinesse, and whom all things
with fur and fell and feathered wings   2555
should serve and love — arise! away!
Put on thy cloak! Before the day
comes over Nargothrond we fly
to Northern perils, thou and I.'
And ere he ceased he counsel wrought   2560
for achievement of the thing they sought.
There Lúthien listened in amaze,
and softly on Huan did she gaze.
Her arms about his neck she cast —
in friendship that to death should last.   2565

[I] pp. 293–301:   IX

In Wizard's Isle still lay forgot,
enmeshed and tortured in that grot
cold, evil, doorless, without light,
and blank-eyed stared at endless night
two comrades. Now alone they were.   2570
The others lived no more, but bare
their broken bones would lie and tell
how ten had served their master well.

To Felagund then Beren said:
"Twere little loss if I were dead,   2575

and I am minded all to tell,
and thus, perchance, from this dark hell
thy life to loose. I set thee free
from thine old oath, for more for me
hast thou endured than e'er was earned.'   2580

    'A! Beren, Beren hast not learned
that promises of Morgoth's folk
are frail as breath. From this dark yoke
of pain shall neither ever go,
whether he learn our names or no,   2585
with Thû's consent. Nay more, I think
yet deeper of torment we should drink,
knew he that son of Barahir
and Felagund were captive here,
and even worse if he should know   2590
the dreadful errand we did go.'

    A devil's laugh they ringing heard
within their pit. 'True, true the word
I hear you speak,' a voice then said.
"Twere little loss if he were dead,   2595
the outlaw mortal. But the king,
the Elf undying, many a thing
no man could suffer may endure.
Perchance, when what these walls immure
of dreadful anguish thy folk learn,   2600
their king to ransom they will yearn
with gold and gem and high hearts cowed;
or maybe Celegorm the proud
will deem a rival's prison cheap,
and crown and gold himself will keep.   2605
Perchance, the errand I shall know,
ere all is done, that ye did go.
The wolf is hungry, the hour is nigh;
no more need Beren wait to die.'

    The slow time passed. Then in the gloom   2610
two eyes there glowed. He saw his doom,
Beren, silent, as his bonds he strained
beyond his mortal might enchained.
Lo! sudden there was rending sound
of chains that parted and unwound,   2615
of meshes broken. Forth there leaped
upon the wolvish thing that crept
in shadow faithful Felagund,
careless of fang or venomed wound.
There in the dark they wrestled slow,   2620
remorseless, snarling, to and fro,
teeth in flesh, gripe on throat,
fingers locked in shaggy coat,
spurning Beren who there lying
heard the werewolf gasping, dying.   2625
Then a voice he heard: 'Farewell!

POEMAS ORIGINAIS

On earth I need no longer dwell,
friend and comrade, Beren bold.
My heart is burst, my limbs are cold.
Here all my power I have spent   2630
to break my bonds, and dreadful rent
of poisoned teeth is in my breast.
I now must go to my long rest
neath Timbrenting in timeless halls
where drink the Gods, where the light falls   2635
upon the shining sea.' Thus died the king,
as elvish singers yet do sing.

    There Beren lies. His grief no tear,
his despair no horror has nor fear,
waiting for footsteps, a voice, for doom.   2640
Silences profounder than the tomb
of long-forgotten kings, neath years
and sands uncounted laid on biers
and buried everlasting-deep,
slow and unbroken round him creep.   2645

    The silences were sudden shivered
to silver fragments. Faint there quivered
a voice in song that walls of rock,
enchanted hill, and bar and lock,
and powers of darkness pierced with light.   2650
He felt about him the soft night
of many stars, and in the air
were rustlings and a perfume rare;
the nightingales were in the trees,
slim fingers flute and viol seize   2655
beneath the moon, and one more fair
than all there be or ever were
upon a lonely knoll of stone
in shimmering raiment danced alone.
Then in his dream it seemed he sang,   2660
and loud and fierce his chanting rang,
old songs of battle in the North,
of breathless deeds, of marching forth
to dare uncounted odds and break
great powers, and towers, and strong walls shake; 2665
and over all the silver fire
that once Men named the Burning Briar,
the Seven Stars that Varda set
about the North, were burning yet,
a light in darkness, hope in woe,   2670
the emblem vast of Morgoth's foe.

    'Huan, Huan! I hear a song
far under welling, far but strong;
a song that Beren bore aloft.
I hear his voice, I have heard if oft   2675
in dream and wandering.' Whispering low
thus Lúthien spake. On the bridge of woe

in mantle wrapped at dead of night
she sat and sang, and to its height
and to its depth the Wizard's Isle, 2680
rock upon rock and pile on pile,
trembling echoed. The werewolves howled,
and Huan hidden lay and growled
watchful listening in the dark,
waiting for battle cruel and stark. 2685

Thû heard that voice, and sudden stood
wrapped in his cloak and sable hood
in his high tower. He listened long,
and smiled, and knew that elvish song.
'A! little Lúthien! What brought
the foolish fly to web unsought? 2690
Morgoth! a great and rich reward
to me thou wilt owe when to thy hoard
this jewel is added.' Down he went,
and forth his messengers he sent. 2695

Still Lúthien sang. A creeping shape
with bloodred tongue and jaws agape
stole on the bridge; but she sang on
with trembling limbs and wide eyes wan.
The creeping shape leaped to her side, 2700
and gasped, and sudden fell and died.
And still they came, still one by one,
and each was seized, and there were none
returned with padding feet to tell
that a shadow lurketh fierce and fell 2705
at the bridge's end, and that below
the shuddering waters loathing flow
o'er the grey corpses Huan killed.
A mightier shadow slowly filled
the narrow bridge, a slavering hate, 2710
an awful werewolf fierce and great:
pale Draugluin, the old grey lord
of wolves and beasts of blood abhorred,
that fed on flesh of Man and Elf
beneath the chair of Thû himself. 2715

No more in silence did they fight.
Howling and baying smote the night,
till back by the chair where he had fed
to die the werewolf yammering fled.
'Huan is there' he gasped and died, 2720
and Thû was filled with wrath and pride.
'Before the mightiest he shall fall,
before the mightiest wolf of all',
so thought he now, and thought he knew
how fate long spoken should come true. 2725
Now there came slowly forth and glared
into the night a shape long-haired,
dank with poison, with awful eyes

POEMAS ORIGINAIS

wolvish, ravenous; but there lies
a light therein more cruel and dread   2730
than ever wolvish eyes had fed.
More huge were its limbs, its jaws more wide,
its fangs more gleaming-sharp, and dyed
with venom, torment, and with death.
The deadly vapour of its breath   2735
swept on before it. Swooning dies
the song of Lúthien, and her eyes
are dimmed and darkened with a fear,
cold and poisonous and drear.

    Thus came Thû, as wolf more great   2740
than e'er was seen from Angband's gate
to the burning south, than ever lurked
in mortal lands or murder worked.
Sudden he sprang, and Huan leaped
aside in shadow. On he swept   2745
to Lúthien lying swooning faint.
To her drowning senses came the taint
of his foul breathing, and she stirred;
dizzily she spake a whispered word,
her mantle brushed across his face.   2750
He stumbled staggering in his pace.
Out leaped Huan. Back he sprang.
Beneath the stars there shuddering rang
the cry of hunting wolves at bay,
the tongue of hounds that fearless slay.   2755
Backward and forth they leaped and ran
feinting to flee, and round they span,
and bit and grappled, and fell and rose.
Then suddenly Huan holds and throws
his ghastly foe; his throat he rends,   2760
choking his life. Not so it ends.
From shape to shape, from wolf to worm,
from monster to his own demon form,
Thû changes, but that desperate grip
he cannot shake, nor from it slip.   2765
No wizardry, nor spell, nor dart,
no fang, nor venom, nor devil's art
could harm that hound that hart and boar
had hunted once in Valinor.

    Nigh the foul spirit Morgoth made   2770
and bred of evil shuddering strayed
from its dark house, when Lúthien rose
and shivering looked upon his throes.
'O demon dark, O phantom vile
of foulness wrought, of lies and guile,   2775
here shalt thou die, thy spirit roam
quaking back to thy master's home
his scorn and fury to endure;
thee he will in the bowels immure
of groaning earth, and in a hole   2780

570

everlastingly thy naked soul
shall wail and gibber- this shall be,
unless the keys thou render me
of thy black fortress, and the spell
that bindeth stone to stone thou tell,   *2785*
and speak the words of opening.'

With gasping breath and shuddering
he spake, and yielded as he must,
and vanquished betrayed his master's trust.

Lo! by the bridge a gleam of light,   *2790*
like stars descended from the night
to burn and tremble here below.
There wide her arms did Lúthien throw,
and called aloud with voice as clear
as still at whiles may mortal hear   *2795*
long elvish trumpets o'er the hill
echo, when all the world is still.
The dawn peered over mountains wan,
their grey heads silent looked thereon.
The hill trembled; the citadel   *2800*
crumbled, and all its towers fell;
the rocks yawned and the bridge broke,
and Sirion spumed in sudden smoke.
Like ghosts the owls were flying seen
hooting in the dawn, and bats unclean   *2805*
went skimming dark through the cold airs
shrieking thinly to find new lairs
in Deadly Nightshade's branches dread.
The wolves whimpering and yammering fled
like dusky shadows. Out there creep   *2810*
pale forms and ragged as from sleep,
crawling, and shielding blinded eyes:
the captives in fear and in surprise
from dolour long in clinging night
beyond all hope set free to light.   *2815*

A vampire shape with pinions vast
screeching leaped from the ground, and passed,
its dark blood dripping on the trees;
and Huan neath him lifeless sees
a wolvish corpse- for Thû had flown   *2820*
to Taur-na-Fuin, a new throne
and darker stronghold there to build.
The captives came and wept and shrilled
their piteous cries of thanks and praise.
But Lúthien anxious-gazing stays.   *2825*
Beren comes not. At length she said:
'Huan, Huan, among the dead
must we then find him whom we sought,
for love of whom we toiled and fought?'
Then side by side from stone to stone   *2830*
o'er Sirion they climbed. Alone

571

POEMAS ORIGINAIS

unmoving they him found, who mourned
by Felagund, and never turned
to see what feet drew halting nigh.
'A! Beren, Beren!' came her cry,   2835
'almost too late have I thee found?
Alas! that here upon the ground
the noblest of the noble race
in vain thy anguish doth embrace!
Alas! in tears that we should meet   2840
who once found meeting passing sweet!'

  Her voice such love and longing filled
he raised his eyes, his mourning stilled,
and felt his heart new-turned to flame
for her that through peril to him came.   2845

  'O Lúthien, O Lúthien,
more fair than any child of Men,
O loveliest maid of Elfinesse,
what might of love did thee possess
to bring thee here to terror's lair!   2850
O lissom limbs and shadowy hair,
O flower-entwined brows so white,
O slender hands in this new light!'

  She found his arms and swooned away
just at the rising of the day.   2855

[J] pp. 306–16:   X

Songs have recalled the Elves have sung
in old forgotten elven tongue
how Lúthien and Beren strayed
by the banks of Sirion. Many a glade
they filled with joy, and there their feet   2860
passed by lightly, and days were sweet.
Though winter hunted through the wood,
still flowers lingered where she stood.
Tinúviel! Tinúviel!
the birds are unafraid to dwell   2865
and sing beneath the peaks of snow
where Beren and where Lúthien go.

  The isle in Sirion they left behind;
but there on hill-top might one find
a green grave, and a stone set,   2870
and there there lie the white bones yet
of Felagund, of Finrod's son —
unless that land is changed and gone,
or foundered in unfathomed seas,
while Felagund laughs beneath the trees   2875
in Valinor, and comes no more
to this grey world of tears and war.

As baladas de Beleriand

To Nargothrond no more he came;
but thither swiftly ran the fame
of their king dead, of Thû o'erthrown,   2880
of the breaking of the towers of stone.
For many now came home at last,
who long ago to shadow passed;
and like a shadow had returned
Huan the hound, and scant had earned   2885
or praise or thanks of master wroth;
yet loyal he was, though he was loath.
The halls of Narog clamours fill
that vainly Celegorm would still.
There men bewailed their fallen king,   2890
crying that a maiden dared that thing
which sons of Fëanor would not do.
'Let us slay these faithless lords untrue!'
the fickle folk now loudly cried
with Felagund who would not ride.   2895
Orodreth spake: 'The kingdom now
is mine alone. I will allow
no spilling of kindred blood by kin.
But bread nor rest shall find herein
these brothers who have set at nought   2900
the house of Finrod.' They were brought.
Scornful, unbowed, and unashamed
stood Celegorm. In his eye there flamed
a light of menace. Curufin
smiled with his crafty mouth and thin.   2905

'Be gone for ever- ere the day
shall fall into the sea. Your way
shall never lead you hither more,
nor any son of Fëanor;
nor ever after shall be bond   2910
of love twixt yours and Nargothrond.'

'We will remember it,' they said,
and turned upon their heels, and sped,
and took their horses and such folk
as still them followed. Nought they spoke   2915
but sounded horns, and rode like fire,
and went away in anger dire.

Towards Doriath the wanderers now
were drawing nigh. Though bare the bough,
though cold the wind, and grey the grasses   2920
through which the hiss of winter passes,
they sang beneath the frosty sky
uplifted o'er them pale and high.
They came to Mindeb's narrow stream
that from the hills doth leap and gleam   2925
by western borders where begin
the spells of Melian to fence in
King Thingol's land, and stranger steps
to wind bewildered in their webs.

POEMAS ORIGINAIS

There sudden sad grew Beren's heart: 2930
'Alas, Tinúviel, here we part
and our brief song together ends,
and sundered ways each lonely wends!'

'Why part we here? What dost thou say,
just at the dawn of brighter day?'   2935

'For safe thou'rt come to borderlands
o'er which in the keeping of the hands
of Melian thou wilt walk at ease
and find thy home and well-loved trees.'

'My heart is glad when the fair trees   2940
far off uprising grey it sees
of Doriath inviolate.
Yet Doriath my heart did hate,
and Doriath my feet forsook,
my home, my kin. I would not look   2945
on grass nor leaf there evermore
without thee by me. Dark the shore
of Esgalduin the deep and strong!
Why there alone forsaking song
by endless waters rolling past   2950
must I then hopeless sit at last,
and gaze at waters pitiless
in heartache and in loneliness?'

'For never more to Doriath
can Beren find the winding path,   2955
though Thingol willed it or allowed;
for to thy father there I vowed
to come not back save to fulfill
the quest of the shining Silmaril,
and win by valour my desire.   2960
"Not rock nor steel nor Morgoth's fire
nor all the power of Elfinesse,
shall keep the gem I would possess":
thus swore I once of Lúthien
more fair than any child of Men.   2965
My word, alas! I must achieve,
though sorrow pierce and parting grieve.'

'Then Lúthien will not go home,
but weeping in the woods will roam,
nor peril heed, nor laughter know.   2970
And if she may not by thee go
against thy will thy desperate feet
she will pursue, until they meet,
Beren and Lúthien, love once more
on earth or on the shadowy shore.'   2975

'Nay, Lúthien, most brave of heart,
thou makest it more hard to part.

Thy love me drew from bondage drear,
but never to that outer fear,
that darkest mansion of all dread, 2980
shall thy most blissful light be led.'

'Never, never!' he shuddering said.
But even as in his arms she pled,
a sound came like a hurrying storm.
There Curufin and Celegorm 2985
in sudden tumult like the wind
rode up. The hooves of horses dinned
loud on the earth. In rage and haste
madly northward they now raced
the path twixt Doriath to find 2990
and the shadows dreadly dark entwined
of Taur-na-Fuin. That was their road
most swift to where their kin abode
in the east, where Himling's watchful hill
o'er Aglon's gorge hung tall and still. 2995

They saw the wanderers. With a shout
straight on them swung their hurrying rout,
as if neath maddened hooves to rend
the lovers and their love to end.
But as they came the horses swerved 3000
with nostrils wide and proud necks curved;
Curufin, stooping, to saddlebow
with mighty arm did Lúthien throw,
and laughed. Too soon; for there a spring
fiercer than tawny lion-king 3005
maddened with arrows barbéd smart,
greater than any hornéd hart
that hounded to a gulf leaps o'er,
there Beren gave, and with a roar
leaped on Curufin; round his neck 3010
his arms entwined, and all to wreck
both horse and rider fell to ground;
and there they fought without a sound.
Dazed in the grass did Lúthien lie
beneath bare branches and the sky; 3015
the Gnome felt Beren's fingers grim
close on his throat and strangle him,
and out his eyes did start, and tongue
gasping from his mouth there hung.
Up rode Celegorm with his spear, 3020
and bitter death was Beren near.
With elvish steel he nigh was slain
whom Lúthien won from hopeless chain,
but baying Huan sudden sprang
before his master's face with fang
white-gleaming, and with bristling hair,
as if he on boar or wolf did stare.
The horse in terror leaped aside,
and Celegorm in anger cried:

POEMAS ORIGINAIS

'Curse thee, thou baseborn dog, to dare   3030
against thy master teeth to bare!'
But dog nor horse nor rider bold
would venture near the anger cold
of mighty Huan fierce at bay.
Red were his jaws. They shrank away,   3035
and fearful eyed him from afar:
nor sword nor knife, nor scimitar,
no dart of bow, nor cast of spear,
master nor man did Huan fear.

There Curufin had left his life,   3040
had Lúthien not stayed that strife.
Waking she rose and softly cried
standing distressed at Beren's side:
'Forbear thy anger now, my lord!
nor do the work of Orcs abhorred;   3045
for foes there be of Elfinesse
unnumbered, and they grow not less,
while here we war by ancient curse
distraught, and all the world to worse
decays and crumbles. Make thy peace!'   3050

Then Beren did Curufin release;
but took his horse and coat of mail,
and took his knife there gleaming pale,
hanging sheathless, wrought of steel.
No flesh could leeches ever heal   3055
that point had pierced; for long ago
the dwarves had made it, singing slow
enchantments, where their hammers fell
in Nogrod ringing like a bell.
Iron as tender wood it cleft,   3060
and sundered mail like woollen weft.
But other hands its haft now held;
its master lay by mortal felled.
Beren uplifting him, far him flung,
and cried 'Begone!', with stinging tongue;   3065
'Begone! thou renegade and fool,
and let thy lust in exile cool!
Arise and go, and no more work
like Morgoth's slaves or cursèd Orc;
and deal, proud son of Fëanor,   3070
in deeds more proud than heretofore!'
Then Beren led Lúthien away,
while Huan still there stood at bay.

'Farewell,' cried Celegorm the fair.
'Far get you gone! And better were   3075
to die forhungered in the waste
than wrath of Fëanor's sons to taste,
that yet may reach o'er dale and hill.
No gem, nor maid, nor Silmaril
shall ever long in thy grasp lie!   3080

576

AS BALADAS DE BELERIAND

We curse thee under cloud and sky,
we curse thee from rising unto sleep!
Farewell!' He swift from horse did leap,
his brother lifted from the ground;
then bow of yew with gold wire bound   3085
he strung, and shaft he shooting sent,
as heedless hand in hand they went;
a dwarvish dart and cruelly hooked.
They never turned nor backward looked.
Loud bayed Huan, and leaping caught   3090
the speeding arrow. Quick as thought
another followed deadly singing;
but Beren had turned, and sudden springing
defended Lúthien with his breast.
Deep sank the dart in flesh to rest.   3095
He fell to earth. They rode away,
and laughing left him as he lay;
yet spurred like wind in fear and dread
of Huan's pursuing anger red.
Though Curufin with bruised mouth laughed,   3100
yet later of that dastard shaft
was tale and rumour in the North,
and Men remembered at the Marching Forth,
and Morgoth's will its hatred helped.

Thereafter never hound was whelped   3105
would follow horn of Celegorm
or Curufin. Though in strife and storm,
though all their house in ruin red
went down, thereafter laid his head
Huan no more at that lord's feet,   3110
but followed Lúthien, brave and fleet.
Now sank she weeping at the side
of Beren, and sought to stem the tide
of welling blood that flowed there fast.
The raiment from his breast she cast;   3115
from shoulder plucked the arrow keen;
his wound with tears she washed it clean.
Then Huan came and bore a leaf,
of all the herbs of healing chief,
that evergreen in woodland glade   3120
there grew with broad and hoary blade.
The powers of all grasses Huan knew,
who wide did forest-paths pursue.
Therewith the smart he swift allayed,
while Lúthien murmuring in the shade   3125
the staunching song, that Elvish wives
long years had sung in those sad lives
of war and weapons, wove o'er him.

The shadows fell from mountains grim.
Then sprang about the darkened North   3130
the Sickle of the Gods, and forth
each star there stared in stony night

POEMAS ORIGINAIS

radiant, glistering cold and white.
But on the ground there is a glow,
a spark of red that leaps below: 3135
under woven boughs beside a fire
of crackling wood and sputtering briar
there Beren lies in drowsing deep,
walking and wandering in sleep.
Watchful bending o'er him wakes 3140
a maiden fair; his thirst she slakes,
his brow caresses, and softly croons
a song more potent than in runes
or leeches' lore hath since been writ.
Slowly the nightly watches flit. 3145
The misty morning crawleth grey
from dusk to the reluctant day.

Then Beren woke and opened eyes,
and rose and cried: 'Neath other skies,
in lands more awful and unknown, 3150
I wandered long, methought, alone
to the deep shadow where the dead dwell;
but ever a voice that I knew well,
like bells, like viols, like harps, like birds,
like music moving without words, 3155
called me, called me through the night,
enchanted drew me back to light!
Healed the wound, assuaged the pain!
Now are we come to morn again,
new journeys once more lead us on — 3160
to perils whence may life be won,
hardly for Beren; and for thee
a waiting in the wood I see,
beneath the trees of Doriath,
while ever follow down my path 3165
the echoes of thine elvish song,
where hills are haggard and roads are long.'

'Nay, now no more we have for foe
dark Morgoth only, but in woe,
in wars and feuds of Elfinesse 3170
thy quest is bound; and death, no less,
for thee and me, for Huan bold
the end of weird of yore foretold,
all this I bode shall follow swift,
if thou go on. Thy hand shall lift 3175
and lay in Thingol's lap the dire
and flaming jewel, Fëanor's fire,
never, never! A why then go?
Why turn we not from fear and woe
beneath the trees to walk and roam 3180
roofless, with all the world as home,
over mountains, beside the seas,
in the sunlight, in the breeze?'

AS BALADAS DE BELERIAND

Thus long they spoke with heavy hearts;
and yet not all her elvish arts,   3185
nor lissom arms, nor shining eyes
as tremulous stars in rainy skies,
nor tender lips, enchanted voice,
his purpose bent or swayed his choice.
Never to Doriath would he fare   3190
save guarded fast to leave her there;
never to Nargothrond would go
with her, lest there came war and woe;
and never would in the world untrod
to wander suffer her, worn, unshod,   3195
roofless and restless, whom he drew
with love from the hidden realms she knew.
'For Morgoth's power is now awake;
already hill and dale doth shake,
the hunt is up, the prey is wild: 3200
a maiden lost, an elven child.
Now Orcs and phantoms prowl and peer
from tree to tree, and fill with fear
each shade and hollow. Thee they seek!
At thought thereof my hope grows weak,   3205
my heart is chilled. I curse mine oath,
I curse the fate that joined us both
and snared thy feet in my sad doom
of flight and wandering in the gloom!
Now let us haste, and ere the day   3210
be fallen, take our swiftest way,
till o'er the marches of thy land
beneath the beech and oak we stand
in Doriath, fair Doriath
whither no evil finds the path,   3215
powerless to pass the listening leaves
that droop upon those forest-eaves.'

Then to his will she seeming bent.
Swiftly to Doriath they went,
and crossed its borders. There they stayed   3220
resting in deep and mossy glade;
there lay they sheltered from the wind
under mighty beeches silken-skinned,
and sang of love that still shall be,
though earth be foundered under sea,   3225
and sundered here for evermore
shall meet upon the Western Shore.

One morning as asleep she lay
upon the moss, as though the day
too bitter were for gentle flower   3230
to open in a sunless hour,
Beren arose and kissed her hair,
and wept, and softly left her there.

'Good Huan,' said he, 'guard her well!
In leafless field no asphodel,   3235

579

POEMAS ORIGINAIS

in thorny thicket never a rose
forlorn, so frail and fragrant blows.
Guard her from wind and frost, and hide
from hands that seize and cast aside;
keep her from wandering and woe,   3240
for pride and fate now make me go.'

The horse he took and rode away,
nor dared to turn; but all that day
with heart as stone he hastened forth
and took the paths toward the North.   3245

[K] pp. 324–31:   XI

Once wide and smooth a plain was spread,
where King Fingolfin proudly led
his silver armies on the green,
his horses white, his lances keen;
his helmets tall of steel were hewn,   3250
his shields were shining as the moon.
There trumpets sang both long and loud,
and challenge rang unto the cloud
that lay on Morgoth's northern tower,
while Morgoth waited for his hour.   3255

Rivers of fire at dead of night
in winter lying cold and white
upon the plain burst forth, and high
the red was mirrored in the sky.
From Hithlum's walls they saw the fire,   3260
the steam and smoke in spire on spire
leap up, till in confusion vast
the stars were choked. And so it passed,
the mighty field, and turned to dust,
to drifting sand and yellow rust,   3265
to thirsty dunes where many bones
lay broken among barren stones.
Dor-na-Fauglith, Land of Thirst,
they after named it, waste accurst,
the raven-haunted roofless grave   3270
of many fair and many brave.
Thereon the stony slopes look forth
from Deadly Nightshade falling north,
from sombre pines with pinions vast,
black-plumed and drear, as many a mast   3275
of sable-shrouded ships of death
slow wafted on a ghostly breath.

Thence Beren grim now gazes out
across the dunes and shifting drought,
and sees afar the frowning towers   3280
where thunderous Thangorodrim lowers.
The hungry horse there drooping stood,
proud Gnomish steed; it feared the wood;

580

AS BALADAS DE BELERIAND

upon the haunted ghastly plain
no horse would ever stride again.   3285
'Good steed of master ill,' he said,
'farewell now here! Lift up thy head,
and get thee gone to Sirion's vale,
back as we came, past island pale
where Thû once reigned, to waters sweet   3290
and grasses long about thy feet.
And if Curufin no more thou find,
grieve not! but free with hart and hind
go wander, leaving work and war,
and dream thee back in Valinor,   3295
whence came of old thy mighty race
from Tavros' mountain-fenced chase.'

There still sat Beren, and he sang,
and loud his lonely singing rang.
Though Orc should hear, or wolf a-prowl,   3300
or any of the creatures foul
within the shade that slunk and stared
of Taur-na-Fuin, nought he cared,
who now took leave of light and day,
grim-hearted, bitter, fierce and fey.   3305
'Farewell now here, ye leaves of trees,
your music in the morning-breeze!
Farewell now blade and bloom and grass
that see the changing seasons pass;
ye waters murmuring over stone,   3310
and meres that silent stand alone!
Farewell now mountain, vale, and plain!
Farewell now wind and frost and rain,
and mist and cloud, and heaven's air;
ye star and moon so blinding-fair   3315
that still shall look down from the sky
on the wide earth, though Beren die —
though Beren die not, and yet deep,
deep, whence comes of those that weep
no dreadful echo, lie and choke   3320
in everlasting dark and smoke.

'Farewell sweet earth and northern sky,
for ever blest, since here did lie,
and here with lissom limbs did run,
beneath the moon, beneath the sun,   3325
Lúthien Tinúviel
more fair than mortal tongue can tell.
Though all to ruin fell the world,
and were dissolved and backward hurled
unmade into the old abyss,   3330
yet were its making good, for this —
the dawn, the dusk, the earth, the sea —
that Lúthien on a time should be!'

His blade he lifted high in hand,
and challenging alone did stand   3335

POEMAS ORIGINAIS

before the threat of Morgoth's power;
and dauntless cursed him, hall and tower,
o'ershadowing hand and grinding foot,
beginning, end, and crown and root;
then turned to stride forth down the slope 3340
abandoning fear, forsaking hope.

 'A, Beren, Beren!' came a sound,
'almost too late have I thee found!
O proud and fearless hand and heart,
not yet farewell, not yet we part! 3345
Not thus do those of elven race
forsake the love that they embrace.
A love is mine, as great a power
as thine, to shake the gate and tower
of death with challenge weak and frail 3350
that yet endures, and will not fail
nor yield, unvanquished were it hurled
beneath the foundations of the world.
Beloved fool! escape to seek
from such pursuit; in might so weak 3355
to trust not, thinking it well to save
from love thy loved, who welcomes grave
and torment sooner than in guard
of kind intent to languish, barred,
wingless and helpless him to aid 3360
for whose support her love was made!'

 Thus back to him came Lúthien:
they met beyond the ways of Men;
upon the brink of terror stood
between the desert and the wood. 3365

 He looked on her, her lifted face
beneath his lips in sweet embrace:
'Thrice now mine oath I curse,' he said,
'that under shadow thee hath led!
But where is Huan, where the hound 3370
to whom I trusted, whom I bound
by love of thee to keep thee well
from deadly wandering unto hell?'

 'I know not! But good Huan's heart
is wiser, kinder than thou art, 3375
grim lord, more open unto prayer!
Yet long and long I pleaded there,
until he brought me, as I would,
upon thy trail — a palfrey good
would Huan make, of flowing pace: 3380
thou wouldst have laughed to see us race,
as Orc on werewolf ride like fire
night after night through fen and mire,
through waste and wood! But when I heard
thy singing clear- (yea, every word 3385

of Lúthien one rashly cried,
and listening evil fierce defied) —,
he set me down, and sped away;
but what he would I cannot say.

Ere long they knew, for Huan came, 3390
his great breath panting, eyes like flame,
in fear lest her whom he forsook
to aid some hunting evil took
ere he was nigh. Now there he laid
before their feet, as dark as shade, 3395
two grisly shapes that he had won
from that tall isle in Sirion:
a wolfhame huge- its savage fell
was long and matted, dark the spell
that drenched the dreadful coat and skin, 3400
the werewolf cloak of Draugluin;
the other was a batlike garb
with mighty fingered wings, a barb
like iron nail at each joint's end —
such wings as their dark cloud extend 3405
against the moon, when in the sky
from Deadly Nightshade screeching fly
Thû's messengers.
'What hast thou brought,
good Huan? What thy hidden thought?
Of trophy of prowess and strong deed, 3410
when Thû thou vanquishedst, what need
here in the waste?' Thus Beren spoke,
and once more words in Huan woke:
his voice was like the deeptoned bells
that ring in Valmar's citadels: 3415

'Of one fair gem thou must be thief,
Morgoth's or Thingol's, loath or lief;
thou must here choose twixt love and oath!
If vow to break is still thee loath,
then Lúthien must either die 3420
alone, or death with thee defie
beside thee, marching on your fate
that hidden before you lies in wait.
Hopeless the quest, but not yet mad,
unless thou, Beren, run thus clad 3425
in mortal raiment, mortal hue,
witless and redeless, death to woo.
'Lo! good was Felagund's device,
but may be bettered, if advice
of Huan ye will dare to take, 3430
and swift a hideous change will make
to forms most curséd, foul and vile,
of werewolf of the Wizard's Isle,
of monstrous bat's envermined fell
with ghostly claw like wings of hell. 3435
'To such dark straits, alas! now brought

POEMAS ORIGINAIS

are ye I love, for whom I fought.
Nor further with you can I go —
whoever did a great hound know
in friendship at a werewolf's side   3440
to Angband's grinning portals stride?
Yet my heart tells that at the gate
what there ye find, 'twill be my fate
myself to see, though to that door
my feet shall bear me nevermore.   3445
Darkened is hope and dimmed my eyes,
I see not clear what further lies;
yet maybe backwards leads your path
beyond all hope to Doriath,
and thither, perchance, we three shall wend,   3450
and meet again before the end.'

They stood and marvelled thus to hear
his mighty tongue so deep and clear;
then sudden he vanished from their sight
even at the onset of the night.   3455

His dreadful counsel then they took,
and their own gracious forms forsook;
in werewolf fell and batlike wing
prepared to robe them, shuddering.
With elvish magic Lúthien wrought,   3460
lest raiment foul with evil fraught
to dreadful madness drive their hearts;
and there she wrought with elvish arts
a strong defence, a binding power,
singing until the midnight hour.   3465

Swift as the wolvish coat he wore,
Beren lay slavering on the floor,
redtongued and hungry; but there lies
a pain and longing in his eyes,
a look of horror as he sees   3470
a batlike form crawl to its knees
and drag its creased and creaking wings.
Then howling under moon he springs
fourfooted, swift, from stone to stone,
from hill to plain- but not alone: 3475
a dark shape down the slope doth skim,
and wheeling flitters over him.

Ashes and dust and thirsty dune
withered and dry beneath the moon,
under the cold and shifting air   3480
sifting and sighing, bleak and bare;
of blistered stones and gasping sand,
of splintered bones was built that land,
o'er which now slinks with powdered fell
and hanging tongue a shape of hell.   3485
Many parching leagues lay still before

584

when sickly day crept back once more;
many choking miles yet stretched ahead
when shivering night once more was spread
with doubtful shadow and ghostly sound 3490
that hissed and passed o'er dune and mound.
A second morning in cloud and reek
struggled, when stumbling, blind and weak,
a wolvish shape came staggering forth
and reached the foothills of the North; 3495
upon its back there folded lay
a crumpled thing that blinked at day.

The rocks were reared like bony teeth,
and claws that grasped from opened sheath,
on either side the mournful road 3500
that onward led to that abode
far up within the Mountain dark
with tunnels drear and portals stark.
They crept within a scowling shade,
and cowering darkly down them laid. 3505
Long lurked they there beside the path,
and shivered, dreaming of Doriath,
of laughter and music and clean air,
in fluttered leaves birds singing fair.
They woke, and felt the trembling sound, 3510
the beating echo far underground
shake beneath them, the rumour vast
of Morgoth's forges; and aghast
they heard the tramp of stony feet
that shod with iron went down that street: 3515
the Orcs went forth to rape and war,
and Balrog captains marched before.

They stirred, and under cloud and shade
at eve stepped forth, and no more stayed;
as dark things on dark errand bent 3520
up the long slopes in haste they went.
Ever the sheer cliffs rose beside,
where birds of carrion sat and cried;
and chasms black and smoking yawned,
whence writhing serpent-shapes were spawned; 3525
until at last in that huge gloom,
heavy as overhanging doom,
that weighs on Thangorodrim's foot
like thunder at the mountain's root,
they came, as to a sombre court 3530
walled with great towers, fort on fort
of cliffs embattled, to that last plain
that opens, abysmal and inane,
before the final topless wall
of Bauglir's immeasurable hall,
whereunder looming awful waits
the gigantic shadow of his gates.

POEMAS ORIGINAIS

[L] pp. 335–43:

XII

In that vast shadow once of yore
Fingolfin stood: his shield he bore
with field of heaven's blue and star   3540
of crystal shining pale afar.
In overmastering wrath and hate
desperate he smote upon that gate,
the Gnomish king, there standing lone,
while endless fortresses of stone   3545
engulfed the thin clear ringing keen
of silver horn on baldric green.
His hopeless challenge dauntless cried
Fingolfin there: 'Come, open wide,
dark king, your ghastly brazen doors!   3550
Come forth, whom earth and heaven abhors!
Come forth, O monstrous craven lord,
and fight with thine own hand and sword,
thou wielder of hosts of banded thralls,
thou tyrant leaguered with strong walls,   3555
thou foe of Gods and elvish race!
I wait thee here. Come! Show thy face!'

Then Morgoth came. For the last time
in those great wars he dared to climb
from subterranean throne profound,   3560
the rumour of his feet a sound
of rumbling earthquake underground.
Black-armoured, towering, iron-crowned
he issued forth; his mighty shield
a vast unblazoned sable field   3565
with shadow like a thundercloud;
and o'er the gleaming king it bowed,
as huge aloft like mace he hurled
that hammer of the underworld,
Grond. Clanging to ground it tumbled   3570
down like a thunder-bolt, and crumbled
the rocks beneath it; smoke up-started,
a pit yawned, and a fire darted.

Fingolfin like a shooting light
beneath a cloud, a stab of white,   3575
sprang then aside, and Ringil drew
like ice that gleameth cold and blue,
his sword devised of elvish skill
to pierce the flesh with deadly chill.
With seven wounds it rent his foe,   3580
and seven mighty cries of woe
rang in the mountains, and the earth quook,
and Angband's trembling armies shook.
Yet Orcs would after laughing tell
of the duel at the gates of hell;   3585
though elvish song thereof was made
ere this but one — when sad was laid

586

the mighty king in barrow high,
and Thorndor, Eagle of the sky,
the dreadful tidings brought and told　　　　　3590
to mourning Elfinesse of old.
Thrice was Fingolfin with great blows
to his knees beaten, thrice he rose
still leaping up beneath the cloud
aloft to hold star-shining, proud,　　　　　3595
his stricken shield, his sundered helm,
that dark nor might could overwhelm
till all the earth was burst and rent
in pits about him. He was spent.
His feet stumbled. He fell to wreck　　　　　3600
upon the ground, and on his neck
a foot like rooted hills was set,
and he was crushed — not conquered yet;
one last despairing stroke he gave:
the mighty foot pale Ringil clave　　　　　3605
about the heel, and black the blood
gushed as from smoking fount in flood.
Halt goes for ever from that stroke
great Morgoth; but the king he broke,
and would have hewn and mangled-thrown　　　　　3610
to wolves devouring. Lo! from throne
that Manwë bade him build on high,
on peak unsealed beneath the sky,
Morgoth to watch, now down there swooped
Thorndor the King of Eagles, stooped,　　　　　3615
and rending beak of gold he smote
in Bauglir's face, then up did float
on pinions thirty fathoms wide
bearing away, though loud they cried,
the mighty corse, the Elven-king;　　　　　3620
and where the mountains make a ring
far to the south about that plain
where after Gondolin did reign,
embattled city, at great height
upon a dizzy snowcap white　　　　　3625
in mounded cairn the mighty dead
he laid upon the mountain's head.
Never Orc nor demon after dared
that pass to climb, o'er which there stared
Fingolfin's high and holy tomb,　　　　　3630
till Gondolin's appointed doom.

Thus Bauglir earned the furrowed scar
that his dark countenance doth mar,
and thus his limping gait he gained;
but afterward profound he reigned　　　　　3635
darkling upon his hidden throne;
and thunderous paced his halls of stone,
slow building there his vast design
the world in thraldom to confine.
Wielder of armies, lord of woe,　　　　　3640

POEMAS ORIGINAIS

no rest now gave he slave or foe;
his watch and ward he thrice increased,
his spies were sent from West to East
and tidings brought from all the North,
who fought, who fell; who ventured forth,   3645
who wrought in secret; who had hoard;
if maid were fair or proud were lord;
well nigh all things he knew, all hearts
well nigh enmeshed in evil arts.
Doriath only, beyond the veil   3650
woven by Melian, no assail
could hurt or enter; only rumour dim
of things there passing came to him.
A rumour loud and tidings clear
of other movements far and near   3655
among his foes, and threat of war
from the seven sons of Fëanor,
from Nargothrond, from Fingon still
gathering his armies under hill
and under tree in Hithlum's shade,   3660
these daily came. He grew afraid
amidst his power once more; renown
of Beren vexed his ears, and down
the aisléd forests there was heard
great Huan baying.

  Then came word   3665
most passing strange of Lúthien
wild-wandering by wood and glen,
and Thingol's purpose long he weighed,
and wondered, thinking of that maid
so fair, so frail. A captain dire,   3670
Boldog, he sent with sword and fire
to Doriath's march; but battle fell
sudden upon him: news to tell
never one returned of Boldog's host,
and Thingol humbled Morgoth's boast.   3675
Then his heart with doubt and wrath was burned:
new tidings of dismay he learned,
how Thû was o'erthrown and his strong isle
broken and plundered, how with guile
his foes now guile beset; and spies   3680
he feared, till each Orc to his eyes
was half suspect. Still ever down
the aisléd forests came renown
of Huan baying, hound of war
that Gods unleashed in Valinor.   3685

  Then Morgoth of Huan's fate bethought
long-rumoured, and in dark he wrought.
Fierce hunger-haunted packs he had
that in wolvish form and flesh were clad,
but demon spirits dire did hold;   3690
and ever wild their voices rolled

in cave and mountain where they housed
and endless snarling echoes roused.
From these a whelp he chose and fed
with his own hand on bodies dead, 3695
on fairest flesh of Elves and Men,
till huge he grew and in his den
no more could creep, but by the chair
of Morgoth's self would lie and glare,
nor suffer Balrog, Orc, nor beast 3700
to touch him. Many a ghastly feast
he held beneath that awful throne,
rending flesh and gnawing bone.
There deep enchantment on him fell,
the anguish and the power of hell; 3705
more great and terrible he became
with fire-red eyes and jaws aflame,
with breath like vapours of the grave,
than any beast of wood or cave,
than any beast of earth or hell 3710
that ever in any time befell,
surpassing all his race and kin,
the ghastly tribe of Draugluin.

Him Carcharoth, the Red Maw, name
the songs of Elves. Not yet he came 3715
disastrous, ravening, from the gates
of Angband. There he sleepless waits;
where those great portals threatening loom
his red eyes smoulder in the gloom,
his teeth are bare, his jaws are wide; 3720
and none may walk, nor creep, nor glide,
nor thrust with power his menace past
to enter Morgoth's dungeon vast.

Now, lo! before his watchful eyes
a slinking shape he far descries 3725
that crawls into the frowning plain
and halts at gaze, then on again
comes stalking near, a wolvish shape
haggard, wayworn, with jaws agape;
and o'er it batlike in wide rings 3730
a reeling shadow slowly wings.
Such shapes there oft were seen to roam,
this land their native haunt and home;
and yet his mood with strange unease
is filled, and boding thoughts him seize. 3735

'What grievous terror, what dread guard
hath Morgoth set to wait, and barred
his doors against all entering feet?
Long ways we have come at last to meet
the very maw of death that opes 3740
between us and our quest! Yet hopes
we never had. No turning back!'

POEMAS ORIGINAIS

Thus Beren speaks, as in his track
he halts and sees with werewolf eyes
afar the horror that there lies.   3745
Then onward desperate he passed,
skirting the black pits yawning vast,
where King Fingolfin ruinous fell
alone before the gates of hell.

Before those gates alone they stood,   3750
while Carcharoth in doubtful mood
glowered upon them, and snarling spoke,
and echoes in the arches woke:
'Hail! Draugluin, my kindred's lord!
'Tis very long since hitherward   3755
thou camest. Yea, 'tis passing strange
to see thee now: a grievous change
is on thee, lord, who once so dire,
so dauntless, and as fleet as fire,
ran over wild and waste, but now   3760
with weariness must bend and bow!
'Tis hard to find the struggling breath
when Huan's teeth as sharp as death
have rent the throat? What fortune rare
brings thee back living here to fare —   3765
if Draugluin thou art? Come near!
I would know more, and see thee clear.'

'Who art thou, hungry upstart whelp,
to bar my ways whom thou shouldst help?
I fare with hasty tidings new   3770
to Morgoth from forest-haunting Thû.
Aside! for I must in; or go
and swift my coming tell below!'

Then up that doorward slowly stood,
eyes shining grim with evil mood,   3775
uneasy growling: 'Draugluin,
if such thou be, now enter in!
But what is this that crawls beside,
slinking as if 'twould neath thee hide?
Though winged creatures to and fro   3780
unnumbered pass here, all I know.
I know not this. Stay, vampire, stay!
I like not thy kin nor thee. Come, say
what sneaking errand thee doth bring,
thou wingéd vermin, to the king! 3785
Small matter, I doubt not, if thou stay
or enter, or if in my play
I crush thee like a fly on wall,
or bite thy wings and let thee crawl.'

Huge-stalking, noisome, close he came.   3790
In Beren's eyes there gleamed a flame;
the hair upon his neck uprose.

Nought may the fragrance fair enclose,
the odour of immortal flowers
in everlasting spring neath showers 3795
that glitter silver in the grass
in Valinor. Where'er did pass
Tinúviel, such air there went.
From that foul devil-sharpened scent
its sudden sweetness no disguise 3800
enchanted dark to cheat the eyes
could keep, if near those nostrils drew
snuffling in doubt. This Beren knew
upon the brink of hell prepared
for battle and death. There threatening stared 3805
those dreadful shapes, in hatred both,
false Draugluin and Carcharoth
when, lo! a marvel to behold:
some power, descended from of old,
from race divine beyond the West, 3810
sudden Tinúviel possessed
like inner fire. The vampire dark
she flung aside, and like a lark
cleaving through night to dawn she sprang,
while sheer, heart-piercing silver, rang 3815
her voice, as those long trumpets keen
thrilling, unbearable, unseen
in the cold aisles of morn. Her cloak
by white hands woven, like a smoke,
like all-bewildering, all-enthralling, 3820
all-enfolding evening, falling
from lifted arms, as forth she stepped,
across those awful eyes she swept,
a shadow and a mist of dreams
wherein entangled starlight gleams. 3825

'Sleep, O unhappy, tortured thrall!
Thou woebegotten, fail and fall
down, down from anguish, hatred, pain,
from lust, from hunger, bond and chain,
to that oblivion, dark and deep, 3 830
the well, the lightless pit of sleep!
For one brief hour escape the net,
the dreadful doom of life forget!'

His eyes were quenched, his limbs were loosed;
he fell like running steer that noosed 3835
and tripped goes crashing to the ground.
Deathlike, moveless, without a sound
outstretched he lay, as lightning stroke
had felled a huge o'ershadowing oak.

[M] pp. 345–55:   XIII

Into the vast and echoing gloom, 3840
more dread than many-tunnelled tomb

POEMAS ORIGINAIS

in labyrinthine pyramid
where everlasting death is hid,
down awful corridors that wind
down to a menace dark enshrined; 3845
down to the mountain's roots profound,
devoured, tormented, bored and ground
by seething vermin spawned of stone;
down to the depths they went alone.
The arch behind of twilit shade 3850
they saw recede and dwindling fade;
the thunderous forges' rumour grew,
a burning wind there roaring blew
foul vapours up from gaping holes.
Huge shapes there stood like carven trolls 3855
enormous hewn of blasted rock
to forms that mortal likeness mock;
monstrous and menacing, entombed,
at every turn they silent loomed
in fitful glares that leaped and died. 3860
There hammers clanged, and tongues there cried
with sound like smitten stone; there wailed
faint from far under, called and failed
amid the iron clink of chain
voices of captives put to pain. 3865

Loud rose a din of laughter hoarse,
self-loathing yet without remorse;
loud came a singing harsh and fierce
like swords of terror souls to pierce.
Red was the glare through open doors 3870
of firelight mirrored on brazen floors,
and up the arches towering clomb
to glooms unguessed, to vaulted dome
swathed in wavering smokes and steams
stabbed with flickering lightning-gleams. 3875
To Morgoth's hall, where dreadful feast
he held, and drank the blood of beast
and lives of Men, they stumbling came:
their eyes were dazed with smoke and flame.
The pillars, reared like monstrous shores 3880
to bear earth's overwhelming floors,
were devil-carven, shaped with skill
such as unholy dreams doth fill:
they towered like trees into the air,
whose trunks are rooted in despair, 3885
whose shade is death, whose fruit is bane,
whose boughs like serpents writhe in pain.
Beneath them ranged with spear and sword
stood Morgoth's sable-armoured horde:
the fire on blade and boss of shield 3890
was red as blood on stricken field.
Beneath a monstrous column loomed
the throne of Morgoth, and the doomed
and dying gasped upon the floor:

592

AS BALADAS DE BELERIAND

his hideous footstool, rape of war.
About him sat his awful thanes,
the Balrog-lords with fiery manes,
redhanded, mouthed with fangs of steel;
devouring wolves were crouched at heel.
And o'er the host of hell there shone   3900
with a cold radiance, clear and wan,
the Silmarils, the gems of fate,
emprisoned in the crown of hate.

    Lo! through the grinning portals dread
sudden a shadow swooped and fled;   3905
and Beren gasped- he lay alone,
with crawling belly on the stone:
a form bat-wingéd, silent, flew
where the huge pillared branches grew,
amid the smokes and mounting steams.   3910
And as on the margin of dark dreams
a dim-felt shadow unseen grows
to cloud of vast unease, and woes
foreboded, nameless, roll like doom
upon the soul, so in that gloom   3915
the voices fell, and laughter died
slow to silence many-eyed.
A nameless doubt, a shapeless fear,
had entered in their caverns drear,
and grew, and towered above them cowed,   3920
hearing in heart the trumpets loud
of gods forgotten. Morgoth spoke,
and thunderous the silence broke:
'Shadow, descend! And do not think
to cheat mine eyes! In vain to shrink   3925
from thy Lord's gaze, or seek to hide.
My will by none may be defied.
Hope nor escape doth here await
those that unbidden pass my gate.
Descend! ere anger blast thy wing,   3930
thou foolish, frail, bat-shapen thing,
and yet not bat within! Come down!'

    Slow-wheeling o'er his iron crown,
reluctantly, shivering and small,
Beren there saw the shadow fall,   3935
and droop before the hideous throne,
a weak and trembling thing, alone.
And as thereon great Morgoth bent
his darkling gaze, he shuddering went,
belly to earth, the cold sweat dank   3940
upon his fell, and crawling shrank
beneath the darkness of that seat,
beneath the shadow of those feet.

    Tinúviel spake, a shrill, thin, sound
piercing those silences profound: 3945

POEMAS ORIGINAIS

'A lawful errand here me brought;
from Thû's dark mansions have I sought,
from Taur-na-Fuin's shade I fare
to stand before thy mighty chair! '

  'Thy name, thou shrieking waif, thy name!   3950
Tidings enough from Thû there came
but short while since. What would he now?
Why send such messenger as thou?'

  'Thuringwethil I am, who cast
a shadow o'er the face aghast   3955
of the sallow moon in the doomed land
of shivering Beleriand.'

  'Liar art thou, who shalt not weave
deceit before mine eyes. Now leave
thy form and raiment false, and stand   3960
revealed, and delivered to my hand!'

  There came a slow and shuddering change:
the batlike raiment dark and strange
was loosed, and slowly shrank and fell
quivering. She stood revealed in hell.   3965
About her slender shoulders hung
her shadowy hair, and round her clung
her garment dark, where glimmered pale
the starlight caught in magic veil.
Dim dreams and faint oblivious sleep   3970
fell softly thence, in dungeons deep
an odour stole of elven-flowers
from elven-dells where silver showers
drip softly through the evening air;
and round there crawled with greedy stare   3975
dark shapes of snuffling hunger dread.

  With arms upraised and drooping head
then softly she began to sing
a theme of sleep and slumbering,
wandering, woven with deeper spell   3980
than songs wherewith in ancient dell
Melian did once the twilight fill,
profound, and fathomless, and still.

  The fires of Angband flared and died,
smouldered into darkness; through the wide   3985
and hollow halls there rolled unfurled
the shadows of the underworld.
All movement stayed, and all sound ceased,
save vaporous breath of Orc and beast.
One fire in darkness still abode: 3990
the lidless eyes of Morgoth glowed;
one sound the breathing silence broke:
the mirthless voice of Morgoth spoke.

AS BALADAS DE BELERIAND

'So Lúthien, so Lúthien,
a liar like all Elves and Men!
Yet welcome, welcome, to my hall!
I have a use for every thrall.
What news of Thingol in his hole
shy lurking like a timid vole?
What folly fresh is in his mind,
who cannot keep his offspring blind
from straying thus? or can devise
no better counsel for his spies?'

    She wavered, and she stayed her song.
'The road,' she said, 'was wild and long,
but Thingol sent me not, nor knows
what way his rebellious daughter goes.
Yet every road and path will lead
Northward at last, and here of need
I trembling come with humble brow,
and here before thy throne I bow;
for Lúthien hath many arts
for solace sweet of kingly hearts.'

    'And here of need thou shalt remain
now, Lúthien, in joy or pain —
or pain, the fitting doom for all,
for rebel, thief, and upstart thrall.
Why should ye not in our fate share
of woe and travail? Or should I spare
to slender limb and body frail
breaking torment? Of what avail
here dost thou deem thy babbling song
and foolish laughter? Minstrels strong
are at my call. Yet I will give
a respite brief, a while to live,
a little while, though purchased dear,
to Lúthien the fair and clear,
a pretty toy for idle hour.
In slothful gardens many a flower
like thee the amorous gods are used
honey-sweet to kiss, and cast then bruised,
their fragrance loosing, under feet.
But here we seldom find such sweet
amid our labours long and hard,
from godlike idleness debarred.
And who would not taste the honey-sweet
lying to lips, or crush with feet
the soft cool tissue of pale flowers,
easing like gods the dragging hours?
A! curse the Gods! O hunger dire,
O blinding thirst's unending fire!
One moment shall ye cease, and slake
your sting with morsel I here take!'

    In his eyes the fire to flame was fanned,
and forth he stretched his brazen hand.

3995

4000

4005

4010

4015

4020

4025

4030

4035

4040

4045

POEMAS ORIGINAIS

Lúthien as shadow shrank aside.
'Not thus, O king! Not thus!' she cried,
'do great lords hark to humble boon!
For every minstrel hath his tune;
and some are strong and some are soft,   4050
and each would bear his song aloft,
and each a little while be heard,
though rude the note, and light the word.
But Lúthien hath cunning arts
for solace sweet of kingly hearts.   4055
Now hearken!' And her wings she caught
then deftly up, and swift as thought
slipped from his grasp, and wheeling round ,
fluttering before his eyes, she wound
a mazy-wingéd dance, and sped   4060
about his iron-crownéd head.
Suddenly her song began anew;
and soft came dropping like a dew
down from on high in that domed hall
her voice bewildering, magical,   4065
and grew to silver-murmuring streams
pale falling in dark pools in dreams.

    She let her flying raiment sweep,
enmeshed with woven spells of sleep,
as round the dark void she ranged and reeled.   4070
From wall to wall she turned and wheeled
in dance such as never Elf nor fay
before devised, nor since that day;
than swallow swifter, than flittermouse
in dying light round darkened house   4075
more silken-soft, more strange and fair: —
than sylphine maidens of the Air
whose wings in Varda's heavenly hall
in rhythmic movement beat and fall.
Down crumpled Orc, and Balrog proud;   4080
all eyes were quenched, all heads were bowed;
the fires of heart and maw were stilled,
and ever like a bird she thrilled
above a lightless world forlorn
in ecstasy enchanted borne.   4085
All eyes were quenched, save those that glared
in Morgoth's lowering brows, and stared
in slowly wandering wonder round,
and slow were in enchantment bound.
Their will wavered, and their fire failed,   4090
and as beneath his brows they paled,
the Silmarils like stars were kindled
that in the reek of Earth had dwindled
escaping upwards clear to shine,
glistening marvellous in heaven's mine.   4095

    Then flaring suddenly they fell,
down, down upon the floors of hell .

596

The dark and mighty head was bowed;
like mountain-top beneath a cloud
the shoulders foundered, the vast form 4100
crashed, as in overwhelming storm
huge cliffs in ruin slide and fall;
and prone lay Morgoth in his hall.
His crown there rolled upon the ground,
a wheel of thunder; then all sound 4105
died, and a silence grew as deep
as were the heart of Earth asleep.

Beneath the vast and empty throne
the adders lay like twisted stone,
the wolves like corpses foul were strewn; 4110
and there lay Beren deep in swoon:
no thought, no dream nor shadow blind
moved in the darkness of his mind.
'Come forth, come forth! The hour hath knelled,
and Angband's mighty lord is felled! 4115
Awake, awake! For we two meet
alone before the aweful seat.'
This voice came down into the deep
where he lay drowned in wells of sleep;
a hand flower-soft and flower-cool 4120
passed o'er his face, and the still pool
of slumber quivered. Up then leaped
his mind to waking; forth he crept.
The wolvish fell he flung aside
and sprang unto his feet, and wide 4125
staring amid the soundless gloom
he gasped as one living shut in tomb.
There to his side he felt her shrink,
felt Lúthien now shivering sink,
her strength and magic dimmed and spent, 4130
and swift his arms about her went.

Before his feet he saw amazed
the gems of Fëanor, that blazed
with white fire glistening in the crown
of Morgoth's might now fallen down. 4135
To move that helm of iron vast
no strength he found, and thence aghast
he strove with fingers mad to wrest
the guerdon of their hopeless quest,
till in his heart there fell the thought 4140
of that cold morn whereon he fought
with Curufin; then from his belt
the sheathless knife he drew, and knelt,
and tried its hard edge, bitter-cold,
o'er which in Nogrod songs had rolled 4145
of dwarvish armourers singing slow
to hammer-music long ago.
Iron as tender wood it clove
and mail as woof of loom it rove.

597

POEMAS ORIGINAIS

The claws of iron that held the gem, 4150
it bit them through and sundered them;
a Silmaril he clasped and held,
and the pure radiance slowly welled
red glowing through the clenching flesh.
Again he stooped and strove afresh 4155
one more of the holy jewels three
that Fëanor wrought of yore to free.
But round those fires was woven fate:
not yet should they leave the halls of hate.
The dwarvish steel of cunning blade 4160
by treacherous smiths of Nogrod made
snapped; then ringing sharp and clear
in twain it sprang, and like a spear
or errant shaft the brow it grazed
of Morgoth's sleeping head, and dazed 4165
their hearts with fear. For Morgoth groaned
with voice entombed, like wind that moaned
in hollow caverns penned and bound.
There came a breath; a gasping sound
moved through the halls, as Orc and beast 4170
turned in their dreams of hideous feast;
in sleep uneasy Balrogs stirred,
and far above was faintly heard
an echo that in tunnels rolled,
a wolvish howling long and cold. 4175

[N] pp. 359–60:   XIV

Up through the dark and echoing gloom
as ghosts from many-tunnelled tomb,
up from the mountains' roots profound
and the vast menace underground,
their limbs aquake with deadly fear, 4180
terror in eyes, and dread in ear,
together fled they, by the beat
affrighted of their flying feet.

At last before them far away
they saw the glimmering wraith of day, 4185
the mighty archway of the gate
and there a horror new did wait.
Upon the threshold, watchful, dire,
his eyes new-kindled with dull fire,
towered Carcharoth, a biding doom: 4190
his jaws were gaping like a tomb,
his teeth were bare, his tongue aflame;
aroused he watched that no one came,
no flitting shade nor hunted shape,
seeking from Angband to escape. 4195
Now past that guard what guile or might
could thrust from death into the light?

He heard afar their hurrying feet,
he snuffed an odour strange and sweet;

AS BALADAS DE BELERIAND

he smelled their coming long before 4200
they marked the waiting threat at door.
His limbs he stretched and shook off sleep,
then stood at gaze. With sudden leap
upon them as they sped he sprang,
and his howling in the arches rang. 4205
Too swift for thought his onset came,
too swift for any spell to tame;
and Beren desperate then aside
thrust Lúthien, and forth did stride
unarmed, defenceless to defend 4210
Tinúviel until the end .
With left he caught at hairy throat,
with right hand at the eyes he smote —
his right, from which the radiance welled
of the holv Silmaril he held. 4215
As gleam of swords in fire there flashed
the fangs of Carcharoth, and crashed
together like a trap, that tore
the hand about the wrist, and shore
through brittle bone and sinew nesh, 4220
devouring the frail mortal flesh;
and in that cruel mouth unclean
engulfed the jewel's holy sheen.

[O] p. 361:   The Unwritten Cantos

Against the wall then Beren reeled
but still with his left he sought to shield
fair Lúthien, who cried aloud
to see his pain, and down she bowed
in anguish sinking to the ground.

Where the forest-stream went through the wood,
and silent all the stems there stood
of tall trees, moveless, hanging dark
with mottled shadows on their bark
above the green and gleaming river, 5
there came through leaves a sudden shiver,
a windy whisper through the still
cool silences; and down the hill,
as faint as a deep sleeper's breath,
an echo came as cold as death: 10
'Long arc thc paths, of shadow made
where no foot's print is ever laid,
over the hills, across the seas!
Far, far away are the Lands of Ease,
but the Land of the Lost is further yet, 15
where the Dead wait, while ye forget.
No moon is there, no voice, no sound
of beating heart; a sigh profound
once in each age as each age dies
alone is heard. Far, far it lies,
the Land of Waiting where the Dead sit,
in their thought's shadow, by no moon lit.

599

POEMAS ORIGINAIS

4. A Balada de Leithian Recomeçada

[A] pp. 387–405:   1. OF THINGOL IN DORIATH

A king there was in days of old:
ere Men yet walked upon the mould
his power was reared in caverns' shade,
his hand was over glen and glade.
Of leaves his crown, his mantle green,   5
his silver lances long and keen;
the starlight in his shield was caught,
ere moon was made or sun was wrought.
In after-days, when to the shore
of Middle-earth from Valinor   10
the Elven-hosts in might returned,
and banners flew and beacons burned,
when kings of Eldamar went by
in strength of war, beneath the sky
then still his silver trumpets blew   15
when sun was young and moon was new.
Afar then in Beleriand,
in Doriath's beleaguered land,
King Thingol sat on guarded throne
in many-pillared halls of stone: 20
there beryl, pearl, and opal pale,
and metal wrought like fishes' mail,
buckler and corslet, axe and sword,
and gleaming spears were laid in hoard:
all these he had and counted small,   25
for dearer than all wealth in hall,
and fairer than are born to Men,
a daughter had he, Lúthien.

OF LÚTHIEN THE BELOVED

Such lissom limbs no more shall run
on the green earth beneath the sun;   30
so fair a maid no more shall be
from dawn to dusk, from sun to sea.
Her robe was blue as summer skies,
but grey as evening were her eyes;
her mantle sewn with lilies fair,   35
but dark as shadow was her hair.
Her feet were swift as bird on wing,
her laughter merry as the spring;
the slender willow, the bowing reed,
the fragrance of a flowering mead,   40
the light upon the leaves of trees,
the voice of water, more than these
her beauty was and blissfulness,
her glory and her loveliness.

She dwelt in the enchanted land   45
while elven-might yet held in hand

the woven woods of Doriath:
none ever thither found the path
unbidden, none the forest-eaves
dared pass, or stir the listening leaves.   *50*
To North there lay a land of dread,
Dungorthin where all ways were dead
in hills of shadow bleak and cold;
beyond was Deadly Nightshade's hold
in Taur-nu-Fuin's fastness grim,   *55*
where sun was sick and moon was dim.
To South the wide earth unexplored;
to West the ancient Ocean roared,
unsailed and shoreless, wide and wild;
to East in peaks of blue were piled,   *60*
in silence folded, mist-enfurled,
the mountains of the outer world.

Thus Thingol in his dolven hall
amid the Thousand Caverns tall
of Menegroth as king abode: *65*
to him there led no mortal road.
Beside him sat his deathless queen,
fair Melian, and wove unseen
nets of enchantment round his throne,
and spells were laid on tree and stone: *70*
sharp was his sword and high his helm,
the king of beech and oak and elm.
When grass was green and leaves were long,
when finch and mavis sang their song,
there under bough and under sun   *75*
in shadow and in light would run
fair Lúthien the elven-maid,
dancing in dell and grassy glade.

OF DAIRON MINSTREL OF THINGOL

When sky was clear and stars were keen,
then Dairon with his ringers lean,   *80*
as daylight melted into eve,
a trembling music sweet would weave
on flutes of silver, thin and clear
for Lúthien, the maiden dear.

There mirth there was and voices bright;   *85*
there eve was peace and morn was light;
there jewel gleamed and silver wan
and red gold on white fingers shone,
and elanor and niphredil
bloomed in the grass unfading still,   *90*
while the endless years of Elven-land
rolled over far Beleriand,
until a day of doom befell,
as still the elven-harpers tell.

POEMAS ORIGINAIS

2. OF MORGOTH & THE SNARING OF GORLIM

Far in the Northern hills of stone 95
in caverns black there was a throne
by flame encircled; there the smoke
in coiling columns rose to choke
the breath of life, and there in deep
and gasping dungeons lost would creep 100
to hopeless death all those who strayed
by doom beneath that ghastly shade.
A king there sat, most dark and fell
of all that under heaven dwell.
Than earth or sea, than moon or star 105
more ancient was he, mightier far
in mind abysmal than the thought
of Eldar or of Men, and wrought
of strength primeval; ere the stone
was hewn to build the world, alone 110
he walked in darkness, fierce and dire,
burned, as he wielded it, by fire.
He 'twas that laid in ruin black
the Blessed Realm and fled then back
to Middle-earth anew to build 115
beneath the mountains mansions filled
with misbegotten slaves of hate:
death's shadow brooded at his gate.
His hosts he armed with spears of steel
and brands of flame, and at their heel 120
the wolf walked and the serpent crept
with lidless eyes. Now forth they leapt,
his ruinous legions, kindling war
in field and frith and woodland hoar.
Where long the golden elanor 125
had gleamed amid the grass they bore
their banners black, where finch had sung
and harpers silver harps had wrung
now dark the ravens wheeled and cried
amid the reek, and far and wide 130
the swords of Morgoth dripped with red
above the hewn and trampled dead.
Slowly his shadow like a cloud
rolled from the North, and on the proud
that would not yield his vengeance fell; 135
to death or thraldom under hell
all things he doomed: the Northern land
lay cowed beneath his ghastly hand.

But still there lived in hiding cold
Bëor's son, Barahir the bold, 140
of land bereaved and lordship shorn
who once a prince of Men was born,
and now an outlaw lurked and lay
in the hard heath and woodland grey.

AS BALADAS DE BELERIAND

OF THE SAVING OF KING INGLOR FELAGUND
BY THE XII BËORINGS

Twelve men beside him still there went,   145
still faithful when all hope was spent.
Their names are yet in elven-song
remembered, though the years are long
since doughty Dagnir and Ragnor,
Radhruin, Dairuin and Gildor,   150
Gorlim Unhappy, and Urthel,
and Arthad and Hathaldir fell;
since the black shaft with venomed wound
took Belegund and Baragund,
the mighty sons of Bregolas;   155
since he whose doom and deeds surpass
all tales of Men was laid on bier,
fair Beren son of Barahir.
For these it was, the chosen men
of Bëor's house, who in the fen   160
of reedy Serech stood at bay
about King Inglor in the day
of his defeat, and with their swords
thus saved of all the Elven-lords
the fairest; and his love they earned.   165
And he escaping south, returned
to Nargothrond his mighty realm,
where still he wore his crowned helm;
but they to their northern homeland rode,
dauntless and few, and there abode   170
unconquered still, defying fate,
pursued by Morgoth's sleepless hate.

OF TARN AELUIN THE BLESSED

Such deeds of daring there they wrought
that soon the hunters that them sought
at rumour of their coming fled.   175
Though price was set upon each head
to match the weregild of a king,
no soldier could to Morgoth bring
news even of their hidden lair;
for where the highland brown and bare   180
above the darkling pines arose
of steep Dorthonion to the snows
and barren mountain-winds, there lay
a tarn of water, blue by day,
by night a mirror of dark glass   185
for stars of Elbereth that pass
above the world into the West.
Once hallowed, still that place was blest:
no shadow of Morgoth, and no evil thing
yet thither came; a whispering ring   190
of slender birches silver-grey
stooped on its margin, round it lay

POEMAS ORIGINAIS

a lonely moor, and the bare bones
of ancient Earth like standing stones
thrust through the heather and the whin;   195
and there by houseless Aeluin
the hunted lord and faithful men
under the grey stones made their den.

OF GORLIM UNHAPPY

Gorlim Unhappy, Angrim's son,
as the tale tells, of these was one   200
most fierce and hopeless. He to wife,
while fair was the fortune of his life,
took the white maiden Eilinel:
dear love they had ere evil fell.   ·
To war he rode; from war returned   205
to find his fields and homestead burned,
his house forsaken roofless stood,
empty amid the leafless wood;
and Eilinel, white Eilinel,
was taken whither none could tell,   210
to death or thraldom far away.
Black was the shadow of that day
for ever on his heart, and doubt
still gnawed him as he went about
in wilderness wandring, or at night   215
oft sleepless, thinking that she might
ere evil came have timely fled
into the woods: she was not dead,
she lived, she would return again
to seek him, and would deem him slain.   220
Therefore at whiles he left the lair,
and secretly, alone, would peril dare,
and come to his old house at night,
broken and cold, without fire or light,
and naught but grief renewed would gain,   225
watching and waiting there in vain.

In vain, or worse- for many spies
had Morgoth, many lurking eyes
well used to pierce the deepest dark;
and Gorlim's coming they would mark   230
and would report. There came a day
when once more Gorlim crept that way,
down the deserted weedy lane
at dusk of autumn sad with rain
and cold wind whining. Lo! a light   235
at window fluttering in the night
amazed he saw; and drawing near,
between faint hope and sudden fear,
he looked within. 'Twas Eilinel!
Though changed she was, he knew her well.   240
With grief and hunger she was worn,
her tresses tangled, raiment torn;

604

AS BALADAS DE BELERIAND

her gentle eyes with tears were dim,
as soft she wept: 'Gorlim, Gorlim!
Thou canst not have forsaken me.   245
Then slain, alas! thou slain must be!
And I must linger cold, alone,
and loveless as a barren stone!'

One cry he gave- and then the light
blew out, and in the wind of night   250
wolves howled; and on his shoulder fell
suddenly the griping hands of hell.
There Morgoth's servants fast him caught
and he was cruelly bound, and brought
to Sauron captain of the host,   255
the lord of werewolf and of ghost,
most foul and fell of all who knelt
at Morgoth's throne. In might he dwelt
on Gaurhoth Isle; but now had ridden
with strength abroad, by Morgoth bidden   260
to find the rebel Barahir.
He sat in dark encampment near,
and thither his butchers dragged their prey.
There now in anguish Gorlim lay:
with bond on neck, on hand and foot,   265
to bitter torment he was put,
to break his will and him constrain
to buy with treason end of pain.
But naught to them would he reveal
of Barahir, nor break the seal   270
of faith that on his tongue was laid;
until at last a pause was made,
and one came softly to his stake,
a darkling form that stooped, and spake
to him of Eilinel his wife.   275
'Wouldst thou,' he said, 'forsake thy life,
who with few words might win release
for her, and thee, and go in peace,
and dwell together far from war,
friends of the King? What wouldst thou more?'   280
And Gorlim, now long worn with pain,
yearning to see his wife again
(whom well he weened was also caught
in Sauron's net), allowed the thought
to grow, and faltered in his troth.   285
Then straight, half willing and half loath,
they brought him to the seat of stone
where Sauron sat. He stood alone
before that dark and dreadful face,
and Sauron said: 'Come, mortal base!   290
What do I hear? That thou wouldst dare
to barter with me? Well, speak fair!
What is thy price?' And Gorlim low
bowed down his head, and with great woe,
word on slow word, at last implored   295

that merciless and faithless lord
that he might free depart, and might
again find Eilinel the White,
and dwell with her, and cease from war
against the King. He craved no more.　　　　　*300*

Then Sauron smiled, and said: 'Thou thrall!
The price thou askest is but small
for treachery and shame so great!
I grant it surely! Well, I wait:
Come! Speak now swiftly and speak true!'　　　*305*
Then Gorlim wavered, and he drew
half back; but Sauron's daunting eye
there held him, and he dared not lie:
as he began, so must he wend
from first false step to faithless end:　　　　*310*
he all must answer as he could,
betray his lord and brotherhood,
and cease, and fall upon his face.

Then Sauron laughed aloud. 'Thou base,
thou cringing worm! Stand up,　　　　　　*315*
and hear me! And now drink the cup
that I have sweetly blent for thee!
Thou fool: a phantom thou didst see
that I, I Sauron, made to snare
thy lovesick wits. Naught else was there.　　　*320*
Cold 'tis with Sauron's wraiths to wed!
Thy Eilinel! She is long since dead,
dead, food of worms less low than thou.
And yet thy boon I grant thee now:
to Eilinel thou soon shalt go,　　　　　　*325*
and lie in her bed, no more to know
of war- or manhood. Have thy pay!'

And Gorlim then they dragged away,
　　and cruelly slew him; and at last
in the dank mould his body cast,　　　　　*330*
where Eilinellong since had lain
in the burned woods by butchers slain.
Thus Gorlim died an evil death,
and cursed himself with dying breath,
and Barahir at last was caught　　　　　*335*
in Morgoth's snare; for set.at naught
by treason was the ancient grace
that guarded long that lonely place,
Tarn Aeluin: now all laid bare
were secret paths and hidden lair.　　　　*340*

3. OF BEREN SON OF BARAHIR & HIS ESCAPE

Dark from the North now blew the cloud;
the winds of autumn cold and loud
hissed in the heather; sad and grey

AS BALADAS DE BELERIAND

Aeluin's mournful water lay.
'Son Beren', then said Barahir,   345
'Thou knowst the rumour that we hear
of strength from the Gaurhoth that is sent
against us; and our food nigh spent.
On thee the lot falls by our law
to go forth now alone to draw   350
what help thou canst from the hidden few
that feed us still, and what is new
to learn. Good fortune go with thee!
In speed return, for grudgingly
we spare thee from our brotherhood,   355
so small: and Gorlim in the wood
is long astray or dead. Farewell!'
As Beren went, still like a knell
resounded in his heart that word,
the last of his father that he heard.   360

 Through moor and fen, by tree and briar
he wandered far: he saw the fire
of Sauron's camp, he heard the howl
of hunting Orc and wolf a-prowl,
and turning back, for long the way,   365
benighted in the forest lay.
In weariness he then must sleep,
fain in a badger-hole to creep,
and yet he heard (or dreamed it so)
nearby a marching legion go   370
with clink of mail and clash of shields
up towards the stony mountain-fields.
He slipped then into darkness down,
until, as man that waters drown
strives upwards gasping, it seemed to him 375
he rose through slime beside the brim
of sullen pool beneath dead trees.
Their livid boughs in a cold breeze
trembled, and all their black leaves stirred:
each leaf a black and croaking bird,   380
whose neb a gout of blood let fall.
He shuddered, struggling thence to crawl
through winding weeds, when far away
he saw a shadow faint and grey
gliding across the dreary lake.   385
Slowly it came, and softly spake:
'Gorlim I was, but now a wraith
of will defeated, broken faith,
traitor betrayed. Go! Stay not here!
Awaken, son of Barahir,   390
and haste! For Morgoth's fingers close
upon thy father's throat; he knows
your trysts, your paths, your secret lair.'
Then he revealed the devil's snare
in which he fell, and failed; and last   395
begging forgiveness, wept, and passed

POEMAS ORIGINAIS

out into darkness. Beren woke,
leapt up as one by sudden stroke
with fire of anger filled. His bow
and sword he seized, and like the roe 400
hotfoot o'er rock and heath he sped
before the dawn. Ere day was dead
to Aeluin at last he came,
as the red sun westward sank in flame;
but Aeluin was red with blood, 405
red were the stones and trampled mud.
Black in the birches sat a-row
the raven and the carrion crow;
wet were their nebs, and dark the meat
that dripped beneath their griping feet. 410
One croaked: 'Ha, ha, he comes too late!'
'Ha, ha!' they answered, 'ha! too late!'
There Beren laid his father's bones
in haste beneath a cairn of stones;
no graven rune nor word he wrote 415
o'er Barahir, but thrice he smote
the topmost stone, and thrice aloud
he cried his name. 'Thy death', he vowed,
'I will avenge. Yea, though my fate
should lead at last to Angband's gate.' 420
And then he turned, and did not weep:
too dark his heart, the wound too deep.
Out into night, as cold as stone,
loveless, friendless, he strode alone.

Of hunter's lore he had no need 425
the trail to find. With little heed
his ruthless foe, secure and proud,
marched north away with blowing loud
of brazen horns their lord to greet,
trampling the earth with grinding feet. 430
Behind them bold but wary went
now Beren, swift as hound on scent,
until beside a darkling well,
where Rivil rises from the fell
down into Serech's reeds to flow, 435
he found the slayers, found his foe.
From hiding on the hillside near
he marked them all: though less than fear,
too many for his sword and bow
to slay alone. Then, crawling low 440
as snake in heath, he nearer crept.
There many weary with marching slept,
but captains, sprawling on the grass,
drank and from hand to hand let pass
their booty, grudging each small thing 445
raped from dead bodies. One a ring
held up, and laughed: 'Now, mates,' he cried
'here's mine! And I'll not be denied,
though few be like it in the land.

608

For I 'twas wrenched it from the hand   450
of that same Barahir I slew,
the robber-knave. If tales be true,
he had it of some elvish lord,
for the rogue-service of his sword.
No help it gave to him- he's dead.   455
They're parlous, elvish rings, 'tis said;
still for the gold I'll keep it, yea
and so eke out my niggard pay.
Old Sauron bade me bring it back,
and yet, methinks, he has no lack   460
of weightier treasures in his hoard:
the greater the greedier the lord!
So mark ye, mates, ye all shall swear
the hand of Barahir was bare!'
And as he spoke an arrow sped   465
from tree behind, and forward dead
choking he fell with barb in throat;
with leering face the earth he smote.
Forth, then as wolfhound grim there leapt
Beren among them. Two he swept   470
aside with sword; caught up the ring;
slew one who grasped him; with a spring
back into shadow passed, and fled
before their yells of wrath and dread
of ambush in the valley rang.   475
Then after him like wolves they sprang,
howling and cursing, gnashing teeth,
hewing and bursting through the heath,
shooting wild arrows, sheaf on sheaf,
at trembling shade or shaken leaf.   480
In fateful hour was Beren born:
he laughed at dart and wailing horn;
fleetest of foot of living men,
tireless on fell and light on fen,
elf-wise in wood, he passed away,   485
defended by his hauberk grey
of dwarvish craft in Nogrod made,
where hammers rang in cavern's shade.

    As fearless Beren was renowned:
when men most hardy upon ground   490
were reckoned folk would speak his name,
foretelling that his after-fame
would even golden Hador pass
or Barahir and Bregolas;
but sorrow now his heart had wrought   495
to fierce despair, no more he fought
in hope of life or joy or praise,
but seeking so to use his days
only that Morgoth deep should feel
the sting of his avenging steel,   500
ere death he found and end of pain :
his only fear was thraldom's chain.

POEMAS ORIGINAIS

Danger he sought and death pursued,
and thus escaped the doom he wooed,
and deeds of breathless daring wrought   505
alone, of which the rumour brought
new hope to many a broken man.
They whispered 'Beren', and began
in secret swords to whet, and soft
by shrouded hearths at evening oft   510
songs they would sing of Beren's bow,
of Dagmor his sword: how he would go
silent to camps and slay the chief,
or trapped in his hiding past belief
would slip away, and under night   515
by mist or moon, or by the light
of open day would come again.
Of hunters hunted, slayers slain
they sang, of Gorgol the Butcher hewn,
of ambush in Ladros, fire in Drûn,   520
of thirty in one battle dead,
of wolves that yelped like curs and fled,
yea, Sauron himself with wound in hand.
Thus one alone filled all that land
with fear and death for Morgoth's folk;   525
his comrades were the beech and oak
who failed him not, and wary things
with fur and fell and feathered wings
that silent wander, or dwell alone
in hill and wild and waste of stone   530
watched o'er his ways, his faithful friends.

Yet seldom well an outlaw ends;
and Morgoth was a king more strong
than all the world has since in song
recorded: dark athwart the land   535
reached out the shadow of his hand,
at each recoil returned again;
two more were sent for one foe slain.
New hope was cowed, all rebels killed;
quenched were the fires, the songs were stilled,   540
tree felled, heath burned, and through the waste
marched the black host of Orcs in haste.
Almost they closed their ring of steel
round Beren; hard upon his heel
now trod their spies; within their hedge   545
of all aid shorn, upon the edge
of death at bay he stood aghast
and knew that he must die at last,
or flee the land of Barahir,
his land beloved. Beside the mere   550
beneath a heap of nameless stones
must crumble those once mighty bones,
forsaken by both son and kin,
bewailed by reeds of Aeluin.

In winter's night the houseless North 555
he left behind, and stealing forth
the leaguer of his watchful foe
he passed - a shadow on the snow,
a swirl of wind, and he was gone,
the ruin of Dorthonion, 560
Tarn Aeluin and its water wan,
never again to look upon.
No more shall hidden bowstring sing,
no more his shaven arrows wing,
no more his hunted head shall lie 565
upon the heath beneath the sky.
The Northern stars, whose silver fire
of old Men named the Burning Briar,
were set behind his back, and shone
o'er land forsaken: he was gone. 570

Southward he turned, and south away
his long and lonely journey lay,
while ever loomed before his path
the dreadful peaks of Gorgorath.
Never had foot of man most bold 575
yet trod those mountains steep and cold,
nor climbed upon their sudden brink,
whence, sickened, eyes must turn and shrink
to see their southward cliffs fall sheer
in rocky pinnacle and pier
down into shadows that were laid
before the sun and moon were made.
In valleys woven with deceit
and washed with waters bitter-sweet
dark magic lurked in gulf and glen; 585
but out away beyond the ken
of mortal sight the eagle's eye
from dizzy towers that pierced the sky
might grey and gleaming see afar,
as sheen on water under star, 590
Beleriand, Beleriand,
the borders of the Elven-land.

4. OF THE COMING OF BEREN TO DORIATH; BUT FIRST IS TOLD OF THE MEETING OF MELIAN AND THINGOL

There long ago in Elder-days
ere voice was heard or trod were ways,
the haunt of silent shadows stood 595
in starlit dusk Nan Elmoth wood.
In Elder-days that long are gone
a light amid the shadows shone,
a voice was in the silence heard:
the sudden singing of a bird. 600
There Melian came, the Lady grey,
and dark and long her tresses lay

beneath her silver girdle-seat
and down unto her silver feet.
The nightingales with her she brought, 605
to whom their song herself she taught,
who sweet upon her gleaming hands
had sung in the immortal lands.
Thence wayward wandering on a time
from Lórien she dared to climb 610
the everlasting mountain-wall
of Valinor, at whose feet fall
the surges of the Shadowy Sea.
Out away she went then free,
to gardens of the Gods no more 615
returning, but on mortal shore,
a glimmer ere the dawn she strayed,
singing her spells from glade to glade.
A bird in dim Nan Elmoth wood
trilled, and to listen Thingol stood 620
amazed; then far away he heard
a voice more fair than fairest bird,
a voice as crystal clear of note
as thread of silver glass remote.

Of folk and kin no more he thought; 625
of errand that the Eldar brought
from Cuiviénen far away,
of lands beyond the Seas that lay
no more he reeked, forgetting all,
drawn only by that distant call 630
till deep in dim Nan Elmoth wood
lost and beyond recall he stood.
And there he saw her, fair and fay:
Ar-Melian, the Lady grey,
as silent as the windless trees, 635
standing with mist about her knees,
and in her face remote the light
of Lórien glimmered in the night.
No word she spoke; but pace by pace,
a halting shadow, towards her face 640
forth walked the silver-mantled king,
tall Elu Thingol. In the ring
of waiting trees he took her hand.
One moment face to face they stand
alone, beneath the wheeling sky, 645
while starlit years on earth go by
and in Nan Elmoth wood the trees
grow dark and tall. The murmuring seas
rising and falling on the shore
and Ulmo's horn he heeds no more. 650

But long his people sought in vain
their lord, till Ulmo called again,
and then in grief they marched away,
leaving the woods. To havens grey

AS BALADAS DE BELERIAND

upon the western shore, the last   655
long shore of mortal lands, they passed,
and thence were borne beyond the Sea
in Aman, the Blessed Realm, to be
by evergreen Ezellohar
in Valinor, in Eldamar.   660

[B] pp. 410–14:   In later days, when Morgoth fled
from wrath and raised once more his head
and Iron Crown, his mighty seat
beneath the smoking mountain's feet
founded and fortified anew,   5
then slowly dread and darkness grew:
the Shadow of the North that all
the Folk of Earth would hold in thrall.
The lords of Men to knee he brings,
the kingdoms of the Exiled Kings   10
assails with ever-mounting war:
in their last havens by the shore
they dwell, or strongholds walled with fear
defend upon his borders drear,
till each one falls. Yet reign there still   15
in Doriath beyond his will ·
the Grey King and immortal Queen.
No evil in their realm is seen;
no power their might can yet surpass:
there still is laughter and green grass,   20
there leaves are lit by the white sun,
and many marvels are begun.

   There went now in the Guarded Realm
beneath the beech, beneath the elm,
there lightfoot ran now on the green   25
the daughter of the king and queen:
of Arda's eldest children born
in beauty of their elven-morn
and only child ordained by birth
to walk in raiment of the Earth   30
from Those descended who began
before the world of Elf and Man.

   Beyond the bounds of Arda far
still shone the Legions, star on star,
memorials of their labour long,   35
achievement of Vision and of Song;
and when beneath their ancient light
on Earth below was cloudless night,
music in Doriath awoke,
and there beneath the branching oak,   40
or seated on the beech-leaves brown,
Daeron the dark with ferny crown
played on his pipes with elvish art
unbearable by mortal heart.
No other player has there been,   45

613

POEMAS ORIGINAIS

no other lips or fingers seen
so skilled, 'tis said in elven-lore,
save Maelor* son of Fëanor,
forgotten harper, singer doomed,
who young when Laurelin yet bloomed   50
to endless lamentation passed
and in the tombless sea was cast. t
But Daeron in his heart's delight
yet lived and played by starlit night,
until one summer-eve befell,   55
as still the elven harpers tell.
Then merrily his piping trilled;
the grass was soft, the wind was stilled,
the twilight lingered faint and cool
in shadow-shapes upon the pool!   60
beneath the boughs of sleeping trees
standing silent. About their knees
a mist of hemlocks glimmered pale,
and ghostly moths on lace-wings frail
went to and fro. Beside the mere   65
quickening, rippling, rising clear
the piping called. Then forth she came,
as sheer and sudden as a flame
of peerless white the shadows cleaving,
her maiden-bower on white feet leaving;   70
and as when summer stars arise
radiant into darkened skies,
her living light on all was cast
in fleeting silver as she passed.
There now she stepped with elven pace,   75
bending and swaying in her grace,
as half-reluctant; then began
to dance, to dance: in mazes ran
bewildering, and a mist of white
was wreathed about her whirling flight.   80
Wind-ripples on the water flashed,
and trembling leaf and flower were plashed
with diamond-dews, as ever fleet
and fleeter went her wingéd feet.

    Her long hair as a cloud was streaming   85
about her arms uplifted gleaming,
as slow above the trees the Moon
in glory of the plenilune
arose, and on the open glade
its light serene and clear was laid.   90
Then suddenly her feet were stilled,
and through the woven wood there thrilled,
half wordless, half in elven-tongue,
her voice upraised in blissful song
that once of nightingales she learned   95
and in her living joy had turned
to heart-enthralling loveliness,
unmarred, immortal, sorrowless.

AS BALADAS DE BELERIAND

lr lthil ammen Eruchín
menel-vîr síla díriel   *100*
si loth a galadh lasto dîn!
A Hír Annûn gilthoniel,
le linnon im Tinúviel!

   O elven-fairest Lúthien
what wonder moved thy dances then?   *105*
That night what doom of Elvenesse
enchanted did thy voice possess?
Such marvel shall there no more be
on Earth or west beyond the Sea,
at dusk or dawn, by night or noon   *110*
or neath the mirror of the moon!
On Neldoreth was laid a spell;
the piping into silence fell,
for Daeron cast his flute away,
unheeded on the grass it lay,   *115*
in wonder bound as stone he stood
heart-broken in the listening wood.
And still she sang above the night,
as light returning into light
upsoaring from the world below   *120*
when suddenly there came a slow
dull tread of heavy feet on leaves,
and from the darkness on the eaves
of the bright glade a shape came out
with hands agrope, as if in doubt   *125*
or blind, and as it stumbling passed
under the moon a shadow cast
bended and darkling. Then from on high
as lark falls headlong from the sky
the song of Lúthien fell and ceased;   *130*
but Daeron from the spell released
awoke to fear, and cried in woe:
'Flee Lúthien, ah Lúthien go!
An evil walks the wood! Away!'
Then forth he fled in his dismay   *135*
ever calling her to follow him,
until far off his cry was dim
'Ah flee, ah flee now, Lúthien!'
But silent stood she in the glen
unmoved, who never fear had known,   *140*
as slender moonlit flower alone,
white and windless with upturned face
waiting

[C] p. 414   *Then Thingol said: 'O Dairon wise,*
with wary ears and watchful eyes,
who all that passes in this land
dost ever heed and understand,
what omen doth this silence bear?

[D] pp. 414–15:   *beneath the trees of Ennorath.*
Would it were so! An age now hath

POEMAS ORIGINAIS

> gone by since Nahar trod this earth
> in days of our peace and ancient mirth,
> ere rebel lords of Eldamar
> pursuing Morgoth from afar
> brought war and ruin to the North.
> Doth Tauros to their aid come forth?
> But if not he, who comes or what?'
> And Dairon said: 'He cometh not!
> No feet divine shall leave that shore
> where the Outer Seas' last surges roar,
> till many things be come to pass,
> and many evils wrought. Alas!
> the guest is here. The woods are still,
> but wait not; for a marvel chill
> them holds at the strange deeds they see,
> though king sees not — yet queen, maybe,
> can guess, and maiden doubtless knows
> who ever now beside her goes.'

[E] p. 415:

> But Dairon looked on Lúthien's face
> and faltered, seeing his disgrace
> in those clear eyes. He spoke no more,
> and silent Thingol's anger bore.

[F] p. 415:

> I now must go to my long rest
> in Aman, there beyond the shore
> of Eldamar for ever more
> in memory to dwell.' Thus died the king,
> as still the elven harpers sing.

[G] pp. 416–19:

> Songs have recalled, by harpers sung
> long years ago in elven tongue,
> how Lúthien and Beren strayed
> in Sirion's vale; and many a glade
> they filled with joy, and there their feet   5
> passed by lightly, and days were sweet.
> Though winter hunted through the wood,
> still flowers lingered where they stood.
> Tinúviel! Tinúviel!
> Still unafraid the birds now dwell   10
> and sing on boughs amid the snow
> where Lúthien and Beren go.
>
> From Sirion's Isle they passed away,
> but on the hill alone there lay
> a green grave, and a stone was set,   15
> and there there lie the white bones yet
> of Finrod fair, Finarfin's son,
> unless that land be changed and gone,
> or foundered in unfathomed seas,
> while Finrod walks beneath the trees   20
> in Eldamar* and comes no more
> to the grey world of tears and war.

AS BALADAS DE BELERIAND

To Nargothrond no more he came
but thither swiftly ran the fame
of their dead king and his great deed,　　25
how Lúthien the Isle had freed:
the Werewolf Lord was overthrown,
and broken were his towers of stone.
For many now came home at last
who long ago to shadow passed;　　30
and like a shadow had returned
Huan the hound, though scant he earned
or praise or thanks of Celegorm.
There now arose a growing storm,
a clamour of many voices loud,　　35
and folk whom Curufin had cowed
and their own king had help denied,
in shame and anger now they cried:
'Come! Slay these faithless lords untrue!
Why lurk they here? What will they do,　　40
but bring Finarfin's kin to naught,
treacherous cuckoo-guests unsought?
Away with them!' But wise and slow
Orodreth spoke: 'Beware, lest woe
and wickedness to worse ye bring!　　45
Finrod is fallen. I am king.
But even as he would speak, I now
command you. I will not allow
in Nargothrond the ancient curse
from evil unto evil worse　　50
to work. With tears for Finrod weep
repentant! Swords for Morgoth keep!
No kindred blood shall here be shed.
Yet here shall neither rest nor bread
the brethren find who set at naught　　55
Finarfin's house. Let them be sought,
unharmed to stand before me! Go!
The courtesy of Finrod show!'

In scorn stood Celegorm, unbowed,
with glance of fire in anger proud　　60
and menacing; but at his side
smiling and silent, wary-eyed,
was Curufin, with hand on haft
of his long knife. And then he laughed,
and 'Well?' said he. 'Why didst thou call　　65
for us, Sir Steward? In thy hall
we are not wont to stand. Come, speak,
if aught of us thou hast to seek!'

Cold words Orodreth answered slow:
'Before the king ye stand. But know,　　70
of you he seeks for naught. His will
ye come to hear, and to fulfil.
Be gone for ever, ere the day
shall fall into the sea! Your way

617

POEMAS ORIGINAIS

shall never lead you hither more,
nor any son of Fëanor;
of love no more shall there be bond
between your house and Nargothrond!'

    'We will remember it,' they said,
and turned upon their heels, and sped,
saddled their horses, trussed their gear,
and went with hound and bow and spear,
alone; for none of all the folk
would follow them. No word they spoke,
but sounded horns, and rode away
like wind at end of stormy day.

    Towards Doriath the wanderers now
were drawing nigh. Though bare was bough,
and winter through the grasses grey
went hissing chill, and brief was day,
they sang beneath the frosty sky
above them lifted clear and high.
They came to Mindeb swift and bright
that from the northern mountains' height
to Neldoreth came leaping down
with noise among the boulders brown,
but into sudden silence fell,
passing beneath the guarding spell
that Melian on the borders laid
of Thingol's land. There now they stayed;
for silence sad on Beren fell.
Unheeded long, at last too well
he heard the warning of his heart:
alas, beloved, here we part.
'Alas, Tinúviel,' he said,
'this road no further can we tread
together, no more hand in hand
can journey in the Elven-land.'
'Why part we here? What dost thou say,
even at dawn of brighter day?'

[H] pp. 419–20:   My word, alas! I now must keep,
and not the first of men must weep
for oath in pride and anger sworn.
Too brief the meeting, brief the morn,
too soon comes night when we must part!
All oaths are for breaking of the heart,
with shame denied, with anguish kept.
Ah! would that now unknown I slept
with Barahir beneath the stone,
and thou wert dancing still alone,
unmarred, immortal, sorrowless,
singing in joy of Elvenesse.'

    'That may not be. For bonds there are
stronger than stone or iron bar,

75

80

85

90

95

100

105

110

5

10

AS BALADAS DE BELERIAND

> *more strong than proudly spoken oath.*   *15*
> *Have I not plighted thee my troth?*
> *Hath love no pride nor honour then?*
> *Or dost thou deem then Lúthien*
> *so frail of purpose, light of love?*
> *By stars of Elbereth above!*   *20*
> *If thou wilt here my hand forsake*
> *and leave me lonely paths to take,*
> *then Lúthien will not go home...*

[I] p. 420

> *In rage and haste*
> *thus madly eastward they now raced,*
> *to find the old and perilous path*
> *between the dreadful Gorgorath*
> *and Thingol's realm. That was their road*
> *most swift to where their kin abode*
> *far off, where Himring's watchful hill*
> *o'er Aglon's gorge hung tall and still.*
>
> *They saw the wanderers. With a shout*
> *straight on them turned their steeds about ...*

[J] p. 421:

> *the Silmarils with living light*
> *were kindled clear, and waxing bright*
> *shone like the stars that in the North*
> *above the reek of earth leap forth.*

[K] p. 421:

> *In claws of iron the gem was caught;*
> *the knife them rent, as they were naught*
> *but brittle nails on a dead hand.*
> *Behold! the hope of Elvenland,*
> *the fire of Fëanor, Light of Morn*   *5*
> *before the sun and moon were born,*
> *thus out of bondage came at last,*
> *from iron to mortal hand it passed.*
> *There Beren stood. The jewel he held,*
> *and its pure radiance slowly welled*   *10*
> *through flesh and bone, and turned to fire*
> *with hue of living blood. Desire*
> *then smote his heart their doom to dare,*
> *and from the deeps of Hell to bear*
> *all three immortal gems, and save*   *15*
> *the elven-light from Morgoth's grave.*
> *Again he stooped; with knife he strove;*
> *through band and claw of iron it clove.*
> *But round the Silmarils dark Fate*
> *was woven: they were meshed in hate,*   *20*
> *and not yet come was their doomed hour*
> *when wrested from the fallen power*
> *of Morgoth in a ruined world,*
> *regained and lost, they should be hurled*
> *in fiery gulf and groundless sea,*   *25*
> *beyond recall while Time shall be.*

POEMAS ORIGINAIS

[L] pp. 421–22:
At last before them far away
they saw a glimmer, faint and grey
of ghostly light that shivering fell
down from the yawning gates of Hell.
Then hope awoke, and straightway died —
the doors were open, gates were wide;
but on the threshold terror walked.
[os dois versos seguintes devem estar entre {}]
{ The dreadful wolf awake there stalked }
The wolf awake there watchful stalked
[fim dos versos que devem estar entre {}]
and in his eyes the red fire glowered;
there Carcharoth in menace towered,
a waiting death, a biding doom:

and Beren in despair then strode
past Lúthien to bar the road,
unarmed, defenceless, to defend
the elven-maid until the end.

Este livro foi impresso em 2023, pela Leograf, para a HarperCollins Brasil. A fonte usada no miolo é Garamond corpo 10. O papel do miolo é pólen natural 70 g/m² e o da capa é couchê 150 g/m².